Helga Embacher
Neubeginn ohne Illusionen

Helga Embacher

Neubeginn ohne Illusionen

Juden in Österreich nach 1945

Picus Verlag Wien

Gedruckt mit freundlicher Unterstützung der Stiftungsförderungsgesellschaft
der Universität Salzburg und des Bundesministeriums für Wissenschaft,
Forschung und Kunst

Umschlagabbildung:
Sederabend bei jüdischen Flüchtlingen, 1946

Die Deutsche Bibliothek – CIP-Einheitsaufnahme

Embacher, Helga:
Neubeginn ohne Illusionen : Juden in Österreich nach 1945 /
Helga Embacher. Vorw. von Leon Zelman und Paul Grosz. – Wien :
Picus Verl., 1995
ISBN 3-85452-290-8

Graphische Gestaltung: Dorothea Löcker, Wien
Umschlagabbildung: Israelitische Kultusgemeinde Salzburg
Satz: Vogel Medien GmbH, Korneuburg
Druck und Verarbeitung: Remaprint, Wien
ISBN 3-85452-290-8

Inhalt

Zum Geleit

Die Geschichte und die Geschicke der Juden und ihrer Institutionen in Österreich nach 1945 sind ein bis dato noch nicht erschöpfend behandeltes geschichtliches Potential, dessen Aufarbeitung Helga Embacher sich zur Aufgabe gestellt hat. Ihre Arbeit scheint mir in zweierlei Hinsicht von großer Bedeutung.

Zum einen dient sie einer objektiveren Beurteilung einer Entwicklung, die einer wiedererstehenden jüdischen Gemeinde nach 1945 eine vielleicht fragwürdige Kontinuität zur Vorkriegs-IKG zuordnet.

Zum anderen dient diese umfangreiche, mit großer Liebe zum Detail geschilderte Nachkriegsgeschichte dem besseren Verständnis unserer Gemeinde, die als Israelitische Kultusgemeinde die gesetzliche Alleinvertretung der Juden für sich in Anspruch nimmt.

Die grundlegenden Tatsachen sind weithin bekannt:

Vor Hitlers Einmarsch gab es eine blühende, wohlhabende und selbstbewußte jüdische Gemeinde, die ein nicht immer problemloses, aber immerhin positives Verhältnis zu ihrer nichtjüdischen Umgebung hatte. Auf kultureller, wissenschaftlicher und politischer Ebene einerseits und im Handel und Wandel einer durchaus emanzipierten jüdischen Bürgerschaft andererseits hat diese Gemeinde ihren Einfluß auf all diesen Gebieten in Österreich durchaus erfolgreich geltend gemacht.

Die Vertreibung der österreichischen Juden und schließlich die Vernichtung von rund einem Drittel der jüdischen Wohnbevölkerung in Österreich, die nicht rechtzeitig fliehen konnten oder in ihrer Flucht nicht weit genug kamen, um der vorrückenden deutschen Armee zu entgehen, war der letzte Schritt in einer Abfolge von Entrechtung und Ausplünderung bis zum Verlust von Leib und Leben und für Überlebende auch der Verlust der Heimat.

Zurückgeblieben sind einige tausend Juden, die in sogenannten »Mischehen«-Familien lebten, einige hundert »Funktionsjuden« und stumme Zeugen der Vernichtung einer über die Jahrhunderte entwickelten Kultur und enormer Vermögenswerte aus dem Besitz der Kultusgemeinde und in weit größerem Maße natürlich solche von vertriebenen, entrechteten jüdischen Bürgern Österreichs.

Die Vermögenswerte der Kultusgemeinde wurden beschlagnahmt, das individuelle Eigentum der jüdischen Bürger »arisiert«, die Kultusgemeinde in ihrer Rechtsfähigkeit eingeschränkt und die »Funktionsjuden« für Zwecke des »Tausendjährigen Reichs« mißbraucht.

Diese einst vielleicht reichste jüdische Gemeinde in Europa war all ihrer materiellen und ideellen Werte beraubt und in ihrer Grundstruktur zerstört, als 1945, nach dem Zusammenbruch des »Dritten Reiches«, die Gegenwart und die Zukunft dieser jüdischen Gemeinde neu entschieden werden mußte.

Im Spannungsfeld der österreichischen Nachkriegsgeschichte sind die Fragen von Vergangenheitsbewältigung einerseits und Wiedergutmachung für Nazi-Opfer andererseits zu einem auch 50 Jahre danach nicht beendeten Wechselspiel der Beziehungen zwischen den überlebenden Juden und der Republik Österreich geworden. Für uns Juden ist darin die Ursache für ein Gutteil jener Frustration zu finden, die bis heute in immer wiederkehrenden, unbefriedigenden Versuchen der Republik Österreich gipfeln, Fragen einer Wiedergutmachung in Balance zwischen Moral und Politik zu setzen.

Die Geschichte der jüdischen Gemeinde, insbesondere auch die Geschichte der Israelitischen Kultusgemeinde, ist von diesen Fragen entscheidend geprägt worden.

Heute wissen wir, daß überlebende österreichische Juden in ihrer überwiegenden Mehrheit nicht nach Österreich zurückgekommen sind, nicht weil die objektiv schlechten wirtschaftlichen Verhältnisse in Österreich nach dem Zusammenbruch der Naziherrschaft bis in die späten fünfziger Jahre hinein Österreich wenig attraktiv erscheinen ließen, sondern weil die Österreicher ganz offensichtlich die heimkehrenden Juden nicht mit offenen Armen, sehr oft aber mit offener Ablehnung empfangen haben. Diese Haltung gegenüber den Juden war in Regierungskreisen nicht weniger manifest als bei der sprichwörtlichen »Hausmeisterin« und ihrem Pendant, dem »Herrn Karl«.

Der psychologische Reflex auf diese Umstände schlägt sich in der Kultusgemeinde deutlich nieder. Das Gefühl der Resignation, die Aufgabe jedes noch so minimalen Versuchs, an einen zukunftsorientierten Wiederaufbau zu denken, breitet sich auf allen Ebenen jüdischen Lebens in Österreich aus, insbesondere hier in Wien.

Noch wesentlicher allerdings als die materielle und wohl auch ideelle Komponente unserer Geschichte ist, daß das Überleben der jüdischen Gemeinde in Österreich nach 1945 nicht von Zuwendungen des Joint oder der öffentlichen Hand, nicht von der Teilnahme der wenigen überlebenden österreichischen Juden – soweit sie dazu imstande waren – am österreichischen Wiederaufbau abhing, sondern von der simplen, wenngleich entscheidenden Tatsache, daß die Zuwanderung der Juden nach 1945, aus den DP-Lagern und in rascher Abfolge schon 1945–1950 aus Polen, aus Rumänien, 1956 aus Ungarn, zwischendurch aus der ČSSR bis zum »Prager Frühling« 1968 und schließlich von Tausenden Juden aus der ehemaligen Sowjetunion, erfolgte, die hier ansässig wurden.

Mit einer Zeitverzögerung von etwa 20 bis 30 Jahren haben die Zuwanderer-Gruppen – in Realität natürlich Einzelpersonen – die Möglichkeiten der Integration in die Gemeinde für sich voll in Anspruch genommen. Hand in Hand mit der zunehmend sozialen Besserstellung und dem Gefühl, hier zu Hause zu sein, haben die Menschen begonnen, in Mauern zu investieren. Das Leben auf Koffern sitzend, das für diese Gruppe von Menschen für viele Jahre typisch gewesen ist, wurde abgelöst von den vielfältigen, meist erfolgreichen Versuchen, hier in Österreich Wurzeln zu schlagen. Dies gilt natürlich in unterschiedlichem Maße, je nach Herkunft und sozialem Status. Die gesellschaftliche Stellung im Herkunftsland, die Erhaltung oder Wiedergewinnung dieses Status auch in Österreich war Ziel aller Bemühungen, so schnell wie möglich auch in der neuen Umgebung, beim neuen Nachbarn anerkannt zu werden.

Die Israelitische Kultusgemeinde hat auf diese Erkenntnisse reagiert. Das System der jüdischen Schulen in Wien war eine Antwort auf diese Bedürfnisse. Eine weitere Herausforderung, der sich die Kultusgemeinde gegenüber sah und der sie sich stellen mußte, war die Öffnung der Leitungsgremien dieser Gemeinde und die Einladung an die Zuwanderer, an freien, geheimen, demokratischen Wahlen für den Kultusvorstand teilzunehmen. Ziel dieser Bemühungen war es, die Integration auch auf gemeindepolitischem Gebiet voranzutreiben.

Es war ein weiter Weg von den Tagen nach der Befreiung 1945 bis heute – weit, verschlungen, und das Ziel war nicht immer leicht im Auge zu behalten.

Aber all das hat dieses umfangreiche historische Werk sich zur Auf-

gabe gemacht für den interessierten Leser aufzubereiten und darzule-
gen.

Hofrat Paul Grosz
Präsident der Israelitischen Kultusgemeinde Wien
Wien, im September 1995

Vorwort

Wenn ich heute einstige Wienerinnen und Wiener, die das Jewish Welcome Service zu einem Besuch in die Stadt ihrer Jugend eingeladen hat, in die Synagoge führe, wenn sie dort einen Rabbiner treffen, wenn sie auf der Straße orthodoxen Juden begegnen, wenn ich ihnen stolz das Chajes-Gymnasium, die Thalmud-Thora-Schule, das neue jüdische Museum zeige, wenn ich ihnen von den kulturellen Aktivitäten der jüdischen Gemeinde erzähle, dann glauben sie ihren Augen und Ohren nicht trauen zu können – und tatsächlich grenzt die Entfaltung der selbstbewußten Wiener jüdischen Gemeinde an ein Wunder.

Als ich, knapp achtzehnjährig, im April 1946 – fast ein Jahr nach der Befreiung aus dem KZ Ebensee – aus Bad Goisern kommend, wo man mich, einen todkranken und völlig entkräfteten Überlebenden, wieder aufgepäppelt hatte, in den Ruinen des Westbahnhofs stand, hätte ich mir eine solche Prosperität auch in meinen kühnsten Träumen nicht auszumalen getraut.

Hitlers irre Phantasmagorie einer »judenfreien« Stadt war fast Wirklichkeit geworden. Die wenigen der 1938 noch 180.000 Mitglieder zählenden jüdischen Gemeinde, die noch da waren, sahen zu, daß sie wegkamen.

Auch für die Flüchtlinge aus dem Osten – von 1945 bis 1948 etwa 100.000 polnische, ungarische, tschechische und rumänische Juden – war Wien nur »Drehtür«, Durchgangsstation und Tor zum Westen. Umgekehrt war Wien der östlichste Stützpunkt der westlichen Hilfsorganisationen. Es gab große Auffanglager, wie etwa das Rothschild-Spital. Die amerikanische Zone war das Zentrum der »Bricha«, der jüdischen Einwanderungsbewegung, die Juden illegal aus Osteuropa nach Österreich und weiter nach Palästina schleuste. Der ORT (Organization for Rehabilitation and Training), in Wien ursprünglich zur Berufsausbildung und Umschulung von KZ-Rückkehrern gegründet, nahm sich vor allem dieser jüdischen Displaced Persons an, um sie auf die Weiterreise nach Palästina, in die USA oder nach Australien und den Neuanfang dort vorzubereiten.

Die meisten waren nur zurückgekommen, um nach überlebenden

Familienangehörigen und Freunden zu suchen. Als sie nach und nach das wahre Ausmaß der Katastrophe erkennen mußten, resignierten viele und waren zu müde, um weiterzuziehen. Manche waren zu alt, zu krank und hatten einfach nicht mehr die Kraft, um die beschwerliche Reise nach Palästina antreten zu können. Viele wußten auch nicht, wohin.

Jene, die sich darin fügen mußten, sich hier einzurichten, die sich damit abgefunden hatten, hierzubleiben, bildeten den Kern der heutigen jüdischen Gemeinde.

Die Hilfsorganisation »Joint« versorgte uns mit Kleidern und Lebensmitteln, gab uns ein wenig Geld. Einmal im Monat kam das Carepaket, eine ansehnliche Schachtel mit Lebensmitteln, vierzig Zentimeter im Quadrat und ebenso hoch.

Langsam formten sich einige für unser damaliges Leben und Überleben wichtige Knotenpunkte in der Stadt: In der Kleinen Pfarrgasse in der Leopoldstadt – in der russischen Zone also – war die Essensausgabe des »Joint«; in der Seitenstettengasse und damit in der internationalen Zone befand sich die Kleiderausgabestelle der Kultusgemeinde; in der Währinger Straße war das zentrale Büro des »Joint« untergebracht, wo wir Sprachkurse absolvierten; das große Lebensmittellager des »Joint« in der Pramergasse, ebenfalls im neunten Bezirk, zog uns immer magisch an; im Café Blumenfeld am Urban-Loritz-Platz trafen sich die Sportler des wiedergegründeten S. C. Hakoah, auch Purim-Feste und Zusammenkünfte aller Art fanden dort statt. Aus diesen informellen Treffpunkten und Kommunikationsorten entwickelte sich nach und nach so etwas wie eine lebendige Infrastruktur.

Beim ersten Anblick der zum Teil noch in Trümmern liegenden Stadt war mir eine – damals reichlich absurde – Idee eingeschossen: Ich wollte meinen Teil dazu beitragen, daß Wien wieder zu einem lebenswerten, auch für Juden lebenswerten Platz werde. Es war einiges an Arbeit und Anstrengung nötig. Ich fand Menschen, die mir die Hand reichten und mir halfen. Es hat sich gelohnt.

Heute ist die jüdische Gemeinde wieder im Leben der Stadt präsent, die kulturellen Aktivitäten, von der Israelitischen Kultusgemeinde in enger Zusammenarbeit mit den Stadtverantwortlichen organisiert, sind Ausdruck eines blühenden Gemeindelebens. Das unschätzbare Verdienst, die harten ersten Jahre wissenschaftlich aufgearbeitet sowie detail- und kenntnisreich dokumentiert zu haben, kommt Helga Embacher zu. Es kann ihr gar nicht hoch genug angerechnet werden.

Leon Zelman
Jewish Welcome Service Vienna

Einleitung

Mit 10 Reichsmark im Rucksack konnte der Mittelschüler Otto L. mit seinem Vater noch im letzten Moment nach Palästina flüchten. In Palästina gelang es Otto, als Tellerwäscher und Bauarbeiter Arbeit zu finden, der Vater führte den Haushalt. 1944 wurde Otto zum britischen Militär eingezogen. Die Gründung des Staates Israel wurde 1948 mit großem Jubel gefeiert, doch dem Vater machte das heiße Klima und sein sozialer Abstieg zu schaffen. Vater und Sohn scheiterten beim Erlernen der hebräischen Sprache und fühlten sich als Analphabeten. Zu Hause wartete, wie sie glaubten, der Betrieb auf sie. 1948 machte sich Otto auf den Weg nach Österreich, der Vater folgte ihm ein Jahr später.

Der Rechtsanwalt Dr. Richard W. wurde im November 1938 nach Dachau geschickt. Freunde besorgten ihm eine Schiffskarte nach Shanghai, wodurch er im letzten Moment dem Konzentrationslager entkommen konnte. In Shanghai lebte er von den Almosen jüdischer Organisationen. »Erdgebunden wie ein Bauer« und traumatisiert von seiner KZ-Erfahrung und brutalen Vertreibung aus Österreich, konnte er in der Emigration keine Arbeit finden. 1945 wollte er so schnell wie möglich zurück und vor allem wieder als Rechtsanwalt arbeiten.

Lotte F. wurde 1942 in Frankreich verhaftet und nach Auschwitz/Birkenau deportiert, als sie Soldaten zum Desertieren aus der Deutschen Wehrmacht überreden wollte. Aufgewachsen in einer traditionellen Familie, trat sie nach dem Tod des Vaters aus der Israelitischen Kultusgemeinde Wien aus. 1927 schloß sie sich der Kommunistischen Partei an. Sie wollte für eine bessere Zukunft kämpfen, aber auch endlich irgendwo »ganz dazugehören«. 1938 gelang ihr mit Hilfe der KPÖ die Flucht nach Paris, wo sie sofort in der dortigen Widerstandsgruppe Aufnahme fand. Im Vernichtungslager Birkenau verschafften ihr kommunistische Freundinnen eine privilegierte Arbeit, was ihr letztendlich auch das Überleben ermöglichte. Nach ihrer Befreiung machte sie sich sofort zu Fuß auf den Weg nach Hause. Sie wollte am Aufbau eines demokratischen (vielleicht auch kommunistischen) Österreich aktiv mitarbeiten.

In den unmittelbaren Nachkriegsjahren waren die Reisemöglichkeiten noch sehr eingeschränkt und wer von Österreich nicht gerufen wurde – und nur ganz wenige gehörten zu den Auserwählten –, dem war es fast unmöglich zurückzukehren. Von den rund 130.000 Vertriebenen kehrten aus den unterschiedlichsten Gründen nur einige tausend zurück. Soldaten in den Uniformen der Alliierten gehörten zu den ersten Vertriebenen, die wieder österreichischen Boden betraten. Sie kamen als Feinde in ein Land, das ihnen einst Heimat gewesen war. Als Sieger jenen gegenüberzustehen, die einen gedemütigt und hinausgeworfen hatten, war zwar für viele eine Genugtuung, doch konnten sie das Gefühl nicht richtig auskosten. Wenn sie den Menschen oft auch sehr mißtrauisch begegneten, so liebten sie doch die Landschaft, das Essen, die Kultur und vor allem die österreichische Sprache.

1947 trafen die ersten Transporte aus Shanghai ein, wo die Japaner nach der Besatzung 1942 ein Ghetto für jüdische Flüchtlinge errichtet hatten. Vor allem ältere Menschen litten im Sommer unter dem feuchtheißen Klima, und auch von den jüngeren Menschen ist es nur ganz wenigen gelungen, wirtschaftlich Fuß zu fassen. Einige hundert Remigranten kehrten aus Israel zurück, wo die Euphorie der Staatsgründung bald dem Problem der Arbeitslosigkeit gewichen war. Assimilierte Juden und Jüdinnen konnten sich oft nur schwer in das doch orientalisch geprägte Land eingewöhnen, viele scheiterten am Erlernen der hebräischen Sprache. Einige wenige kamen aus Frankreich, Belgien, Holland, Italien, England, Schweden, aus Australien, Südamerika oder aus den USA in ihre frühere Heimat zurück. Vor allem KommunistInnen (viele jüdischer Herkunft) kehrten aus der Sowjetunion zurück, wo viele von ihnen mit großem Bangen das Verschwinden von Freunden und Bekannten miterlebt hatten. Auch Juden und Jüdinnen zählen zu den Opfern des Stalinismus.

Viele der RemigrantInnen waren alt und krank, an den Exilbedingungen gescheitert, am sozialen Abstieg zerbrochen. Zumeist ältere Menschen erwiesen sich oft als unfähig, die neue Landessprache zu erlernen. Andere wieder erhofften sich die Rückerstattung des geraubten Vermögens, einige kamen, um nach überlebenden Freunden und Bekannten zu suchen. Ein wesentliches Motiv zur Rückkehr bildete die Zugehörigkeit zu einer politischen Partei. KommunistInnen und SozialistInnen wollten am Aufbau eines neuen Österreich aktiv mitarbeiten.

Abgemagert, zum Teil noch in KZ-Kleidung trafen im Frühjahr 1945 die ersten Juden und Jüdinnen aus den Konzentrations- und Vernichtungslagern in Österreich ein. Wer noch kräftig genug war, schloß sich nach der Befreiung den Flüchtlingszügen an und marschierte große Strecken zu Fuß nach Hause. In Buchenwald besorgten sich österreichische Häftlinge von den Amerikanern Busse und machten sich auf den Weg in ihre Heimat. Die Fahrt zog sich aber in die Länge, denn an der Demarkationslinie in Enns wurden sie aufgehalten und wieder nach Buchenwald zurückgeschickt. Nicht alle befolgten diesen Befehl der sowjetischen Befreier, manche stiegen in Linz oder in Salzburg aus und warteten dort auf die Erlaubnis, in ihre Heimatstadt Wien zurückzukehren. Während die vorhin zitierte Lotte F., auch wenn sie in Wien von der Ermordung ihrer Familie erfahren mußte, noch enorme Energie für ihre politische Arbeit aufbringen konnte und in der kommunistischen Partei zumindest einige Jahre lang wieder eine Heimat fand, fehlte anderen Überlebenden die Kraft, um sich über die Befreiung zu freuen. Wie ein in Mauthausen befreiter Wiener Jude schilderte, lagen im Moment der Befreiung Glück und Leid oft eng beieinander.

Ich bewegte mich nicht. Ich lag einfach da. Das Glück kann ich nicht beschreiben, man müßte ein neues Wort dafür erfinden. »Ich habe es geschafft. Es ist mir gelungen.« Aber dann dachte ich: Wer hat überlebt? Ich. Ich allein. Mein Vater ist eben gestorben. Meine Schwester und meine Mutter sind weg. Ich bedeckte meinen Kopf und weinte. Das war der Augenblick meiner Befreiung.[1]

Für viele überlebende Juden und Jüdinnen verlief die Rückkehr enttäuschend, fast alle mußten vom Tod zahlreicher Freunde und Verwandten erfahren. Alleinsein wurde zum jüdischen Schicksal. Nicht alle blieben in Österreich, manche kehrten nur zurück, um nach Familienmitgliedern und Freunden zu suchen, sie blieben hier »hängen«, weil ihnen die Perspektive und Kraft für eine Weiterreise fehlte. Rund 65.000 österreichische Juden und Jüdinnen wurden in Konzentrations- und Vernichtungslager deportiert. Ende 1945 waren bei der Israelitischen Kultusgemeinde Wien 822 männliche und 905 weibliche KZ-Überlebende gemeldet, 1952 nur mehr insgesamt 970.[2]

RemigrantInnen und Überlebende aus den KZ- und Vernichtungslagern trafen bei ihrer Ankunft in Wien auf Juden und Jüdinnen, die in Verstecken als sogenannte »U-Boote«, als EhepartnerInnen von Nichtjuden, als sogenannte »Halb-« oder »Viertel-Juden« in Österreich überlebt hatten. Für sie bedeutete die Befreiung das Ende von einem Leben in ständiger Angst, verraten, entdeckt und im letzten Moment noch geholt zu werden. Manche »U-Boote« mußten sich jahrelang in einem dunklen Zimmer aufhalten oder wurden – zumeist unter Bezahlung – von Quartier zu Quartier geschoben. Während der Bombardierungen erwies es sich als zu gefährlich, einen Luftschutzkeller aufzusuchen, und so waren sie dem Bombenhagel völlig schutzlos ausgesetzt. Jüdische Frauen bangten um ihre Ehemänner, die sich, um ihre Frau und oft auch Kinder zu retten, gegen eine Scheidung gewehrt hatten. Ihr »Heldentod« an der Front hätte die Deportation und somit den Tod ihrer Familie bedeutet. Wer im »Ältestenrat« oder im jüdischen Spital eine Funktion ausgeübt hatte und so einer Deportation noch entgehen konnte, den plagte oft das schlechte Gewissen. Einige verübten Selbstmord, andere konnten zu keiner inneren Ruhe mehr gelangen.

Diese Menschen bildeten die Basis für den Wiederaufbau einer neuen jüdischen Gemeinde. 1938 lebten in Österreich rund 200.000 Juden und Jüdinnen. Ende 1945 zählte die Israelitische Kultusgemeinde keine 5.000 Mitglieder, dazu kamen nach und nach einige tausend RemigrantInnen. Die Israelitische Kultusgemeinde wurde gegründet, um mit Hilfe der großen jüdisch-amerikanischen Hilfsorganisation Joint die dringendsten Bedürfnisse der Überlebenden zu stillen. Österreich wollte sich für die Juden und Jüdinnen nicht zuständig fühlen, als »nur rassisch« Verfolgte blieben sie anfangs sogar vom KZ-Verband ausgeschlossen. Kaum jemand glaubte an die Zukunft einer jüdischen Gemeinde. »Es hieß damals, die Wiener Kultusgemeinde würde ein Friedhofsamt werden«,[3] erinnerte sich Präsident Iwan Hacker 1983 an den Wiederaufbau nach der Shoah.

Der Großteil der Wiener Juden zeigte auch wenig Interesse am religiösen Leben oder am Zionismus. Auch jene, die die Israelitische Kultusgemeinde wieder aufbauten, waren – von einigen wenigen Ausnahmen abgesehen – schon vor 1938 nur mehr am Rande des Judentums gestanden. Dafür wiesen sie jedoch enge und emotionale Beziehungen zur KPÖ bzw. SPÖ auf. Von 1945 bis 1948 stand ein Kommunist an der Spitze der Israelitischen Kultusgemeinde, von 1949 bis 1981 ein Sozialdemokrat. »Die Assimilation in Österreich ist rot und röter«, spöttelte die israelische Zeitung »Dawar« vom 24. Jänner 1955. Die enge emotionale Bindung an politische Parteien stellte jüdische Funktionäre vor große Loyalitätsprobleme, während österreichische Politiker immer wieder versuchten, die jüdische Gemeinde für sich zu instrumentalisieren.[4]

Zwischen 1945 und 1948 zogen über 100.000 osteuropäische Juden und Jüdinnen, zumeist illegal, durch Österreich oder waren gezwungen, hier eine Zeitlang in Lagern zu leben. Viele von ihnen überlebten in Konzentrations- oder Vernichtungslagern, andere in Verstecken oder als Partisanen. Manche, wie Simon Wiesenthal oder Leon Zelman, wurden aus österreichischen Vernichtungslagern, in Mauthausen oder in Ebensee, befreit. Nach der Shoah wollten die überlebenden Juden und Jüdinnen nicht mehr in Osteuropa leben, ihre einstige Heimat glich einem überdimensionalen jüdischen Friedhof. Aus unterschiedlichen Gründen bleiben einige tausend in Österreich und bauten sich hier eine neue Existenz auf. Wirklich seßhaft sind sie jedoch nur selten geworden, manche plagt noch heute das schlechte Gewissen, im Land der Mörder zu leben. Andere schicken zumindest die Kinder ins Ausland, in ein Land, wo es für Juden eine Zukunft gibt.[5]

In den unmittelbaren Nachkriegsjahren richtete sich der Antisemitismus hauptsächlich gegen jüdische Flüchtlinge aus Osteuropa. Auch ostjüdische Flüchtlinge und assimilierte Wiener Juden waren einander fremd, oft sogar feind, und die Beziehung zueinander gestaltete sich längere Zeit als gegenseitige Abgrenzung. Wie vor 1938 befürchteten die Wiener Juden auch nach 1945 wieder, daß der gegen die »Zuagraasten« gerichtete Antisemitismus letztendlich sie treffen würde. Während die meisten Wiener Juden trotz Shoah um eine Assimilation bemüht waren und wenig Interesse am traditionellen Judentum zeigten, regte sich in den DP-Lagern bald wieder religiöses Leben. Jüdische Flüchtlinge bildeten auch die Basis für zionistische Organisationen.

Ende der sechziger Jahre setzte in Österreich eine neue jüdische Einwanderungswelle ein. Österreich wurde zum wichtigsten Durchzugsland für Juden aus der ehemaligen Sowjetunion. Sogenannte »Russische Juden« zogen aber nicht nur durch Österreich durch, einige blieben, andere kehrten von Israel wieder nach Wien zurück. Wieder wurden die Neueinwanderer von den bereits assimilierten Juden mit Skepsis betrachtet. Heute aber liegt in ihnen die Hoffnung für das Fortbestehen eines österreichischen Judentums.

Das Buch geht aber nicht nur den Problemen und der komplizierten Identitätssuche von überlebenden Juden und Jüdinnen nach, sondern fragt vor allem auch danach, wie Österreich mit diesen umgegangen ist.

In Anlehnung an die von den Alliierten aufgestellte »Moskauer Deklaration« aus dem Jahr 1943 war es Österreich gelungen, sich als erstes Opfer Nazideutschlands zu definieren und somit auch von seiner Verantwortung für die Judenverfolgung loszusagen. Im Unterschied zu Deutschland maß die Welt Österreichs Demokratiefähigkeit nicht an seiner Beziehung zu den überlebenden Juden oder zum 1948 gegründeten Staat Israel. Selbst der World Jewish Congress oder zionistische Organisationen ließen Österreich im Vergleich zu Deutschland eine viel nachsichtigere Behandlung zukommen. Juden und Jüdinnen, die auch nach der Shoah in Österreich leben wollten, wurden nicht nur von vielen Juden, die eine Rückkehr nach Österreich als Charakterschwäche betrachteten, als minderwertig angesehen, auch Österreich zeigte ihnen die »kalte Schulter«. Österreicher und Österreicherinnen zogen einen Graben zwischen Juden und Nichtjuden, zwischen Soldaten, die in der Deutschen Wehrmacht »ihre Pflicht erfüllt hatten«, und Widerstandskämpfern, wobei erstere als die wahren Heimkehrer, zweitere als Verräter an der Heimat galten (und oft noch gelten).

Die vorliegende Arbeit stützt sich im wesentlichen auf jüdische Zeitungen und auf Material aus in- und ausländischen Archiven, lebensgeschichtliche Interviews bildeten eine weitere wichtige Quellenbasis. Allen Interviewpartnern und -partnerinnen möchte ich daher herzlich für ihre Gesprächsbereitschaft danken. Da manche anonym bleiben wollten, wurden nicht alle namentlich genannt. Thomas Albrich überließ mir dankenswerter Weise Quellenbestände aus dem Archiv des World Jewish Congress in Cincinnati, bei meinen eigenen Forschungsarbeiten in Cincinnati betreute mich Abraham Peck in einer äußerst zuvorkommenden Weise. Für ihre Unterstützung möchte ich mich auch bei Gundl Herrnstadt-Steinmetz, John Bunzl, Robert Knight, Albert Lichtblau, Gerhard Botz, Rudolf Ardelt, Margit Reiter, Rudi Rebhandl, Erika Thurner, Marko Feingold und Rudi Gelbard und nicht zuletzt beim Picus Verlag bedanken.

1.
Neubeginn ohne Illusionen

Die Israelitische Kultusgemeinde von der Gründung
zum »Ältestenrat«

Der Beginn der Israelitischen Kultusgemeinde Wien geht auf das Revolutionsjahr 1848 zurück, wo sich die jüdisch-demokratische Intelligenz innerhalb der revolutionären Bewegung hervortat. Die österreichische Regierung sagte den Juden eine rechtliche Gleichstellung zu, und 1849 sprach Kaiser Franz Joseph I. das erste Mal von »der Israelitischen Gemeinde von Wien«. Aber erst das Staatsgrundgesetz von 1867 gewährte der jüdischen Bevölkerung die volle Glaubens- und Gewissensfreiheit; im selben Jahr lagen definitive Statuten vor, die im »Israelitengesetz« von 1890 ihre Bestätigung fanden.[1] Damit wurde das Judentum auf die Zugehörigkeit zu einer Religionsgemeinschaft reduziert, und die Aufgaben der Israelitischen Kultusgemeinde konzentrierten sich im wesentlichen auf religiöse und kulturelle Belange, wie die Errichtung und Erhaltung der Synagogen, Einsetzung und Beaufsichtigung der Gemeinde-Rabbiner, Organisation und Überwachung der Erziehung jüdischer Kinder und Jugendlicher, Sicherstellung der Versorgung mit koscheren Lebensmitteln, die Erhaltung ritueller Einrichtungen und Begräbnisstätten sowie die Versorgung Alter, Kranker und Bedürftiger. Gleichzeitig erhielt sie das Recht, von den Mitgliedern in Form von Steuern und Gebühren Gelder einzuheben. Steuerzahlende männliche Mitglieder durften sich an den im Abstand von drei Jahren stattfindenden Wahlen beteiligen.[2]

Basierend auf dem Kurienwahlrecht, regierte zunächst eine kleine wohlhabende Elite, während die Mehrheit der männlichen Juden sowie alle Frauen von der aktiven Teilnahme und vom Wahlrecht ausgeschlossen blieben. Erst die politischen Umbrüche nach dem Ersten Weltkrieg führten auch zu einer Demokratisierung der Israelitischen Kultusgemeinde. Vor allem Flüchtlinge aus Galizien zwangen den Vorstand zu einer radikalen Überarbeitung der Statuten. Damit wurde der politische Charakter der Israelitischen Kultusgemeinde akzeptiert und die Ära der Politik der einflußreichen Männer beendet, doch Frauen durften nach wie vor nicht wählen. Unter der Führung der »Union österreichischer Juden«, die sich als Österreicher jüdischen Glaubens verstanden und um Assimilation bemüht waren, repräsentierte die Israelitische Kultusgemeinde aber weiterhin nur einen kleinen Teil der Juden. Nur ein geringer Prozentsatz zeigte Interesse an der Kultusgemeinde, was sich in einer sehr geringen Wahlbeteiligung ausdrückte. Obwohl ein Großteil der Wiener Juden politisch der Sozialdemokratie nahestand, waren innerhalb der Israelitischen Kultusgemeinde kaum linke Gruppen vertreten. Politisch und sozial zeigte sich die jüdische Gesellschaft Wiens zersplittert.

Dies drückte sich auch in einem reichen Vereinsleben aus. 1938 existierten noch 444 jüdische Vereine der verschiedensten Ausrichtungen, wobei 1934 bereits alle sozialistischen und kommunistischen Organisationen verboten worden waren.[3]

Als Reaktion auf den immer stärker werdenden Antisemitismus ging 1932 der »Zionistische Wahlblock« bei den Wahlen als die stärkste Fraktion hervor und stellte fortan auch den Präsidenten. Zionismus vor 1938 bedeutete in Österreich und Deutschland aber keine Absage an die deutsche Kultur, sondern war Ausdruck eines Bemühens um ein gestärktes jüdisches Selbstbewußtsein in einer zunehmend antisemitischen Umwelt.

Nach dem sogenannten »Anschluß« am 12. März 1938 wurde das Präsidium der Kultusgemeinde verhaftet und die Israelitische Kultusgemeinde aufgelöst. Zahlreiche prominente jüdische Politiker befanden sich unter den ersten Häftlingen, die nach Dachau geschickt wurden.

Im Mai 1938 konnte die Israelitische Kultusgemeinde unter der Leitung von Dr. Josef Löwenherz, dem letzten Amtsdirektor, neu gegründet werden. Allerdings war sie der SS und Gestapo direkt unterstellt und von diesen gänzlich abhängig. Neben der Betreuung einer immer größer werdenden Zahl verarmter Juden organisierte die Israelitische Kultusgemeinde auch Umschulungskurse, die vor allem junge Juden auf die Lebensbedingungen in den verschiedenen Exilländern vorbereiten sollten. Zur Beschleunigung und Lenkung der Auswanderung entstand im Juli 1938 die von Adolf Eichmann geleitete »Zentralstelle für jüdische Auswanderung«. Damit griff Eichmann einen Vorschlag von Josef Löwenherz und Alois Rothenberg, dem Leiter

26

des Palästinaamtes, auf, verkehrte diesen jedoch zu einem Instrument völliger Enteignung.[4] Als sich nach Ausbruch des Krieges die Auswanderungsmöglichkeiten drastisch verringerten, begann die Suche nach anderen »Lösungen«; die Männer des Eichmann-Stabes besorgten unter Heranziehung jüdischer Funktionäre die Vorbereitungen für die Deportationen, die von der Israelitischen Kultusgemeinde zusammengestellten Emigrationslisten dienten nunmehr als Deportationslisten.[5] Mit dem Beginn der Deportationen 1941 wurde die Israelitische Kultusgemeinde endgültig zu einem machtlosen Werkzeug der nationalsozialistischen Behörden. Als sich mit den zunehmenden Deportationen auch der Verwaltungsapparat reduzierte, mußte auch bei den zu entlassenden Beamten eine Auswahl getroffen werden.[6] Obwohl selbst durch persönliche Kontakte zum »Ältestenrat« gerettet, problematisierte die Schriftstellerin Inge Deutschkron die Mitarbeit der Jüdischen Gemeinde bei den Deportationen.

Die Jüdischen Gemeinden hatten offenbar den Namen einer anderen Person auf die Listen setzen müssen. (...) Mich quälte zunächst der Gedanke, daß nun ein anderer das mir zugeteilte Los tragen mußte. Aber ich vergaß bald.[7]

Im Oktober 1942, nach Beendigung der Deportationen, erlosch der rechtliche Charakter der Israelitischen Kultusgemeinde, und mit 1. November desselben Jahres trat der »Ältestenrat« an ihre Stelle. Zurück blieben sogenannte »Mischlinge«*, Juden und Jüdinnen, die mit »arischen« Partnern verheiratet waren und in sogenannten »Mischehen« lebten, MitarbeiterInnen des »Ältestenrates«, des jüdischen Spitals und Altersheims sowie einige, die versuchten, in Verstecken zu überleben. Wie der Historiker Jonny Moser aufzeigte, kamen von der rund 200.000 zählenden jüdischen Gemeinde 1.576 in deutschen Konzentrationslagern um, 46.791 der Deportierten wurden in Vernichtungslagern ermordet, 18 fielen Totschlägen zum Opfer, 8 wurden in Polizeigewahrsam umgebracht, 9 von Gerichten zum Tode verurteilt, und 363 wurden Opfer des »Euthanasie«-Programms. 16.692 österreichische Juden gerieten nach ihrer Flucht aus Österreich

---

* Als »Mischlinge«, manchmal auch »Geltungsjuden«, galten jene, die zwei »volljüdische« Großeltern hatten und am Stichtag, dem 15. September 1935, der jüdischen Religionsgemeinschaft angehört hatten. Als »Mischling ersten Grades« galten »Mischlinge«, die der Israelitischen Kultusgemeinde nicht mehr angehört hatten.

in europäischen Ländern wieder unter deutsche Herrschaft und kamen nach ihrer Deportation ebenfalls in Vernichtungslagern um. Insgesamt wurden 65. 459 Juden während der NS-Herrschaft ermordet.[8] In Wien, vor 1938 eine der größten und reichsten jüdischen Gemeinden Mitteleuropas, lebten Ende 1945 keine 5.000 Juden. Hugo Bettauers Prophezeiung von einer »Stadt ohne Juden«[9] war fast Wirklichkeit geworden. Überlebende konnten nur mehr »mit der Wehmut des Wissenden über die Vielfalt jüdischen Lebens in dieser Stadt sprechen. Wien war für sie nach der Befreiung im Jahr 1945 eine Geisterstadt, ein Totenhaus.«[10]

Der Wiederaufbau der Israelitischen Kultusgemeinde erfolgte ohne Illusionen und in völliger Abhängigkeit von der finanziellen Unterstützung amerikanisch-jüdischer Organisationen. Die Vernichtung und Vertreibung der österreichischen Juden erwies sich auch als Katastrophe für den politischen, wirtschaftlichen und kulturellen Wiederaufbau der Zweiten Republik, der sich ohne die »Vertriebene Vernunft«[11] vollziehen mußte. Dies stellte auch der aus Wien vertriebene Germanist Harry Zohn bei seinem ersten Besuch im Jahre 1956 fest:

Heute befinden sich die Wiener Juden nicht mehr im Hauptstrom des Stadtlebens, sie können nicht länger den so wichtigen »Sauerteig« beistellen; im praktischen Sinn also ist das Nachkriegs-Wien eine »Stadt ohne Juden«. Ich meinerseits hege keinen Zweifel, daß der Provinzialismus, welcher im täglichen Leben wuchert, die Verrohung des Geschmackes, die Verminderung des Kosmopolitismus der Stadt, in gewissem Maße der Dezimierung der jüdischen Bevölkerung zuzuschreiben ist.[12]

1945

Ein jüdisches Kulturleben, das Anspruch darauf hätte, so genannt zu werden, hat es vor Ankunft der Delegierten in Wien nicht gegeben. Kein jüdisches Vereinsleben, kein jüdischer Religionsunterricht. Es gibt Verbände, die sich gebildet haben. Der aktivste ist der »KZ-Verband« ehemaliger KZ-Insassen, weiters der »Verband der wegen Abstammung Verfolgten«. Beide sind keine rein jüdischen Organisationen. Die sind das »Gremium der jüdischen Kaufleute« und der »Verband jüdischer Kriegsopfer«. Das zionistische Leben

ist völlig auf die Jugend beschränkt, die in der wiedererstandenen
»Hakoah« vertreten ist.[13]

Die deutsch-jüdische New Yorker Exilzeitung »Aufbau« beschrieb sehr treffend die Situation, die überlebende Juden in Wien nach der Shoah vorfanden. Juden kämen nur nach Wien zurück, um Verwandte zu suchen, und es gäbe kaum jemanden, der in Wien bleiben möchte.[14] Harry Zohn gewann noch 1956 den Eindruck,

daß viele Juden müde sind, desillusioniert, unfähig, die Kraft auf-
zuwenden, welche der Idealismus für ein positives jüdisches Leben
im jüdischen Heimatland erfordert.[15]

Zu den wenigen Rückkehrern zählte der KZ-Überlebende Arno Gasteiger, der, auf Lebenszeichen seiner Verwandten hoffend, eigentlich ungewollt in Wien geblieben ist.

Man hat noch gehofft, bis dahin. Und wenn man sehen wird, es sind
auch keine entfernten Verwandten mehr da, daß man halt nach Is-
rael geht. So hat es sich immer mehr hinausgezögert, und woanders
hat man keine Grundlage gefunden, und dann is ma pickengeblie-
ben. Obwohl man, schon von '45 an, äußerst unfreundlich behan-
delt worden ist, ungern gesehen, von den Behörden zurückgesetzt.
Man war so – entschlußlos. Man war fast apathisch. Hat sich trei-
ben lassen. Man war so halb allein in der Welt.[16]

Laut einem am 14. Februar 1946 in der »New York Times« veröffentlichten Bericht hätten sich bei einer Abstimmung im Jänner 1946 zwei Drittel der Wiener Juden dafür entschieden, so schnell wie möglich aus Österreich und aus Europa auszureisen. Etwa 1.000 von ihnen wollten nach Israel. In den unmittelbaren Nachkriegsjahren glaubte kaum jemand an den Fortbestand einer Jüdischen Gemeinde in Österreich. Jüdische Einrichtungen und Organisationen entstanden, um die grundlegenden existentiellen Probleme der Überlebenden zu mildern. Wie Leon Zelman in einem Vortrag ausführte, waren diese »mit Aufgaben konfrontiert, die wir uns heute gar nicht mehr vorstellen können. (. . .) Es ging um nichts anderes als darum, das nackte Leben zu ermöglichen.«[17]

Der fehlende Glaube in eine Zukunft barg die Gefahr in sich, daß die Israelitische Kultusgemeinde nur mehr als Verwaltungsapparat, der möglichst marktwirtschaftlich funktionieren sollte, gesehen wurde. Wie jüdische Zeitungen kritisierten, fehlte der Israelitischen Kultusgemeinde das Herz, die Menschen gingen allzu bürokratisch ihrer Arbeit nach.[18]

»Entnazifizierung« in der Israelitischen Kultusgemeinde

Jedes Opfer ist zu beweinen, und jeder Heimkehrer hat Anspruch auf Hilfe und Mitleid, aber nicht alle Verhaltensweisen sollen als beispielhaft hingestellt werden.[19]

Mit diesen Worten wies der Auschwitzüberlebende Primo Levi kurz vor seinem Freitod 1986 darauf hin, daß nicht alle Opfer Märtyrern gleichen und nicht alle Menschen in SS-Uniform von Natur aus sadistische Bösewichte waren. Ausführlich belegte er die »Grauzonen«, die es im Lager zwischen schwarz und weiß gegeben hatte. Levi betonte jedoch die eindeutige Schuld der Träger der SS-Uniform, und er wies auf die Verantwortlichkeit derer hin, die Hitler gefolgt sind. Die unter Terror und Drohung oder aber durch die Erteilung von Privilegien bewirkte Zusammenarbeit mit der SS, bei der Juden als Ärzte, Beamte, Hilfspolizisten (= JUPO) und auch als einfache Angestellte der Israelitischen Kultusgemeinde bei Deportationen mitwirken mußten, löste in den unmittelbaren Nachkriegsjahren innerhalb der jüdischen Überlebenden heftige Diskussionen aus.[20] Jene Juden, die für den Lohn einer kurzen Freiheit für die Gestapo Juden aufgespürt hatten, wurden besonders gehaßt. »Rechercheure«, »Ausheber« und »Ordner«, wie man sie nannte, galten als Schreckensgestalten für alle Juden. Bei Großaktionen unterstanden 100 Männer dem Befehl eines »Gruppenführers«, der wiederum einem SS-Mann verantwortlich war. Meist handelte es sich um ehemalige Mitarbeiter der Israelitischen Kultusgemeinde. Wer sich weigerte, daran teilzunehmen, dem drohte selbst der Tod. 1943 wurden die »Ordner« der Israelitischen Kultusgemeinde Wien in einem Sondertransport nach Auschwitz gebracht.[21] Neben ausgewiesenen jüdischen »Ordnern« setzten die nationalsozialistischen Machthaber zum Aufspüren versteckter Juden auch sogenannte »Spitzel« oder »Judenfänger« ein. Da diese genau wußten, wo Juden sich illegal aufhielten oder dem »Schwarzmarkt« nachgingen,[22] erwiesen sie sich als wesentlich gefährlicher als Nichtjuden.

1948 publizierte der »Neue Weg« einen Aufruf der »Historischen Kommission«, wonach Juden, die mit Nationalsozialisten zusammengearbeitet hatten, gemeldet werden sollten; denn »diese Menschen dürften heute keine Bedeutung mehr haben.« Der Aufruf wies auch darauf hin, daß ein Mitglied des »Ältestenrates« in die Wiener Israelitische Kultusgemeinde gewählt wurde.[23] In den DP-Lagern fanden Ehrengerichte statt; angeklagte jüdische Kollaborateure erhielten die Gelegenheit, ihren Ruf zu verteidigen. Wer sich nicht überzeugend verteidigen konnte, der mußte mit Strafen rechnen. In Ebensee wurde beispielsweise ein Kapo, dem die Denunziation von zehn Häftlingen vorgeworfen worden war, hingerichtet.[24] Das »Jüdische Zentralkomitee«, eine Art Regierung in den DP-Lagern, fällte Beschlüsse zur Ächtung von »Judenräten«, wozu Mitglieder der jüdischen Polizei, des Ordnungsdienstes, der Lagerpolizei, Kapos und Blockälteste in Konzentrationslagern zählten.[25] Von der Problematik der »Entnazifizierung« waren nicht nur Mitarbeiter der Israelitischen Kultusgemeinde, sondern auch Mitglieder des sogenannten »Judenrates« in den Ghettos sowie jüdische Funktionshäftlinge in den Konzentrationslagern betroffen. Überlebende warfen dem »Judenrat« vor, mittellose Juden und »Outsider«, wie etwa Kleinkriminelle, zuerst in Vernichtungslager geschickt zu haben.[26] Ein Interviewpartner, der selbst das Ghetto Lodz und verschiedene Vernichtungslager überlebt hatte, berichtete, daß aus dem Ghetto Lodz Kleinkriminelle, Arme und Leute »ohne Beziehungen« zuerst deportiert wurden. Als die »Judenräte« später selbst in Auschwitz eintrafen, rächten sich die Kriminellen an ihnen.[27] So schilderte etwa Edward Nejiman die Ankunft eines Funktionshäftlings in Auschwitz:

Vor dem Eingang an der Baracke wurde er festgehalten. Irgendein Kapo und zwei andere Häftlinge fingen an, ihn zu schlagen. Mit Knüppeln und Fäusten schlugen sie ihm auf den Rücken und auf den Kopf.[28]

1945 stellten die Alliierten führende Funktionäre des »Ältestenrates« vor Gericht. Auch Angestellte der Israelitischen Kultusgemeinde und Ärzte des jüdischen Spitals mußten sich für ihre Funktionen verantworten. Für die Israelitische Kultusgemeinde gehörte die von der Regierung aufgetragene Überprüfung der Angestellten zu ihren unangenehmsten Aufgaben, und sie versuchte, »über die Tätigkeit der Kultusgemeinde während des Nationalsozialismus den Mantel des Schweigens zu breiten.«[29]

Nicht immer konnten eindeutige Urteile gefällt werden, denn nicht alle jüdischen Funktionäre, wie etwa der gefürchtete Rabbiner Benjamin Murmelstein*, zeichneten sich durch besondere Fleißaufgaben

---

* Murmelstein, Mitglied des Wiener »Ältestenrates«, wird als besonders ehrgeizig und brutal beschrieben; Aufträge erfüllte er zu 200% und ließ anstatt der befohlenen

gegenüber der SS aus. Manche, wie Dr. Löwenherz, der Vorsitzende des »Ältestenrates«, glaubten, durch ihr Verhalten und durch Verhandlungen das Schlimmste verhindern zu können.[30] Problematisch wurde seine Funktion, als er zu entscheiden hatte, wer auf die Deportationsliste gesetzt werden sollte. Um Mitarbeiter der Israelitischen Kultusgemeinde, Ärzte oder Inhaber von gültigen Ausweispapieren zu retten, trug er andere Namen ein. Während zu Beginn der NS-Herrschaft für die jüdische Wohlfahrt und Ausreise eine Kooperation mit der SS notwendig und auch sinnvoll schien, erwies sich diese Zusammenarbeit später als Mithilfe bei einem Prozeß, der zur Vernichtung führte. Auch das unter Anweisung der Gestapo angelegte Verzeichnis zur Unterstützung bedürftiger Juden erleichterte letztendlich deren Deportation.[31] Dr. Löwenherz und Wilhelm Bienenfeld wurden 1945 von den sowjetischen Behörden verhaftet. Löwenherz mußte die eingeleitete Untersuchung abwarten, bis er mit seinem Sohn, einem Offizier in der US-Armee, ausreisen durfte. In New York konnte er zu keiner inneren Ruhe mehr kommen. Sooft er Wiener Juden traf, sah er sich veranlaßt, sein Verhalten zu rechtfertigen.[32] Bienenfeld zog nach 1945 heftige Kritik auf sich, da er sich als Hauptentlastungszeuge im Prozeß gegen Karl Ebner, dem stellvertretenden Leiter der Wiener Gestapo, zur Verfügung stellte.[33]

Manchen Mitgliedern des »Ältestenrates« oder auch jüdischen Funktionshäftlingen in den Konzentrationslagern bzw. Vernichtungslagern* war das Weiterleben nach dem Überleben nicht mehr möglich. Wilhelm Reisz, ein gefürchtetes, unberechenbares Mitglied der JUPO, erhängte sich nach seiner Verurteilung im Gefängnis,[34] andere »funktionierten nach 1945 nur mehr als Roboter«, wie George Clare seinen Onkel beschrieb. Als ehemaliger Arzt erhielt dieser die Stelle

---

1.000 Juden 2.000 für die Deportation ausheben. Er wurde in Prag verurteilt, jedoch freigesprochen und lebte später in Rom. Claude Lanzmann drehte 1977 ein 10stündiges Tonbandinterview mit Murmelstein. An der Universität of Massachusetts at Amherst arbeiten Prof. Ehrlich Leonard und Edith Leonard an einem Projekt über Murmelstein. Vgl. Berkley, Vienna and its Jews; Rosenkranz, Verfolgung und Selbstbehauptung. S. 285.

* Während Juden im Stammlager Auschwitz kaum Funktionen wahrnahmen, wurden ihnen in Birkenau allmählich welche übertragen, als sich die Zahl der »arischen« Häftlinge stark reduzierte. Vgl. Langbein, Hermann, Menschen in Auschwitz. Frankfurt–Berlin–Wien 1980. S. 197 ff.

eines medizinischen Helfers in der jüdischen Gemeinde, wobei er auch Deportierte untersuchen mußte. Obwohl er nach seiner Rückkehr aus Theresienstadt mit zahlreichen Ehrungen und einem hohen Amt ausgezeichnet wurde, konnte er diese Tätigkeit mit seinem Gewissen nicht mehr vereinbaren. Nach drei mißglückten Selbstmordversuchen starb er als Zweiundsechzigjähriger bei einem Straßenbahnunfall.[35] Ähnlich erging es Dr. Donath, dem Leiter der Internen Abteilung im jüdischen Spital, der geschützt durch eine »Mischehe« als Arzt im jüdischen Krankenhaus überlebt hatte. »Bis zuletzt konnte er den traurigen Eindruck der Nazizeit nicht loswerden«, schrieb ein Kollege in seinem Nachruf.[36] Einige, die weiterhin in der jüdischen Öffentlichkeit stehen wollten, versuchten, ihr Verhalten zu erklären und zu entschuldigen. Herman Wenkart, der zuerst für die »Jüdische Einigkeit«, später für den »Bund werktätiger Juden« bei den Kultuswahlen kandidierte, publizierte 1969 seine Biographie, womit er vor allem seine Funktion als Lagerführer in einem Arbeitslager rechtfertigen wollte. Wenkart mußte als Sozialdemokrat 1934 aus Österreich flüchten, kehrte aber 1937 wieder zurück. Eigenen Aussagen zufolge erhielt er durch Zufall in Czenstochau, einem Arbeitslager der Deutschen Wehrmacht, die Stelle eines Lagerführers angeboten. Stolz erwähnte er, daß er in dieser Funktion sogar den Deutschen befehlen durfte. Seine Position erlaubte ihm auch, seine Frau, sein Kind und seine Schwiegermutter nachzuholen. Nach der Shoah mußte er sich als ein »privilegiert« Überlebender die harte Kritik der nicht privilegierten Häftlinge gefallen lassen.

Ich erlebte im Leben viel Undank, besonders von Leuten, die mir viel, zum Teil sogar ihr Leben verdanken. Fast hätte ich den Glauben an die Menschen verloren.[37]

Ignatz Bubis, der Vorsitzende des Zentralrates der Juden in Deutschland, wurde in Czenstochau befreit. In seiner Biographie berichtet er, wie er zwanzig Jahre später Wenkart, den »König der Juden«, in Frankfurt getroffen hatte. Als dieser in Frankfurt bei einer jüdischen Gemeinderatswahl kandidieren wollte, sprach sich Bubis in einem Schreiben an die Gemeindemitglieder vehement gegen die Kandidatur eines ehemaligen Lagerkommandanten aus. Bubis' Bericht zufolge kehrte Wenkart später wieder nach Wien zurück.[38]

Auch Dr. Ernst Feldsberg, von 1963 bis 1970 Präsident der Israelitischen Kultusgemeinde, wurde immer wieder zu Stellungnahmen über seine Rolle während des Nationalsozialismus aufgefordert. Seiner Fraktion, dem »Bund werktätiger Juden«, warfen politische Gegner wiederholt vor, daß sich in ihren Reihen ein Mitglied des »Ältestenrates« befinde. Feldsberg wurde die Verschickung von 1.600 Juden nach Nisko bei Lublin angelastet. Diese Transporte waren Eichmanns erstes Experiment auf dem Gebiet der Zwangsverschickung. In Nisko mußten Barackensiedlungen zur »Umsiedlung« der Juden nach dem Osten erbaut werden, der Großteil der Wiener Juden wurde aber auf brutale Art einfach weitergetrieben und ihrem Schicksal überlassen.[39] 1952 schrieb die »Stimme«, das Organ der »Allgemeinen Zionisten«, daß Feldsberg aufgrund seiner Tätigkeiten während des Nationalsozialismus

> *ein Spielball in den Händen der Kommunisten, die ihm mit Veröffentlichungen gedroht haben, die ihm reichlich unangenehm werden können, sei. (. . .) Wir wollen ihm da nur ein Wort zurufen: Nisko! Kann er sich denn nicht daran erinnern, daß er einmal gedroht hat, wer nicht nach Nisko geht, der wird ins KZ geschickt?[40]*

1966 forderte der von Simon Wiesenthal gegründete »Ausweg«: »Die jüdischen Nowaks müssen gestellt werden.« Die Israelitische Kultusgemeinde sollte in einem Beschluß alle »Judenräte« und jüdischen Kapos verurteilen und von Funktionen im jüdischen Leben ausschließen, wogegen sich der sozialistische »Bund werktätiger Juden«, die von Feldsberg geführte stärkste Fraktion innerhalb der Kultusgemeinde, aussprach.[41] Da Feldsberg auch als österreichischer Delegierter beim World Jewish Congress vertreten war, versuchte Wiesenthal auch Nahum Goldmann, den damaligen Präsidenten des WJC, als Bündnispartner gegen Feldsberg zu gewinnen.

> *Was Dr. Feldsberg getan hat, ist rechtlich verjährt. Es gibt aber auch eine moralische Schuld, die für uns Juden niemals verjährt. Wir können uns nicht darüber aufregen, dass man einen Nazi in irgendeinem Amt in Österreich oder Deutschland vorfindet, und gleichzeitig mit Schweigen darüber hinweggehen, wenn Personen wie Dr. Feldsberg in jüdischen Institutionen führend tätig sind. (. . .) Doch vertrauen wir, daß Sie einen Weg finden, dem Andenken derer, die aus Nisko nicht zurückgekehrt sind, gerecht zu werden.[42]*

Feldsberg wurde auch seine Tätigkeit als Leiter der Friedhofsabteilung der Israelitischen Kultusgemeinde verübelt. Politische Gegner machten ihn für die Exhumierung des jüdischen Friedhofes in Währing mitverantwortlich, während er selbst der Meinung war, daß es ihm gelungen sei, die Rettung von Grabsteinen durch ihre Verlegung auf den Zentralfriedhof durchzusetzen. Am 6. Juni 1941 mußten der damalige Präsident Dr. Löwenherz und die Vizepräsidenten Dr. Dessauer und Dr. Feldsberg schriftlich erklären, gegen die »Inanspruchnahme des Friedhofes keinen Einwand zu erheben«, da für den geplanten Bau eines Luftschutzraumes über 2.000 Gräber zerstört werden mußten. Entgegen den Abmachungen, daß die Knochen und Leichenreste gesammelt und am IV. Tor wiederbestattet werden können, wurde das ausgehobene Erdmaterial sofort weggeführt. Mitarbeiter der Israelitischen Kultusgemeinde versuchten, die Knochen aus den Erdhaufen auszugraben und zu beerdigen.[43]

Nach seiner Rückkehr aus Theresienstadt erwarb sich Feldsberg viele Verdienste um die »Chewra Kaddisha«, den jüdischen Beerdigungsverein. Selbst sein politischer Gegner Simon Wiesenthal meinte, »daß er im Grunde ein guter Jude war. Das kann ich mit reinem Gewissen sagen, obwohl er mein Gegner, ein sehr scharfer Gegner, war.«[44] Wie sehr das Urteil gegenüber Juden in leitenden Stellen vom Schicksal und vor allem vom persönlichen Verhältnis zwischen Klägern und Angeklagten abhängig war, zeigte sich im Prozeß gegen Dr. Emil Tuchmann, wobei dieser die gegen ihn gerichteten Anschuldigungen entkräften konnte. Tuchmann wurde auf Vorschlag von Dr. Löwenherz 1940 zum Vertrauensarzt der Israelitischen Kultusgemeinde und zum medizinischen Leiter des jüdischen Spitals ernannt. Aus den Aussagen im Prozeß ergibt sich ein Naheverhältnis zwischen dem Rabbiner Murmelstein, der einflußreichsten und gefürchtetsten Persönlichkeit des »Ältestenrates«, und Tuchmann, der als Hausarzt von Frau Murmelstein wirkte. Während ihm seine Freunde großes Lob für die Führung des jüdischen Spitals aussprachen – »er hat auf Zucht und Ordnung geschaut und sich dabei unbeliebt gemacht, obwohl er Leute rettete, indem er sie lange im Spital behielt«[45] –, bezeichneten ihn Mitarbeiter »wegen seines rauhen Tons als jüdischen Hitler«.[46] Maria König, eine Angestellte des jüdischen Spitals, beschrieb Dr. Tuchmann, den die Angestellten »Tiger« nannten, als gefürchteten, jähzornigen Chef. Verständnisvoll fügte sie aber auch hinzu, daß er nach beiden Seiten Verantwortung zeigen mußte und mit einem Fuß im KZ gestanden war.[47] Josef Rubin-Bittmann verdankte Tuchmann sein Leben, da ihn dieser im Spital behalten hat-

35

te, als er als »U-Boot« keine Unterkunft finden konnte. Bei der Geburt seines Sohnes war Tuchmann zur sofortigen Hilfeleistung bereit, obwohl er dabei sein Leben riskierte.[48] Jene, die nicht in Wien überleben konnten, warfen Tuchmann vor, daß er ihm unliebsame Personen ins KZ geschickt hätte.[49] Seine Funktion ermöglichte ihm noch während des Krieges eine Kontaktaufnahme mit dem »Roten Kreuz« und dem American Joint Distribution Committee (Joint), der größten jüdischen Hilfsorganisation in den USA, mit deren Hilfe auch der Wiederaufbau der Israelitischen Kultusgemeinden in Österreich vollzogen werden konnte. Tuchmann wäre nach der Befreiung zum Leiter des Wiener Joint-Komitees ernannt worden, doch wollte er nur als geschäftsführender Präsident fungieren. Auf seine Anregung hin übernahm Prof. Heinrich Schur diese Funktion.[50] H. Schur wurde 1871 in Nachod (Böhmen) geboren, er promovierte 1894 an der Universität Prag und übersiedelte später nach Wien, wo er die Abteilung Innere Medizin im Rothschildspital leitete.[51] Geschützt durch eine »Mischehe«, konnte er in Wien überleben. Im Prozeß gegen Tuchmann wurde er als »untauglicher Leiter der Kultusgemeinde und als senil«[52] bezeichnet. Da die Israelitische Kultusgemeinde auf die finanzielle Unterstützung des Joint angewiesen war, nahm Schur als dessen Leiter eine bedeutende Funktion im jüdischen Leben ein. Im Juni 1945 ernannte Ernst Fischer, Staatssekretär für Volksaufklärung, Unterricht und Erziehung und für Kultusangelegenheiten, Prof. Schur zum provisorischen Leiter der Israelitischen Kultusgemeinde. Ihm zur Seite stand der Mittelschulprofessor Benzion Lazar (auch Lasar), der ebenfalls durch eine »Mischehe« geschützt in Wien als Zwangsarbeiter überlebt hatte.[53] Lazar stammte ursprünglich aus Czernowicz, studierte an der Wiener Universität und nahm auch am Ersten Weltkrieg teil, wofür er Auszeichnungen erhielt. Er gehörte den »Misrachi« und dem »Bund jüdischer Frontsoldaten« an. Selbst Kriegsinvalide, war er leitend im »Verband der jüdischen Kriegsopfer« tätig. Er führte mit Nationalsozialisten erfolgreiche Verhandlungen über die Freilassung von jüdischen Kriegsopfern aus dem KZ Dachau.[54] Im Prozeß gegen Tuchmann war er auch dem Vorwurf ausgesetzt, »moralisch nicht einwandfrei, geltungsbedürftig, asozial zu sein; als Schädling der Juden könne er allerdings nicht bezeichnet werden.«[55] Laut den Aussagen seines Sohnes Siegfried Lazar stand er in seiner politischen Anschauung der Monarchie, nach 1945 der ÖVP nahe.[56]

Im Herbst 1945 wurden Schur und Lazar ihres Amtes enthoben. Ihre Nachfolger kritisierten, daß unter ihrer Leitung seit Anfang April 1945 keine Buchhaltung erfolgt sei. Weiters hätten sie es verabsäumt, die beweglichen Vermögensschaften zu sammeln und zu sichern, so daß der Gemeinde erhebliche Werte verlorengegangen und Material unbeaufsichtigt aus dem Gebäude verschleppt worden wäre.[57] Wie gezeigt werden wird, liegen der Amtsenthebung aber auch politische Machtkämpfe zugrunde. Während Schur als Mitglied der »Allgemeinen Zionisten« häufig in der »Stimme« publizierte,[58] trat Dr. Tuchmann im öffentlichen jüdischen Leben nicht mehr hervor. Er wurde zum Chef der Wiener Gebietskrankenkasse ernannt,[59] und in den Auseinandersetzungen um den § 144, der Abtreibung mit Strafe bedrohte, entsandte die SPÖ Tuchmann in die Strafrechtskommission, wo er für das Recht auf Abtreibung eintrat.[60] Benzion Lazar durchbrach bei den ersten Wahlen 1946 mit einer eigenen Gruppierung die gesamtjüdische Liste. 1948 schien er auf der Liste der »Zionistischen Föderation« auf, die ihn auch als Kultusrat nominierte, 1949 gehörte er dem Vertreterkollegium der Israelitischen Kultusgemeinde an.

Die Israelitische Kultusgemeinde unter kommunistischer Verwaltung

Am 24. September 1945 setzte der kommunistische Staatssekretär Ernst Fischer seinen Genossen David Brill zum provisorischen Leiter der Israelitischen Kultusgemeinde ein. Dieser hatte durch die Ehe mit einer Nichtjüdin als Zwangsarbeiter in Wien überlebt.[61] Brill gehörte seit langem der KPÖ an und arbeitete als Redakteur bei der »Roten Fahne«, der Tageszeitung der Kommunistischen Partei. 1945 wirkte er kurz als Privatsekretär von Johann Koplenig, dem Nationalratsabgeordneten und langjährigen Vorsitzenden der KPÖ. Brills Ernennung zum neuen Leiter der Israelitischen Kultusgemeinde muß daher auf die spezifische österreichische Situation zurückgeführt werden: Die Israelitische Kultusgemeinde unterstand 1945 dem kommunistischen Staatssekretär Ernst Fischer, der wiederum seine Genossen bei der Vergabe von Funktionen bevorzugte, während jene Überlebenden, die weder mit der SPÖ noch mit der KPÖ sympathisierten, leer ausgingen. Als Beiräte wurden der langjährige Kommunist Akim Lewit und

Bernhard Braver, ein Mitglied der links-zionistischen »Poale Zion«, ernannt.[62] Akim Lewit war Angestellter des KPÖ-eigenen Globus-Verlages. Im Konzentrationslager Buchenwald gehörte er der kommunistischen Widerstandsgruppe an. Nach der Befreiung war er in leitender Stelle im »österreichischen Nationalkomitee«, das sich in Buchenwald unter kommunistischer Führung gebildet hatte, tätig.[63] Er gehörte auch zu den Gründern des »Jüdischen KZ-Verbandes« und setzte sich als dessen Obmann vehement für die Rechte der jüdischen KZ-Überlebenden ein. Bernhard Braver, Sohn eines galizischen Gutsverwalters, kam 1909 zum Studium nach Wien. Als Freiwilliger nahm er am Ersten Weltkrieg teil, danach begann er seine Karriere bei der Verkehrsbank und war 1938 bei der Creditanstalt tätig. Seit seiner Kindheit gehörte er der links-zionistischen »Poale Zion« an, 1938 arbeitete er für das »Palästinaamt«. Noch 1939 nahm er mit Genehmigung der Gestapo als Delegierter am 8. Zionistenkongreß in Genf teil. Nach seiner Rückkehr aus Theresienstadt begann er mit dem Wiederaufbau zionistischer Organisationen. Gemeinsam mit Dr. Hirschl reaktivierte er 1945 den »Keren Hayessod«*, und er gehörte auch zu den Mitbegründern des »Zionistischen Landesverbandes«, der alle zionistischen Organisationen vereinigen sollte. Von 1945 an war er langjähriger Präsident der österreichischen ORT-Vereinigung**. 1947 war er kurz Chefredakteur des KPÖ-nahen »Neuen Weges«, danach wirkte er als Chefredakteur der »Stimme«, dem Organ der »Allgemeinen Zionisten«.

Die Leitung der Israelitischen Kultusgemeinde wurde durch die Ernennung von Dr. Rudolf Braun, Dr. Heinrich Klang und Dr. Isidor Fuchs erweitert. Braun, ursprünglich parteilos, scheint ab 1952 als Kandidat des sozialistischen »Bundes werktätiger Juden« auf. Er wurde 1886 in Wien geboren, wo er auch die Zeit des Nationalsozialismus

---

* Der Keren Hayessod (Palästina-Gründungsfonds) wurde 1929 zum Aufbau Palästinas gegründet und unterstand der Jewish Agency. Vgl. Mertens, S. 47.

** Der ORT (= Abkürzung für Organization for Rehabilitation and Training) wurde zur sozialen und wirtschaftlichen Umschulung der Juden gegründet. Nach 1945 kam dem ORT in Europa große Bedeutung zu, da viele Überlebende eine Berufsausbildung nachzuholen hatten bzw. auf ihre Weiterreise nach Israel, in die USA oder nach Australien vorbereitet werden mußten. In Wien wurde er ursprünglich zur Unterstützung der KZ-Rückkehrer gegründet, wendete sich in seiner Tätigkeit dann aber hauptsächlich den jüdischen DPs zu.

überlebt hatte. Nach 1945 widmete er sich vor allem der Frage der »Wiedergutmachung« sowie der wirtschaftlichen Wiedereingliederung der Juden. Zusammen mit Heinrich Klang schuf er die Grundthese der österreichischen »Wiedergutmachung«, die sich aber primär auf politisch Verfolgte bezogen hatte. 1948 wurde er zum Vizepräsidenten der Wiener Rechtsanwaltskammer gewählt, was von der jüdischen Öffentlichkeit »mit Genugtuung zur Kenntnis genommen wurde«.[64] Auf seine Initiative geht auch die 1949 erfolgte Gründung der jüdischen Kreditgenossenschaft zurück, die Juden den Wiedereinstieg in das Wirtschaftsleben erleichtern sollte. 1958 erhielt Braun das Ehrenzeichen der Republik Österreich, 1959 das Goldene Diplom der Rechts- und Staatswissenschaft der Universität Wien.[65] Der 1875 geborene Hofrat Dr. Heinrich Klang überlebte Theresienstadt und trat bereits am 23. Juli 1945 seinen Dienst im Obersten Gerichtshof an, aus dem er 1938 entlassen worden war. Mit dem von ihm herausgegebenen und teilweise von ihm selbst verfaßten Kommentar zum Allgemeinen Bürgerlichen Gesetzbuch hat er ein Standardwerk geschaffen. Bis ins hohe Alter betätigte er sich als Jurist, er reaktivierte die »österreichische juristische Gesellschaft« und setzte sich für die Herausgabe der »Österreichischen Juristischen Blätter« ein.[66] Klang galt als »österreichischer Patriot«, und er wirkte auch als Frontoffizier im Ersten Weltkrieg. Durch die Erfahrungen während des Nationalsozialismus wandte er sich wieder dem Judentum zu. Diese Verbundenheit drückte er vor allem durch seine Tätigkeit in der Rückstellungskommission,* deren Vorsitz er führte, aus.[67] Die bereits 1946 in die Wege geleitete zweite Auflage des Allgemeinen Bürgerlichen Gesetzbuches durfte er nicht mehr erleben; Klang starb 1954.[68]

Professor Fuchs wurde als »typischer Wiener Jude«, als »guter Zionist« und religiöser Jude beschrieben. Als einziger des ernannten Vorstandes gehörte er einer religiösen Vereinigung, den »Misrachi«, an. Sein Engagement galt vor allem dem Wiederaufbau des religiösen Lebens, und er wirkte auch als Obmann des Tempelvereins in der Seitenstettengasse. Fuchs starb bereits 1953. Die »Stimme«, das Organ der Allgemeinen Zionisten, kritisierte, daß bei seinem Begräbnis ausschließlich zionistische Mandatare der Israelitischen Kultusgemeinde

---

* Laut Aussagen von Robert Knight zeigte seine Arbeit für »rassisch Verfolgte« nicht nur positive Folgen.

anwesend waren »und die Israelitische Kultusgemeinde bei der Bestattungsfeier ein passives Verhalten gezeigt hat«.[69]

Die ersten freien Wahlen 1946

Noch vor den ersten Kultusgemeindewahlen wurde das »Jüdische Komitee« gegründet, das sich »als Rest der einst zahlreichen Judenschaft Wiens, die als Stiefkind des Staates behandelt wird«, verstand. Alle Juden, die noch nicht dem bereits gegründeten »Jüdischen KZ-Verband« angehörten, sollten Mitglieder werden. Offiziell wurde »die Einigung der Wiener Judenschaft zwecks Wiedererreichens der früheren Stellung in Kultur und Wirtschaft« angestrebt,[70] doch wollte das »Jüdische Komitee« mit Hilfe eines geeinten Wiener Judentums auch amerikanischen jüdischen Organisationen, die die politische Entwicklung der Israelitischen Kultusgemeinde zu beeinflussen versuchten, gestärkt entgegentreten.[71] Die Initiatoren des »Jüdischen Komitees« galten als Mitglieder bzw. Sympathisanten der KPÖ (David Brill, Broczyner, Otto Hermann, Dr. Rudolf Rosner, Karl Haber) und der SPÖ (Dr. Rudolf Braun, Anschel Heilpern) oder um linke Zionisten (Ing. Leopold Herzka, Viktor Pordes).

Am 7. April 1946 fanden die ersten demokratischen Kultuswahlen statt. Das »Jüdische Komitee« vereinigte sich mit der »Zionistischen Landesorganisation« und dem »Aktionskomitee jüdischer KZler« zur gesamtjüdischen Liste, der »Jüdischen Einigkeit«. Diese durfte sich auch der Unterstützung von Bronislaw Teichholz, einem linken Zionisten (»Poale Zion«) und Leiter des DP-Lagers im Rothschildspital, erfreuen. Teichholz, ein gebürtiger Ungar, verlor seine Familie während des Nationalsozialismus und gehörte in den unmittelbaren Nachkriegsjahren zu den politisch einflußreichsten jüdischen Funktionären in Wien. Daneben kandidierte unter der Führung des bereits erwähnten Benzion Lazar die Liste des »Verbandes der jüdischen Kriegsopfer«, eine kleine Gruppe, die den linken Strömungen in der Kultusgemeinde entgegenwirken wollte.

Wahlberechtigt waren alle Mitglieder der Israelitischen Kultusgemeinde, die seit drei Monaten ihren Wohnsitz in Wien hatten. Bei einer Wahlbeteiligung von 65% ging die Liste der »Jüdischen Einigkeit« als klare Siegerin hervor. Sie erhielt 2.427 Stimmen (= 33 Mandate), während auf den »Verband der jüdischen Kriegsopfer« nur 216 Stimmen (= 3 Mandate) entfielen. Die 36 Kultusräte wählten in der konstituierenden Sitzung ein achtköpfiges Vertreterkollegium, das wiederum den Präsidenten und die zwei Vizepräsidenten wählte. David Brill wurde mit 25 Stimmen zum Präsidenten ernannt; ihm zur Seite standen Dr. Sigmund Fuchs und Dr. Rudolf Braun als Vizepräsidenten.[72]

Kaum einer der neugewählten Funktionäre war vor 1938 im jüdischen Leben öffentlich aufgetreten.* Die »Union österreichischer Juden«, bis 1932 stärkste Fraktion, fehlte 1945, was teilweise auf ihre Überalterung zurückgeführt werden muß. Zudem erwies sich ihre Politik, die davon ausging, daß der Antisemitismus durch politische Mittel bekämpft werden könne, als gescheitert – die Shoah hatte die von der »Union« angestrebte österreichisch-jüdische Symbiose zunichte gemacht. Dennoch setzten jetzt linke Gruppierungen ihre von dem Wunsch nach Assimilation geprägte Politik fort. Die einflußreichen Positionen nahmen nach 1945 fast nur Kommunisten, Sozialisten oder linke Zionisten ein: Das Gesundheitsreferat wurde mit Otto Wolken (SPÖ), das Wanderungsreferat mit Michael Kohn (KPÖ) und das Wohnungsreferat mit Wilhelm Krell (SPÖ) besetzt. Krell löste 1947 auch Bernhard Braver als Amtsdirektor ab. Vor 1938 war es linken jüdischen Gruppierungen und auch linken Zionisten nicht gelungen, die Politik der Israelitischen Kultusgemeinde zu beeinflussen, der Wiederaufbau nach 1945 vollzog sich hingegen unter der Dominanz von Juden, die linken Parteien angehörten und vor 1938 großteils am Rande des Judentums gestanden waren. Mit dem jüdischen Alltag nur schlecht vertraut, passierten manchmal peinliche Ausrutscher. Ein Leserbriefschreiber kritisierte in der zionistischen »Neuen Welt und Judenstaat«, daß die »Gemeinde«, das offizielle Organ der Israelitischen Kultusgemeinde, statt des jüdischen Jahres »nach Christi Geburt schrieb, was in einem Kehillablatt die Höhe ist.«[73]

Die neue Leitung maß der Pflege der religiösen Bedürfnisse, ur-

---

* Zu nennen wären hier Dr. Ernst Feldsberg, der vor 1938 der »Union«, nach 1945 zuerst den Zionisten, ab 1955 dem sozialistischen »Bund« angehörte, oder Major Emil Sommer, Mitbegründer des monarchistisch ausgerichteten »Bundes legitimistischer jüdischer Frontsoldaten«. Vgl. Maderegger, Sylvia, Die Juden im österreichischen Ständestaat. Wien–Salzburg 1973. S. 57.

sprünglich als primäre Aufgabe der Israelitischen Kultusgemeinde gedacht, nur wenig Bedeutung zu, und es wurde auch kein eigenes Referat für religiöse Angelegenheiten gegründet. Vertreter des religiösen Judentums, wie der »Misrachi« oder der orthodoxen »Agudat Israel«, waren in der neugewählten Leitung völlig unterrepräsentiert. Die zionistische »Renaissance« bemängelte sogar, daß die Leitung der Israelitischen Kultusgemeinde Religion als Privatsache, als »Opium für das Volk«, betrachten würde.[74] Neben den Misrachi Benzion Lazar und Sigmund Fuchs zählte nur Josef Rubin-Bittmann als religiös bewußter Jude zu den bedeutenden jüdischen Persönlichkeiten der Nachkriegsjahre. Aufgewachsen in einer orthodoxen Familie in Galizien, war er 1914 nach Wien geflüchtet. Im Unterschied zu den nach 1945 gekommenen ostjüdischen Flüchtlingen entwickelte er vor 1938 *eine innige Beziehung zu Wien. Es war fast wie die Liebe zu einer Frau. (. . .) Dennoch hielt er die religiösen Vorschriften ein. In Kleidung und äußerem Erscheinen machte er an die neue Umgebung Konzessionen, nicht aber in Grundsätzen und im Glauben. Er war eine geglückte Symbiose aus Ost- und Westjudentum.*[75]

Rubin-Bittmann stand zwar einzelnen führenden Politikern wie Figl oder Körner nahe, doch wollte er sich als bewußter Jude weder für die SPÖ noch für die ÖVP engagieren.[76]

Die Befriedigung der Bedürfnisse von religiösen Juden erwies sich als eine kaum zu lösende Aufgabe. Friedhöfe, Tempel und Gebetshäuser waren zerstört, Religionslehrer, Schächter und Rabbiner fehlten oder hielten sich nur vorübergehend in Wien auf. Erst 1948 trat Dr. Akiba Eisenberg, ein gebürtiger Ungar, das Amt des Rabbiners an. Er kam 1908 in Nemessur, in der ehemaligen Tschechoslowakei, zur Welt und besuchte die bekannten ungarischen Jeschiwot in Papa und Vac. In Budapest absolvierte er an der Universität ein Philosophiestudium. Eisenberg überlebte die Shoah in Ungarn und übernahm 1945 in Györ (Westungarn) die Stelle des Oberrabbiners.[77] Bis zu Eisenbergs Amtsantritt übte der Religionslehrer Regierungsrat Isidor Oehler provisorisch die Funktion des Rabbiners aus. 1948 stand er bereits 47 Jahre im Dienst der Israelitischen Kultusgemeinde, wobei er sich 1945 vor allem um den Wiederaufbau des Religionsunterrichts bemüht hatte.[78] Die wenigen Kinder waren auf verschiedene Schulen und Schulklassen verstreut, und Religionslehrer, die Hebräisch beherrschten, konnten kaum gefunden werden. Als Lösung wurden vorerst Studenten als Lehrer herangezogen, die aber immer nur kurz in Österreich blieben. Doch auch der Großteil der Wiener Eltern zeigte nur wenig Interesse an der religiösen Erziehung ihrer Kinder. Sie hielten ihre Kinder von der vom Joint finanzierten jüdischen Schule in der Zieglergasse fern oder ignorierten ein von Präsidenten Maurer einberufenes Treffen zur Frage des Religionsunterrichtes.[79] Noch Ende der fünfziger Jahre bildete der Mangel an Religionslehrern ein ungelöstes Problem, die jüdische Tradition konnte nur schwer an die heranwachsende Jugend weitervermittelt werden.

Die jüdischen Kinder in Wien wachsen in einer fremden Umgebung heran, besuchen Schulen, die einen assimilatorischen Einfluß ausüben, und es wäre die Aufgabe des Religionsunterrichtes, den Kindern in den wenigen zur Verfügung stehenden Stunden die Erziehung im jüdischen Sinne zu geben. (...) Nichts von alldem! Der jüdische Religionsunterricht in Wien wird von einer sich ständig verändernden Schar ungeschulter Lehrkräfte durchgeführt, die in ihrer Mehrzahl diesen Beruf nur vorübergehend, zur Erleichterung ihrer finanziellen Schwierigkeiten beim Studium, ergriffen haben. (...) Eine pädagogische Schulung der Religionslehrer ist momentan nur Utopie. Die größte Schande sind jedoch die sogenannten Lehrbehelfe. Soweit die Kinder überhaupt Lehrbücher bekommen, in vielen Fällen gab es einfach keine, sind diese Bücher solcherart, daß man sich bei ihrem Anblick an den Kopf greift, ob man nicht etwa träume. – »Gott erhalte, Gott beschütze, unsern Kaiser«, steht auf S. 132! (...) Fehlt nur noch das Vorwort des Bürgermeisters Lueger.[80]

2.
Die Überlebenden

»Österreichische Juden«

Ende Dezember 1945 zählte die Israelitische Kultusgemeinde nur 3.955 Mitglieder,[1] die sich aus 1.727 Konzentrations- bzw. Vernichtungslagerüberlebenden, 252 Remigranten und 1.927 sogenannten »Restjuden«* (ein aus der Bibel stammender Begriff, der erstmals für die verfolgten europäischen Juden verwendet wurde) zusammensetzten. Zu den letztgenannten zählten Juden und Jüdinnen, die in Verstecken überlebt hatten (»U-Boote«),[2] durch »Mischehen«** geschützte, sogenannte »Mischlinge«*** und »privilegierte Juden«, wobei es sich um Mitarbeiter des Ältestenrates und jüdischer Sozialeinrichtungen handelte. Da es sich bei diesen Überlebenden nicht nur um Menschen handelte, die dem Judentum oft schon sehr fernstanden,

---

* Der Begriff »Restjude« wurde übernommen aus Maor, Harry, Über den Wiederaufbau der jüdischen Gemeinden in Deutschland seit 1945. Dissertation. Mainz 1961.

** Innerhalb der »Mischehen« wurde zwischen privilegierten und nichtprivilegierten unterschieden. Zu den privilegierten »Mischehen« zählten EhepartnerInnen von Nichtjuden, deren Kinder nicht mehr dem Judentum angehörten.

*** In Wien formierte sich eine »Mischlingsliga«, die 1944 verraten wurde. Vgl. DÖW (Hg.), Jüdische Schicksale, S. 302 ff. Dazu auch Mark, Karl, 75 Jahre Roter Hund. Lebenserinnerungen. Wien–Köln 1990. Mark überlebte als »Mischling« in Wien und Ramseiden, fühlte sich aber als revolutionärer Sozialist. Als »Mischling« durfte er während der NS-Zeit seine nichtjüdische spätere Frau nicht heiraten. Der Interviewpartner Eduard Goldmann wurde als »Mischling« aus der Deutschen Wehrmacht entlassen und überlebte als »politisch Verfolgter« Buchenwald. Weder vor noch nach der Shoah fühlte er sich dem Judentum zugehörig. (Siehe Interview mit Eduard Goldmann, Salzburg 1987). Im Gegensatz dazu fühlt sich Siegfried Lazar trotz seiner nichtjüdischen Mutter dem nationalen Judentum bis heute stark verbunden. Gitta Deutsch schrieb, daß sie sich durch ihren Ausschluß und die Emigration öfters die Rückkehr zum Judentum überlegt, den Schritt aber nie vollzogen hatte. Noch heute plagen sie Schuldgefühle, überlebt zu haben, während andere ermordet worden sind. Siehe Deutsch, Gitta, Böcklinstraßenelegien. Erinnerungen. Wien 1993.

sondern einige durch ihre Funktionen während des Nationalsozialismus auch als Kollaborateure galten, gehörte ihre Existenz lange zu einem Tabuthema der jüdischen Geschichte. Wie die mit ihrer Mutter in Wien versteckte Schriftstellerin Elfriede Gerstl schilderte, wurde ihnen nach 1945 unterstellt, eine Art Spitzel gewesen zu sein, weshalb sie sich eine Zeitlang von der jüdischen Gesellschaft zurückzogen. Auch wissenschaftlich wurde die Problematik dieser Gruppe erst in Ansätzen bearbeitet, genaue Statistiken fehlen. So schwanken beispielsweise die Zahlenangaben zu den »U-Booten« zwischen 280 und 619.[3] Es wird auch angenommen, daß der Großteil der in Österreich Überlebenden vor 1938 nur mehr an der Peripherie des Judentums lebte und zur Israelitischen Kultusgemeinde kaum mehr Beziehungen unterhielt. Dies bestätigte auch die von Gwyn Moser publizierte Untersuchung über »U-Boote«; danach hatte die Hälfte der »U-Boote« vor 1938 sehr assimiliert gelebt und gute Kontakte zu Nichtjuden unterhalten, was letztendlich das Überleben ermöglichte.[4] »Mischlinge«, in »Mischehen« lebende und »geschützte« Juden lebten aber in ständiger Angst, doch noch deportiert zu werden. Sie mußten auch mitansehen, wie Eltern, Freunde und Familienmitglieder verschleppt wurden: »Mit Angst wachte man auf, mit Angst ging man zu Bett.«[5] Sogenannte »Mischlinge« blieben von der Deportation ausgeschlossen, wenn sie nicht gegen eine der zahlreichen Verordnungen verstießen und ihr »arischer« Elternteil noch am Leben war. Ähnliches galt für die jüdischen Ehepartner, deren Schutz an die Aufrechterhaltung der Ehe gebunden war; Scheidung oder der Tod des »arischen« Partners konnte die sofortige Deportation bedeuten.[6] Laut Emil Gottesmann, einem Mitarbeiter der »Zentralstelle für jüdische Auswanderung«, erwiesen sich »arische« Frauen im Vergleich zu »arischen« Männern als couragierter und waren auch seltener zu Scheidungen bereit.

Die »arischen« Frauen waren viel tapferer und geneigter, ihren jüdischen Ehemännern zu helfen als umgekehrt. Ich habe Fälle erlebt, da sind die »arischen« Männer gekommen und haben gesagt: »Holts mei jüdische Frau.«[7]

Als besonders markant erwies sich die Altersstruktur der Überlebenden; Juden kamen nicht für einen Neubeginn, sondern aufgrund von Krankheit oder ihres hohen Alters nach Wien zurück. 29% der Mitglieder der Israelitischen Kultusgemeinde waren über 60, 30,5% zwischen 46 und 60, hingegen nur 9% zwischen 19 und 25 Jahre alt.[8] Auch jene, die die jüdische Gemeinde wieder aufbauten, kamen fast alle zwischen 1880 und 1890 in Wien zur Welt oder zogen noch vor bzw. während des Ersten Weltkrieges aus Teilen der Monarchie zu. Als Ende der fünfziger Jahre viele Gründungsmitglieder starben, rückte die Frage der bisher vernachlässigten Jugend in den Mittelpunkt der innerjüdischen Diskussionen. Die Tragik der Überalterung machte sich auch in der Zahl der Hochzeiten bemerkbar, die 1952 ganze sieben, 1953 fünf und 1954 zehn betragen hatte; Bar Mizwoths* konnten 1952 fünf, 1953 sechs und 1954 sieben gefeiert werden.[9] 1946 zählte die Israelitische Kultusgemeinde nur an die 200 Kinder, wobei der Großteil aus »Mischehen« stammte.[10]

Der Geburt eines Kindes kam daher besondere Bedeutung zu, es »galt als Symbol für die neue Blüte des jüdischen Volkes, als Sonnenstrahl nach den Jahren der tiefsten Finsternis, als Stütze der Eltern sowie dem jüdischen Volk zur Ehre«.[11] Wie Ruth Beckermann – selbst nach dem Krieg in Wien geboren – bemerkte, galt jedes Kind als Wunder und wurde »mit Gottes Hilfe zum Wunderkind«.[12] Die Geschichte der Eltern belastete die zweite Generation auf vielfältige Weise, und große Identitätsprobleme können noch in der dritten Generation beobachtet werden.** Die aus der Geschichte der Verfol-

---

* Bar Mizwoths: Knaben werden nach Vollendung ihres dreizehnten Lebensjahres in religiöser Hinsicht als gleichberechtigte Mitglieder in die jüdische Gemeinde aufgenommen; der Knabe liest in der Synagoge zum ersten Mal aus der Thora vor. Nur in reformierten Gemeinden finden auch für Mädchen »Volljährigkeitsfeste« – Bat Mizwoths – statt.

** Vor allem in den USA und in Kanada entstanden, von den Betroffenen der zweiten Generation organisiert, zahlreiche Selbsthilfegruppen und von Betroffenen selbst verfaßte Publikationen. Vgl. Living After the Holocaust. Reflections by Children of Survivers in America. Edited by Lucy Y. Steinitz with David M. Szonyi (1976); Epstein, Helen, Children of the Holocaust. New York 1979; Continuing Witness. Contemporary Images By Sons and Daughters Of Holocaust Survivors 1968–1988. B'nai B'rith Klutznick Museum, Washington, March 1988; Hass, Aaron, In The Shadow of the Holocaust: The Second Generation. Cornell University Press 1990. Auf besonders interessante Art wurde diese Problematik von Art Spiegelman behandelt, der die Lebensgeschichte seines Vaters und seine Vater-Beziehung in Comix-Form verarbeitet hat: Spiegelman, Art, Maus. A Survivers Tale. Part One and Two. New York 1986.
Auch in Österreich nahmen in den letzten Jahren Betroffene dazu Stellung. Vgl.: Sichrovsky, Peter, Wir wissen nicht was morgen wird, wir wissen wohl was gestern war. Junge Juden in Deutschland und Österreich. Köln 1985; Beckermann, Ruth, Unzugehörig; Schindel, Robert, Gebürtig. Roman. Frankfurt/Main 1992.

gung erklärbare Überhöhung des jüdischen Kindes konnte Eltern zwar nach der Shoah das Weiterleben erleichtern, aber, wie vor allem Untersuchungen in den USA zeigten, die Kinder dadurch überfordern und belasten.[13] 1989 sprach Alexander Friedmann in der »Gemeinde«, dem offiziellen Organ der Israelitischen Kultusgemeinde, diese Problematik an.

Eine Bemerkung am Rande: Die Liebe, mit der jüdische Eltern ihre nach dem Holocaust geborenen Kinder bedenken, diese Liebe hat auch eine Kehrseite: diese wirkt sich als ständige, aber unerfüllbare Forderung aus, das eigene Lebensideal, die eigenen Träume gewissermaßen stellvertretend zu verwirklichen, um all das, was nicht hätte geschehen dürfen, irgendwie ungeschehen zu machen, aber auch um das eigene Überleben zu rechtfertigen.[14]

Kinder mußten nicht nur dem Weiterleben der Eltern Sinn verleihen, sondern auch ermordete Familienmitglieder ersetzen und erhielten der jüdischen Tradition entsprechend deren Namen.

Bei der Geburt meines letzten Sohnes, den wir nach einem umgekommenen Familienmitglied benannt haben, meinte meine älteste Tochter: jetzt ist unsere Familie wieder komplett.[15]

Leon Zelman nannte seine Töchter nach den ermordeten Großmüttern,[16] oder Hans Thalberg glaubte, in seiner Tochter die ermordete Tante zu sehen.[17] Wie aus den von Doris Fürstenberg mit überlebenden Jüdinnen geführten Interviews hervorgeht, waren sich KZ-überlebende Frauen über ihre Probleme als Mütter und über die psychischen Folgen und Belastungen für die Kinder bewußt.[18] – »Ich habe immer das Gefühl gehabt, daß die Kinder von Widerstandskämpfern, von Verfolgten, von KZlern ganz schön schwer an ihren Eltern zu tragen haben«, schrieb die Auschwitzüberlebende Mali Fritz.[19] Eine andere Interviewpartnerin berichtete über die Vererbung ihrer psychischen Krankheit auf den Sohn, der wie sie an Schlafstörungen leidet. Ihre Tochter wieder warf ihr vor, zu früh nach der Shoah geboren worden zu sein. Obwohl oder gerade weil sich die Mutter als langjährige Kommunistin kaum mehr mit ihrer jüdischen Herkunft verbunden zeigen wollte, wanderte die Tochter nach der Matura nach Israel aus.[20] »Die Emanzipation von der Leidensgeschichte, ohne die Leidensgeschichte selbst zu vergessen«[21] erwies sich für die zweite und dritte Generation als eine kaum erfüllbare Forderung.

Die Situation in den Bundesländern

Wie aus Berichten und Protokollen ausländischer jüdischer Hilfsorganisationen hervorgeht, stellte sich die Situation der Juden in den Bundesländern als besonders tragisch dar. – »Graz, Tyrol, Salzburg, all report of only 50–60 left, mostly old people, Graz reports 8–10 children, Tyrol none.«[22]

In Klagenfurt fanden die einzigen zwei zurückgekehrten Juden nur noch eine zerstörte Synagoge und einen geschändeten Friedhof vor.[23] Isidor Preminger, Vorsitzender der Israelitischen Kultusgemeinde Graz, meinte, »daß die Aussichten der Juden in Graz nicht sehr rosig wären; der Antisemitismus ist womöglich noch größer als er war. Für die Juden kann man in Graz keine Zukunft sehen.«[24]

Ähnliches wurde für Tirol festgestellt: »Der Judenhaß ist so geblieben, wie er war, wenn auch nicht offiziell. Die jungen Menschen können in Tirol nicht bleiben.«[25] Wie langwierig sich die Rückgabe von Wohnungen in Innsbruck hinzog, zeigte sich an Rudolf Brühl, dem ersten Vorsitzenden der Israelitischen Kultusgemeinde Tirol. Im Sommer 1946 war seine Wohnung noch immer nicht zurückgestellt worden, und er mußte im »Gasthof Goldener Stern« wohnen.[26] Max Feingold schilderte, daß in Salzburg

> die Behörden in mancher Hinsicht so geblieben sind, wie sie zwischen 1938 und 1945 waren. (. . .) Die Wohnungsfrage bezüglich der Juden ist besonders arg, es wird beinahe um jedes Zimmer gekämpft, das Juden zugewiesen wird.[27]

In den dreißiger Jahren bestanden in Österreich 32 Israelitische Kultusgemeinden, nach der Shoah reduzierte sich ihre Zahl auf 5 (Wien, Graz, Salzburg, Linz und Innsbruck), die sich nur mit äußerster Mühe und durch die Niederlassung einiger ostjüdischer Flüchtlinge am Leben halten konnten.

Rückkehr zum Judentum

In den unmittelbaren Nachkriegsjahren verzeichnete die Israelitische Kultusgemeinde – gemessen an der Zahl der Überlebenden – relativ viele Wieder- bzw. Neueintritte.[28] Schockiert vom wahren Ausmaß der Katastrophe, fühlten sich manche wieder mehr dem Judentum verbunden, und sie wollten durch ihre Zugehörigkeit zur Israelitischen Kultusgemeinde ihre Solidarität mit den Verfolgten beweisen. Getaufte Juden erfuhren, daß die feindliche Umwelt auch diese Form der Assimilation nicht anerkannt hatte; wie der Schriftsteller Jean Amery formulierte, wollte sie die Gesellschaft als Juden, und es gab kein Entrinnen mehr.

Die Gesellschaft wollte mich als Juden, ich hatte den Urteilsspruch anzunehmen; ein Rückzug in die Subjektivität, aus der heraus ich hätte vielleicht sagen können, ich »fühlte« mich nicht als Jude, das wäre belangloses, privates Spiel gewesen. (. . .) Nur dies vielleicht, daß mein Judesein durch Auschwitz für mich jene endgültige Gestalt annahm, die es bis heute behielt.[29]

Jean Amery beging 1978 in Salzburg Selbstmord.

Andere wandten sich der Israelitischen Kultusgemeinde zu, um Joint-Pakete zu erhalten. Diese Juden galten als »Paketjuden« und erfuhren eine mißtrauische Behandlung. Wie der Religionssoziologe Harry Maor in seiner Dissertation über die überlebenden Juden in Deutschland kritisierte,

kam zu den von Hitler geschaffenen Judenkategorien nunmehr noch die von den Beamten des American Joint geschaffene Kategorie der »Paketjuden« hinzu.[30]

Kultusrat Aron Ehrlich, Vorsitzender des »Gremiums der jüdischen Kaufmannschaft«, kritisierte öffentlich all jene, die aus materiellen Gründen zum Judentum zurückgekehrt waren. Seine Kritik bezog sich dabei vor allem auf David Brill, den ersten Präsidenten der Israelitischen Kultusgemeinde, dessen nichtjüdische Frau zum Judentum übergetreten war.[31] Die von David Brill geführte »Jüdische Einigkeit« gewährte auch Nichtjuden die außerordentliche Mitgliedschaft. Da viele Mitglieder der KPÖ angehörten oder nahestanden, löste dieses Vorgehen Proteste aus. Im Frühjahr 1948 startete der »Neue Weg«, die damals bedeutendste und links stehende jüdische Zeitung, eine Diskussion über die Frage des Rücktritts von getauften Juden.

Wir sind Zeugen, daß diese Nichtglaubensjuden sich eigentlich als Juden betrachten; aber in der Diaspora gibt es nur ein jüdisches Kennzeichen: Das Bekenntnis zur jüdischen Konfession. Wir Juden haben es bisher nicht gern gesehen, daß Leute, die einmal den jüdischen Glauben verloren hatten, wieder in den Schoß des Judentums zurückkehren, aber wir stehen jetzt vor einer großen Umwälzung der jüdischen Geschichte, und da ist es unsere Pflicht, aus dieser Tatsache gewisse Forderungen zu ziehen. (...) Es gibt eine ganze Reihe von Abstammungsverfolgten, die heute vollständig jüdisch fühlen, aber durch Widerstände, denen sie begegnen, sich gehemmt fühlen, die logische Konsequenz zu ziehen. Räumt die Widerstände weg, und alle jene Kreise, die innerlich sich noch immer zum Judentum gehörig betrachten, werden es dann leichter haben, den Regungen ihres Herzens auch äußeren Ausdruck zu verleihen. (...) sie mögen zu uns kommen, und wir heißen sie willkommen![32]

In der folgenden Nummer des »Neuen Weges« wurde ausführlich beschrieben, wie David Brill, 1945 Präsident der Israelitischen Kultusgemeinde, im Jüdischen Krankenhaus noch während des Nationalsozialismus seinen Bettnachbarn, der sich für eine Beamtenlaufbahn taufen ließ, zur Rückkehr zur Israelitischen Kultusgemeinde überredete.

Ich unterhalte mich mit dem blassen Mann auf der anderen Seite über Jehuda Halevy, Spinoza, Moses, Maimonides, Mendelssohn, über Disraeli, Moses Montefiore, Gambetta, über Heine und Börne. Ich stoße auf ein frappierendes Wissen, aber auch auf ein flammendes Bekenntnis zum Judentum in religiöser und rassischer Beziehung. Ich stelle mich vor (...) Müde reicht er mir die schmale Hand herüber: »Sehr angenehm, mein Name ist Brill. (...) Und diese Hand führte mich, ohne daß ich es merkte, sachte aus dem staubigen Dornengestrüpp meines körperlosen Scheinchristentums.[33]

Auch jüdische Exilorganisationen in den USA, die mit dem »World Jewish Congress« in Verbindung standen, diskutierten noch während des Krieges, ob »Glaubensjuden« Hilfssendungen erhalten sollten. Nach dem Krieg traf die Kritik vor allem jüdische Funktionäre, die als »Mischlinge« überlebt hatten und nun durch von ihnen vorgeschlagene »wirkliche« Juden ersetzt werden sollten. Dabei ging es aber, wie noch gezeigt werden wird, um die Kontrolle über die politische Ausrichtung der Israelitischen Kultusgemeinde. Betroffenen erschwerten diese Diskussionen die Solidarität mit dem Judentum und führten bei manchen zur völligen Vereinsamung. So meinte ein aus Shanghai zurückgekehrter Rechtsanwalt: »Ich bin zwangsweise Jude, weil man mich bei meiner Geburt nicht gefragt hat. Ich leide an meiner Assimilierung, denn die Juden hassen mich deshalb, und die Arier hassen mich sowieso.«[34]

Judentum als Schicksalsgemeinschaft

Nicht alle Ausgetretenen oder Getauften traten der Israelitischen Kultusgemeinde bei, doch viele beschäftigten sich intensiv mit ihrer jüdischen Herkunft und wurden von der jüdischen und nichtjüdischen Umwelt als Juden gesehen.[35] Hilde Spiel – bereits ihre Eltern hatten sich taufen lassen, und sie selbst war sich erst durch die Verfolgung ihrer jüdischen Wurzeln bewußt geworden – ließ sich 1963 endgültig wieder in Österreich nieder. Wie sie selbst einmal beklagte, hat man sie hier und auch in Deutschland auffallend oft nach ihrer jüdischen Herkunft befragt und darauf festgenagelt.[36] Spiel hatte Österreich bereits 1936 verlassen, »um nicht von der Fäulnis des Systems befallen zu werden«. Der Übergang von der Republik zum Ständestaat vernichtete alle ihre Hoffnungen. »Aus Ekel vor den Hahnenfedern am Hut« und nicht, weil ihr Leben unmittelbar in Gefahr war, entschied sie sich für eine Emigration nach Großbritannien.[37] Auch nach der Shoah trat sie der Israelitischen Kultusgemeinde nicht bei, und sie wurde nach katholischem Ritus in Bad Ischl begraben. Dennoch zeigte sie sich der jüdischen Problematik gegenüber sehr sensibel, und vor allem ihr Buch über Fanny von Arnstein[38] verstand sie als Auseinandersetzung mit ihrer jüdischen Herkunft.[39] Wie Reich-Ranicki meinte, wollte Hilde Spiel »nur« als Österreicherin gelten, ohne dabei immer auf ihre jüdischen Wurzeln gestoßen zu werden.[40]

Bruno Kreisky gilt als der »berühmteste« Repräsentant all derer, die bereits vor 1938 aus der Israelitischen Kultusgemeinde ausgetreten waren und trotz Shoah den Eintritt oder Wiedereintritt verweigerten. Ihr Judentum reduzierte sich auf die durch die Verfolgung erzwungene Zugehörigkeit zu einer Schicksalsgemeinschaft.

Ohne lange nachzudenken, würde ich sagen, daß das Wissen von Auschwitz das einzige ist, was mich vorbehaltlos an meine jüdische Herkunft bindet. Ohne Auschwitz würde mich meine Beziehung zum Judentum zu keinem bestimmten Verhalten und zu keiner bestimmten Einstellung verpflichten. Auschwitz ist das Schicksal der Juden, dem auch diejenigen nicht entrinnen können, die ihre jüdische Abstammung für mehr oder weniger beliebig halten. Wir sind durch eine sonderbare grausame Laune der Geschichte alle in einen Topf geworfen worden.[41]

Kreisky wollte sich von der Gesellschaft nicht zur Mitgliedschaft in einer religiösen oder nationalen Gemeinschaft zwingen lassen. Entgegen vielen Vorwürfen bekannte er sich jedoch zu seinem kulturellen jüdischen Erbe, doch erhob er auch den Anspruch, »ein ›echter‹ Österreicher zu sein«,[42] als Sozialist anerkannt und nicht weiterhin zum Außenseiter gestempelt zu werden.

Ich erwarte, daß man die Religionszugehörigkeit eines Menschen, das heißt in meinem Fall, meine jüdische Herkunft, als Privatsache betrachtet. Ich erlaube es niemandem, mich als den Angehörigen einer bestimmten Rasse zu vereinnahmen. (. . .) Ich habe meine Herkunft nie verdrängt und nie verleugnet. Aber ich wollte mich ihr auch nicht unterwerfen. Sie müssen das als einen dialektischen Prozeß sehen.[43]

Seine Kritik an Israel, seine Nahostpolitik und auch sein Verhalten gegenüber ehemaligen Nationalsozialisten müssen daher immer auch als Versuch einer jüdischen Selbstdefinition sowie als Reaktion auf die von jüdischer und nichtjüdischer (zum Teil antisemitischer) Seite geforderte Loyalität gegenüber Israel gesehen werden. Wie er es selbst formulierte, stand dahinter aber auch die Angst, daß die Leistungen jüdischer Politiker bei zu viel Engagement für Israel »bei ihren Landsleuten eben aus diesem Grunde doch nicht voll anerkannt werden.«[44] Obwohl er immer wieder betonte, selbst kaum Antisemitismus gespürt zu haben, fürchtete er den in Österreich unterschwelligen Antisemitismus. Der österreichischen Demokratie schenkte er noch nicht allzuviel Vertrauen; für ihn war der politische Erziehungsprozeß noch keineswegs abgeschlossen.[45]

Eine extreme Position nahm der Schriftsteller Hans Weigel ein. Er trat 1932, nach dem Tod seines Großvaters, aus der Israelitischen Kultusgemeinde aus. Trotz Shoah wollte er auch nach 1945 weder konfessionsmäßig noch national als Jude gelten. Im Gegensatz zu Kreisky lehnte er auch die Zugehörigkeit zum Judentum als Schicksalsgemeinschaft ab. Seinen Ausführungen zufolge war er zwischen 1938 und 1945 nur gezwungenermaßen »Volljude« und hatte für sich 1945 wieder aufgehört, Jude zu sein. Er wollte fortan nicht mehr als Jude oder als jüdisch bezeichnet werden.[46] Weigel kehrte noch im Herbst 1945 nach Wien zurück und konnte als Autor und Kritiker Popularität erzielen. Er selbst bezeichnete seine Rückkehr als »Bilderbuchheimkehr«.[47] Österreich wurde ihm wieder zur Heimat, der er versöhnt und ohne jedes Rachegefühl entgegentrat und wo er persönlich keinen Antisemitismus spürte.[48] Das jüdische Schicksal stellte für ihn keine Besonderheit dar, und er verglich die Problematik der jüdischen Überlebenden nicht nur mit dem Schicksal von anderen Verfolgten, sondern auch mit jenem der nichtjüdischen Österreicher, die seiner Meinung nach ebenso gelitten hätten. Er selbst stellte nie »Wiedergutmachungsansprüche« und lehnte in den Nachkriegsjahren sogar die Hilfspakete vom Joint ab,[49] denn: »Ich war nie im Luftschutzkeller und nie im Militär. Das habe ich den anderen voraus.«[50]

Bereits am 13. Oktober 1945 schrieb er im »Kurier«, daß die vielen Kriegsopfer das Leid von Juden und Nichtjuden ausgewogen hätten. »Wir haben einander nichts vorzuwerfen. Seine Toten kann keiner lebendig machen – bei euch sind viele tot und bei uns auch – wir Überlebenden sind quitt.«

Das »Wir« wurde ihm hier allerdings zum Verhängnis, denn, obwohl er sich selbst nicht mehr als Jude verstand, erweckte er damit den Eindruck, für alle Juden zu sprechen. Wilhelm Weinberg antwortete Weigel im »Neuen Weg«:

Man liest als Jude diese Worte und ist zutiefst erschüttert. Sechseinhalb Millionen Tote, (. . .) ein jeder von uns hat fast alle nahen und nächsten Angehörigen verloren, von den vielen Freunden hier und in ganz Europa nicht zu reden, und nun kommt ein Jude aus der Schweiz zurück, er erzählt seinen Wiener Freunden von markenfreien Fischkonserven, die es dort während des Krieges gegeben haben soll, spaziert durch die Straßen dieser Stadt, wo uns aus jedem Winkel die Erinnerung an einen toten Freund angrinst – »wir Überlebenden sind quitt« – wir, der größte Teil der Juden in der ganzen Welt und auch hier, nicht.[51]

1960, zur Zeit der Verhaftung Adolf Eichmanns und einer antisemitischen Welle in der Bundesrepublik Deutschland und Österreich, verfaßte Weigel für die österreichische Wochenzeitung »Heute« eine Artikelserie zur Frage der jüdischen Identität. Unter anderem schrieb er, daß »wir alle miteinander viel verloren haben« und Vorrechte für Juden eine »gefährliche Diskriminierung mit umgekehrten Vorzeichen wären«.[52] Mit dieser Artikelserie zog er nicht nur heftige Kritik auf sich, sondern sah sich auch von jenen vereinnahmt, die die Geschichte vergessen und die Täter entlasten wollten.[53] Indem sich Weigel gegen jede bevorzugte Behandlung von Juden und gegen jede Form von Haß aussprach, verharmloste er den Antisemitismus in Österreich.

Offensichtlich stand dahinter aber der Wunsch, als Österreicher anerkannt und als Jude nicht unter Denkmalschutz gestellt zu werden, was
er von einer Zuteilung von Sonderrechten für Juden befürchtete. Dadurch war es Weigel nicht möglich, von seiner persönlichen Lebensgeschichte abzusehen und die Problematik von jüdischer Identität von
den unterschiedlichen jüdischen Schicksalen ausgehend differenzierter zu analysieren. Wie sehr ihn die Problematik der Vertreibung, des
Antisemitismus und vor allem der jüdischen Identität trotz seines
»endgültigen Austrittes aus dem Judentum« beschäftigte, zeigt sein
1986 verfaßtes Buch »Man kann ruhig darüber reden«. Jüdische Identitätssuche erwies sich also auch für Hans Weigel, wie es Willy Verkauf-Verlon formulierte, zu einer Lebensaufgabe.[54]

1964 publizierte der aus Österreich geflüchtete William Schlamm,[55]
selbst bereits 1920 aus der Israelitischen Kultusgemeinde ausgetreten,
das sehr umstrittene Buch »Wer ist Jude?«[56]. Er skizzierte drei Möglichkeiten jüdischer Identität. Wie Weigel stellte auch er neben der Zugehörigkeit zu einer Religionsgemeinschaft oder zu einer Nation als
dritte Möglichkeit den Austritt aus der Minderheit, das Aufhören, Jude
zu sein, zur Diskussion. »Wer ist Jude?« Diese Frage wurde nicht nur in
Österreich in jüdischen Zeitungen und vor allem auch in Autobiographien immer wieder aufgeworfen – und es folgten die unterschiedlichsten Antworten.[57]

»Nichtmosaische« Juden

Laut einer im Jahre 1953 erfolgten Schätzung der »Allianz der Christen
jüdischer Abstammung« lebten 1938 an die 100.000 sogenannte »Geltungsjuden«.[58] Juden und Nichtjuden brachten ihnen Mißtrauen entgegen und sahen in ihnen Renegaten. Sowohl vor 1938 als auch nach der
Shoah fehlte ihnen daher die Kraft zur Gründung einer eigenen judenchristlichen Gemeinde.[59] Manche ließen sich für eine Karriere taufen
oder wurden schon als Kinder – als eine Art Kompromiß oft auch protestantisch – getauft. Nach 1938 konnte eine Taufe die letzte Hoffnung
auf ein rettendes Visum bedeuten. So schilderte ein Interviewpartner,
daß die Taufe den Erhalt eines Visums für lateinamerikanische Länder
erleichterte. Als die Anglikanische Kirche im 4. Bezirk Juden die Taufe anbot, begann er, bei Juden, die vor Konsulaten auf die begehrten

Visa warteten, dafür zu werben; für jeden getauften Juden erhielt er eine Art »Kopfgeld«. – »Wenn das mein Großvater gesehen hätte, er hätte sich im Grab umgedreht. Aber ich habe nichts Schlechtes getan, nur Leben gerettet«, rechtfertigte er seine »Mission«.[60]

Je nach Religionsbekenntnis nahmen sich in Wien verschiedene Hilfsorganisationen der »nichtmosaischen« Juden an. Die »Schwedische Mission« bemühte sich um die evangelischen, die 1940 gegründete »Erzbischöfliche Hilfsstelle für nichtarische Katholiken« um die katholischen und die »Quäker« bzw. die »Gildemeester-Auswanderungshilfsorganisation« um die konfessionslosen »Nichtarier«.[61] An den im KZ verfaßten Briefen von Gerty Fischer[62] kann der Weg einer sehr assimilierten, mit der österreichischen Kultur zutiefst verbundenen Jüdin zum Christentum nachvollzogen werden. Nachdem ihren Kindern die Flucht aus Österreich gelungen war, half ihr die »Schwedische Mission« über ihre Einsamkeit und Verzweiflung hinweg. In ihrer Hoffnungslosigkeit fand sie im christlichen Glauben eine neue Zuversicht und innere Ruhe. Ihre völlige Hingabe an Gott verlieh ihrem Leben neuen Sinn, und mit Hilfe des Glaubens fand sie für sich eine Erklärung für ihr Schicksal.

Die von Pater Ludger Born geleitete »Erzbischöfliche Hilfsstelle für nichtarische Katholiken« verteilte Lebensmittel, Kleider, Medikamente oder Geld an Christen jüdischer Abstammung. Jeden Donnerstag wurde eine Mädchengruppe, die »Donnerstagkinder«, betreut. Die Mädchen trafen sich zum Nähen, Basteln oder Singen in der Universitätskirche. Unter ihnen befand sich auch die Schriftstellerin Ilse Aichinger, die ihre Erlebnisse als »Mischling« in dem 1948 erschienenen Roman »Die größere Hoffnung« literarisch verarbeitet hat. Wie aus Interviews hervorgeht,[63] bemühte sich Pater Born auch um die psychologische Unterstützung der Verfolgten, führte Nottaufen durch und war, wie Franzi Löw schilderte, »nach einem langen Gebet« auch zur Ausstellung falscher Taufscheine bereit.[64] Doch weder die Taufe noch die Tätigkeit dieser Hilfsstellen schützte vor einer Deportation. Wie die Historikerin Erika Weinzierl schrieb, überwog aber im allgemeinen auch in der katholischen Kirche noch nach 1938 jener religiöse und wirtschaftliche Antisemitismus, der im katholischen Österreich eine lange Tradition aufzuweisen hatte.[65]

Während manche getauften Juden nach der Shoah wieder zum Judentum zurückkehrten, fühlten sich andere weiterhin dem Christentum verbunden oder wurden sogar trotz Shoah Christen. Die Salzburger Malerin Raffaela Toledo, die mit ihren zwei Kindern durch eine »Mischehe« geschützt überlebte, erhoffte sich von der Taufe, endlich in einer großen Gemeinschaft aufgehen zu dürfen.

Ich habe mir immer die Taufe gewünscht – es war ein Kindertraum. Ich bin in Parsch auf den Knien zum Taufbecken gekrochen. Sie können sich gar nicht vorstellen, was für eine Erschütterung das war, daß ich eintrete in das Reich des Heiligen Geistes; davon war ich maßlos erschüttert. Ich war nur eine geborene Jüdin, aber mein Schicksal war anders.[66]

Aufgewachsen in Laufen, einer bayrischen Grenzstadt, wo außer ihrer Familie keine Juden lebten, litt sie schon als Kind an ihrer Außenseiterinnenrolle, die ihr besonders durch den Ausschluß aus dem katholischen Religionsunterricht bewußt wurde. Gegen den Willen der Eltern entschied sie sich für einen nichtjüdischen Ehemann, zog nach Salzburg und entfernte sich zunehmend vom Judentum. Als ihr Mann zur deutschen Wehrmacht eingezogen wurde, wandten sich sämtliche Freunde von ihr ab, um sich selbst nicht zu gefährden; sie erlebte den völligen Ausschluß aus der Gesellschaft. Nach dem Krieg sah sie in der Taufe eine Möglichkeit, geistige Zugehörigkeit und Geborgenheit zu finden. Sie wollte sich nicht auf ein ihr vorbestimmtes Schicksal festlegen lassen, sondern sich die Freiheit nehmen, von ihr selbstgewählte Beziehungen einzugehen. Ihre Erfahrungen als Außenseiterin erzeugten allerdings eine hohe Bereitschaft, die mühsam erworbene Gemeinschaft schnell wieder zu verlassen.

Ich war nie angelegt auf Gemeinschaft, denn ich hatte ja nie wirklich eine. Mein Schicksal liegt in der Individuation im Alleinsein.[67]

Enttäuscht von der Institution Kirche, näherte sie sich im Alter wieder dem Judentum und machte sich auf die Suche nach ihren jüdischen Wurzeln. Diese glaubt sie in der Mystik gefunden zu haben.[68]

In den fünfziger Jahren existierte in Wien der »Landesverband der Internationalen christlichen Allianz«, der zwischen 1953 und 1962 den »Judenchrist« herausgab. Dr. Felix Propper, der Obmann des Verbandes, verfaßte auch den Großteil der Artikel. 1954 verzeichneten die Judenchristen 1.500 Mitglieder, wobei der Verband eine viermal so hohe Zahl von »Judenchristen« annahm. Den hohen Prozentsatz an nichtgemeldeten »Judenchristen« führten sie auf die »Einschüchterung durch die Haßorgien des Antisemitismus« zurück.[69] Ähnlich der Israelitischen Kultusgemeinde litten auch die »Judenchristen« an ihrer Überalterung. 80% der Gemeldeten waren über 60 Jahre alt, krank und gebrechlich, nur 20% konnten sich selbst erhalten. Der »Judenchrist« befaßte sich ausführlich mit der Identitätsproblematik von getauften Juden, aber auch mit der Frage der »Wiedergutmachung« für »Judenchristen«. Die Gründung des Verbandes muß daher mit den 1953 einsetzenden »Wiedergutmachungs«-Verhandlungen in Verbindung gebracht werden. Obwohl er sich immer wieder mit der Israelitischen Kultusgemeinde solidarisch erklärte, die österreichische Regierung bezüglich ihrer zögernden Haltung in der Frage der »Wiedergutmachung« sowie ihrer Haltung gegenüber dem Antisemitismus heftig kritisierte,[70] stand er zu den jüdischen Organisationen in einem Konkurrenzverhältnis. Unterstützt vom »Weltbund der Allianz der Christen jüdischer Abstammung« kämpfte der Verband um individuelle »Wiedergutmachung« und um Anteile am erblosen jüdischen Vermögen. Wie Walch aufzeigte, fanden »Judenchristen« dabei vor allem in der ÖVP einen Bündnispartner gegen die jüdischen Organisationen.[71]

Der »Judenchrist« befaßte sich in fast jeder Nummer mit der Identitätsproblematik von »Glaubensjuden«. Dies kann einerseits als Versuch einer Rechtfertigung für die Teilhabe am jüdischen erblosen Vermögen, aber auch als Ergebnis der Isolation von »Judenchristen« interpretiert werden. Sie fühlten sich nicht nur von der katholischen Kirche vernachlässigt, sondern sahen sich durch die Shoah auch veranlaßt, ihre Zugehörigkeit zu Österreich, ihre Identität als Österreicher zu rechtfertigen.[72] Entgegen jüdischen Vorwürfen bekannten sie sich als Christen weiterhin zu ihrem jüdischen Erbe. Der Verein wollte auch dafür sorgen, daß das jüdische Bewußtsein von Getauften erhalten blieb.

Wenn Du wirklich Christ geworden wärest, so wüßtest Du, daß Du Jude nicht nur geblieben, sondern in einem höheren Sinne erst recht geworden bist. Denn wer als Jude den Weg zu Jesus gefunden hat und nun in dem Glück der Gemeinschaft mit ihm lebt, der weiß sich verbunden mit dem Volk, in dem seine Krippe stand.[73]

Jüdische Anarchisten

1947 entstand in Wien eine kurzlebige, kleine, aber interessante Gruppe von zionistischen Anarchisten, die außerhalb der Israelitischen

Kultusgemeinde standen. »Im Geiste Stirners« trafen sie sich jeden Samstag in Kaukals Gasthaus im 7. Bezirk. In ihrem Programm bekannten sie sich zu Österreich,

> *hielten es aber aus praktischen Gründen für angebracht, daß Juden in der österreichischen Öffentlichkeit derzeit keine leitenden Stellen anstrebten.*[74]

Die Lösung der »Judenfrage« sahen sie in der Höherentwicklung der Menschheit. Aufgrund der tragischen Situation der DPs begrüßten sie jedoch den Judenstaat. Der Religion erteilten sie eine vehemente Absage; denn man könne Gott nicht danken, daß man selbst gerettet wurde, während 6 Millionen umkamen.[75] Ihre Abneigung gegenüber jeder Religion zeigte sich auch in ihrer Art der Verurteilung von jüdischen Kollaborateuren, deren Mithilfe sie auf ihr Glaubensbekenntnis zurückführten.

> *Wir klagen jüdische Personen mosaischen Glaubens und getaufte Juden als Helfer am Massenmord an. Glaubenslose Juden gab es Recherchen der Kultusgemeinde zufolge keine unter den Ordnern.*[76]

3.
Jüdische »Displaced Persons« oder die »Zuagraasten«

Im Zug von Salzburg nach Badgastein hörte ich 1946 die Bezeichnung »Hitlers Unvollendete« für die 1945 aus den Lagern befreiten überlebenden Juden.[1]
Eine gewisse unveränderte Gesinnung zeigte sich nach 1945 z. B. darin, daß das im Salzburger Stadtteil Parsch gelegene DP-Lager, in dem Juden, die überlebt hatten, damals wohnten, nicht nur als »Neu-Palästina«, sondern auch als »Hitlers Unvollendete« bezeichnet wurde.[2]

Zwischen 1945 und 1948 zogen über 100.000 jüdische Flüchtlinge aus Osteuropa durch Österreich.[3] Rund 25.000 Juden, zwei Drittel davon ungarische Staatsbürger, wurden in österreichischen Konzentrationslagern wie Mauthausen, Ebensee, Gusen und Gunskirchen, befreit. Ein Viertel überlebte die Befreiung nur kurze Zeit, sie starben an den Folgen der KZ-Haft.[4] Noch in den letzten Kriegstagen kamen Tausende jüdische Zwangsarbeiter bei den sogenannten »Todesmärschen« ums Leben.[5] Mindestens 80.000 ungarische Juden und Jüdinnen erfroren, verhungerten oder wurden von den Bewachern erschossen, als sie im Frühjahr 1945 in Gewaltmärschen quer durch das Burgenland, die Steiermark und Oberösterreich nach Mauthausen getrieben wurden. Rund 300 Massengräber (manche mit über 3.000 Toten), hauptsächlich in Oberösterreich und in der Steiermark, aber auch im Burgenland, in Niederösterreich und Tirol, bezeugten diese Brutalitäten.[6] In den fünfziger Jahren bemühte sich das offizielle Österreich, diese Schandmale schnell wieder zu entfernen. Wie der Film »Todschweigen«[7] veranschaulicht, wird in vielen der betroffenen Orte über die Vorfälle noch heute beharrlich geschwiegen.

Nach der Shoah glich Osteuropa einem jüdischen Friedhof. Überlebende Juden und Jüdinnen kehrten oft nur mehr zurück, um nach Freunden oder Verwandten zu suchen. Wie ein Interviewpartner meinte, »konnte man ohne Juden in Polen nicht mehr leben«.[8] Zudem lebte der Antisemitismus fort. Nicht nur Ritualmordlegenden lebten wieder auf, in Polen wurden mehrere hundert Juden bei Pogromen ermordet,[9] im Frühjahr 1946 fanden auch in Ungarn Pogrome statt. Obwohl Juden immer wieder für die Errichtung kommunistischer Systeme verantwortlich gemacht worden waren, flohen viele auch vor den kommunistischen Machthabern, oder sie wollten in kein kommunistisches Land zurückkehren.

Seit Anfang 1946 überschritten polnische, ungarische, tschechische und rumänische Juden – letztere großteils mittellos und mit schlechter Ausbildung –, häufig illegal, die österreichische Grenze. Die amerikanische Zone bildete das Zentrum der »Bricha«, der jüdischen Einwanderungsbewegung, die Juden illegal aus Osteuropa nach Österreich und weiter nach Palästina transportierte. Diese Fluchtbewegung hat ihre Anfänge in einer 1939 im damaligen Palästina gegründeten Organisation zur Rettung der europäischen Juden. In Palästina meldeten sich Juden zur britischen Armee – die Engländer verfügten über das Völkerbundmandat in Palästina –, um in Europa gegen den Nationalsozialismus zu kämpfen. Sie waren die ersten, die sich 1945 der Bricha zur Verfügung stellten. Unter ihnen befanden sich auch Juden, die aus Österreich vertrieben worden waren. Auch Asher Ben-Nathan, der Oberkommandierende der Bricha für Österreich, war ein Wiener.[10]

Die Hoffnung, daß Juden in einem eigenen selbständigen Staatswesen im Land ihrer Väter leben würden, diese Hoffnung war das einzige, was ihre überstandenen Leiden sinnvoll und ihr Dasein lebenswert und würdevoll machen konnte,[11]
beschrieb Zerach Strauch, der Präsident des jüdischen Zentralkomitees Österreichs, die in den Zionismus gesetzten Hoffnungen. Jüdische Organisationen waren nicht mehr bereit zuzusehen, wie Juden in Europa hin- und hergeschoben wurden. Sie zeigten sich diesmal fest entschlossen, die Opferrolle abzulegen, selbst aktiv zu werden und auch mit ungesetzlichen Mitteln – wie etwa bewußten Grenzverletzungen, gefälschten Papieren oder Bestechung von Beamten – für eine jüdische Heimat zu kämpfen.[12] In den DP-Lagern fanden sie unter den heimat- und hoffnungslosen Juden viele Anhänger, die im Zionismus einen letzten Halt, aber auch einen Religionsersatz sahen.

Zionismus war vor dem Krieg für uns kein Fremdwort, aber als 24jähriger waren das Ideale, ein eigenes Land, im eigenen Land leben. Wir haben ja gesehen, was dieser Holocaust mit sich gebracht

oben: Bricha-Mitglieder
unten: Mitglieder der Bricha, Salzburg 1946

61

hat (. . .). Die Leute brauchten einen Halt, und der war das eigene Land,
vertrat der sehr säkular und weltlich aufgewachsene Viktor Knopf – er arbeitete in Saalfelden für die Bricha – seine Beziehung zum Zionismus.[13]

Stützpunkte der Bricha gab es in Österreich, in der Westzone Deutschlands, in Polen, in der Tschechoslowakei, in Ungarn, Frankreich, Italien und Belgien. Jüdische Flüchtlinge mußten – zumeist illegal – aus Osteuropa nach Wien (als Anlaufstelle diente das ehemalige Rothschildspital) und von hier in die DP-Lager in der US-Zone gebracht werden. Diese dienten als Ausgangsort für den Transport nach Italien oder Frankreich, wo die Flüchtlinge auf Schiffe nach Palästina verladen wurden. Im Gegensatz zu den Engländern standen die USA einem Judenstaat weniger ablehnend gegenüber. Wie der amerikanische Historiker Leonard Dinnerstein aufzeigte, erwies sich aber auch die US-Militärregierung vor allem am Anfang als unfähig, auf die Problematik der jüdischen Überlebenden zu reagieren. Auch in der US-Armee war Antisemitismus weit verbreitet, was sich wiederum in der Behandlung der jüdischen DPs niederschlug.[14] Im Juli 1945 trat durch den »Harrison-Report«,[15] der weite Teile der US-Bevölkerung sowie Vertreter der US-Regierung durch die Schilderungen der Bedingungen in den jüdischen DP-Lagern schockierte, eine spürbare Verbesserung ein.[16]

Da Italien und auch Deutschland ihre Grenzen schlossen, konnten die Flüchtlinge teilweise nur mehr illegal weitertransportiert werden. In Salzburger Tageszeitungen finden sich beispielsweise häufig Berichte von Grenzzwischenfällen; jüdische Flüchtlinge, die über Bayern in die französische Zone nach Tirol und von dort weiter nach Italien wollten, wurden an der Grenze verhaftet.[17] Da die jeweilige Zone nicht verlassen werden durfte und ein Briefverkehr erst ab 1. Jänner 1946 möglich war, wurden, wie Marko Feingold schilderte, Grenzen auch bewußt verletzt, um Familienangehörige zusammenzuführen.

Es war ein großes Problem, daß die Amerikaner dafür wenig Augen und Ohren hatten. Da haben wir in Salzburg Flüchtlinge aufgenommen, die durch einen Zufall erfuhren, daß 5 km weiter der Vater, die Mutter oder der Bruder ist. Es war schier unmöglich, diese Leute zusammenzubringen. Und da setzte meine Fähigkeit ein, Ungerechtigkeit für Gerechtigkeit zu tun. Ich bin daher mit einem Pas-

Bricha Mitglieder

sagierschein, der z. B. für 21 Personen gegolten hat, 10mal gefahren.[18]

Das 1946 errichtete DP-Lager in Saalfelden diente als Ausgangspunkt nach Italien. Der illegale Weg über die Alpen wurde für die körperlich geschwächten Juden zu einem Alptraum. Laut Viktor Knopf, einem Mitarbeiter der Bricha, wäre kaum jemand bereit gewesen, diese Strapazen und die Gefahren der Hochgebirgswelt noch einmal auf sich zu nehmen.

Wir sind vom Lager Saalfelden aus über die Krimmler Tauern gegangen, so auf ca. 2.000 Meter Höhe, hinauf Richtung Birnlucke. Alles zu Fuß, und daher wurden Leute ausgesucht, die kräftig genug waren. Um 11 Uhr nachts sind wir in Saalfelden weggefahren, um 1 Uhr waren wir in Krimml. Dann hat der Marsch begonnen. Um ca. 7 Uhr waren wir beim Tauernhaus, der Wirt dort war auf unserer Seite. (. . .) Wir haben ihm Lebensmittel gebracht. Wir haben auch die österreichischen Grenzbeamten mit Zigaretten und Feuerzeugen bestochen.

Und so sind wir mit den Leuten über die Grenze gekommen, dort haben wir gewartet, bis es finster wird, dann sind wir nach Italien. Dort haben wir auch Freunde gehabt, die italienischen Carabinieri – wir waren gute Freunde. Ich habe ihnen im Rucksack halt alles mitgebracht, was sie so brauchen: Feuersteine, Zucker, Sardinen . . . Sie haben mir dafür manchmal sogar geholfen, die Kinder, die auch dabei waren, ins Tal zu bringen. Ich bin oft mit einem Transport von 300 Leuten auf einmal gegangen, denn wenn die Engländer davon Wind bekommen haben, daß Emigranten von Europa nach Palästina wollen, haben sie versucht, die Grenze zu sperren und wenigstens die Leute »hop« zu nehmen. Man mußte sie überzuckern. Einer von uns ging schauen, ob der Weg frei ist. Wenn nicht, mußte man eine Nacht im Tauernhaus warten. Wenn ich in Prettau dann fragte, ob sie den Weg noch einmal machen würden, sagten alle nein, da könne kommen, was wolle.[19]

Die Wanderungen nach Palästina konnten manchmal jahrelang dauern, manche Flüchtlingsschiffe irrten, von den Engländern an der Landung in Palästina gehindert, wochenlang im Mittelmeer umher. Passagiere wurden abgefangen und erneut in Zypern oder Mauritius in Lager gesperrt.[20] Der Platz auf diesen illegalen Schiffen reichte nicht für alle Flüchtlinge, und viele verbrachten die Zeit bis zur Gründung des

Flüchtlinge beim Überqueren der Tauern

Staates Israel in den verschiedensten DP-Lagern in Europa. Wie Mordechai Gold – er überlebte durch eine Flucht in die Sowjetunion – schilderte, mußte er mit seiner Frau und einem Baby in Italien bis 1948 auf eine Einreisemöglichkeit nach Israel warten.[21] Dort lebten sie nach ihrer Ankunft erneut eine Zeitlang in Lagern.

Antisemitismus mit Juden

Obwohl die jüdischen Flüchtlinge nur einen kleinen Prozentsatz der halben Million in Österreich weilenden Ausländer ausmachten, wurden sie »zum negativen Paradebeispiel, zum Symbol der ›DP‹ schlechthin, hochstilisiert. Somit verbanden sich Neid, Fremdenfeindlichkeit und latent vorhandener Antisemitismus zu einem Bündel von Vorurteilen.«[22] Für die »Salzburger Nachrichten« stellten »vor allem die jüdischen Flüchtlinge aus Polen eine drohende Gefahr für die Verbreitung von Geschlechtskrankheiten dar«.[23] Dem entgegnete das Jüdische Zentralkomitee, daß im Gegensatz zur Zivilbevölkerung alle jüdischen Lagerinsassen einer ärztlichen Kontrolle unterzogen werden und in Bindermichl bei Linz in elf Monaten beispielsweise nur 13 Fälle bekanntgeworden wären. Die »Salzburger Nachrichten« bezeichneten jüdische Angeklagte – ihnen wurde Schmuggel zur Last gelegt – auch als »Ost-DPs von der Thalmud-Thora Schule«, was Juden an die »Stürmer-Sprache« erinnerte.[24] Die vom Joint zusätzlich erhaltenen Nahrungsmittel, die Befreiung von der Arbeitspflicht und die im Vergleich mit anderen Flüchtlingen bessere Versorgung erregten den Unmut der Bevölkerung. Im Unterschied zu anderen Flüchtlingen fielen Juden jedoch der österreichischen Regierung nicht zur Last, sondern unterstanden den amerikanischen Militärbehörden, und sie mußten auch von diesen unterhalten werden. Dennoch beschuldigte man sie, »fett zu werden und faul herumzuliegen, während die österreichische Bevölkerung hungere«.[25] Wie in den »Berichten und Informationen« zu lesen war, galten jüdische DPs als die Nutznießer der augenblicklichen Situation und würden nach der Überwindung des Hitler-Regimes in Freuden leben. In Bad Ischl, Braunau und Ranshofen richteten sich von Frauen getragene Demonstrationen gegen jüdische Flüchtlinge, die beschuldigt wurden, ihren Kindern die Milch wegzutrinken.[26] Alte antijüdische Klischees lebten auf, und in Orten mit einem hohen Anteil an jüdischen Flüchtlingen kam es sogar zu brutalen antisemitischen Ausschreitungen; so etwa am 22. August 1947 in Gmunden, wo vier »jüdisch aussehende« Insassen eines Autos grundlos verprügelt wurden. Vier Tage später fand in Braunau eine spontane Milchdemonstration statt, bei der die Entfernung der jüdische DPs aus der Siedlung in Ranshofen gefordert wurde. In der Nacht demolierten Antisemiten die dortige Synagoge.[27] Im selben Monat versammelten sich vor allem Frauen und Halbwüchsige vor einem Hotel in Bad Ischl, in dem Juden untergebracht waren, warfen Steine und riefen: »Schlagt die Juden tot, hängt die Saujuden auf!« Pikanterweise setzte sich ein Kommunist und KZ-Überlebender an die Spitze der Demonstration. Seine durch die US-Militärregierung erfolgte Verurteilung löste auch im Ministerrat heftige Diskussionen aus.[28] Für Simon Wiesenthal verdeutlichten diese Ausschreitungen, daß die Österreicher »für Antisemitismus immer noch empfänglich waren«.[29] Politiker waren aber bemüht, diese offene Form des Antisemitismus zu vertuschen, um Österreichs Ruf als Opfer und somit als nicht mehr antisemitisches Land im Ausland nicht zu gefährden.

Obwohl in den Nachkriegsjahren ein Großteil der ÖsterreicherInnen am Schwarzmarkthandel beteiligt war, wurde dies Juden besonders angelastet; alte antijüdische Vorurteile, wie das vom »jüdischen Schieber«,[30] lebten wieder auf. Pressemeldungen betonten die jüdische Herkunft von »Schwarzhändlern«, während bei Österreichern die Bezeichnung »christlich« weggelassen wurde.[31] Das Jüdische Komitee sah sich des öfteren gezwungen, gegen die Schreibweise der »Salzburger Nachrichten« zu protestieren. Als in einem Bericht über die Aufdeckung einer illegalen Druckerei der verhaftete Jude als solcher gekennzeichnet wurde, während das Religions- oder Nationsbekenntnis der Österreicher unerwähnt blieb, fragte der »Neue Weg«, ob es sich bei diesen »etwa um gute Österreicher oder gar um gläubige Christen gehandelt hat«.[32]

Auch in der Bürokratie (z. B. Protestschreiben von Bürgermeistern, Berichte des Innenministeriums) zeigten sich immer wieder antisemitische Tendenzen.[33] Die Problematik der jüdischen DPs führte auch zu Auseinandersetzungen im Ministerrat, wobei die fehlende Sensibilität österreichischer Politiker im Umgang mit jüdischen Problemen nach 1945 zutage trat, wie aus einer Stellungnahme von Innenminister Oskar Helmer hervorgeht.

Ich möchte hier auf die Einwanderung der Juden, die aus Rumäni-

en nach Österreich kommen und langsam ganz Österreich überflu-
ten, hinweisen. Die Juden flüchten aus Rumänien, weil dort ein Po-
grom befürchtet wird. (. . .) Die Einwanderung hat einen solchen
Umfang angenommen, daß zu befürchten ist, daß ganz Österreich
von Juden überflutet wird. (. . .) Die Russen in Österreich lassen auf
normalem Weg die Juden nicht nach Österreich und die Ungarn
wieder nicht zurück. So kampieren die Leute, jeweils sind es doch
einige hundert, Tag und Nacht auf der Brücke zwischen den Gren-
zen. Wir müssen dabei recht vorsichtig vorgehen, da sich zuletzt die
ganze Stimmung der amerikanischen Presse gegen uns richten
könnte. Es bleibt uns nichts übrig, als die Juden anständig zu be-
handeln und sie in Lager unterzubringen.[34]

Auch Karl Renner sprach sich gegen die Ansiedlung einer jüdischen
Gemeinde aus Osteuropa aus,[35] worin er in der sozialistischen »Arbeiterzeitung« Unterstützung fand.

Wir wollen keine Ansammlung unglücklicher, unbeschäftigter und
überreizter Juden, die unvermeidlich dem antisemitischen Geflüster
Vorschub leisten. Wir wollen keine Brutstätten des Elends, aus de-
nen der Kapitalismus billige Ausbeutungsobjekte holt, und auch
keine Lager ausgetulterter (sic!) Nichtstuer. Wir wollen vor allem
keine Scharen ausländischer Schleichhändler und Desperados, un-
ter denen heute die Verbrechen und morgen vielleicht der Faschis-
mus seine Rekruten findet. Fort mit all dem![36]

Jüdische Organisationen, und hier vor allem der ORT (Organization
for Rehabilitation and Training), waren bemüht, die Flüchtlinge vom
»Schwarzmarkt« fernzuhalten. Wie der israelische Historiker Tom Segev aufzeigte, fehlte auch führenden Zionisten das Verständnis für die
jüdischen DPs. Sie galten als moralische Gefahr, und man befürchtete
große Probleme bei ihrer Eingliederung in Israel.[37] Der ORT bot in
sämtlichen DP-Lagern Umschulungskurse an und errichtete Schulen,
um vor allem jungen Juden die Integration in die Gesellschaft zu erleichtern. Großschleichhändler mußten sich in den Lagern der Selbstjustiz stellen. Als sich die amerikanische Militärregierung an das Jüdische Zentralkomitee um Mithilfe bei der Unterbindung des
Schwarzmarktes wandte, faßte dieses den Beschluß, »mit allen Mitteln gegen die Großschleichhändler von Zigaretten und bewirtschafte-
ten Lebensmitteln vorzugehen«.[38] Nicht allen DPs schien dieses Vorgehen gerecht. Ihrer Meinung nach stand Amerikanern, die selbst zur

Aufrechterhaltung des Schwarzmarktes beitrugen, nicht zu, Juden dafür zu verurteilen.

Sie haben nicht das Recht, nur unseren Schleichhandel zu sehen, denn amerikanische Soldaten sind auch am Schleichhandel beteiligt. Bei der Befreiung küßten die Amerikaner die aus den KZ Geretteten (. . .) aber heute haben die Amerikaner andere Objekte zum Küssen.[39]

Nach all ihren Erlebnissen ließen sich die Überlebenden nur schwer in die Nachkriegsgesellschaft integrieren. Um in Konzentrations- und Vernichtungslagern oder versteckt in den russischen Wäldern überleben zu können, mußten sie sich ein eigenes Wertesystem aneignen – wer gut »organisieren« konnte, hatte auch die größeren Überlebenschancen. Perspektivlos und innerlich unruhig, konnten sie nur schwer in ein »normales« Leben zurückfinden.[40] In Bad Gastein verübte ein 21jähriger KZ-Überlebender Selbstmord, indem er vom dritten Stock eines Hotels aus dem Fenster sprang. Er hatte während der Shoah alle Angehörigen verloren.[41]

Es gab Probleme mit den jüdischen Flüchtlingen. Die hatten keine Erziehung, keine Kindheit. Die Integration geht daher nicht so schnell, die muß man erst an das andere Leben gewöhnen. Wenn sie aus der Wildnis, aus den Wäldern gekommen sind, haben sie nichts anderes gekonnt, als sich am Leben zu erhalten. Der Schwarzmarkt war ein großes Problem. Ich habe es aber abgelehnt, zu intervenieren, wenn jemand wegen Schwarzmarkt eingesperrt worden ist. Ich wollte nicht, daß Juden wieder in diese Gewohnheit zurückfallen, ich wollte, daß sie wieder normal werden,[42]

beschrieb Moritz Einziger, damals Mitarbeiter des »Joint«, die Integrationsprobleme. Nach ihrer Befreiung erhofften sie sich als Sieger eine bevorzugte Behandlung. Da aber kein Land sie aufnehmen wollte, wurden sie als unliebsame »Gäste« in Europa hin- und hergeschoben. Deutschland und auch Österreich galten als Feindesland, und den Leuten wurde kein Vertrauen mehr entgegengebracht.

Dieser Kontinent ist nicht unser Kontinent. Auf dem Boden Österreichs, Deutschlands, ja ganz Europas waren die Verbrechen gegen uns Juden geschehen. Hier, im Schatten der schönsten Berggipfel, wohnten Mörder, hier würde kein Platz mehr für uns sein. Weit weg, lautete die Devise. Und das schnell.[43]

Der Weg nach Palästina zog sich oft aber lange hin, und die Überlebenden stießen auf viele Schwierigkeiten. »Gleich nach dem Stacheldraht« dachten sich manche Palästina aus, und der ungewollte Aufenthalt in Europa führte zu Frustrationen.[44] Zudem rief das erneute Lagerleben hinter Stacheldraht Erinnerungen an das Konzentrationslager wach.

»Mir szeinen doh«

Wie der Historiker Wolfgang Jacobmeyer aufzeigte, bildete sich in den DP-Lagern eine jüdische Avantgarde, die sich gegen die zugeschriebene Opferrolle wehrte und gegen jede Autorität aktiv auflehnte. Der österreichischen Bevölkerung standen sie sehr mißtrauisch gegenüber, und auf Antisemitismus reagierten sie sehr sensibel. Österreich galt als Feindesland, und aufgrund ihrer Erfahrungen wurden sämtliche Konflikte mit der Bevölkerung als Antisemitismus interpretiert. Die jüdischen DP-Lager wiesen einen hohen Organisationsgrad und Selbstverwaltungswillen auf.[45] 1946 genehmigte die US-Militärregierung für die US-Zone die Gründung eines »Jüdischen Zentralkomitees« mit Sitz in Linz. Dieses setzte sich aus Vertretern der einzelnen DP-Lager zusammen. Der damals in Linz lebende Simon Wiesenthal zählte zu den führenden Persönlichkeiten des Komitees. Neben dem Zionismus – nur ein Teil ging nach Israel/Palästina – gewann in den Lagern die Philosophie des »Mir szeinen doh«, eine Überlebensphilosophie, an Einfluß.[46] DP-Lager entwickelten sich zu Zentren jüdischer/jiddischer Kultur und Politik. Neben den vielen Beerdigungen fanden auch wieder Hochzeiten statt. Alleinsein galt als jüdisches Schicksal, und viele heirateten überstürzt, um der Einsamkeit zu entgehen und einen Ersatz für die ermordete Familie zu finden.[47]

> Manche von uns ertrugen das Alleinsein keine Sekunde lang. Wenn sie niemanden hatten, der bei ihnen war, kauften sie sich Mädchen, nur um nicht allein zu sein. Viele heirateten aus diesem Grund. Nicht aus Liebe, nur zur Selbsterhaltung.[48]

Die Lebenshaltung des »Mir szeinen doh« drückte sich vor allem in einer hohen Geburtenrate aus. Das Kind wurde zum Symbol des neuen Lebens, zum Zeichen dafür, daß trotz Shoah Juden wieder eine Zukunft gegeben sei.[49] Überlebende, denen durch die Shoah ihre Kind-

Flüchtlinge im Rothschild-Spital

heit und Jugend genommen wurde, versuchten, ihr Leben durch die Kinder nachzuholen, ein zweites Mal zu leben. Kinder mußten Träume der Eltern verwirklichen, wie es auch Ruth Beckermann schilderte:

> *Die Kinder würden alles erfüllen, was die Eltern einmal für sich erträumt haben und was mit vielem anderen unterging. Sie würden eine Kindheit haben und eine Jugend. Sie würden glücklich sein. Sie müssen glücklich sein. Sie würden von uns weggehen, nach Israel, nach Amerika. Dorthin, wo es eine »Zukunft gibt«. Dieses Wunder hat sich erfüllt. Zwei Drittel meiner Freundinnen haben sich, diesmal undramatisch, wieder in die Welt zerstreut.[50]*

Wie ein Vater über seinen in der Schweiz lebenden Sohn meinte, »hat er halt immer gespürt, daß er ist der Enkel des Juden aus Lodz«.[51]

Österreich als neue Heimat?

1948, mit der Gründung des Staates Israel und der Lockerung der Einreisebestimmungen in die USA, hatte ein Großteil der DPs Österreich wieder verlassen. Einige tausend osteuropäische Flüchtlinge ließen sich aus den unterschiedlichsten Gründen in Österreich nieder. Sie waren zu alt, zu krank oder einfach zu müde, um die beschwerliche Reise nach Palästina antreten zu können. Nicht alle wollten nach Israel, doch viele Emigrationsländer, wie etwa die USA, weigerten sich, kranke Menschen aufzunehmen. Ein Faktor des Hierbleibens dürfte auch die Sprache gewesen sein, denn viele Juden und Jüdinnen aus Osteuropa beherrschten Deutsch, während sie Hebräisch oder Englisch erst lernen hätten müssen. Einige wenige blieben »wegen der Lieb«, wie es ein in Linz lebender Interviewpartner ausdrückte. Manchen war es gleich nach dem Krieg gelungen, wirtschaftlich Fuß zu fassen. Einige von ihnen konnten auch als direkte Folge des Schwarzmarktes mit dem Aufbau einer wirtschaftlichen Existenz beginnen.[53]

Ostjüdische Flüchtlinge wurden nicht nur zu Trägern des Zionismus und der Orthodoxie in Österreich, sie verhinderten letztendlich den endgültigen Tod der jüdischen Gemeinden. Insgesamt bestanden aber kaum Beziehungen zwischen den »österreichischen Juden« oder »Ex-38ern«[54] und den ostjüdischen Flüchtlingen; das Verhältnis zueinander gestaltete sich eher als gegenseitige Abgrenzung. Die vor

1938 bestehende Fremdheit zwischen assimilierten Juden und Ost-
juden setzte sich nach 1945 fort. Stefan Troller bekannte beispielsweise, daß ihm bei seiner Rückkehr in der Uniform eines US-Soldaten
die Leopoldstadt weiterhin fremd blieb und ihm ÖsterreicherInnen
näherstanden als traditionelle Juden.[55]

4.
Selbstverständnis der Israelitischen Kultusgemeinde – Identitätssuche in einer antisemitischen Gesellschaft

In den Nachkriegsjahren beanspruchte die Israelitische Kultusgemeinde die Rolle einer politischen und moralischen Instanz in einem neuen Österreich, an dessen Wiederaufbau sie aktiv mitwirken wollte. Im Unterschied zu Deutschland wurde Österreichs Demokratiefähigkeit aber nicht an der Behandlung der Juden gemessen, und Österreich mußte sich um keine Anti-Antisemitismus-Politik bemühen. Die Israelitische Kultusgemeinde sah sich im Kampf gegen Antisemitismus alleingelassen, und es war ihr nicht möglich, diesem erfolgreich entgegenzutreten. Zudem stellte sie die Gründung des anfangs euphorisch begrüßten Staates Israel vor das Problem der doppelten Loyalität. Als Reaktion auf die vielen erlebten Demütigungen und beeinflußt vom »neuen Juden« in Israel kreierten jüdische Organisationen ein jüdisches Ideal, dem die in Österreich lebenden Juden nicht entsprechen konnten.

Die Israelitische Kultusgemeinde als politisches Instrument

Wenn auch die Befriedigung der religiösen Bedürfnisse an und für sich die Grundaufgabe der Kultusgemeinde bildet, so hatten es doch die gegenwärtigen politischen Verhältnisse mit sich gebracht, daß der Gemeinde neue Aufgaben erwuchsen, welche heute in den Mittelpunkt der österreichischen Juden gerückt sind. Es war ein Verdienst der provisorischen Leitung, daß sie dies sofort erkannte und alle Anstalten traf, diese Lebensinteressen der Juden zu vertreten und für sie mit voller Kraft einzutreten.[1]
Wie aus dem ersten Tätigkeitsbericht der Israelitischen Kultusgemeinde hervorging, beanspruchte die Israelitische Kultusgemeinde, die überlebenden *und* ermordeten österreichischen Juden nicht nur in

religiösen, sondern in allen Lebensbereichen zu vertreten. Da die österreichische Regierung ihre Verantwortung gegenüber den Juden ablehnte, mußte sie auch die vom Staat vernachlässigten Aufgaben, wie z. B. die Betreuung der KZ-Überlebenden, die Rückholung von Vertriebenen oder den Kampf um die sogenannte »Wiedergutmachung« übernehmen. In den unmittelbaren Nachkriegsjahren anerkannte auch die österreichische Regierung den politischen Charakter und Alleinvertretungsanspruch der Israelitischen Kultusgemeinde.

Der erste Präsident hat aus der grundlegenden Veränderung der Verhältnisse die richtige Folgerung gezogen und die ursprünglich rein religiöse und karitative, aber sonst vollständig einflußlose Vertretung zu einem politischen Instrument ausgestaltet.[2]

Wie der Historiker Thomas Albrich anhand von Akten des »World Jewish Congress« aufzeigte, muß der Alleinvertreteranspruch der Israelitischen Kultusgemeinde auch mit ihrem Konkurrenzverhältnis zu jüdischen Exilorganisationen in Verbindung gebracht werden. Diese Konflikte betrafen die Frage des »erblosen« Vermögens, aber auch die zukünftige politische Ausrichtung der Israelitischen Kultusgemeinde. In den USA forderten jüdische Organisationen beispielsweise von der US-Militärregierung die Wiederherstellung der früheren Rechtsposition der jüdischen Gemeinde auf der Basis des Gesetzes von 1890. Damit wollten sie die Aufgaben der Israelitischen Kultusgemeinde auf religiöse Belange beschränken und politisch unliebsame »Mischlinge« von Führungspositionen ausschließen.[3]

Kaum religiös, verstand sich der Großteil der Führung als politische Menschen. Die maßgebenden Funktionäre, unter ihnen auch führende Zionisten,[4] definierten sich trotz Shoah als »österreichische Patrioten«, die von »keinen Haß- oder Rachegefühlen bewegt, sondern bereit, am Aufbau eines neuen Österreich mitzuwirken«, zurückgekehrt waren.[5] Allerdings forderten sie dafür vom österreichischen Staat die Zuerkennung der vollen Gleichberechtigung, eine gerechte »Wiedergutmachung« und Maßnahmen gegen Neofaschismus und Antisemitismus.[6] Neben dem Kampf für die Rechte der jüdischen Überlebenden verstanden sie sich aufgrund ihres Schicksals auch als Wächter über die Demokratie in Österreich. Dem Kampf gegen Antisemitismus und Neofaschismus, wobei sie je nach politischer Zugehörigkeit entweder in der KPÖ oder in der SPÖ Bündnispartner sahen, kam besondere Bedeutung zu.

Wenn jemand mit Antisemitismus oder Neonazismus in irgendeiner Weise konfrontiert wird, dann wendet er sich an die Kultusgemeinde. Aber abgesehen davon, ist es für die Kultusgemeinde ein kategorischer Imperativ, ein Vermächtnis der sechs Millionen Opfer des jüdischen Volkes der NS-Zeit, gegen jede Form von Antisemitismus und Neonazismus aufzutreten.[7]

Damit übernahm die Israelitische Kultusgemeinde eine in sich widersprüchliche Doppelfunktion: die der Klägerin und Beschützerin Österreichs. Wahlarithmetisch und auch politisch unbedeutend, mußten Juden aber erleben, wie sich die »Wiedergutmachungs-Verhandlungen« in die Länge zogen, ehemalige Nationalsozialisten Haftentschädigungen erhielten und NS-Verbrecher freigesprochen wurden. 1956 nahm die Generalversammlung der Israelitischen Kultusgemeinden Österreichs dazu folgendermaßen Stellung:

Die Juden in Österreich sind heute infolge ihrer so geringen Zahl (derzeit etwa 10.000 von einst etwa 200.000) weder ein politischer noch ein wirtschaftlicher oder kultureller Faktor. Die österreichische Innenpolitik ist völlig realistisch, immer schweben ihr die Möglichkeiten, Wähler zu gewinnen, vor; deshalb scheiden die Juden in Österreich als politischer Faktor eben aus. (. . .) Die Juden in Österreich sind den politischen Parteien unbequem, da ja durch ihr blosses Vorhandensein das von allen Parteien angestrebte »gute« Verhältnis zu den ehemaligen oder auch unverbesserlichen Nationalsozialisten gestört wird. Es ist daher eine besondere Tragödie, die gerade anlässlich der letzten Wahlen in den Nationalrat offenbar wurde, dass beide österreichischen Großparteien im Rennen um die Nazistimmen Kopf an Kopf liegen. Den ehemaligen Nationalsozialisten wurden verschiedene Versprechungen gemacht; da sie aus der jüngsten Zeit stammen, sind sie in der Praxis natürlich viel wirksamer als die den Opfern des nationalsozialistischen und faschistischen Systems vom Jahre 1946 oder 1947 aus moralischen und ethischen Gründen verheissenen Massnahmen einer echten Wiedergutmachung.[8]

Während Juden die »kalte Schulter« gezeigt wurde, eroberten ehemalige Nationalsozialisten ihre Positionen in Verwaltung, Exekutive und Wirtschaft zurück; »man ist gegenwärtig in Österreich dabei, die gesamte Belastungshypothek abzubauen«, wurde bei der Generalversammlung weiters ausgeführt.[9] Wie Robert Knight aufzeigt, war es

Österreich im »Kalten Krieg« gelungen, »aus dem Schatten des Dritten Reiches herauszutreten und zum Status de facto westlicher Verbündeter aufzusteigen«.[10] Im Unterschied zu Deutschland mußte Österreich seine Demokratiefähigkeit nicht durch ein besonderes Verhalten zu den im Land lebenden Juden und zum neugegründeten Staat Israel unter Beweis stellen, die jüdische Gemeinde mußte nicht für außenpolitische Ziele instrumentalisiert werden. Die österreichische Bundesregierung war im Gegensatz zur deutschen auch nicht genötigt, eine »Erklärung über das Verhalten gegenüber den Juden« abzugeben.[11] Gestützt auf die »Moskauer Deklaration« konnte Österreich seine Mitverantwortung am Nationalsozialismus verdrängen, und es verwehrte der jüdischen Bevölkerung nicht nur eine materielle, sondern auch die erhoffte moralische »Wiedergutmachung«. Der Abschluß des Staatsvertrages bildete daher für die Juden nicht nur Anlaß zur Freude. Da zwischen 1945 und 1955 unter Druck der Alliierten verschiedene Gesetze zur Entnazifizierung, Demokratisierung und Entschädigung von Opfern erlassen worden waren, befürchtete die Israelitische Kultusgemeinde nach Abschluß des Staatsvertrages deren Novellierung und Aufhebung und somit eine Gefährdung der jungen Demokratie.[12] Die Alliierten galten auch als Schutz vor Antisemitismus, ihr Abzug bedeutete also den Verlust von Bündnispartnern.[13] Auch hinsichtlich der »Wiedergutmachung« wurden vom Abschluß eines Staatsvertrages Nachteile befürchtet. 1958 beklagte »Die Gemeinde«, daß Österreich zugunsten des Staatsvertrages auf »Wiedergutmachungs«-Zahlungen von Deutschland verzichtet hatte, ohne die betroffenen Juden zu fragen; diese wären »die Opfer der Opferdiskussion« geworden.[14]

Von der Unmöglichkeit eines Diskurses zwischen Juden und Nichtjuden

Im Februar 1949 setzte ein Überlebender seinem Leben ein Ende, als sich seine Freundin mit folgender Begründung von ihm trennte: »Mit Mama ist nicht zu spaßen, sie will Dich nicht, weil Du ein Jude bist.«[15] In Österreich erfolgte eine klare Abgrenzung zwischen Juden und Nichtjuden. Dem eigenen Leid ergeben, war es nur wenigen möglich, sich mit dem Schicksal von Juden auseinanderzusetzen.

Kaum Fragen nach den Eltern und Geschwistern, keine Frage wo ich die ganzen Jahre gewesen war, wieso ich überlebt habe oder wie und warum ich nach Wien zurückgekommen bin. Die Tatsache, daß ich noch lebte, empfanden sie als Vorwurf, flößte ihnen ein unangenehmes Gefühl, ja sogar Angst ein.[16]

So beschrieb Dolly Steindling, der zuversichtlich für den Wiederaufbau und zur Errichtung eines demokratischen Staates nach Wien zurückgekehrt war, seine Ankunft. Ähnlich drückte es der Schriftsteller Hermann Hakel aus:

Die Jahre der Verfolgung und Vernichtung klaffen zwischen uns. Auch wenn sie gelitten haben, sie sind ganz selbstverständlich aus Krieg und Gefangenschaft zurückgekehrt, ich aber lebe unter Menschen, die ich niemals kannte. Ich bin nicht eingefügt in ihr Gesetz und in ihr Schicksal. Meines ist anders. (. . .) Welches? (. . .) Ich bin als Heimatloser heimgekehrt.[17]

Auch Hans Thalberg, der nach 1945 bereit war, als Diplomat das nazifreundliche Image Österreichs zu korrigieren,[18] spürte einen Graben, der ihn von den Nichtjuden trennte.

Am deutlichsten empfand ich das, wenn ich mit früheren oder neuen Bekannten über die jüngste Vergangenheit sprach. Wenn sie von der »Katastrophe« sprachen, so meinten sie 1945. Für mich war die Katastrophe 1938 eingetreten, und 1945 war das Jahr der glückhaften Erfüllung. (. . .) Gewiß, die Angelegenheit war sehr kompliziert, es ist nicht leicht, die amerikanischen Bomben, die einem das Haus über den Kopf zusammengeschlagen, als Schritt zur bevorstehenden Befreiung zu feiern. Aber die völlige Ahnungslosigkeit, mit der Österreicher – auch heute noch – sich mit dem Schicksal der deutschen Wehrmacht im Kriege identifizieren, läßt mir das Blut im Leib erstarren. Man hat in Österreich ganz offenbar niemals ernstlich erfaßt, was in diesen Kriegsjahren vor sich gegangen ist.[19]

Lola Blonder wurde nach ihrer Rückkehr aus Israel das Gefühl vermittelt, daß sie weiterhin als »Zugewanderte« galt.[20]

Es fällt mir auf, daß in allen Kreisen Wiens ausnahmslos Dialekt gesprochen wird. Der Wiener Dialekt ist des Wieners Aushängeschild, durch welches er sich von den deutschen Brüdern zu differenzieren trachtet. Das Fähnchen nach dem Wind zu drehen war schon immer echt österreichisch. So ist es bis heute geblieben.[21]

Um sich von den Deutschen abzugrenzen, sprachen viele WienerInnen nach 1945 bewußt Wiener Dialekt und bevorzugten Trachtenkleidung, was heimkehrenden EmigrantInnen als zu opportunistisch schien und auf sie höchst befremdlich wirkte.[22] »Since 1945 the city has looked like a permanent folklore festival«, stellte Paul Hofmann fest und fügte hinzu, daß diese Vorliebe den provinziellen Charakter der Stadt nach 1945 noch zusätzlich betonte.[23]

Österreichische Juden in der Uniform der Alliierten ließen das Klischee von den Juden »als vaterlandslose Gesellen« wieder aufleben.[24] Vor allem zwischen Juden, die in den Armeen der Alliierten oder in antifaschistischen Widerstandsgruppen gekämpft hatten, und ehemaligen österreichischen Soldaten war keine Verständigung möglich. Noch 1991 beklagte Harry Sichrovsky, daß sich Österreicher, die auf seiten der Alliierten gekämpft hatten, noch heute Diskriminierungen ausgesetzt fühlen.

Aber ich kenne viele Kameraden, die solches verheimlichen, weil es ihnen beruflich oder gesellschaftlich schaden könnte, während sonntags die Kameradschaftsbündler mit Naziorden paradieren und kein Nazioffizier dies verheimlichen würde.[25]

In den unmittelbaren Nachkriegsjahren richtete sich der Antisemitismus vorwiegend gegen die »auffallenden« ostjüdischen DPs. Mit den einsetzenden »Wiedergutmachungsverhandlungen« traf er vor allem die Vertriebenen. Sie hörten immer wieder den Vorwurf, keine Bomben gespürt und im Ausland gut gelebt zu haben, während die Österreicher gehungert hätten.[26] Dieses Vorurteil fand nicht nur im »einfachen« Volk Verbreitung, auch Bundeskanzler Leopold Figl, selbst KZ-Überlebender, beschuldigte 1945 in einer Versammlung in Salzburg die Emigranten, die Zeit in ihren »Clubsesseln sitzend verbracht zu haben, anstatt für Österreich zu leiden«.[27]

»Wir waren ja die ›reichen Amerikaner‹ und obendrein noch Juden«, erfuhr Elisabeth Freundlich bei ihrer Rückkehr aus den USA.[28] Vor allem kleinere Lokalzeitungen publizierten immer wieder antisemitische Artikel, die trotz Protest der Israelitischen Kultusgemeinde erscheinen durften; laut »Wiener Montag« wollten Juden aus der Verfolgung »saftigen Profit schlagen«, weshalb das Blatt sich gegen die Rentenzahlung an »gutsituierte, autofahrende Emigranten in den USA« wandte.[29] Der »Ennstaler« meinte, daß den paar Emigranten, »die mit Sack und Pack weg sind, viel erspart geblieben ist«.[30] »Bei

Emigranten denkt man an rachesüchtige Personen«, schrieb der »Wiener Samstag« 1952,[31] oder der »Grazer Montag« bezeichnete die Bemühungen einer Remigrantin um die Rückstellung ihres geraubten Vermögens als »Beutezug«[32]. Die in Kufstein erscheinende »Sonntagspost« sprach sich gegen »Wiedergutmachungs«-Zahlungen an nicht zurückgekehrte Emigranten aus, da »Juden nach dem Ersten Weltkrieg als Kriegsgewinner österreichische Bürger geschädigt hätten.«[33] Auch die »Salzburger Nachrichten« warfen Emigranten vor, in Österreich zollfrei einzukaufen.[34] Anfang der fünfziger Jahre entstand auch das heute noch bestehende Gerücht, daß Juden in Österreich steuerfrei leben würden.[35] Auch die ÖVP-Wien schrieb 1953 in ihrer Wahlzeitung »Merk's Wien« von »im Ausland lebenden Emigranten, die meist fette Einkünfte haben«[36]. Als die Israelitische Kultusgemeinde gegen einen antisemitischen Artikel im ÖVP-nahen »Kleinen Volksblatt«[37] protestierte,[38] erhielt sie vom Generalsekretär der ÖVP folgende Antwort:

Die ÖVP ist nicht antisemitisch, aber besondere Empfindlichkeit in den schweren Zeiten des harten Kampfes um das nackte Dasein erscheint für alle wenig verständlich.[39]

1954 kritisierte der »Judenchrist«, das Organ der »Allianz der getauften Juden«, daß

antisemitische Tendenzen offensichtlich wieder zu politischen Zwecken ausgenutzt werden. (. . .) Statt den Haß zu bekämpfen, schürt man ihn und peitscht man die niedrigsten Instinkte haltloser Menschen auf. Ohne an den millionenfachen Tod zu denken, der die Frucht der Saat des Judenhasses war, läßt man den gottlosen Antisemitismus wieder aufleben.[40]

1958 versuchte die Innsbrucker FPÖ, das ihrer Ansicht nach zu »tendenziöse« Theaterstück über »Anne Frank« zu verhindern. In Linz führte dieselbe Aufführung zu Ausschreitungen von Jugendlichen.[41] Als im selben Jahr das Linzer Landestheater »Beatrice Cenci« von Felix Braun aufführte, kam es zu Publikumsdemonstrationen mit zum Teil antisemitischem Charakter. Rufe wie »Weg mit dem Emigrantenstück!« und »Weg mit dem Judenstämmling!« wurden laut. In diesem Zusammenhang bemerkte die Israelitische Kultusgemeinde, daß in letzter Zeit

in der Presse verschiedenster Schattierungen eine Hetze gegen Emigranten geführt wird (. . .) und daß das Wort Emigrant zu einer

Herabsetzung geworden ist. Die Österreicher können ihnen nicht verzeihen, daß sie in Österreich nicht auf ihre Vergasung gewartet haben und daß sie sich nicht entschuldigen, daß sie noch am Leben sind.[42]

Als »empörende, geradezu unglaubliche antisemitische Propaganda«[43] bezeichnete die »Gemeinde« einen am Faschingsonntag 1963 abgehaltenen Faschingsumzug in Mallnitz. Auf einem »Judenschlitten« wurden Juden mit zerrissenen Gewändern und mit typischen »Stürmer-Masken« gezeigt. Auf der Rückseite des Schlittens befand sich ein Plakat mit der Aufschrift »Wegen Armut von Eichmann verschont gebliebene Juden«.

Unbeachtet und alleingelassen fühlte sich die Israelitische Kultusgemeinde auch 1960 während der antisemitischen Ausschreitungen in Horn. Daß von Jugendlichen an die hundert Grabsteine geschändet wurden, war »allen, auch den Sozialisten, die mit uns Juden im KZ gelitten haben, gleichgültig«, bemerkte die »Gemeinde«.[44]

Zwischen Juden und Nichtjuden herrschte nicht »Normalität«, sondern Befangenheit. Auch die vielen kleinen Dinge des Alltags vermittelten den überlebenden Juden das Gefühl der Unzugehörigkeit und belegten immer wieder das unsensible Verhalten von Nichtjuden. 1947 kritisierte der »Neue Weg«, daß in Kärnten für die Anmeldung von Radiogeräten noch Formulare aus der NS-Zeit Verwendung fanden. In Punkt 1 hieß es: Ich versichere, daß keine Juden in der Wohnung leben.[45] Im Wiener Rathaus wurden rückkehrende Juden gefragt, ob sie Arier oder Juden wären. Empörung rief auch die Tatsache hervor, daß bei Meldeformularen wieder die Angabe des Glaubensbekenntnisses vorgesehen war.[46] So zeigte sich ein zurückgekehrter Emigrant unangenehm berührt, daß noch in den siebziger Jahren bei der Anmeldung für eine Schneiderstelle nach dem Religionsbekenntnis gefragt wurde.

Da bin ich zu Licona gegangen, und da hat man in einer Annonce Schneider gesucht, und der überreicht mir einen Fragebogen, und da stand drinnen »Religion«. Ich frag': »Was soll das bedeuten, ›Religion‹?« – Ja, man muß die Religion angeben. Sag' ich, ich habe 32 Jahre in Argentinien gearbeitet, da hat man mich nie gefragt um meine Religion, nur das eine, ob ich was leisten kann, ob ich wirklich dieses Fach kann, ja oder nein. Da ich es gekonnt habe, habe ich in Argentinien Arbeit bekommen. Da habe ich einen Stich bekommen. Da hab' ich gefühlt, daß Europa trotz seiner Kultur ein verkalkter Kontinent mit seinen Vorurteilen bis heute geblieben ist.[47]

Auch jenen, die sich selbst als Patrioten sahen, blieb letztendlich eine Identifikation mit dem Land und seiner Kultur verwehrt. Erneut fanden sie sich vom österreichischen »Wir-Diskurs« ausgeschlossen.[48] Für die Sozialdemokratin Elisabeth Freundlich hat sich die »Kluft zwischen den Hiergebliebenen – und damit waren auch solche gemeint, die ein reines Gewissen haben dürfen – nie wieder geschlossen«.[49] Für Ernst Lothar, der 1946 im Auftrag des US State Department, von »Glücksgefühlen überwältigt«, zurückgekehrt war und seinen amerikanischen Paß wieder für einen österreichischen eingetauscht hatte, reduzierte sich Heimat letztendlich auf die österreichische Landschaft. – »Man lebt mit den wenigen, denen man vertraut. Übrigens kehre ich nicht zu Leuten zurück, sondern (. . .) zu einer Landschaft, die ich zum Leben brauche.«[50]

Offenbar geprägt von der Angst, den Ansprüchen der ÖsterreicherInnen nicht gerecht, dafür aber mit Antisemitismus konfrontiert zu werden, stellte die Israelitische Kultusgemeinde in ihren Publikationen jüdische RückkehrerInnen als »aufbau- und integrationswillig, patriotisch und frei von Rachegedanken« dar.[51] HeimkehrerInnen aus Shanghai kämen ohne Illusionen »und nur mit dem einen Wunsch, am Wiederaufbau mitzuarbeiten, nicht als Fremdkörper, sondern als Österreicher«.[52] Hermann Flamm schrieb im »Neuen Weg«, daß der Mißbrauch der Macht dem jüdischen Wesen fremd sei, wobei er auf das antijüdische Vorurteil vom habgierigen Juden mit einem idealtypischen Juden reagierte.[53] Während die Israelitische Kultusgemeinde eine fast demütige, die Rückkehr von Juden rechtfertigende Haltung einnahm, artikulierten einzelne Juden auch ihre berechtigten Aggressionen und Rachegefühle gegenüber Österreich. Ein in Israel lebender ehemaliger Wiener Emigrant schilderte in einem Brief, daß er nach dem Krieg für die Aktion »Rache« gearbeitet hatte, um psychisch weiterleben zu können.

Ihre Frage über meine Tätigkeit nach dem Krieg in Europa, ich glaube kaum, daß ich es in einem Brief beschreiben kann. In Schlagzeilen, ja, es gab eine Art Selbstjustiz, die in Deutschland, Österreich, Tschechoslowakei, Polen und Rumänien sehr tätig war. Ich hatte gefälschte Papiere als Kriegsberichterstatter, bekam Na-

*men und Adressen von lokalen Einwohnern und war meistens die
letzte Instanz für diese Nazi. Ich bin nicht stolz auf meine Vergangenheit, aber ich tat alles für mein Volk und Israel – keine Ausrede
– und ich glaube, ohne diese »Rache« könnte ich bis heute meinen
Kopf nicht aufheben und müßte immer an die Millionen, die wie
Schafe in die Öfen getrieben wurden, denken.*[54]

Ein Interviewpartner meinte, er sei »voll Aggressionen zurückgekommen, nicht für den Wiederaufbau Österreichs, sondern nur, um das
durch die Vertreibung verhinderte Studium nachzuholen«.[55] Nach Abschluß des Studiums hatte er Österreich wieder verlassen. Richard Berger kam als britischer Soldat unter anderem nach Österreich, um die
Mörder seines Vaters vor Gericht zu bringen. Sein Vater, ein prominenter Zionist und Funktionär der jüdischen Gemeinde in Innsbruck, wurde im Novemberpogrom 1938 ermordet.[56] Auch dem Regisseur Georg
Stefan Troller tat der Haß, den er in der US-Armee gemeinsam mit anderen Soldaten verspürte, gut.[57] Als er in der Uniform eines US-Soldaten zurückkehrte, glaubte er, »daß er mit Österreich fertig sei, wie mit
einer Frau, von der man betrogen wurde«. Gleichzeitig aber hoffte er
auf den »Ruf der Heimat«. Letztendlich blieb er heimatlos, denn die
Heimat »läßt sich ebensowenig finden wie die Jugend«.[58]

Um als Österreicher akzeptiert zu werden, stellten sich Juden auch
als besonders gute, als die besseren Staatsbürger dar. Dabei beriefen
sie sich vor allem auf kulturelle Leistungen, die Juden für Österreich
im Laufe der Geschichte vollbracht hatten.[59] Auf Antisemitismus sollte nicht nur negativ in Form eines Kampfes reagiert werden. Als Ziel
galt es, aufklärend zu wirken und die »hohen geistigen Werte des Judentums zu lehren«.[60] Dabei wurden manchmal auch Künstler oder
Wissenschaftler vereinnahmt, die sich selbst nicht mehr zum Judentum bekennen wollten.[61] In seiner Festrede anläßlich des UNO-Tei-
lungsbeschlusses versuchte David Brill, Kommunist und bis 1948
Präsident der Israelitischen Kultusgemeinde, mit einem Zitat des Propheten Jeremias zu beweisen, daß sich Juden immer als treue Bürger
ihres Landes erwiesen hatten.

*»Fördert das Wohl des Landes, in dem ihr lebt, denn sein Wohl ist
euer Wohl!« rief der Prophet Jeremias den Gefangenen Babels zu.
Und die Juden haben sich immer treu an diesen Lehrsatz gehalten,
immer Treue den Ländern bewahrt, deren Bürger sie waren. Die
menschliche Geschichte wimmelt von Verrat. Man denke nur an die*

deutsche Geschichte, an Heinrich den Löwen, an Moritz von Sach-
sen usw., aber es gibt kein Beispiel eines jüdischen Verrates. Immer
haben die Juden bereitwillig ihr Blut auf den Schlachtfeldern für
die Staaten vergossen, denen sie angehörten, auch wenn gar man-
cher dieser Staaten eher ein Stiefvaterland als ein wirkliches Vater-
land war.[62]

Als Beweis für ihre Vaterlandsliebe zogen Juden auch nach 1945 den
Einsatz jüdischer Soldaten im Ersten Weltkrieg heran.[63] Es wurde
»vom Opfergang der österreichischen Juden, die sich zu allen Zeiten
als treue Soldaten fühlten«, gesprochen.[64] Der gebürtige Innsbrucker
Gad Sella bezeichnete »jüdische Soldaten als Zeugen ihrer unbegrenz-
ten Pflichterfüllung ihrem Vaterland gegenüber« und sprach vom »patriotischen Sterben jüdischer Gefallener, (. . .) die eilten, für Gott, Kaiser und Vaterland ihre Pflicht zu erfüllen«.[65] Damit funktionierten auch
Juden den Ersten Weltkrieg zu einem österreichischen Verteidigungs-
krieg um und klammerten die Frage der Kriegsschuld aus.[66]

Die Gründung des Staates Israel und das Problem der »doppelten Loyalität«

Wie John Bunzl schrieb, blieb der Zionismus nach der Shoah »einfach
über als die einzige sinnhafte Überlebens- und Selbsterhaltungsstrate-
gie der meisten Juden, auch wenn sie das zionistische Programm nicht
zu einem praktisch-persönlichen Lebensprogramm (Einwanderung
nach Palästina/Israel) machten«.[67] Dies zeigte sich auch im Verhalten
der jüdischen Organisationen in Wien, die alle die Gründung des Staates Israel euphorisch begrüßten. Überlebt zu haben hieß immer auch,
ein Erbe mitzutragen, das geprägt war von Demütigung, Verfolgung,
Ermordung und Entwürdigung. »Nichts mehr schien wie früher«, das
»Weltvertrauen war eingestürzt«, und wie Günther Anders schrieb,
»vernichtete Hitler selbst nachträglich unser Leben«.[68] Manche empfanden sogar ihr Überleben als Scham, als Scham, noch dazusein,
während andere ermordet worden waren.[69] George Clare, ein ehemaliger Wiener Emigrant, schrieb:

Ich fühlte mich schuldig, überlebt zu haben, entkommen zu sein, das
Schicksal meiner Eltern – und in einem weiteren Sinne das meines
Volkes – nicht geteilt zu haben.[70]

Das jüdische Jahr 5706 erwies sich für den überlebenden Samuel Grinzgauz, Ökonom und Sozialwissenschaftler aus Osteuropa, nicht nur als Jahr der Befreiung, sondern auch als große Enttäuschung.[71] Auch für die individuelle Identitätssuche kam der Gründung des Staates Israel besondere Bedeutung zu. Nach 1945 reduzierte sich in Europa jüdische Identität vor allem bei nichtreligiösen, assimilierten und politisch aktiven Juden auf die Zugehörigkeit zu einer Schicksalsgemeinschaft; überlebende Juden erhielten oft auch gegen ihren Willen die Opferrolle übergestülpt. Im Staat Israel erblickten sie daher nicht nur ein Land, das Verfolgten jederzeit Aufnahme gewähren würde, sondern sie erwarteten sich davon vor allem die Vermittlung einer positiven jüdischen Identität, eine Bestätigung für die Lebensfähigkeit des jüdischen Volkes. Israel sollte einerseits die außerordentliche Leistungsfähigkeit und die Auserwähltheit des jüdischen Volkes bestätigen, andererseits aber auch als Beweis dafür dienen, daß Juden zu »normalen« Staatsbürgern geworden sind und »außerhalb Palästinas wie normale Menschen aussehen«.[72] Auch für den Rabbiner Eisenberg widerlegte die Gründung des Staates Israel die »These von der Lebensunfähigkeit des jüdischen Volkes, das man bisher nur mit gewöhnlichen Maßen gemessen hat«.[73]

Nach der Zerstörung der jüdischen Welt in Osteuropa, dem früheren jüdischen Zentrum, mußte das amerikanische Judentum gezwungenermaßen die Führung übernehmen. Laut Grinzgauz transferierte sich das jüdische Zentrum von Europa in die USA, die amerikanischen Juden sahen sich unerwartet in das Weltgeschehen hineingezogen.

Das jüdische Volk ist aus einem europäischen Volk (noch kurz vor dem Weltkrieg wohnten ⅔ der Juden in Europa) zu einem amerikanisch-asiatischen Volke geworden (¾ der Juden wohnen heute in Amerika und Palästina). Dadurch ist das soziologische und kulturelle Gesicht des jüdischen Volkes strukturell wesentlich verändert worden.[74]

Die jüdischen Organisationen in den USA empfanden diese Rolle als eine Überforderung; sie fühlten sich mehr für die finanzielle als für die ideologische Unterstützung der europäischen Juden zuständig. Israel sollte daher ein neues geistiges Zentrum bilden und die Wiedergeburt des jüdischen Volkes demonstrieren, wie »Die Gemeinde« euphorisch schrieb.

Israel ist das Zentrum, die Sonne, die Diaspora die Peripherie, die um die Sonne kreist. Das jüdische Volk ist jetzt nicht mehr gespalten und dadurch gehemmt, es hat ein »Gesamtbewußtsein« gewonnen – Israel ist die Wiedergeburt des jüdischen Volkes.[75]

Dies beinhaltete aber eine Abwertung der in der Diaspora lebenden Juden. Da nur »die Fähigsten« nach Israel kommen sollten, durften die anderen lediglich voll Stolz auf die Juden in Israel, die das Wunder vollbracht hatten, blicken.[76] In einer Broschüre vom Jahr 1949 bezeichnete der »Haschomer Hazair« Juden in der Galuth sogar »als Karikatur des normalen und natürlichen Menschen«.[77] Wie der Historiker Amos Funkenstein schrieb, handelte es sich beim Bild des total passiven, charakterlich schwachen und unterwürfigen Juden in der Diaspora als auch bei seinem glorreichen Gegenstück, dem israelischen Juden, um Mythen. Dennoch

blieb die Passivität als traumatische Tatsache bestehen, die sich nicht leugnen läßt und Teil des traumatischen Inhalts der Shoah ist. (...) Und um weder apologetisch noch polemisch zu werden, muß dieses Phänomen vom Schleier der Fiktion befreit und nach seinen wahren Zusammenhängen und Wurzeln befragt werden.[78]

Spätestens in den fünfziger Jahren führte die ungleiche Beziehung zwischen Israel und Diaspora, die Reduzierung der Diaspora auf die Rolle des Geldgebers, zu heftigen Konflikten. Diese wurden vor allem zwischen Nahum Goldmann, dem Sprecher des »World Jewish Congress« und der »Zionistischen Weltorganisation«, und Ben Gurion ausgetragen,[79] und sie beeinflußten auch die innerjüdische Diskussion in Österreich. Das »Jüdische Echo«, Organ der Jüdischen Hochschülerschaft Österreichs, warf beispielsweise die Frage auf, ob Israel weiterhin als die Sonne zu betrachten sei oder ob nicht das Judentum als allgemeine, Israel *und* der Diaspora übergeordnete Größe angenommen werden müsse.[80] Auch die Annahme, daß nur »die Fähigsten« nach Israel auswandern würden, erwies sich als falsch, und außerdem begaben sich Juden aus westlichen Ländern in den fünfziger Jahren kaum auf Alijah (Auswanderung nach Israel, eigentlich Aufstieg).[81] Die Wiener Juden bejahten zwar die Existenz des Staates Israel, zeigten sich aber gegenüber dem Zionismus eher abgeneigt, einzelne sprachen Israel jedes Recht ab, für sie zu sprechen.[82] Die Gründung Israels stellte Juden und jüdische Organisationen, die bemüht waren, als Österreicher anerkannt zu werden, vor das Problem der »doppelten Loyalität«. Um die Verbundenheit mit beiden Ländern auszudrücken, ertönte zu feierlichen Anlässen nicht nur die österreichische Bundeshymne, sondern auch die Hatikwah, die israelische Nationalhymne, und neben der österreichischen wurde noch die israelische Fahne gehißt. Im Wiener Stadttempel wurde »seit 1948 das Wohl Israels im Gebet neben das der Republik Österreich gestellt: Segne die Republik Österreich, segne den Staat Israel, gib Friede für Israel und der ganzen Menschheit.«[83] 1948 bemerkte die »Stimme«, das Organ der Allgemeinen Zionisten, noch sehr zuversichtlich:

> *Ein neuer Begriff wird damit für uns lebendig: der Begriff der jüdischen Staatstreue. Man kannte bisher nur den Begriff des gesetzestreuen, also des orthodoxen Juden. Vom staatstreuen Juden sprach man nur in der Bedeutung, daß er dem Staate gegenüber, in welchem er wohnt, seine Treue bewahrt. Dieser Begriff bleibt weiter, er hat weiter seine volle Richtigkeit. (. . .) Und nun kommt für die Juden der Begriff der Staatstreue, der Ergebenheit und Treue für seinen Staat, für den jüdischen Staat. Es besteht gewiß keine Differenz, kein Dilemma zwischen unserer Treue zu Palästina und zu Österreich. Nicht einmal in der Phantasie kann man sich einen Konflikt zwischen diesen beiden Bindungen denken.[84]*

Aus der doppelten Loyalität wurde aber eine »doppelte Verpflichtung«, die zu Widersprüchen führte (siehe Kapitel 11). Die sich auch nach der Shoah als Österreicher definierenden Juden und Jüdinnen mußten Wege finden, die es ihnen ermöglichten, Israel als historische Heimat des jüdischen Volkes anzuerkennen, ohne dabei als loyale Österreicher in Frage gestellt zu werden. Der ab 1948 immer offener auftretende Antisemitismus, dem keine der zwei Großparteien systematisch entgegentrat, erschwerte diese Suche zusätzlich.

Der jüdisch-europäische Blick auf Israel

Israel wurde mit den Augen der Diaspora als eine Art Religion zur Bildung einer neuen jüdischen Identität gesehen. Sogar die orthodoxe »Agudat Israel«, die Israel zwar anerkannte, dem nationalen Zionismus aber weiterhin fernstand, entwickelte mit Hilfe des neugegründeten Judenstaates ein neues jüdisches Ideal, »den thoratreuen Bauern, ein neuer Mensch im neuen Staat, voll Aufopferung, Solidarität, ein possenloser Held, Asket und Heiliger«.[85] »Religionslose Juden« fanden in Israel eine neue, manche auch eine »marxistische Religion«, wie etwa aus einer Rede von David Brill hervorging.

Hoffen wir, daß der neue Staat ein Staat sozialer Gerechtigkeit werden wird, in welchem alle, mögen bei uns Juden oder Araber oder wer immer wohnen, Brüder sein werden. Mögen die besten und gerechtesten Ideen der Menschheit im neuen Staate ihrer Verwirklichung entgegengehen. Möge ein Staat entstehen, in dem es nicht Unterdrücker und Unterdrückte, nicht Glanz auf der einen und Elend auf der anderen Seite gibt, sondern ein Land, in dem Gleiche mit Gleichen wohnen, ein Land, das ein Hort der Freiheit, Gleichheit und des Friedens werde. Dann werden wieder die Flöten, Harfen und Zimbeln nach der uralten Weise: »Öffnet euch, ihr Pforten des Hauses, denn der König der Herrlichkeit ziehet ein – öffnet euch, ihr Pforten des Landes, denn Israel zieht wieder ein«, anstimmen.[86]

Brill sah in Israel nicht nur einen paradiesähnlichen Staat, sondern auch den Lohn für das erlittene Grauen. Der Staat Israel sollte der Ermordung von 6 Millionen Juden Sinn verleihen, wofür keine Sinngebung möglich war.

(...) als wir unsere Nächsten und Liebsten verloren, als wir selbst nie wußten, ob wir den nächsten Tag noch lebend erblicken würden, als wir durch die Hölle schritten, da schien die Nacht sich gänzlich auf uns niedergesenkt zu haben. Und wir dachten, wozu all dies Leid, all die Not und Pein, wozu all diese Qualen, gibt es eine Erlösung? Und jetzt hat die Geschichte unsere Frage beantwortet: gerade wir sind auserkoren, die Wiedergeburt der uralten jüdischen Heimat, des Landes zu erleben, um das sich nach unserer Vertreibung so viele Völker stritten.[87]

Auch Jakobowics, der Vertreter der Jewish Agency in Wien, sprach »vom dornenvollen Weg und schweren Kampf um die Erlösung«, wobei die Juden trotz Verfolgung und Pogromen die Hoffnung nie verloren hätten. Während David Brill noch betonte, daß auch Nichtjuden dieselben Rechte gewährt werden würden – »der Fremde soll wie ein Einheimischer sein, deshalb werden wir nie verfolgen, nie unterdrücken, nie Bürger minderen Rechts unter uns haben«[88] – stellte Jakobowics 1949 bereits dem idealistischen und heroischen Juden den rückständigen Araber gegenüber:

Jeder Baum, jeder Stein, jedes Stück des Bodens ist Zeuge unseres

vergossenen Blutes und Schweißes, der unbeugsamen Hartnäckig-
keit, des zielbewußten, unausgesetzten Idealismus, hoffnungsvollen
Heroismus und langjährigen Kampfes mit vernachlässigter, wider-
spenstiger Natur und mit rückständigen Stämmen.[89]

1952 schrieb Alfred Posselt »vom Märchen der arabischen Nation«
und von »Israel als Bollwerk Europas und der abendländischen Kultur«.[90] Auch der 1954 von Emil Maurer, dem damaligen Präsidenten
der Israelitischen Kultusgemeinde, verfaßte Reisebericht verdeutlichte, daß sich Juden in Wien in ihren Köpfen einen »europäischen Judenstaat« ausmalten und der arabischen Bevölkerung dabei auch mit
europäischem Überheblichkeitsgefühl begegneten.

Tel Aviv ist eine blitzsaubere Stadt, und ich sagte meinen Freunden,
sie rieche nach Arbeit und Reinlichkeit. Alle Menschen tragen sau-
bere Kleider. Natania, Herzlia und Ramalga – trotz der Hitze hatte
ich nirgends den Eindruck einer orientalischen Stadt. Alles wirkte
ganz europäisch. Am stärksten beeindruckt war ich von den Mau-
rern bei Großbaustellen – ich hatte noch nie jüdische Maurer in
solcher Zahl arbeiten sehen. (. . .) Die Wohnstätten der Araber hal-
ten dem Vergleich mit denen der Juden nicht stand. Ich habe von ei-
nem Wunder sprechen gehört und habe es mit eigenen Augen gese-
hen.[91]

Das »real existierende Israel« erwies sich für manche als »zu heiß,
zu laut, zu fremd in jeder Hinsicht«.[92] Juden kehrten unter anderem
auch nach Österreich zurück, weil sie sich als Europäer, als stolze
Träger der deutschen Kultur verstanden und ihre Mission, »die denen
die Kultur erst bringen sollte«, als gescheitert betrachteten. In das
von osteuropäischen Juden geprägte und orientalisch beeinflußte
Palästina/Israel konnten sie sich nur schwer integrieren, und sie fühlten sich vor allem vom kulturellen Leben ausgeschlossen.[93] Mit dem
Bewußtsein, daß die deutsche Sprache die kultivierteste aller Sprachen sei, verweigerte eine Interviewpartnerin das Erlernen der hebräischen Sprache.

Die Deutschen und Österreicher haben die Kultur erst in dieses
Land gebracht. (. . .) Ich habe nur deutsch gesprochen, auch das
Hebräisch habe ich damals überhaupt nicht gebraucht. Wenn ich
heute nach Israel fahre, bin ich aus der Kultur ausgeschlossen; ich
kann nicht fernsehen, in kein Theater gehen und vom Radio verste-
he ich auch nichts.[94]

Auch der Schriftsteller Hermann Hakel, der dem Konzentrationslager entkommen und in Palästina überleben konnte, kehrte »als Heimatloser« nach Wien zurück. »Es hielt ihn nicht in diesem Land«, und als deutschreibender Schriftsteller scheiterte er vor allem an der hebräischen Sprache.[95] Der Schriftsteller Jakov Lind erlebte Israel »als ewige Langeweile«, und er »fühlte sich als Außenseiter im ›eigenen Land‹, unter seinem eigenen Volk«.[96] Hakel kehrte nach Wien zurück, Lind lebt in London, in New York und auf Mallorca.

Ahasver muß verschwinden, oder der Traum vom »neuen Juden«

Junger Jude

Dein Blick ist hell wie Licht und Worte,
die wie Klagen reden, kennst du nicht.
Du führst den Pflug, du hämmerst,
schmiedest deine Zeit, dein Arm
trägt Wille, dein Schritt Entschlossenheit

Du bist zu neu, um dich zu überdenken,
willst nichts als deinen Mut verschenken
und deine Kraft lebendig in die Zukunft tragen;
die Kraft, mit der du eine neue Seite im alten Buch
der Väter stürmisch dir hast aufgeschlagen.[97]

1954 veröffentlichte der jüdisch-kommunistische »Neue Weg« das Gedicht vom »Jungen Juden«, das die Sehnsucht nach einem neuen jüdischen Ideal ausdrückte. Unbelastet von der grausamen Vergangenheit, nicht mehr als Opfer, sondern kräftig, zuversichtlich und entschlossen sollte der »junge Jude« in eine neue Zukunft blicken. Den heroischen Zionisten in Israel standen aber die in Europa überlebenden Juden mit all ihren Problemen und ihrer Perspektivlosigkeit gegenüber.

In den trockengelegten Sümpfen und der fruchtbar gemachten Wüste war kein Platz mehr für den Juden der Diaspora, so wie ihn nicht nur die antisemitische Propaganda zeichnet: hager, schwach, unsicher, Seidenlocken tragend, bärtig, dunkel gekleidet und auf dem Kopf eine Kippa. In dem sozusagen aus dem Nichts geborenen Staat stellte der »neue« Jude die erste Generation der »Erlösten« dar, und der Sabra, der im Land geborene Israeli, war der erste eines neuen Stammes, eines Geschlechts voller Gesundheit, Kraft, Arbeitswillen. (. . .) Dementsprechend galten Passivität und Servilität als Kennzeichen des Juden in der Diaspora.[98]

Überlebenden, die selbst »nur« über Emigrationserfahrungen oder weniger heldenhafte KZ-Erlebnisse verfügten, war es häufig unmöglich, sich mit den »neuen« Juden oder den heldenhaften Warschauer Ghettokämpfern zu identifizieren. Die alljährlich in Wien abgehaltenen Feierlichkeiten zum Warschauer Ghettoaufstand waren weniger Ausdruck eines spontanen Bedürfnisses der Wiener Juden, sondern gingen auf eine Empfehlung des »World Jewish Congress« zurück.[99] 1950 berichtete die Zeitschrift der Jüdischen Hochschülerschaft Wien über die »heroischen Kämpfer« des Warschauer Ghettoaufstandes:

Stumm und erschüttert stehen wir vor den unvergleichlichen Größen und den heroischen Kämpfern, unseren Helden, die bewußt gekämpft und starben für die Ehre unseres Volkes, für Freiheit und Menschenwürde auf unserer Welt.[100]

Auch die alljährlichen Feiern zur Gründung des Staates Israel wurden von Israel veranlaßt.[101] Wie Peter Herz schrieb, »ist man müde und statt eines aktiven Widerstandskämpfers ein passiver Unrechtsertrager geworden«.[102] Den heldenhaften Ghettokämpfern und den jungen Sabras stand in Österreich eine überalterte jüdische Gemeinde mit vielen alten, kranken und perspektivlosen Mitgliedern gegenüber. Zur Gesundung erhielten sie neben der Alijah bzw. als Vorbereitung auf das Leben in Israel manuelle Arbeit verschrieben; »denn nur durch Arbeit kann das jüdische Volk die ungeheure Katastrophe überwinden.«[103] Auch Sport galt als Therapie und Erziehungsmittel. So definierte Ignaz Barchelis, Präsident der Wiener Hakoah, die Hakoah als Vertreterin des jüdischen Staates auf dem Sportfeld. Durch Sport sollte die Jugend die Vergangenheit vergessen und zu Soldaten für Israel erzogen werden.[104] Als neues jüdisches Ideal galt der sportliche, »normale« Jude, wobei unter »normal« vor allem der »unauffällige Jude« gemeint war: »ein aufrechter, bartloser, gesunder Jüngling, der den Boden bearbeitet und seinen Traktor nach Palästina führt«.[105] Um diesen neuen Typ zu verwirklichen, mußten laut »Neuem Weg« vor allem der »Hausierer«[106] und in den Nachkriegsjahren die auffallenden jüdischen Flüchtlinge, die auch nach Ansicht vieler Wiener Juden immer wieder Antisemitismus auslösen würden, verschwinden. Durch die Beteiligung am »Schwarzmarkt« und durch ihr auffallendes Äußeres und forderndes Auftreten oder einfach, weil sie noch da waren und ein schlechtes Gewissen erzeugten, wurden sie erneut Opfer antisemitischer Vorurteile.[107] Um den Aufenthalt in Österreich reibungslos zu gestalten und vor allem um die Überlebenden auf das Leben in Israel vorzubereiten, forderten jüdische Organisationen von den jüdischen Flüchtlingen Zurückhaltung und ein unauffälliges Verhalten. Bruce Teichholz, der Leiter des DP-Lagers im Rothschildspital, bezog dazu Stellung.

Man sieht viele von ihnen in den Kaffeehäusern der Inneren Stadt herumlungern und dadurch den Antisemitismus des denkträgen Österreichers von neuem aufstacheln. Diesen Elementen fehlt auch die gewisse Zurückhaltung, zu der sie dem Gastlande gegenüber verpflichtet sind. Obwohl ihr Verhalten psychologisch verständlich ist, kann man vom Gastvolk nicht verlangen, daß jeder Psychologe sein soll. Es wäre daher besser, etwas mehr im Hintergrund zu bleiben. (. . .) und sich für das Leben in Israel intensiver vorzubereiten.[108]

Berufsumschichtungen sollten Juden der manuellen Arbeit zuführen und somit auch ihre Integration in Israel und ihre Reintegration in Österreich erleichtern – das »organische Wachsen Israels« durfte nicht durch das »unglückliche ökonomische Erbe« (gemeint war die Überrepräsentanz von Juden in bestimmten Berufen) gefährdet werden.[109] Finanziert wurden diese Umschulungen vom ORT (Organization for Rehabilitation and Training), der sein Büro in Wien ursprünglich zur Betreuung der KZ-überlebenden österreichischen Juden eröffnet hatte. Aufgrund der zahlreichen ostjüdischen Flüchtlinge verlagerte er seine Tätigkeit auf diese Gruppe. In eigenen Schulen, in Wien vor allem in der jüdischen Berufsschule in der Zieglergasse, erhielten die zumeist jungen Überlebenden des Nationalsozialismus die Möglichkeit, neue Berufe zu erlernen bzw. unterbrochene oder verhinderte Ausbildungen nachzuholen.[110] Vielen ermöglichte der ORT somit eine neue Existenz, einen Neuanfang in Israel oder in Übersee. 1949 gingen bereits über 5.000 Überlebende durch die Schulen des ORT. ORT-Schulen sollten den »Glauben an die Heilskraft der Produktivität« vermitteln und dadurch »zur Regeneration des jüdischen Volkes« beitragen. Der ORT sah es als seine

Aufgabe an, Juden zu körperlicher Arbeit zu animieren; daß »sie den Hammer wieder in die Hand nehmen – diesmal für ihre Zukunft, für Israel«.[111] Für viele Überlebende war körperliche Arbeit allerdings mit Zwangsarbeit verbunden »und hatte den Charakter von Strafe«.[112] Es zeigte sich auch, daß durch Arbeit psychische Probleme nur verdrängt werden konnten und zum Verarbeiten der Erfahrungen oder für Trauerarbeit in den Nachkriegsjahren keine Zeit blieb. Auch in Israel verübten Überlebende häufig nach ihrer Pensionierung, wenn das Erlebte durch Arbeit nicht mehr verdrängt werden konnte und die Kinder die Familie verlassen hatten, Selbstmord.[113] Mit dem Ziel, durch produktive Arbeit psychische und soziale Probleme zu lösen und überlebende Juden damit zu selbstbewußten Juden zu erziehen, verstand sich der ORT als Repräsentant »des jüdischen Willens zur Produktivität«, als Vorkämpfer für den »neuen« Juden.

Zu sehr waren Überindividualität, Tarnung und Schlauheit die Waffen, mit denen wir gelernt haben, zu überleben. Die ORT-Erziehung ist nicht nur Erziehung zur Arbeitsdisziplin, sondern auch zur sozialen Eingliederung und zu einem neuen Gemeinschaftsbewußtsein, das die Voraussetzung für die Entwicklung eines demokratischen Israel ist.[114]

Damit setzte sich der ORT der Gefahr aus, antijüdische Stereotype selbst zu verinnerlichen, um einen der nichtjüdischen Gesellschaft angenehmen und sie beeindruckenden Juden zu schaffen. Gegner kritisierten auch, »daß der ORT-Stab und seine Mitarbeiter die Schulen als gottähnliche Initiative von oben herab geschaffen haben«.[115]

Aus berechtigter Angst vor neuem Antisemitismus wollte auch die Israelitische Kultusgemeinde nur mehr den idealtypischen neuen Juden zeigen – »Ahasver« sollte verschwinden. Dies zeigte sich beispielsweise am Vorgehen gegen die Filme »Oliver Twist« und »Der Prozeß«. In »Oliver Twist«, der Verfilmung eines Romanes von Charles Dickens, wurde die Figur des Juden Fagin, eines kleinen jüdischen Gauners in einem verrufenen Londoner Stadtteil im 19. Jahrhundert, als sehr anstößig empfunden. Nicht nur in Österreich, auch in den USA und in Deutschland fanden heftige Auseinandersetzungen um die Zensur von »Oliver Twist« statt.[116] Der Film wäre nicht sozialkritisch, würde kein Sittengemälde der Epoche vermitteln, hätte daher auch keinen erzieherischen Wert und würde antisemitische Instinkte wecken. Da zum negativen Juden Fagin positive jüdische Gegenspieler fehlten, befürchtete die Israelitische Kultusgemeinde antisemitische Vorfälle, welche auch prompt eintrafen.[117] So stand im Grazer »Alpenruf« zu lesen, daß der Film die Welt darauf aufmerksam mache, »wie viel die Juden, die sich heute als grundlos verfolgte Unschuldsengel hinstellen möchten, zu verschweigen haben«.[118] Dem entgegnete die Israelitische Kultusgemeinde, daß Fagin heute nicht mehr existieren würde und daher auch nicht mehr gezeigt werden dürfte.

Vor den Augen der jüdischen Bevölkerung steht jetzt leuchtend ein ganz anderer Typ des Juden, wie er sich im Freiheitskampf und in Israel gegen die Übermacht von Feinden in bewundernswerter Weise bewährt hat. Der Jude heute ist nicht mehr Fagin, er ist ein neuer Typ; aufbauwillig, friedlich, arbeitsam und zur Scholle zurückgekehrt, der sich im Freiheitskampf bewährt. Der Fagin ist daher heute eine vielfache Beleidigung.[119]

Ähnlich reagierte die Israelitische Kultusgemeinde auf den Film »Der Prozeß« von G. W. Papst. Es war dies der erste (von Ruth Beckermann als gescheitert bezeichnete[120]) Versuch, die Verdrängung der Vergangenheit auf künstlerischem Wege zu durchbrechen. Papst verfilmte das Buch von Rudolf Brunngraber, das eine »Ritualmordlegende« im ungarischen Dorf Tisza-Eszlar zum Thema hat. Ungarische jüdische Handwerker und Bauern werden beschuldigt, ein Mädchen ermordet und ihr Blut für das Pessah-Brot verwendet zu haben. Ihr Leichnam wird später in der Theiß gefunden, wo sie wegen der unwürdigen Behandlung durch ihre Dienstgeberin den Freitod gesucht hat. Laut Verkauf-Verlon kritisierte die Israelitische Kultusgemeinde an diesem Film, daß es zu früh wäre,

drei Jahre nach Hitler SOLCHE Juden mit Kaftan und Schläfenlocken auf die Leinwand zu projizieren: die Instinkte, die den Antisemitismus begünstigen, würden dadurch unnötig geweckt.[121]

Nach Meinung der Israelitischen Kultusgemeinde würden Antisemiten zwar negativ dargestellt werden, was aber wiederum Antisemitismus fördern könnte. Dies bestätigten Pressemeldungen, nach denen es kein Wunder wäre, wenn Kinobesucher mit einem unangenehmen Gefühl nach Hause gingen.[122] Simon Wiesenthal befürchtete, daß das »Stürmer-Gespenst« wieder umgehen könnte. Der Film würde sich zwar gegen Ritualmordlegenden und Antisemitismus wenden, doch wären die Leute nicht reif dafür.[123] Das von der Israelitischen Kultusgemeinde angestrebte Verbot führte auch zu Diskussionen innerhalb des »World Jewish Congress«. Der damalige Delegierte in Wien, Bronia Jakubowitz, schrieb an die Zentrale in New York, daß er vom Film begeistert wäre. Er sei seiner Meinung nach »100% pro-Jewish« und in der Schweiz bereits mit großem Erfolg angelaufen. Im Unterschied zu den österreichischen Juden, die, um hier leben zu können, bemüht waren, antisemitische Vorfälle zu verhindern, wollte der Vertreter des »World Jewish Congress« den Film als Beweis für Österreichs Demokratiefähigket heranziehen.

The showing of this film will be a test for the Austrian public. I expressed my belief that the Austrian public, antisemitic as it still is, will use the film again for antisemitic demonstrations and if so, Austria will lose the little reputation she has, for being a democracy. (. . .) It will also be a show-down for the Austrian Government, how the police will react in case demonstrations should occur.[124]

Ausgehend von einer tiefen Identitätskrise, kreierten jüdische Organisationen als Reaktion auf den jahrhundertealten Antisemitismus, auf die Shoah und den trotz Shoah vorhandenen Antisemitismus ihre Bilder vom »neuen«, idealtypischen Juden, die von den Antisemiten allerdings ignoriert wurden. Diese schufen sich ihre eigenen antijüdischen Vorurteile, die ebensowenig mit den wirklichen Juden zu tun hatten.

Jüdische Existenz ist ein wackeliges Kartenhaus, das aus schmerzlichen Erfahrungen und hoffnungsvollen Phantasiebildern gezimmert ist.[125]

Mit diesen Worten charakterisierte Ruth Beckermann die jüdische Identitätsproblematik nach 1945. Die in Österreich lebenden Juden konnten dem geforderten jüdischen Ideal nicht gerecht werden, manche wehrten sich auch gegen die ihnen aufgezwungene Rolle und gegen jene wie die Israelitische Kultusgemeinde, den »World Jewish Congress« oder den Staat Israel, die beanspruchten, für sie zu sprechen.[126] Der sie in ihrer Identitätskrise treffende Antisemitismus fügte den Juden in Österreich ständig neue Demütigungen zu, wodurch sie laut Beckermann »Meister im Vergessen wurden«[127] oder, wie Peter Herz es ausdrückte, sich zur nostalgischen Flucht in die Vergangenheit gezwungen sahen: »Es war ein schöner Tag, als gestern noch heute war.«[128]

5.
Zur Problematik der jüdischen Überlebenden von Konzentrations- und Vernichtungslagern

Wie alle Menschen, die in Unfreiheit leben, haben auch die Häftlinge immer von der Freiheit geträumt, doch haben sie nie an die Probleme gedacht, die heute vor ihnen stehen. Die Freiheit war immer so etwas Fernes, so etwas Unerreichbares, das man sich so schön und unbeschwert vorgestellt und nie daran dachte, daß es in der Freiheit auch noch Probleme geben würde.[1]

(. . .) daß ich nach meiner Heimkehr beim Anblick eines Kaminschlotes einfach umgekippt bin. Nach und nach verblaßte das alarmierende Symbol Kamin und wurde zum Zeichen des Wiederaufbaues und wenn er rauchte, dann war's nur gut.[2]

Die wenigen Überlebenden konnten – wieder nach Österreich zurückgekehrt – in offiziellen Ämtern auch zu hören bekommen: so schlimm wird es schon nicht gewesen sein, sonst wären sie ja nicht mehr da. (. . .) auch Überleben muß man dann noch durchstehen.[3]

Nach Schätzungen von Lawrence Langer[4] legten nur 2% der KZ-Überlebenden ihre Erlebnisse schriftlich nieder. Vor allem in den Nachkriegsjahren vereinigte sich die Katharsiswirkung des Schreibprozesses mit dem Wunsch, Zeugnis abzulegen.[5] Doch nicht nur in Österreich fanden sogenannte »rassisch« Verfolgte kaum Gehör. Der französische Philosoph Alain Finkielkraut kritisierte, daß in Frankreich Juden bald nach Kriegsende aus dem Bewußtsein der Öffentlichkeit verschwunden waren. »Die Stunde gehörte den Helden und nicht den Opfern«, und auch die Resistance, stolz auf ihren heldenhaften Kampf gegen den Besatzer, wollte mit den jüdischen Opfern nicht in einen Topf geworfen werden.[6] Auch in den USA fand die Generation der KZ-Überlebenden erst in den siebziger Jahren Beachtung, als ihre Kinder, die »Second Generation«, allmählich begannen, ihre Herkunft und jüdische Identität öffentlich zu diskutieren. Dabei brachen sie auch das Schweigen der Eltern, doch diese blieben der »Jewish Community« weiterhin peinlich. »If they weren't there«,[7] alles wäre leichter gewesen, schrieb Elie Wiesel. Selbst in

Israel wurde die Problematik der Überlebenden erst mit dem Eich-
mann-Prozeß 1961 zu einem öffentlichen Thema. In den Aufbau-
jahren hatte auch die israelische Gesellschaft jene Juden, die sich
»wie Schafe zur Schlachtbank führen ließen«, übergangen, um das
neue jüdische Ideal, den heldenhaften, wehrhaften Israeli, nicht in
Frage zu stellen.[8]

In Österreich veröffentlichten neben einigen Priestern[9] hauptsächlich politisch verfolgte Männer ihre KZ-Erlebnisse, und sie traten auch
als Sprecher der KZ-Verbände auf.[10] Um möglichst viel Objektivität
bemüht, wollten die Autoren den Lesern ihre Erfahrungen mitteilen
und aufklären, aber auch ihrem an sich sinnlosen Leiden im nachhin-
ein Sinn verleihen. Während Priester mittels ihrer KZ-Erfahrungen auf
die Bedeutung des Glaubens in Extremsituationen hinwiesen, fühlten
sich politisch Verfolgte ihrer jeweiligen Partei verpflichtet, deren Organisationen im Lager sie häufig auch ihr Überleben zu verdanken
hatten. Hermann Langbein übte im Vorwort seines Buches »Menschen in Auschwitz« Kritik an seinem 1947/48 verfaßten ersten Buch
»Die Stärkeren«. Er habe diesen Bericht »als gläubiger Kommunist
geschrieben und daher manches verschwiegen, was für Kommunisten
nicht angenehm zu lesen wäre«.[11]

Formen von Widerstand und Solidarität, die Beziehungen innerhalb
der verschiedenen Häftlingsgruppen oder die Problematik der Überlebenden nach ihrer Rückkehr wurden aus der Sicht von »privilegierten« männlichen Häftlingen dargestellt. Die »Lagerstraße« von Dachau wurde zum Symbol für die österreichische Nation, während die
Überlebensbedingungen der »nur« jüdischen Häftlinge in Vernichtungslagern[12] übergangen wurden.

Sogenannte nur »rassisch« Verfolgte sind in Österreich nach ihrer
Befreiung kaum an die Öffentlichkeit getreten, und im Kalten Krieg
waren ihre KZ-Erlebnisse nicht mehr gefragt.[13] Im Nachwort zu Lucie
Begovs Buch »Mit meinen Augen – Botschaft einer Auschwitz-Überlebenden« schrieb Simon Wiesenthal:

*Ein Tuch des Schweigens wurde über die unmittelbare Vergangen-
heit gebreitet, der Kalte Krieg und der Ost-West-Konflikt schoben
das Geschehen der Nazizeit und seine Konsequenzen auf ein Ne-
bengleis in weite, weite Ferne. (. . .) Literatur über Konzentrationslager und Berichte über persönliche Erlebnisse waren passé.[14]*

Auffallend ist auch, daß ehemalige DPs in Österreich nicht an die Öffentlichkeit getreten sind. Erst 1994 wurden die KZ-Erlebnisse von Schoschana Rabinovici[15] ins Deutsche übersetzt, 1995 veröffentlichte Leon Zelmann seine Memoiren.

Der Soziologe Michael Pollak führt das Schweigen der Überlebenden auf die sozialen und politischen Bedingungen in den jeweiligen Ländern sowie auf die durch die KZ-Haft verursachten gravierenden Identitätsprobleme zurück.[16] Während politisch Verfolgte (auch jüdischer Herkunft), die einer Widerstandsgruppe angehört hatten, im Exil und im KZ zumindest ihre politische Identität bewahren konnten, fühlten sich »Nur«-Juden auf ihr Judesein reduziert. Vor allem jene, die zum Judentum oft nur mehr sehr wenig Beziehungen aufwiesen, empfanden sich durch die Verfolgung jeglicher Identität beraubt.[17]

Wie auch der Historiker Florian Freund kritisierte, hat die wissenschaftliche Forschung »Widerstand lange unkritisch als heroischen Kampf einiger weniger behandelt und detaillierte Analysen unterlassen«.[18] Während sich politisch Verfolgte auf der »Lagerstraße« den demokratischen Wiederaufbau Österreichs ausmalten, blieben ZigeunerInnen, sogenannte »Asoziale« oder »Nur«-Juden davon ausgeschlossen. Ihr täglicher Kampf ums nackte Überleben erlaubte ihnen auch keine politischen Diskussionen. Für sie gab es nach 1945 kein Netz, keine Partei und zumeist auch keine Familie, in die sie hätten zurückkehren können, allein sein wurde zum jüdischen Schicksal. Im Gegensatz zu Bundeskanzler Leopold Figl, einem Dachauhäftling, konnten Juden nicht mehr »nur Österreicher sein wie wir alle«.[19] Nicht nur bei Jean Amery führte die KZ-Erfahrung »zum Einsturz des Weltvertrauens«[20] und zum Gefühl der Heimatlosigkeit, zur Unmöglichkeit, Jude oder Österreicher zu sein. Eine in New York ausgewertete Untersuchung[21] über ungarische Juden zeigte, daß die im KZ erzwungene jüdische Gemeinschaft keine Rückkehr zum jüdischen Glauben auslöste. Dies bestätigte auch Pollaks bereits zitierte Untersuchung. – »Nur wenige Interviews sprechen von einer Stärkung, oder aber von einem Verlust des Glaubens: eher ist eine stärkere Identifizierung mit einem als Schicksalsgemeinschaft verstandenen Judentum festzustellen.«[22]

Erst in den achtziger Jahren entstanden durch »Oral-history«-Projekte und durch neue Autobiographien[23] differenziertere Bilder von Widerstand, Lagerhierarchien und Überleben. Marko Feingold, Vorstand der Israelitischen Kultusgemeinde Salzburg, hinterfragte in einem Videointerview den vor allem in der ehemaligen DDR gepflegten Mythos von der Selbstbefreiung der Häftlinge in Buchenwald. Seinen Erfahrungen nach leisteten die jüdischen Häftlinge insofern Widerstand, indem sie in den letzten Tagen den Appell verweigert hatten. Die Befreiung hingegen sei durch keinen heroischen Kampf der Häftlinge, sondern durch die US-Armee erfolgt. Kritisch vermerkte er auch, daß er im KZ wesentlich bessere Bedingungen vorgefunden hätte, wenn er in einer politischen Gruppe Aufnahme gefunden hätte; während sein politisch verfolgter Freund in der Schreibstube sitzen durfte, habe er selbst »die Ehre gehabt, im Freien zu arbeiten«.[24] Moritz Einziger, der als »Maurer«[25] in Buchenwald überleben konnte, erlebte Kommunisten (teilweise auch jüdischer Herkunft) als Antisemiten, während er mit »Kriminellen« »gute Erfahrungen gemacht« hatte:

Es hat z. B. unter den Kommunisten geheißen, daß die jüdischen Kapitalisten gekommen sind und wir ihnen jetzt arbeiten lernen werden. (. . .) und wenn man Arzt, Jurist, Rechtsanwalt, Industrieller war, das war schlecht, und auch Kaufmann. (. . .) Wir sind einmal angesprochen worden und aufgefordert worden, der illegalen KP beizutreten. Da sind viele Leute wegen der Vorteile eingetreten, wegen der Stütze der Partei oder unter Umständen wegen einer Rettung vor einem Transport. Und da habe ich meinen Bruder angeschaut und er mich und er hat gesagt: Was machst du? – Ich habe gesagt, ich werde keiner Partei beitreten, solange ich ein Sklave bin. Kommt zu mir nach der Befreiung, wenn ich ein freier Mensch bin.[26]

Auch Ruth Klüger übte Kritik an den politisch Verfolgten, die, wie sie schrieb, teils »aus antisemitischem Milieu kamen« und, da sie sich als »moralisch höherstehend vorkamen«, Juden verachteten.

Noch nach dem Krieg ist mir dieser Hochmut der Politischen aufgefallen, der eigentlich ein Fatalismus ist. Sich etwas einbilden darauf, im KZ gewesen zu sein? Freiwillig war keiner hingegangen.[27]

Ivan Hacker, bis 1987 Präsident der Wiener Israelitischen Kultusgemeinde, bedauerte den im KZ vorhandenen Antisemitismus.

Es waren auch Nichtjuden Konzentrationslagerhäftlinge. Bei ihnen gab es einen außerordentlichen Antisemitismus, das konnten wir uns nicht erklären. Es wurde über Antisemitismus viel gesprochen, nach den Gründen geforscht, viel geschrieben, er wird wissenschaftlich behandelt. Aber es bleibt unverständlich, wieso im Konzentrationslager so viele Nichtjuden, welche wegen ihrer politischen Einstellung inhaftiert worden waren, also »Kameraden«, solche überzeugten Antisemiten waren.[28]

Wie aus den Ministerratsprotokollen der Nachkriegsjahre oder den Diskussionen um die Bundespräsidentenwahl 1986 hervorgeht, zeigten nach 1945 auch prominente KZ-Überlebende, wie Außenminister Karl Gruber, Bundeskanzler Leopold Figl, Bundeskanzler Alfons Gorbach oder Innenminister Franz Olah unsensibles Verhalten gegenüber jüdischen Problemen und taten sich durch antisemitische Äußerungen hervor.[29] Ressentiments bestanden jedoch nicht nur zwischen Juden/Jüdinnen und Nichtjuden/Nichtjüdinnen, sondern auch innerhalb der jüdischen Häftlinge. KommunistInnen oder SozialistInnen jüdischer Herkunft versuchten ihre Identität aufrechtzuerhalten, indem sie sich von den »Nur«-Juden abgrenzten; assimilierten deutschen oder österreichischen Juden und Jüdinnen blieb auch im KZ die ostjüdische Tradition fremd. – »Ich habe keine nahe Verbindung gehabt zu Juden, durch die Mauer, die jeder hat«, beschrieb eine Auschwitzüberlebende und langjährige Kommunistin jüdischer Herkunft ihr Verhältnis zu traditionellen Juden.[30] Die Schriftstellerin Hertha Fuchs-Ligeti schilderte, wie sich ihre jüdische Freundin sogar in Auschwitz weigerte, mit Ostjüdinnen zu reden.

Wir sind über ein Jahr lang mit ihnen bei der Arbeit an einem Tisch gesessen und sie hat nicht geredet mit ihnen. Sie hat sie gehaßt, sie hat die Polischen nicht leiden mögen. Ich habe mich mit ihnen verstanden, aber nur bis zu einem Punkt, dann stellen sich auch mir die Haare auf. Das muß man mitgemacht haben – die sind so komische Menschen, so anders. Ich will mich dazu nicht äußern, denn es ist nicht schön, aber es sind halt andere Mentalitäten.[31]

Selbst assimiliert aufgewachsen oder in der Jugend dem traditionellen Judentum entflohen, blieb vielen das Verhalten der orthodoxen Juden weiterhin fremd und auch feind. Sie konnten deren Bestreben, auch unter Extrembedingungen jüdische Gesetze einzuhalten (wie das Fasten am Yom Kippur, dem höchsten jüdischen Feiertag), nicht akzeptieren, während orthodoxe Jüdinnen und Juden darin eine letzte Möglichkeit von Widerstand und Bewahrung ihrer geraubten Identität sahen.

Leben nach dem Überleben

Ende 1945 waren 1.730 Überlebende (822 Männer und 905 Frauen) bei der Israelitischen Kultusgemeinde gemeldet, 1952 wurden nur mehr 970 gezählt.[32] Ein Teil dürfte aus Österreich weggegangen sein, doch daneben muß auch eine hohe Sterblichkeit verzeichnet werden. Viele starben unmittelbar nach der Befreiung an den Folgen der Haft; in Bergen-Belsen waren es kurz nach der Befreiung täglich 700, im Mai noch täglich 80 der Überlebenden, und in Dachau wurden im Mai 1945 täglich 60–100 Tote registriert.[33] Allein von einer großen Familie überlebt zu haben war vielfach ein jüdisches Schicksal, das dem eigenen Leben den Sinn nehmen konnte. Träume vom Wiedersehen mit Freunden oder mit der Familie, welche im KZ die Kraft zum Überleben gegeben und vorm Abgleiten zum »Muselmann«* bewahrt hatten, mußten oft unerfüllt bleiben.

(. . .) das hat er alles ertragen, warum? Wegen der Hoffnung. Dann war die Hoffnung weg. Der ist umgefallen wie ein Stückl Holz, lautlos, ohne einen Schrei zu machen oder was, und war tot. Zwölf Jahre hat den die Hoffnung getragen, aber in dem Moment, wo sie weg war, hat er sterben müssen.[34]

Nach jahrelangen Entbehrungen waren die Häftlinge auch an das üppige Essen, das ihnen die Alliierten anboten, nicht gewöhnt.

Sie haben noch nicht essen können. Sie haben unvernünftig gegessen. Das Essen haben sie noch nicht beherrscht, das war eine schwierige Geschichte. Nach der Befreiung von Buchenwald konnten sich mit den Konserven der Amerikaner nur wenige beherrschen. Es waren Leute da, die zehn Jahre kein Fett bekommen haben, und jetzt plötzlich fette Dosen und schwere Zigaretten. Das kann nicht gut gehen. Auch einen meiner Freunde habe ich damals persönlich begraben.[35]

Jüdische Überlebende hätten daher besonderer Unterstützung bedurft, doch schloß man in Österreich »Nur-rassisch-Verfolgte«, also Juden ohne Zugehörigkeit zu einer politischen Partei, vorerst von der Opfer-

---

* Als »Muselmänner« wurden hauptsächlich jüdische KZ-Häftlinge, welche das Leben aufgegeben und teilnahmslos auf den Tod gewartet hatten, bezeichnet. Der Ausdruck wurde zuerst in Auschwitz, später auch in anderen Lagern verwendet. Vgl. Langbein, Hermann, Menschen in Auschwitz. Wien 1972. S. 111 ff.

fürsorge aus.[36] Außer der Israelitischen Kultusgemeinde fühlte sich niemand für sie zuständig, wie auch der Auschwitzüberlebende Fritz Roubicek erfahren mußte.

Ich habe noch eine SS-Uniform, wo ich mir das Emblem herunter-gerissen habe, getragen. Zuerst sind wir zu den Kommunisten in die Wasagasse, aber die haben sich für Juden nicht zuständig erklärt und uns zum Polnischen Roten Kreuz geschickt. Von dort sind wir zur »Volkssolidarität« auf das Wilhelminenschloß, aber die haben uns auch nicht unterstützt. Die Israelitische Kultusgemeinde hat sich dann bei der Volkssolidarität für uns eingesetzt.[37]

Die Hilfeleistungen der Israelitischen Kultusgemeinde konnten auf-grund ihrer Überlastung nur die elementarsten Bedürfnisse betreffen, an eine psychologische Betreuung war nicht zu denken.[38] Im Unter-schied zu den Niederlanden, Polen, Schweden, Israel oder den USA und Kanada hat man in Österreich auch später lange nicht daran ge-dacht. Mediziner und Psychologen ließen die KZ-Überlebenden mit ihren Ängsten und Träumen allein.[39] – »So schlimm wird es schon nicht gewesen sein«,[40] bekam Mali Fritz von einem Arzt zu hören, was ihr in Auschwitz verlorengegangenes Vertrauen in die Medizin keineswegs stärkte. Im Konzentrationslager lernten Häftlinge Ärzte als Mörder kennen, Medizin wurde zu einem Symbol für Vernichtung, und diese Ängste konnten nach der Befreiung nicht sofort abgebaut werden. Überlebende begegneten Ärzten mit Mißtrauen, zumal viele als ehemalige NS-Parteimitglieder galten und jüdische Ärzte nicht zurückgerufen worden waren.[41] Fritz Roubicek schilderte seine Erfah-rungen mit einem ehemaligen Militärarzt.

Ich mußte für ein Entschädigungsansuchen zu einer ärztlichen Un-tersuchung. Der Arzt dort war ein ehemaliger Militärarzt, und er hat meine Behinderung aus dem KZ nicht anerkannt. Ich bin kein zweites Mal mehr hingegangen.[42]

Was bei vielen zurückblieb, war ein ständiges Gefühl von Mißtrauen und Angst vor den Menschen.

Die Zeit heilt keine Wunden. Ich habe Angst vor Menschen, und ich habe vor nichts solche Angst wie vor Menschen. Ich habe Angst vor der Zukunft.[43]

Wir waren uns nie sicher, ist die Freundlichkeit echt oder nur von außen. Ich habe es auch erlebt, daß die Leute, die zuerst freundlich waren, später ihr wahres Gesicht gezeigt haben. Wir waren mißtrauisch durch unsere Erlebnisse, mißtrauisch der ganzen Welt gegenüber. Wer das zulassen konnte, was uns passiert ist, konnte man dem noch vertrauen?[44]

1963 berichtete die »Gemeinde«, daß in Wien ein jüdischer Überlebender noch immer »in der Zeit der Verfolgung lebte. Er hatte Angst vor allem, Angst vor Uniformen und versteckte sich vor dem Briefträger.«[45]

Viele blieben ungewollt in Österreich. Sie waren eigentlich nur zurückgekommen, um nach überlebenden Familienangehörigen und Freunden zu suchen, und nach dem Erkennen der wahren Katastrophe fühlten sie sich zu müde, um weiterzuziehen. Viele wußten auch nicht, wohin. Nachdem sie sich in Österreich allmählich eingerichtet hatten, blieben sie – mit ständigen Selbstvorwürfen – hier. Psychisch weiterleben zu können hieß auch für viele Juden, das Erlebte so gut wie möglich zu verdrängen. Im Konzentrationslager »war schon das bloße Zeigen adäquater Gefühle von Entsetzen, Wut und schließlich Trauer lebensbedrohlich«,[46] in den Nachkriegsjahren nahm das physische und materielle Überleben die gesamte Energie in Anspruch. Aufgestaute Haß- und Rachegefühle konnten nicht ausgelebt werden, sondern wurden oft in Depressionen verkehrt. – »Indem wir versucht haben, die Erinnerungen zu unterdrücken, haben sie letztendlich Herrschaft über uns gewonnen«,[47] schrieb der aus Österreich vertriebene Psychoanalytiker Bruno Bettelheim.

In weiten Kreisen der Bevölkerung galten Überlebende als »Kriminelle«,[48] Juden stießen zudem noch auf den nach wie vor bestehenden Antisemitismus. Aus Hunger und Not resultierende Plünderungen ehemaliger KZ-Häftlinge verstärkten die vorhandenen Vorurteile in der österreichischen Bevölkerung. Mali Fritz und Hermine Jursa bekamen auf ihrem Heimweg von Ravensbrück nach Wien in Ebensee über die Überlebenden des dortigen Konzentrationslagers folgendes zu hören: »Jo, was denn, dös Lager, jo mei, wias so weit woa, hans as aussilassn, jo, dertränken hättens es solln, in der Traun dertränken.«[49] Während sich alliierte Soldaten oder Flüchtlinge von ihrem Schicksal immer betroffen zeigten, vermittelte ihnen die ortsansässige Bevölkerung das Gefühl, »etwas ausgefressen zu haben«.[50] Bombardierungen, gefallene Söhne und Ehemänner sowie Versorgungsschwierigkeiten erzeugten bei Nichtjuden das Bewußtsein, selbst Opfer des Krieges und einer Katastrophe geworden zu sein; »die Leute um uns herum glaubten, sie wären die Opfer einer unbegreiflichen Katastrophe, die erst jetzt ausgebrochen ist«.[51] Wie Mali Fritz schrieb, stellte die Rückkehr von Überlebenden diese Verschiebung des Opferbegriffes in Frage. – »Das ist einer der Gründe, warum wir zuviel waren, die wir gekommen sind, denn plötzlich haben sich andere Leiden und andere Opfer angemeldet.«[52]

Der Kampf der Israelitischen Kultusgemeinde um die rechtliche Anerkennung jüdischer Überlebender

Ende Mai 1945 wurde in Wien die »Volkssolidarität« gegründet, eine von den drei Parteien (SPÖ, ÖVP, KPÖ) beschickte Fürsorgeinstitution zur Betreuung der ehemals politisch verfolgten Heimkehrer. »Nur« Juden waren aber bis Anfang 1946 von dieser Betreuung ausgeschlossen. Daneben entstanden in ganz Österreich zahlreiche kleinere Hilfskomitees für politisch Verfolgte. In Wien rief Ministerialrat Dr. Franz Sobek den »KZ-Verband«, später »Bund der politisch Verfolgten«, ins Leben. Sobek wurde noch vor Kriegsende aus dem KZ entlassen und gehörte der Widerstandsgruppe 05 an. Offiziell wurde der »KZ-Verband« im März 1946 gegründet und wie die »Volkssolidarität« von den drei Parteien paritätisch beschickt. Der »KZ-Verband« verstand sich nicht mehr als karitative Hilfsorganisation, sondern als politisches Instrument, als Wächter über die Demokratie, wozu von den Widerstandskämpfern entsprechende Positionen im Staat angestrebt und besetzt werden sollten.[53] Manche stellten sich sogar eine »Art Kammer«, eine selbständige Macht im Staat vor.[54] Da der »KZ-Verband« eine politisch-moralische Instanz beim Wiederaufbau eines »Neuen Österreich« sein wollte, stand nur ehemaligen »politischen« Häftlingen[55] die Mitgliedschaft offen. Ausgeschlossen waren somit Zigeuner, Homosexuelle, Kriminelle, die Gruppe der sogenannten »Asozialen« und jene Juden, die »nur« aufgrund ihrer Abstammung verfolgt worden waren. Damit reproduzierte der »KZ-Verband« das Vorurteil von den »kriminellen KZlern« und setzte auch die im KZ bestehende Hierarchie innerhalb der Häftlinge fort. Dies brachte ihm den Vorwurf ein, auch nach 1945 am »Arierparagraphen« festzuhalten.[56] Beim »Jüdischen Komitee« in Linz beschwerten sich 1947 auch jüdische Überlebende über diskriminierende Behandlungen beim Wiener »KZ-Verband« in der Lothringer-straße.

Im KZ-Verband wollten wir Auskunft haben, ob man uns Hilfe oder Rat erteilen kann. Der dortige Leiter erklärte uns – es war im letzten Zimmer der Kanzlei – dass man mit Geld alles erreichen könne. Er sagte uns ausserdem, dass ein politischer Häftling, der für die Freiheit Österreichs gekämpft hat, ihm tausendmal lieber sei als ein jüdischer Häftling, der alles verloren hat.[57]

Am 10. Februar 1946 konstituierte sich das »Aktionskomitee der jüdischen KZler«, später »Verband der wegen ihrer Abstammung Verfolgten«, das bereits bei seiner Gründung 1.670 Mitglieder zählte.[58] Um die Anerkennung der jüdischen KZler als gleichberechtigte Opfer durchzusetzen, versuchte es unter der Leitung des Kommunisten Akim Lewit,[59] in den »Bundesverband« aufgenommen zu werden. Die Aufnahme erfolgte bereits am 14. Februar 1946 mit folgender Begründung: Da Juden wegen ihrer Abstammung verfolgt worden waren, hätten sie als politisch unzuverlässig gegolten und wären auch deshalb ins KZ gekommen.[60] Um Österreichs Rolle als erstes Opfer Nazi-Deutschlands nicht zu gefährden, mußten »rassisch Verfolgte« offensichtlich zu aktiven Gegnern des Nationalsozialismus umdefiniert werden. Dadurch konnten sie als Beweis eines österreichischen Widerstandes herangezogen werden, während gleichzeitig von der aktiven Rolle der ÖsterreicherInnen bei der Judenverfolgung abgelenkt wurde.[61] Als nächstes strebte die Israelitische Kultusgemeinde eine Reform des Opferfürsorgegesetzes an, da in der bis dahin gültigen Version in Punkt 21 des Abschnittes I ausdrücklich erklärt wurde, daß »rassisch Verfolgte«, die den Nachweis eines aktiven Einsatzes für ein unabhängiges, demokratisches Österreich nicht aufbringen konnten, ebenso wie alle anderen passiv zu Schaden gekommenen Österreicher nicht berücksichtigt werden sollten und warten müßten, bis eine neue Regelung erfolgen würde.[62] Das im Juli 1947 beschlossene und am 2. September 1947 in Kraft getretene neue Opferfürsorgegesetz erweiterte zwar den Kreis der Anspruchsberechtigten – auch die aufgrund von »Abstammung, Religion und Nationalität« erfolgte Verfolgung fand Berücksichtigung –, doch wies es noch immer gravierende Mängel auf. So konnten Juden nur mittels einer Gefälligkeitsbestätigung des »KZ-Verbandes« eine Amtsbescheinigung erhalten, die wiederum als Voraussetzung zum Rentenbezug benötigt wurde.[63] Das »Jüdische Aktionskomitee« empfand es

auch als eine besondere Demütigung, »daß ›politische‹ Häftlinge von
der Art des Auslandsradiohörers und unvorsichtigen Meckerers oder
Bekämpfers der Arbeiterschaft im und nach dem Februar 1934 und
schließlich ›Erduldens‹ einer sechsmonatigen ›schweren‹ Haft in Wöllersdorf«[64] als Opfer bzw. Widerstandskämpfer anerkannt wurden,
während beispielsweise Sternenträgern* die Aufnahme in den »Bundesverband« versagt geblieben ist.

*Warum wird von den Abstammungsverfolgten überhaupt politi-
scher Einsatz verlangt? Wozu braucht ein Abstammungsverfolgter
KZler noch seine antifaschistische Gesinnung zu beweisen?*[65]

Diese Frage stellte 1947 ein Referent bei einer Tagung des »KZ-Verbandes« in Graz. Weiters interpretierte er das bestehende Opferfürsorgegesetz als Fortsetzung der KZ-Hierarchie. Seiner Meinung nach
wollte die SS durch das Lagersystem

*bei allen nichtjüdischen Lagerinsassen den Eindruck einprägen,
daß alle Juden (. . .) untereinander gleich sind und eine Differen-
zierung nicht am Platz ist. Und die Gestapo hat dieses Ziel erreicht:
bei apolitischen nichtjüdischen KZlern deswegen, weil dies den letzten gepaßt hat, bei den politisch bewußten aber auch aus dem
Grunde, weil auch sie dem ehernen Naturgesetz unterlegen waren,
wonach das Milieu den Menschen formt. Die Folge davon war, daß
die sogenannten arischen Kameraden sich des Gefühls einer gewissen Überwertigkeit nicht entledigen konnten, dies auf Kosten der
jüdischen, auch der sogenannten politischen KZler, die andauernd
mit Minderwertigkeitskomplexen behaftet sein mußten. (. . .) Eine
unsichtbare Mauer hat sich zwischen beiden künstlich aufgezoge-
nen Welten aufgerichtet, eine Scheidemauer, die von Buchenwald,
Dachau, Flossenbürg, Sachsenhausen usw. bis nach Wien ging.
Und hinter dieser Mauer haben sich der KZ-Verband und die
»Volkssolidarität« etabliert, die jedem sogenannten »rassisch« Verfolgten Einlaß verwehrten, hingegen aber um so beflissener beim
Spendensammeln im In- und Ausland auf den Solidaritätsgedanken
aller Naziopfer pochten.*[66]

---

* Ab 1941 wurden Juden gezwungen, den gelben Stern zu tragen, was die Einhaltung der
antijüdischen Gesetze, wie z. B. das Benützen öffentlicher Verkehrsmittel, das Betreten von Parkanlagen oder das Verlassen von Ghettos, garantierte. Erst 1961 erhielten
»Sternenträger« eine geringe Abgeltung für ihre Verfolgung. Vgl. Gallanda, S. 144.

Die Auflösung des KZ-Verbandes

Im September 1946 vereinigten sich der »KZ-Verband« und zahlreiche, auch in den Bundesländern bereits vorhandene Komitees zur Betreuung der KZ-Überlebenden zum »Bund der politisch Verfolgten – Österreichischer Bundesverband«, weiterhin kurz »KZ-Verband« genannt. Der Verband war ebenfalls überparteiisch organisiert, und neben den Vertretern von SPÖ, ÖVP und KPÖ schienen auch Vertreter der sogenannten »Abstammungsverfolgten« auf. Aufgrund des vom Nationalrat beschlossenen Privilegierungsgesetzes galt der »KZ-Verband« als offizielle Interessenvertretung aller Opfer des Faschismus. Wie die Historikerin Brigitte Bailer aufzeigte, beabsichtigte Innenminister Oskar Helmer damit die Kontrolle der »KZ-Verbände« und letztendlich die Ausschaltung der Kommunisten. Doch auch dem »Bundesverband« war kein langes Leben beschieden. Am 8. März 1948 löste Helmer mit Zustimmung der Regierungsparteien aus innenpolitischen Motiven den »Bund der politisch Verfolgten« auf.[67] Da, gemessen an ihrer zahlenmäßigen Stärke, Kommunisten im Widerstand überrepräsentiert waren, übten sie auch im »KZ-Verband« dominierende Funktionen aus. Im November 1947 war mit Dr. Altmann aber der letzte Kommunist aus der Regierung ausgeschieden, und es mußte auf die KPÖ keine Rücksicht mehr genommen werden. Ein geeinter Verband von KZ-Überlebenden, der noch dazu für sich in Anspruch nehmen wollte, über die demokratische Entwicklung in Österreich zu wachen, hätte auch die Koalitionspolitik, in der es bereits um die Integration der ehemaligen Nationalsozialisten ging, in Frage gestellt.

Offiziell wurde die Auflösung des KZ-Verbandes mit Unstimmigkeiten im Wiener »KZ-Verband« gerechtfertigt, doch für »einfache« Mitglieder und auch für Funktionäre erfolgte die Auflösung vielfach unerwartet. Karl Mark, sozialistischer Abgeordneter und Generalsekretär des »Bundesverbandes«, berichtete über dessen unerwartetes Ende:

Im Februar 1948 kam ich zu dem Haus, in dem unser Büro untergebracht war. Einige Angestellte warteten schon davor. Ich hatte zwar meine Schlüssel, aber ich konnte nicht hinein. Mein Büro war versiegelt. Das war auf Anweisung von Oskar Helmer geschehen. Unter Mißachtung der gesetzlich fundierten Stellung des Bundes wa-

ren die Sekretariatsräume geschlossen worden und gleichzeitig jede weitere Tätigkeit unterbunden mit dem fadenscheinigen Hinweis auf einen möglichen kommunistischen Mißbrauch, natürlich aber wegen der von Helmers Linie abweichenden Haltung des Bundes. Diese Handlung setzte meiner Tätigkeit im Bund politisch Verfolgter ein unerwartetes Ende.[68]

Josef Ausweger,[69] ÖVP-Mitglied und Präsident des Salzburger »KZ-Verbandes«, betonte noch Ende März 1948 bei einer Versammlung, »daß gerade die Kommunisten sich im Lager vorbildlich verhalten haben und er weiterhin für einen überparteiischen Verband eintreten werde«.[70] Noch am 13. März schrieb das »Demokratische Volksblatt«, das Organ der SPÖ-Salzburg, »daß in Salzburg im Vergleich zu Wien in den Beschlüssen Einigkeit bestehe und keine politischen Differenzen vorhanden wären«.[71] Doch am 20. März riet das Blatt SPÖ-Mitgliedern dann vom Besuch der Veranstaltungen des »KZ-Verbandes« ab, denn »die Sozialisten würden die säuberliche Trennung von den Kommunisten, aber auch von jenen begrüßen, die seinerzeit wegen ihrer austrofaschistischen Tätigkeit verfolgt wurden«.[72]

Im Klima des Kalten Krieges vermochten sich die Überlebenden mit ihrem Wunsch nach einem überparteilichen Verband gegen den zentralistisch, ihrer Meinung nach sehr undemokratisch gefaßten Regierungsbeschluß nicht durchzusetzen. Letztendlich gründete jede Partei ihren eigenen KZ-Verband: die SPÖ den »Verband der sozialistischen Freiheitskämpfer«, die ÖVP die »Kameradschaft«, und der KPÖ blieb der »KZ-Verband«. Nur in Tirol wehrten sich die Überlebenden erfolgreich gegen eine Aufsplitterung.[73] Jüdische Überlebende, sofern sie keiner der drei Parteien beitreten wollten, blieben weiterhin unter sich. Der »Neue Weg« kritisierte nicht nur die Politik der Regierung, sondern auch die Politik des »Bundesverbandes«, in den Juden große Hoffnungen gesetzt hatten.[74] Daß ehemalige KZ-Häftlinge sich den Interessen der Parteien unterwarfen und den »KZ-Verband« zu einem »Veteranenverein« herabsinken ließen, löste beim Jüdischen Aktionskomitee »eine schwere Erbitterung« und das Gefühl, »als Juden als Paria« behandelt worden zu sein, aus.[75] Für den »Neuen Weg« entstand der Eindruck, daß den politischen Funktionären des »KZ-Verbandes« nur an der Erfüllung ihrer Bedürfnisse gelegen war und sie in der Unterstützung der jüdischen Opfer versagt haben.

Die zurückkehrenden »politischen« KZler haben ihre verlorenen Stellen in Amt und Arbeit meist wiederbekommen, ja dank ihrer Verbindung mit den politischen Parteien, bedeutend verbessert. Was sie sonst noch zu verlangen haben, war die Entschädigung für Haftzeit und sonstige Einbußen, war die Unterstützung der Hinterbliebenen von KZ-Kameraden und schließlich die Pflege der Kameradschaft, der Erinnerung an das gemeinsame Erlebnis im KZ. Diese bescheidenen Ziele entsprachen ganz dem Gedankengang und den Absichten der politischen Parteien. Nach ihrer Auffassung war die Hitler-Invasion ein bedauerliches, aber unvermeidliches Ereignis, die am Leben gebliebenen Opfer haben Anspruch auf Almosen in moderner Form, auf eine gewisse, nicht weitgehende wirtschaftliche Hilfe (früher einmal auf eine Werkelmannlizenz). Sonst sollten sie bei Heurigem und Wienermusik kameradschaftliche Geselligkeit pflegen, beim Begräbnis eines Kameraden mit der eigenen Fahne ausrücken usw. Das bedingte natürlich eine strenge Absonderung der Nazi-Opfer von den anderen Opfern.[76]*

Bei vielen Überlebenden wirkte primär die Zugehörigkeit zu einer politischen Partei und weniger die gemeinsame Lagererfahrung identitätsstiftend. Österreichische WiderstandskämpferInnen, unter ihnen auch viele jüdischer Herkunft, träumten im KZ vom Aufbau eines neuen Österreich, wozu sie sich nach ihrer Rückkehr auch tatkräftig zur Verfügung stellten. Auch sie akzeptierten die von den Alliierten und österreichischen Politikern entworfene These von Österreich als erstem Opfer Hitler-Deutschlands. Trotz zahlreicher Widersprüche übertrugen sie das eigene Leiden auf das der Nation. Als beispielsweise der »Internationale KZ-Verband« ankündigte, bei einer Tagung im Mai 1946 auch eine Resolution über die schleppend vor sich gehende Entnazifizierung und die Beteiligung von Österreichern am Nationalsozialismus zu fassen, zog der »Verband der politisch Verfolgten für Oberösterreich« seine angekündigte Teilnahme an der im Mai 1946 stattfindenden Tagung zurück. Auch das Innenministerium wollte die Tagung verbieten, die letztendlich mit Hilfe des oberösterreichischen Landeshauptmannes Gleißner doch noch durchgeführt werden konnte. Ministerialrat Franz Sobek empfand vor allem die Kritik an Österreichs Mitverantwortung am Nationalsozialismus und eine befürchtete Resolution an die UNO, in der vom Abzug der Besatzungssoldaten abgeraten werden sollte, als Provokation. Er bat daher den

»Oberösterreichischen KZ-Verband um Bericht und um Vorschläge zu entsprechenden Maßnahmen gegen diese Leute, welche wahrscheinlich zum Großteil Kriminelle sind und in unserem Lande als Partisanen leben und unser Land im Ausland schwer diskriminieren«.[77] Als Reaktion darauf warf Simon Wiesenthal, damals Funktionär des »Internationalen KZ-Verbandes«, dem österreichischen KZ-Verband vor, daß »der Ausländerhaß, welcher ein Bestandteil der Nazipropaganda war, in den Reihen des österreichischen KZ-Verbandes noch nicht ausgerottet zu sein scheint«.[78]

Alleingelassen im Kampf um die »Wiedergutmachung«, mußte die Israelitische Kultusgemeinde 1949 auch den Ausschluß aus der Opferfürsorgekommission erleben. Bisher setzte sich diese Kommission aus Vertretern der drei Parteien und aus Vertretern der Israelitischen Kultusgemeinde oder »Abstammungsverfolgten« zusammen, während bei der 1949 erfolgten Neubesetzung Sozialminister Karl Maisel, sozialistischer Abgeordneter und Buchenwald-Überlebender, anstelle der »Abstammungsverfolgten« Vertreter der SPÖ nominierte. Wie der »Neue Weg« kritisierte, wären diese »weder von den Abstammungsverfolgten auf demokratische Weise gewählt, noch hierzu berufen worden und würden keinesfalls das Vertrauen der Gruppe genießen«.[79]

Im Kalten Krieg konnte die österreichische Regierung als anerkannter Partner der Westalliierten immer selbstbewußter agieren. Letzte Reste, die noch an Österreichs Mittäterrolle erinnerten, mußten entfernt werden. 1947 »arisierte« das »Schwarze Kreuz« in St. Florian in Oberösterreich den jüdischen Friedhof, indem es das jüdische Denkmal zerschlagen ließ.[80] Bereits 1946 machte Heinrich Sobek einen Vorschlag zur christlichen Vereinnahmung des Vernichtungslagers Mauthausen. Ein »überdimensionales, in der Nacht leuchtendes Kreuz« sollte am höchsten Punkt des ehemaligen Lagers errichtet werden.[81] Auch als 1952 an der KZ-Gedenkstätte Mauthausen eine Gedenktafel enthüllt wurde, gedachte niemand der jüdischen Opfer, der größten Gruppe unter den Ermordeten.[82] 1954 sollten laut einer Empfehlung des Innenministeriums die KZ-Friedhöfe in »Kriegerfriedhöfe« umgewandelt und damit alle Opfer des Zweiten Weltkrieges auf dieselbe Stufe gestellt werden.[83] Im selben Jahr wurden in Ebensee jüdische Gräber exhumiert, und das dortige jüdische Denkmal mit der Aufschrift »Dem deutschen Volk zur ewigen Schande« wurde in die Luft gesprengt, um den Fremdenverkehr nicht zu stören.[84] In Linz fühlten sich jüdische Überlebende verletzt, als der KZ-Verband 1955 bei einer von ihm organisierten Trauerfeier in Ebensee die Israelitische Kultusgemeinde Linz nicht eingeladen hatte, obwohl die Häftlinge im Konzentrationslager Ebensee großteils Juden waren.[85]

Der Konflikt zwischen der Israelitischen Kultusgemeinde und den Lagergemeinschaften ist bis heute ungelöst. Noch im Februar 1995 mußte die »Gemeinde« an einer Aussendung der »österreichischen Lagergemeinschaft Auschwitz« anläßlich des 50. Gedenktages der Befreiung kritisieren, daß von ermordeten Österreichern, unter anderen Politikern, Künstlern, Journalisten oder Heimwehrfunktionären, gesprochen wurde, das Wort Jude oder jüdisch aber peinlich vermieden wurde.[86]

6.
Rückkehr von Vertriebenen

Was Sie san wieder da? Und mir ham glaubt, Sie san verbrennt wurdn?[1]

Uns schließlich soll der Schock der Re-Emigration aufgezeigt werden; das voll Entsetzen erlebte Wiedersehen mit dem Land, das man hatte verlassen müssen, weil man unerwünscht war, und in dem sich nichts geändert hatte. Wo man ebenso unerwünscht war wie ehedem. So bin ich nicht an der Emigration nach Afrika zerbrochen – obwohl oft schwer zu ertragen, war sie doch auch bereichernd. Gebrochen hat mich die Re-Emigration nach Wien.[2]

Rund 130.000 Österreicher und Österreicherinnen – zur überwiegenden Mehrheit Juden bzw. Menschen, die aufgrund der »Nürnberger Gesetze« der Verfolgung ausgesetzt waren – konnten der nationalsozialistischen Vernichtungspolitik durch eine Flucht ins Ausland entkommen. Nach der Shoah kehrten nur mehr rund fünftausend nach Österreich, großteils nach Wien zurück. Exakte Zahlenangaben über die Remigranten sind nicht möglich, da nicht alle Remigranten bei der Israelitischen Kultusgemeinde gemeldet waren oder manche nach ihrer Rückkehr ein weiteres Mal emigrierten. Im Dezember 1945 zählte die Israelitische Kultusgemeinde nur 253 Remigranten, 1950 waren 6.514 gemeldet, von denen sich später 1.430 wieder abgemeldet hatten.[3] Während aus den USA, wo zu diesem Zeitpunkt 45.000 ehemalige Vertriebene lebten, nur 0,2% zurückgekehrt waren, setzte zwischen 1946 und 1948 großteils in geschlossenen Transporten eine erste Rückkehrwelle aus Israel/Palästina (4,7%) und Shanghai (20%), also aus Ländern mit schwierigen Lebensbedingungen, ein.[4]

Als markant erwies sich die Altersstruktur der Remigranten. Von 787 Israel-Rückkehrern gehörten 1952 beispielsweise nur 16 der Altersgruppe zwischen 25 und 37 Jahren, hingegen 390 jener über 63 Jahre an. Gerade für ältere Menschen erwiesen sich die Folgen der Vertreibung als besonders schwierig, viele waren unfähig, eine Fremdsprache zu erlernen oder körperlich schwere Arbeit anzunehmen. Es fiel ihnen auch schwer, den häufig erlittenen sozialen Abstieg zu akzeptieren. –

»Ja, ich war einmal ein großer Bernhardiner, overthere . . .« – macht sich Hermann Leopoldi in einem Lied über jene New Yorker Emigranten lustig, die sich mit ihrem Prestigeverlust nicht abfinden konnten und nur von ihrer großen Zeit in Wien schwärmten.[5]

In den sechziger Jahren kann die Remigration im großen und ganzen als beendet angesehen werden. Vereinzelt kehrten und kehren aber noch immer Vertriebene in ihre alte Heimat zurück. So etwa der Schauspieler Leon Askin, der 1994 von Los Angeles nach Wien übersiedelte. Als der Schriftsteller und Sprachwissenschaftler Sepp Österreicher im Rahmen der Ausstellung »Die Zeit gibt die Bilder« nach Wien eingeladen wurde, entschloß er sich, zu bleiben. Österreicher, ursprünglich Boris Brainin, flüchtete als Kommunist nach den Februarkämpfen 1934 in die Sowjetunion, wo er aufgrund seiner Theorien in der Sprachwissenschaft Ende der fünfziger Jahre in ein Straflager gesperrt wurde. Eigenen Aussagen zufolge fühlt er sich recht wohl im jüdischen Elternhaus.[6] Andere wieder wurden nach ihrer Rückkehr zu Entwurzelten, zu ewigen Heimatsuchern. Mit den Worten »Und zwischen zwei Welten schwankend gibt's kein Zurück« ließ die Schriftstellerin Maria Berl-Lee ihr Gedicht »Wanderer zwischen zwei Welten« enden.[7] Ähnlich formulierte der Schriftsteller Karl Frucht seine Heimatlosigkeit: »Pendelnd zwischen zwei Kontinenten, zwischen New York und Wien, muß auch ich mir eingestehen, daß ich mich nirgendwo mehr zu Hause fühl'. (. . .) In Wien habe ich stets das Gefühl, daß man mich nicht akzeptiert. Wer hat mich schon zurückgerufen, oder meine vielen anderen Schicksalsgefährten.«[8]

Die Forschung beschäftigte sich in Österreich erst spät mit der Problematik von Vertreibung und Exil, und es standen vorwiegend politische Exilgruppen und vertriebene österreichische Künstler und Wissenschaftler im Zentrum des Interesses. »Nur« jüdische Emigranten oder Zionisten und orthodox lebende Jüdinnen und Juden – also die Mehrheit der EmigrantInnen – wurden übergangen, was zu einem verzerrten Bild der Emigration und Vertreibung führte. Auch die Vertriebenen selbst scheuten lange davor zurück, über ihr Leben zu sprechen oder zu schreiben. Wie die aus Wien vertriebene Psychologin Dorit Whiteman[9] feststellt, hatten Emigranten häufig das Gefühl, daß ihnen, verglichen mit Überlebenden aus den Konzentrationslagern, eigentlich nichts passiert sei. Zudem fühlten sie sich schuldig, überlebt zu haben, während andere ermordet worden waren.[10] Der Schriftsteller

Albert Drach thematisierte in seinem Roman »Unsentimentale Reise«
diese Gebrochenheit:

*Meine Mutter habe ich nicht sterben sehen. Ich habe sie bloß er-
mordet. Ich habe sie zurückgelassen unter Hitlerschurken und
-banden in dem Land, das einmal meine Heimat war, für dessen
Volk ich nur mehr tiefste Verachtung aufbringe, wie jetzt in diesem
Augenblick für mich selbst, der ich auch diesem Volk angehöre,
wenn ich auch außerdem Jude bin.[11]*

Zurück – aber wie?

Viktor Matejka, Wiener Stadtrat für Kultur und Volksaufklärung,
bemühte sich als einer der ganz wenigen Österreicher um die Rückholung von Vertriebenen. Im November 1945 rief er in der »Austro-
American Tribune« Künstler und Wissenschaftler zur Rückkehr auf.
Wie Matejka selbst kritisch anmerkte, stieß er in Österreich mit seinem Anliegen auf taube Ohren.

*Um es auf gut Österreichisch zu sagen: da holte ich mir die kälte-
sten Füße meines Lebens, als ich nichts anderes wollte als das
Selbstverständlichste der Welt. (...) Ich verlangte nicht mehr und
nicht weniger, als daß alle höchstverantwortlichen Stellen und Leute in Österreich allen unseren Emigranten wenigstens theoretisch
mitteilten, sie seien wieder herzlich willkommen in der befreiten
Heimat. Eine solche Erklärung ist von keiner österreichischen
Kompetenz damals abgegeben worden.[12]*

Weder in der Literatur und in den Medien noch in den Ministerratsprotokollen ließen sich Maßnahmen der österreichischen Regierung
zur »Rückführung« finden.[13] Auch die Wortprotokolle der Regie-
rungssitzungen von 1945 bis 1947 enthielten keinen Hinweis auf einen beabsichtigten Aufruf zur Rückkehr der Vertriebenen. Nicht nur
46% der befragten ÖsterreicherInnen,[14] sondern auch Regierungsmitglieder standen der Rückkehr von Juden negativ gegenüber.[15] Wie die
»Stimme«, die Zeitschrift der »Allgemeinen Zionisten«, kritisierte,
»schaute die österreichische Regierung weg und Helmer rief öffentlich dazu auf. Juden waren es, denen das offizielle Österreich die kalte Schulter zeigte«.[16]

Die Nachkriegsverhältnisse stellten Rückkehrwillige vor schier unüberwindbare Probleme. Wer weder von den Alliierten noch von einer österreichischen Partei Unterstützung erhielt, dem blieb in den unmittelbaren Nachkriegsjahren die Rückkehr verwehrt. Es fehlte nicht nur an Transportmöglichkeiten, auch die Alliierten schränkten die Reisemöglichkeiten ein. Zu den ersten Remigranten gehörten die österreichischen Freiwilligen in den alliierten Armeen, die ihre Demobilisierung oder Entlassung in Österreich bewirken konnten. Ihnen folgten Zivilangestellte der »Besatzungsmächte«.[17] Aus den USA durften beispielsweise nur Regierungsbeamte und Militärs zurück. Sogenannte »Austrian-Refugees«, die noch im Besitz der österreichischen Staatsbürgerschaft waren, konnten ab Frühjahr 1946 den Atlantik überqueren. Wer etwa die Staatsbürgerschaft der USA angenommen hatte, erhielt nur dann die Erlaubnis zur Rückkehr, wenn er US-amerikanische Interessen zu vertreten hatte. So entsandte das State Department den Romancier und Regisseur Ernst Lothar als »Theatre and Music Officer« nach Österreich, um dort das kulturelle Leben zu reorganisieren und sich mit der Entnazifizierung im Kulturbetrieb zu befassen. Auch Josef Simon, Mitglied der Sozialdemokratischen Partei, wurde in die Entnazifizierungsabteilung entsandt.[18] Für eine berufliche Karriere erwies es sich häufig als unumgehbar, die Staatsbürgerschaft des Exillandes anzunehmen, Soldaten in der US-Armee wurden automatisch US-Staatsbürger. Der Emigrant Otto Kreilisheim drückte in einem Brief an Viktor Matejka, dem damaligen Stadtrat für Kultur und Volksaufklärung, seine Bedenken darüber aus.

Die Österreicher sind betrübt und besorgt, dass Österreich sie nicht mehr als Österreicher anerkennen wird, da sie die US-Staatsbürgerschaft angenommen haben, denn sie hätten sonst niemals overseas gehen können, haben auf zahlreichen Schlachtfeldern gekämpft und sind im Laufe ihrer Militärzeit amerikanische Staatsbürger geworden.[19]

Im Juni 1946 begann das »Wanderungsreferat« der Israelitischen Kultusgemeinde unter dem Kommunisten Michael Kohn mit seiner Tätigkeit. Ursprünglich gedacht für die jüdische Wanderungsbewegung innerhalb Österreichs, als Unterstützung für die DPs, mußte es sich der heimkehrwilligen vertriebenen ÖsterreicherInnen annehmen, da sich die österreichische Regierung für deren Rückholung und Betreuung nicht zuständig fühlen wollte.

Es war – bis auf einen schwächlichen Versuch für die österreichi-

*schen Juden in der Sowjetunion – nichts unternommen worden, um
die österreichische Regierung für dieses Problem der Rückkehr aus
den Asylländern zu interessieren. (. . .) Die im Sommer (1945, Anm.
d. A.) heimkehrenden KZler erfuhren keinerlei Hilfe und die im
Herbst 1945 einsetzende Rückkehr jüdischer Emigranten aus europäischen Ländern war unbemerkt von der Öffentlichkeit und
ohne jede Unterstützung vor sich gegangen. Die jüdischen Heime in
der Seegasse, Augartenstraße und Tempelgasse waren von ihnen
überfüllt. Das war aber auch die einzige Hilfe, die ihnen seitens der
jüdischen Gemeinde zuteil worden war.[20]*

Ab 1947 stellte die Rückkehr von geschlossenen Transporten aus
Palästina und Shanghai die Israelitische Kultusgemeinde vor akute
Probleme. Sie mußte den RemigrantInnen Unterkünfte und Arbeit besorgen und auch dem durch die Rückkehr von Juden ausgelösten Antisemitismus entgegentreten. Bis Ende August 1947 trafen 1.620 Personen in Gemeinschaftstransporten ein, 1.400 Einzelpersonen baten
beim Wanderungsreferat um ihre Rückholung. Zudem waren rund
1.000 RückkehrerInnen aus England, Frankreich und einigen anderen
europäischen Ländern eingetroffen.[21]

Remigration – eine Charaktersache?

Die österreichischen Exilorganisationen unterschieden sich vor allem
auch in ihren Einschätzungen über Österreich und in der Frage der damit zusammenhängenden Rückkehr von Juden und Jüdinnen in das
Land der Vertreibung. Das »Free Austrian Movement«*, eine von
österreichischen Kommunisten in sämtlichen Exilländern initiierte
Exilorganisation, und die zionistische »Jakob Ehrlich Gesellschaft«

---

* 1941 gründeten Kommunisten in England das Free Austrian Movement. In sämtlichen anderen Exilländern wurden weitere Organisationen ins Leben gerufen. 1944
kam es zur Gründung des Free Austrian World Movements. Als politisches Ziel versuchte das FAM in einer Art Volksfront, den Nationalsozialismus zu bekämpfen.
Siehe Lettner, Johann, Aspekte der österreichisch-jüdischen Emigration in England
1936–1945. Dissertation. Salzburg 1972; Maimann, Helene, Österreichische Exilpolitik in Großbritannien 1938–1945. Wien 1975; Dokumentationsarchiv des österreichischen Widerstandes (Hg.), Österreicher im Exil. Großbritannien 1938–1945.
Bearb. v. Wolfgang Muchitsch. Wien 1992.

trugen in der deutschsprachigen New Yorker Exilzeitschrift »Aufbau«
offen ihre Konflikte über die Beziehung zu Österreich aus.[22] Laut
»Jakob Ehrlich Gesellschaft« sollten sich österreichische Juden wegen des starken österreichischen Antisemitismus nicht mit österreichischen Belangen befassen, denn dies würde nur zu einer »Verwässe-
rung« führen.[23] Das »Free Austrian Movement« hingegen rief seine
Mitglieder zu einer Rückkehr und zur Mithilfe am Wiederaufbau eines demokratischen (kommunistischen) Österreich auf.[24] Obwohl viele Mitglieder am eigenen Leib den aggressiven Antisemitismus der
Österreicher zu spüren bekommen und die Euphorie über den Anschluß miterlebt hatten, stellte das FAM Österreich als »Opfer des
deutschen Faschismus, der es zu schwerem verurteilt hat«,[25] dar.
Während in Österreich Juden das Tragen von Trachten bereits verboten war, wollten sie in England in Dirndl und Lederhose auf das Un-
recht, das Österreich geschehen ist, aufmerksam machen.[26]
   Der »Aufbau« wiederum stand einer Existenz von jüdischen Gemeinden in Deutschland und Österreich sehr pessimistisch gegenüber,
wie 1972 selbstkritisch bemerkt wurde.[27] In der unmittelbaren Nachkriegszeit befaßten sich zahlreiche Artikel mit der Situation der Juden
in Österreich, die das Verhalten der österreichischen Regierung gegenüber den ehemaligen Nationalsozialisten und den jüdischen Überlebenden berechtigterweise kritisierten.[28] Zum Teil wurden aber die
Verhältnisse in Österreich zu düster gezeichnet, wodurch die Juden
von einer Rückkehr nach Österreich abgehalten werden sollten.[29] Neben dem »Aufbau« befaßte sich auch die »New York Times« mit der
Situation in Österreich. Auch sie vermittelte Emigranten ein äußerst
kritisches Bild von ihrer früheren Heimat.

*Die New York Times bringt beinahe taeglich Artikel von ihren Be-
richterstattern aus Wien, aber auch die anderen Zeitungen berichten haeufig. In den Berichten spielt die Behandlung der Juden eine
große Rolle. Die Behandlung der Juden, das Andauern des Antisemitismus, die langsam durchgefuehrte Entnazifizierung, das sind
die Themen, die in den Berichten behandelt werden und die Oesterreich bereits eine Menge von Sympathien verscherzt haben. Ich hatte gestern Gelegenheit, einen Brief von Rabbi Steven Wise zu lesen,
der unter Hinweis auf die angefuehrten Faktoren eine Beteiligung
an einer oesterreichisch-amerikanischen Sache ablehnt. Der Brief
ist in einem ernsten Ton geschrieben, bona fide, und deshalb dafuer*

charakteristisch, dass auch Oesterreich gutgesinnte Menschen im
Augenblick noch sehr reserviert sind.[30]

Auch aus Interviews[31] und Biographien geht eine ablehnende Haltung
gegenüber Österreich hervor, nicht selten galt eine Rückkehr als Charakterschwäche. Wie die in New York lebende Schriftstellerin Stella
Hershan schilderte,

haben viele hier die Einstellung gehabt, daß man nicht zurückgehen
darf, denn wie kann ich in eine Stadt, in ein Land fahren, das mich
hinausgeworfen hat. Das waren große Debatten unter den Refu-
gees, wie »Du hast keinen Charakter und nichts dazugelernt.« – Ich
habe aber dazugelernt. Über jene, die überhaupt zurückgekehrt
sind, haben wir gedacht: »Schrecklich, wie kann man das tun?« –
Es waren ja viele ältere Leute unter ihnen. Mit der Zeit bin ich ver-
ständnisvoller geworden.[32]

We managed. And we agreed that Vienna was a place to which we
never ever would return. Most of our friends went back to Austria to
a vacation in the beautiful mountains and at the lovely lakes. Had
they no shame? No character?[33]

Die ebenfalls nach New York emigrierte Schriftstellerin Franzi
Ascher-Nash hat trotz anfänglichem Heimweh »nie daran gedacht,
Wien zu besuchen. Einen Ort, der einmal Heimat war, ›besucht‹ man
nicht«.[34]

Noch 1973 lehnte der Vater von Erwin Knoll einen Besuch in Wien
ab und wunderte sich, daß sein Sohn dort eine Woche verbringen und
Geld ausgeben wollte.

My own attitude toward Vienna is that of a man who has been
happily divorced for thirty-three years.[35]

Aber auch der abrupte Abbruch aller Kontakte mit der früheren Heimat konnte das Trauma der Vertreibung und des Heimatverlustes nicht
beheben.* Der Historiker Albert Lichtblau wies am Beispiel von jüdischen Lebensgeschichten auf die enge emotionale Verbundenheit mit
Österreich hin – »eine Verknüpfung, die keineswegs gewünscht ist,
sondern von der Psyche erzwungen wurde.«[36]

---

* Diese Problematik der Emigration wurde bisher weitgehend vernachlässigt. Im Vergleich zu KZ-Überlebenden glaubten Emigranten, daß ihr Schicksal nicht zu bedauern sei, obwohl sie persönlich ihr ganzes Leben lang davon betroffen waren. Siehe
Whiteman, Dorit B., The Uprooted. A Hitler Legacy. New York 1993.

Den Großteil meines Lebens lebe ich jetzt in Amerika. Aber ich war
immer im Exil. Ich bin bis in die tiefste Faser ein Österreicher (. . .)
da ist eine gewisse Scheu und Angst, Österreich wiederzusehen. Ich
glaube, es wird ein ziemlich schmerzhaftes Erlebnis für mich. Weil
ich es so geliebt habe. Auch noch heute.[37]
Diese inneren Konflikte, wie sie Leo Glueckselig für sich formulierte,
mußten bei jedem Besuch in der alten Heimat neu durchlebt werden,
was sich wiederum auf die Beziehung zu Österreich auswirkte.[38] Der
durch die Vertreibung verursachte Schock konnte psychisch nie verarbeitet werden, »many feel that their wounds have never entirely
healed. They also believe that they have been victimized«.[39]

Zurück in die Partei

Während zionistische Exilorganisationen ihre Mitglieder von einer
Rückkehr nach Österreich abzuhalten versuchten, war der Blick von
politisch Verfolgten »immer ins Land gerichtet. Wir waren eingestellt
auf Österreich, nicht auf ein langes Warten in der Emigration«,[40]
schrieb die kommunistische Widerstandskämpferin Gerti Schindel.
Politisch Verfolgte sprachen von Exil und nicht von Emigration, ihr
Ziel lag in der Rückkehr nach Österreich. Wie der Historiker und Emigrant Fritz Goldner bemerkte, wurde die »Auswanderung oder Flucht
nicht als entscheidende Weichenstellung hingenommen«.[41] So kehrte
aus Ländern wie England, Belgien oder Frankreich, wo einflußreiche
österreichische Widerstandsgruppen tätig waren, ein relativ großer
Prozentsatz der Vertriebenen nach Österreich zurück.[42] Laut Gundl
Herrnstadt, die selbst im belgischen Widerstand aktiv war, hatten sich
bis auf wenige Ausnahmen fast alle Mitglieder ihrer Widerstandsgruppe für eine Rückkehr entschieden.

Fast alle der damals jugendlichen Aktivisten haben Exil und natio-
nalsozialistischen Terror als Herausforderung empfunden und sich
dieser Herausforderung gestellt. Nicht gebrochen, sondern gestärkt
konnten nach Kriegsende viele von ihnen ein vom Faschismus ver-
hindertes Studium aufnehmen, und am Wiederaufbau des neuen
Österreich, der Zweiten Republik, haben sich alle beteiligt.[43]
Auch Willy Verkauf-Verlon, Mitglied des »Free Austrian Movements«
in Palästina, stellte einen deutlichen Zusammenhang zwischen dem po-

litischen Bewußtsein zur Zeit der Vertreibung, dem Eingebundensein in die Arbeiterbewegung und der Bereitschaft zur Rückkehr fest. *Diejenigen Flüchtlinge, die sofort zur Rückkehr ins befreite Österreich bereit waren, hatten zumeist diesen Entschluß am Tag ihrer Flucht aus dem nazibeherrschten Österreich gefaßt. Obwohl sie oft eine wirtschaftliche Basis aufgaben, die sie in Palästina gefunden hatten, waren sie ohne Rückhalt und Bedenken bereit, so rasch als möglich in das befreite, hungernde und zerstörte Österreich zurückzukehren, um am geistigen und wirtschaftlichen Wiederaufbau teilzunehmen und ihre Solidarität unter Beweis zu stellen.*[44] Politisch Organisierte beschrieben ihre Rückkehr nach Österreich als etwas Selbstverständliches, Unhinterfragtes. Häufig betonten sie dabei, daß sich die »Politischen« von der »Masse« abgehoben hätten; sie hatten ihre Identität und eine politische Perspektive bewahren können und mußten sich nicht auf ihr Judesein reduzieren lassen.[45] Während beispielsweise die Schweizer Exilzeitschrift »Über die Grenzen« die Problematik einer Rückkehr nach Österreich noch hinterfragte, stand für den in die Schweiz geflohenen Kommunisten Kurt Seliger fest, »daß er so schnell wie möglich zurück wollte«.[46] Damit unterschied er sich grundlegend von den meisten seiner »unpolitischen« MitemigrantInnen, für die die Erinnerung an die Verfolgung noch sehr wach war, wie Seliger entschuldigend bemerkte.[47] Auch die überzeugte Sozialistin Stella Klein-Löw kehrte aus England zurück; sie hätte sich geschämt, »gerade jetzt Österreich, Wien, den Sozialismus im Stich zu lassen und auf bessere Zeiten zu warten«.[48] Um sich gegen die nach 1945 stark vorhandenen Vorurteile gegenüber den »rachesüchtigen Emigranten« (siehe Kapitel 3) abzusichern, hob sie in ihrer Biographie hervor, daß sie ohne »Haßkomplex gegen die Österreicher, die Wiener, die Arier« gekommen sei und »sich von anderen nicht anstecken ließ«.[49] Die KPÖ und die SPÖ vermittelten Schiffer, Seliger oder Klein-Löw das Gefühl von Kontinuität und Heimat, denn zurückgekehrt waren sie vor allem in die Partei, in das »Rote Wien«, wo sie an persönliche Beziehungen und an politische Erfahrungen aus ihrer Tätigkeit vor 1938 und auch an gemeinsame Exilerlebnisse anknüpfen konnten. Auch Hans Friedmann bewog seine langjährige Beziehung zur Arbeiterbewegung sowie die den Krieg überdauernde Beziehung zu Genossen zur Rückkehr nach Österreich. *Was hat aber meine Frau und mich dazu bewogen, mit drei kleinen*

Kindern und ohne Geld in das von Krieg und Faschismus verwüste-
te Europa zurückzugehen? Dafür gab es kein Verständnis bei mei-
nen Verwandten in Kolumbien (darunter meine Eltern und drei Ge-
schwister) – die einzige Ausnahme waren meine Cousine (. . .) und
ihr Mann (. . .), alte Sozialdemokraten, die selber Anfang 1948
nach Wien zurückfuhren.[50]

Mit Hilfe der KPÖ kehrten bis Ende 1945 vor allem Mitglieder des
»Free Austrian Movements« und der kommunistischen Widerstandsgruppen – zum Teil auf äußerst komplizierten Wegen – aus der
Schweiz, der Sowjetunion, aus England, Frankreich und Belgien
zurück.

Endlich war der von uns lange ersehnte Tag gekommen: Über
Österreich wehte wieder die rot-weiß-rote Fahne. Für Kommuni-
sten, welcher Nation sie auch angehören mochten, gab es von An-
fang an nichts anderes, als so rasch wie möglich in die Heimat
zurückzukehren. Das war aber damals beinahe unmöglich.[51]

Karl Schiffer, ein langjähriger Funktionär der KPÖ in Graz, schaffte
mit Hilfe internationaler kommunistischer Beziehungen den Weg über
die Schweizer Grenze. Vom französischen Presse-Attaché in der französischen Botschaft, einem Kommunisten, erhielt er seinen Laissez-
Paß zum Durchschreiten aller Besatzungszonen in Österreich.[52] Auch
Kurt Seliger wurde »von einem Genossen aus der Schweiz illegal
nach Wien geschleust«.[53] Mit Hilfe der sowjetischen Botschaft in Paris flogen prominente österreichische Widerstandkämpfer von Frankreich nach Wien,[54] Mitglieder des »Free Austrian Movements« und
dessen Jugendorganisation »Young Austria« gelangten auf Bombern
von England nach Prag und von dort nach Wien. Unter ihnen befand
sich auch Jenö Köstmann, ein ehemaliger Redakteur der »Roten Fahne«. Trotz einer Einladung von Erwin Zucker-Schilling, dem Chefredakteur der »Volksstimme«, konnten seine Frau und sein Kind erst ein
Jahr später nachkommen.[55]

Die KPÖ hatte 1945 zum ersten Mal in ihrer Geschichte politisch
bedeutende Funktionen zu vergeben. Durch ihre überproportionalen
Verluste im Widerstand geschwächt, war sie dabei auch auf ehemalige EmigrantInnen angewiesen.

Die Partei mußte auf einen Schlag Hunderte Positionen und Posten
besetzen, im Partei- und Staatsapparat und auch in den sowjetisch
verwalteten Betrieben. Dazu wurde eine größere Zahl von fachlich

qualifizierten und politisch verläßlichen Kräften gebraucht. Diese fanden sie nicht zuletzt unter den heimgekehrten Emigranten, von denen die meisten Juden waren. Im zentralen Partei-, Presse- und Wirtschaftsapparat der Partei gab es daher nach 1945 relativ viele Juden.[56]

Während die SPÖ von ihren 76 Nationalratsmandaten nur vier mit Remigranten besetzte, waren drei von den vier kommunistischen Nationalratsabgeordneten aus dem Exil gekommen, und unter den 39 Mitgliedern des Zentralkomitees befanden sich 29 Emigranten. Dieses wurde in den fünfziger Jahren auf 60 Mitglieder erweitert, wobei 40 Emigranten vertreten waren.[57] Wie eine Interviewpartnerin ausführte, zeigte die KPÖ bei ihren Heimholungsbemühungen aber hauptsächlich Interesse an der Rückholung von politischen Kadern, jedoch kaum an jener von Künstlern und Intellektuellen.[58] Auch Viktor Matejkas Bemühungen fanden bei der KPÖ wenig Unterstützung.

Die Führung der Partei hatte zwar die Weisung ausgegeben, Kommunisten sollten nach Österreich zurückkehren. Kamen sie aber und man brauchte sie nicht für einen Parteiposten, dann kümmerte man sich wenig um sie. Für Leo Katz (Schriftsteller, Anm. d. A.) gab es keine Beschäftigung. Hier stapfte die Partei mit in dem allgemeinen, in Österreich herrschenden Trend. Zudem war ihre Politik nicht im geringsten kultur- und intellektuellenfreundlich – vorsichtig ausgedrückt.[59]

Über die Politik der SPÖ gegenüber den Vertriebenen fehlen bislang ausführliche Studien. SozialdemokratInnen, die zurückkamen bzw. gerufen wurden, zeigten sich verständnisvoll gegenüber »ihrer« Partei und versuchten, wie etwa Stella Klein-Löw oder Bruno Kreisky, den Antisemitismus zu übersehen, während die an ihrer Rückkehr Gescheiterten bzw. nicht Gerufenen kritisch reagierten.[60] Wie der Historiker Karl Stadler meinte, gab es ein Recht auf Rückkehr nur für führende Funktionäre des Auslandsbüros und für jene, die auch im Exil politisch tätig gewesen waren und somit die Kontinuität der Partei bewahren geholfen hatten.[61] »Der Kuchen war bald vergeben gewesen«,[62] Rückkehrwillige wurden als Konkurrenz oder als Sozialfall betrachtet. Der ehemalige Stadtrat Hugo Breitner beispielsweise wollte seinen Lebensabend nicht im sonnigen Kalifornien, sondern in Wien verbringen – »es zog ihn mit aller Macht hinüber«[63] –, wobei die SPÖ dem alten Mann aber keine Hilfe zukommen ließ. Ähnlich erging es Dr. Wilhelm

Ellenbogen, dem früheren Reichstagsabgeordneten, um dessen Rückholung sich Adolf Sturmthal, der als Vertreter der »Friends of Austrian Labour« in den Nachkriegsjahren nach Wien reiste, bemühte. Von Adolf Schärf aber auch von Oscar Pollak, dem die SPÖ als einen der wenigen Emigranten aus England zurückgerufen und mit der Funktion des Chefredakteurs der »Arbeiterzeitung« betraut hatte, erhielt er jedoch nur ablehnende Antworten, der alte Mann wurde offensichtlich als Belastung empfunden.[64] Remigranten wie Bruno Kreisky, Hans Thalberg, Ernst Lemberger, Karl Hartl oder Walter Wodak[65] wurden auch durch die Entsendung in den diplomatischen Dienst von ihrer Rückkehr ab- und somit als politische Konkurrenz ferngehalten. Damit fühlten sie sich »auf die Rolle eines Beobachters der österreichischen Politik reduziert«, wie Kreisky seine Situation als Diplomat in Schweden empfand.[66] Unter anderem mit dem Argument, »daß Emigranten dem Heimatland längst entfremdet wären«,[67] sollte, wie der Soziologe Christian Fleck vermutete, durch ihre Nichtrückkehr auch ein Linksrutsch der SPÖ verhindert werden.[68]

Wartesaal Shanghai

Das Verhalten der österreichischen Regierung und Bevölkerung gegenüber den »Shanghai-Emigranten« zählt zu den beschämendsten Kapiteln der österreichischen Nachkriegsgeschichte.

Shanghai zählte neben Panama und Tanger zu jenen Exilländern, die Juden ohne Visa die Einreise gewährten. Wer die finanziellen Mittel dafür aufbringen konnte, dem war es möglich, in den 1938 wie Pilze aus dem Boden schießenden Reisebüros eine Schiffspassage zu ergattern. Rund 10.000 Österreicher konnten sich durch eine Flucht nach Shanghai retten, manchen gelang damit sogar noch im letzten Moment die Befreiung aus dem KZ. Doch häufig mußte dieser Fluchtort erst auf der Landkarte gesucht werden.[69]

Shanghai galt bis zum Ausbruch des Pazifischen Krieges als eine kosmopolitische, kapitalistische Stadt, in der Reichtum und Armut eng beieinander lagen. 1943 ordnete eine »kaiserliche japanische Proklamation« die Errichtung eines Ghettos für Staatenlose an. Das Ghetto, District genannt, durfte nur mit einem Paß verlassen werden. Da die Japaner dort militärische Tankdepots und eine Radiostation errichtet hatten, bombardierten die USA am 17. Juli 1945 das Ghetto, wobei auch Flüchtlinge ums Leben kamen.

Nur wenigen Europäern gelang es, sprachlich, kulturell und wirtschaftlich Fuß zu fassen. Schlechte Wohnverhältnisse, Arbeitslosigkeit, das ungewohnte feuchtheiße Klima und die unsichere innenpolitische Lage förderten den Wunsch, so schnell wie möglich wegzukommen.[70] Die Hälfte der österreichischen Flüchtlinge konnte nach 1945 Richtung USA, Australien oder Israel weiteremigrieren. Nachdem sämtliche Länder ihre Flüchtlinge bereits zurückbefördert hatten, warteten die rund 5.000 verbliebenen österreichischen Flüchtlinge »noch ein Jahr später sehnsuchtsvoll auf die Repatriierung«.[71] Als erste Selbsthilfemaßnahme entstand die »Austrian Residents Association«, die alle Österreicher, soweit ihnen keine Nazi-Kollaboration nachzuweisen war, registrierte. Ende 1945 sandte sie eine Liste mit 4.800 Registrierten an das österreichische Innenministerium: 2.200 davon wollten nach Österreich zurück, der größere Teil beabsichtigte, in die USA oder nach Australien zu gelangen.[72] Seit der Herstellung der Postverbindung ersuchten Flüchtlinge auch in Bittbriefen die österreichische Regierung um die Ausstellung der notwendigen Einreisepapiere. Wie die wiederholten Ansuchen der »Austrian Residents Association« blieben auch diese Briefe unbeantwortet. Vom Jänner 1946 bis Dezember 1946, also fast ein Jahr, ließ das Bundesministerium für Inneres ihre Staatsbürgerschaftsansuchen unerledigt liegen.[73]

Um Shanghai verlassen zu können, schlugen Emigranten sogar vor, daß China sie ausweisen und Österreich dadurch zu ihrer Aufnahme zwingen sollte.[74] In Zusammenarbeit mit dem »Wanderungsreferat« der Israelitischen Kultusgemeinde entstand in Wien das aus Juden und Nichtjuden bestehende »Komitee der Angehörigen und Freunde der nach Shanghai ausgewanderten Juden«, kurz »Shanghai-Komitee« genannt. Interventionen bei der Regierung brachten im Mai 1946 schließlich zwei bedeutende Grundsätze zur Anwendung: Jedem Österreicher stand auch ohne Einreisepapiere das Recht auf eine Rückkehr zu, die von der »Austrian Residents Association« erstellte Liste fand Anerkennung, und »zweifelhafte Fälle« wurden erst nach ihrer Rückkehr überprüft.[75]

In ihrem Bemühen um die Rückholung der »Shanghaier« stieß die Israelitische Kultusgemeinde immer wieder auf vehemente Ablehnung seitens höchster Regierungsstellen, wie auch aus dem Bericht des Präsidiums hervorgeht.

*Nach den vielen Enttäuschungen bedeutete es keine allzu große
Überraschung mehr, von hohen österreichischen Stellen hören zu
müssen, daß diese Angelegenheit als eine »äußerst heikle« zu behandeln sei.*[76]
Laut einem Bericht im »Neuen Weg« stellte das Bundesministerium
für soziale Verwaltung 1946 im Anschluß an einen Besuch von Vertretern der Israelitischen Kultusgemeinde an die Gewerkschaften, In-
nungen, die Ärztekammer und andere Instanzen Rundfragen bezüglich einer möglichen Rückkehr von 1.300 Shanghai-Emigranten.[77] Vor
allem der hohe Ärzteanteil unter den Remigranten wurde als bedenk-
lich empfunden, und es wurde betont, daß der Ärztestand in Wien
überfüllt sei. Während die Ärztekammer bei der Ankunft der ersten
Transporte noch unterstützend eingegriffen hatte, wies bereits 1947
der Ärztekammerpräsident auf eine drohende Überfüllung des Ärzte-
standes hin und warnte vor schlechten ökonomischen Verhältnissen
für Ärzte.[78] 1946 waren von den 2.700 Wiener Ärzten 800 nicht wahlberechtigt, die – politisch »belastet« – jüdische Rückkehrer als große
Konkurrenz empfinden mußten. Anstatt Einladungen an Vertriebene
auszusprechen, übte die österreichische Regierung Nachsicht gegenü-
ber den »Belasteten«.[79] Karl Renner versuchte beispielsweise im Oktober 1945 im Kabinettsrat die schleppende Entnazifizierung bei den
Ärzten damit zu entschuldigen, daß es für die Seuchenbekämpfung an
Ärzten mangeln würde; »denn die jüdischen Ärzte sind weg und die
Naziärzte außer Dienst gestellt«.[80] 1947 war es endgültig klar, daß die
»Naziärzte« den jüdischen vorgezogen wurden.[81]
   Die Shanghai-Rückkehrer galten aber nicht nur als berufliche
Konkurrenz, sondern vor allem auch als Konkurrenz am Wohnungs-
markt. Während die Unterbringung der ersten 38 Remigranten noch
klaglos vor sich ging, führten die folgenden größeren Transporte zu
heftigen Konflikten zwischen der Israelitischen Kultusgemeinde und
dem Wohnungsamt. Am 13. Februar folgte der zweite Transport mit
764 Personen, die vorerst mit Hilfe des Joint im Hotel Continental
einquartiert und in der vom Joint betriebenen »KZ-Küche« verköstigt
wurden. Wie der »Neue Weg« kritisierte, hatte die Gemeinde Wien
bei der Unterbringung der Shanghai-Rückkehrer anfangs keinerlei
Hilfe geleistet, obwohl vor allem das Wohnungsamt seit sechs Monaten auf deren Rückkehr vorbereitet gewesen war.[82] Erst nach
mühevollen Verhandlungen und nach Interventionen beim Wiener

Bürgermeister stellte die Gemeinde Unterkünfte zur Verfügung. Die Israelitische Kultusgemeinde forderte die Beschlagnahmung von Hotelzimmern, während das Wohnungsamt die Rückkehrer in Massenunterkünften einquartieren wollte. Ein Mitarbeiter des Wohnungsamtes drückte es klar aus: Die Shanghaier mußten gebremst werden, denn »welche Wohnungen sollten wir dann den Unsrigen geben«.[83] Laut den »Jüdischen Nachrichten« weigerte sich der für das Wohnungsamt zuständige Stadtrat Albrecht, den Anordnungen von Bürgermeister Körner Folge zu leisten. Dieser hatte dem »Shanghai-Komitee« versprochen, die Wohnungsansprüche der Heimkehrer, vor allem jener, die in Wien keine Verwandten mehr hatten, als erstes zu befriedigen. Stadtrat Albrecht wollte sich jedoch für die Rückkehrer nicht zuständig fühlen, und er gab die Kompetenz an das Wohlfahrtsamt ab.[84] Der Magistratsdirektor brach schließlich den Widerstand des Wohnungsamtes; Hotels wurden beschlagnahmt, und die Ärztekammer stellte auch 12 Wohnungen für rückkehrende Ärzte zur Verfügung.[85] Die Frage der Unterkünfte wurde jahrelang nicht gelöst, und noch 1950 lebten Juden zusammengepfercht in Notquartieren.[86] An der Rückkehr der Shanghaier zeigte sich auch deutlich, daß die österreichische Bevölkerung sowie Behörden eine klare Grenze zwischen »den Unsrigen« und den Juden zu ziehen wußten. Als Wochenschauen in Kinos in kurzen Bildstreifen auf die Ankunft der Shanghaier in Wien aufmerksam machten, ermutigte offenbar die Dunkelheit des Kinosaales zu antisemitischen Provokationen, wie Simon Wiesenthal schrieb.

Als Bilder über die Rückwanderung aus Schanghai auf der Leinwand erschienen und der Kommentator bemerkte, »es sind Juden, die nach Österreich zurückkehren, um am Wiederaufbau in der Heimat teilzunehmen«, hörte man im Publikum wüstes Lachen und die Rufe: »Vergasen!«[87]

Die Rückkehrer hofften auf eine freundliche Begrüßung, wurden aber mit einem rohen Lachen empfangen. Die Vorfälle riefen bei Simon Wiesenthal auch Befürchtungen wach, daß sich nach Abzug der Besatzungstruppen die Lage der Juden in Österreich als gefährdet erweisen könnte.[88]

Während in der ehemaligen BRD das Ghetto in Shanghai als Lager anerkannt und den Betroffenen dadurch eine Entschädigung gewährt wurde, lehnte Österreich ein ähnliches Gesetz ab.[89]

126

Rückkehr aus Palästina/Israel

Nach Angaben der Israelitischen Kultusgemeinde Wien konnten zwischen 1938 und 1941 9.195 Juden in das damalige Palästina emigrieren.[90] Damit fanden rund 7% der insgesamt 126.500 aus Österreich geflüchteten Juden und Jüdinnen in Palästina/Israel Zuflucht. Nach 1945 ließen sich vor allem österreichische »Shanghai-Emigranten« in Palästina/Israel nieder, einzelne Überlebende zogen aus Gründen der Familienzusammenführung nach Israel. Während nach der Gründung des Staates Israel österreichische Juden kaum auf Alijah gingen, kehrte im Vergleich zu anderen Ländern eine relativ große Gruppe nach Österreich zurück. Im April 1947 traf der erste Transport mit 174 RückkehrerInnen aus Palästina in Wien ein. Wie bei den Shanghai-Rückkehrern befanden sich unter ihnen viele alte und kranke Menschen. Aus dem Bericht des Präsidiums der Israelitischen Kultusgemeinde geht hervor, daß es sich bei dieser Gruppe vorwiegend um Menschen handelte, die sich in Israel wirtschaftlich, sozial oder gesundheitlich nicht integrieren konnten.[91] Bis 1952 kehrten 787 Personen aus Israel zurück, von denen 390 der Altersgruppe über 63 Jahre, hingegen nur 16 jener zwischen 25 und 37 Jahre angehörten.[92]

Von den rund 10.000 österreichischen Einwanderern galten nur wenige als bewußte Zionisten; die überwiegende Mehrheit war nicht ins »Land der Väter« zurückgekehrt, sondern fand in Palästina eine letzte Zuflucht vor dem Nationalsozialismus.[93] Viele österreichische Juden und Jüdinnen scheiterten an der Alijah. Sie stießen auf Arbeitslosigkeit und Wohnungsnot und sollten sich in den »Yishuv« (die jüdische Bevölkerung Palästinas) integrieren, der Juden unterschiedlichster politischer, kultureller und religiöser Schattierungen umfaßte. Die Österreicher zählten in Palästina/Israel zu den »Jekkes«*, den deutschen Juden, wobei es sich um keinen Ehrentitel handelte. Bedingt durch die Problematik jüdischer Assimilation in Deutschland und Österreich, fühlten sich manche oft »deutscher als die Deutschen« und verkörperten auch in Palästina die deutschen bzw. österreichischen Tugenden. Wie der israelische Historiker Doron Niederland aufzeigte, galten

---

* Als »Jekkes« galten deutsche und auch österreichische Emigranten in Palästina/ Israel. Über die Herkunft des Begriffes existieren verschiedene Vermutungen.

österreichische Immigranten als »regelmäßige Cafe-Hausbesucher, d. h. als Personen, die Gemütlichkeit und einen ruhigen Lebenswandel hochschätzen und daher nicht in der Lage seien, schwerer konstruktiver Arbeit nachzugehen«.[94]

Als großes Problem erwies sich auch ihr Bezug zur deutschen Sprache. Osteuropäische Zionisten betrachteten Deutsch als die Sprache der Feinde, für vertriebene deutsche und österreichische Juden wieder kam sie einem letzten Rest von Heimat und Identität, die sie sich von Hitler nicht auch noch nehmen lassen wollten, gleich.[95] Auf die nicht nur von überzeugten Zionisten mit großer Euphorie gefeierte Staatsgründung folgte die Zeit der Arbeitslosigkeit. Nach Abzug der Engländer verloren viele ihre Arbeit in der englischen Armee, und im krisengeschüttelten Israel konnten sie nur schwer eine neue finden.[96]

Aus der von Friederike Wilder verfaßten Studie über die Rückkehr von Juden nach Österreich[97] geht hervor, daß – verglichen mit Remigranten aus anderen Exilländern – Rückkehrer aus Israel sich enger mit ihrem Exilland verbunden fühlten und dies auch durch ihre Mitgliedschaft in zionistischen Vereinen ausdrückten. Israel konnte ihnen nicht zu einer neuen Heimat werden, doch auch das Leben in Österreich rief innere Widersprüche und Schuldgefühle gegenüber Israel und den dort lebenden Freunden hervor. Der aus Israel zurückgekehrte Wiener Schriftsteller Leopold Ehrlich-Hichler thematisierte diese Problematik in seinem Roman »Ein Wiener in Palästina«. Seine Hauptfigur, der Wiener Mauthner, bewegt sich in Palästina hauptsächlich in deutsch-österreichischen Emigrantenkreisen und hängt mit Wehmut an seiner früheren Heimatstadt Wien – »er konnte die Liebe zu seiner Geburtsstadt nicht aus seinem Herzen reißen.« Trotz des an ihn gestellten Anspruches, eigentlich nach Palästina zu gehören, bleibt ihm dieses Land, wenn auch mit der Gewißheit, daß es ihn nie vertreiben würde, eine »fremde Heimat«.[98] Mauthner kehrt schließlich nach Wien zurück.

Vor allem zur Zeit der Staatsgründung wurden Rückkehrwilligen verschiedenste Hindernisse in den Weg gelegt. Bis zum Sommer 1946 galten österreichische Emigranten als Angehörige eines Feindeslandes, und sie blieben von der Betreuung der UNRRA, der Flüchtlingsorganisation der UNO, ausgeschlossen. Erst als diese ihre Satzungen änderte, konnte rückkehrwilligen Österreichern geholfen werden. 1947 ließen sich 400 bei der UNRRA für eine Rückkehr registrieren.

Sie kehrten schließlich in drei Wellen nach Österreich zurück. Vorerst gelang jedoch nur 174 Personen die Ausreise, die, wie die Israelitische Kultusgemeinde kritisierte, am Heimweg noch mehrere Wochen in einem Wüstenlager in El Schatt bei unerträglichem Klima, in Schmutz und unter Entbehrungen festgehalten worden waren.[99]

In Palästina setzte sich vor allem das »Free Austrian Movement« für die Rückkehrer ein. Es verfaßte Briefe an den britischen Hochkommissar und an den Sitz der UNRRA in Washington, worin kritisiert wurde, daß Personen, die sich zur Rückkehr registrieren ließen, an ihrer Ausreise gehindert wurden. Dies wäre so weit gegangen, daß manche sich sogar tätlichen Angriffen auf der Straße ausgesetzt sahen.[100] Auch in Interviews berichteten Betroffene, daß sie sich aus Israel »davonschleichen« mußten, um nicht zurückgehalten zu werden.

Das Weggehen aus Palästina war sehr kompliziert. Wir wollten uns 1948 nicht vorm Krieg retten, sondern es war immer unser Plan, in Wien das Studium nachzuholen. Das ganze aber war ein Abenteuer. Wir haben für meine Frau einen Krankenschein besorgt, eine Bestätigung, daß sie rheumakrank ist und in die Tschechoslowakei in ein Bad fahren darf. Dann besorgten wir einen Stempel vom tschechischen Konsulat, damit ein Durchreisevisum für die Schweiz und Italien. Ein Freund hat uns einen griechischen Kutter, ein Lastschiff, vermittelt. Wir mußten die Pässe verstecken, denn die Haganah hat die Häfen überwacht und die Pässe zerrissen.[101]

Auch Stella Kadmon,* die als Schauspielerin und sehr assimiliert lebende Jüdin in Palästina für sich keine Zukunft sah, stellte ihre Ausreise aus Israel als Flucht dar.

Ich hatte Heimweh und wollte heimgehen. Aber hier haben sie gesagt, was, Du gehst zu den Nazis, wo es Dir hier doch so gut geht. Ich hab aber gesagt, in die Heimat geht man, auch wenn dort ein Fegefeuer ist. Ich geh nach Wien, ich will zu Hause, in Österreich leben. Es hat dann niemand gewußt, nur der Club, wo ich Mitglied war, das war das FAM. Wir haben es geheimgehalten. Wir haben das Gepäck langsam weggebracht, wie die Hausfrau geschlafen hat. – Und man hat Ihnen dann Vorwürfe gemacht? –

---

* Stella Kadmon, Schauspielerin und Gründerin des Theaters »Courage«, leitete vor 1938 das Theater »Lieber Augustin«, in dem vor allem politische Stücke gespielt wurden.

Furchtbar, weil ich sehr bekannt war in Tel Aviv. Da haben die Zeitungen geschrieben, so eine Gemeinheit, wo es mir so gut gegangen ist und ich so viele Freunde gehabt habe, bin ich geflüchtet bei Nacht und Nebel. Aber es ist mir recht geschehen, denn in Wien hätten sie mich in der IKG hinausgeschmissen, haben sie in Israel geschrieben. Das war eine Lüge, und ich hab mich furchtbar aufgeregt.[102]

Stella Kadmon fand in Österreich als Theaterdirektorin wieder eine künstlerische Aufgabe und Anerkennung, andere RückkehrerInnen aus Israel berichteten hingegen, daß ihnen weder Israel noch Österreich zur Heimat wurde. Wie Anna Rattner formulierte, fühlen sie sich als Pendler zwischen Wien und Israel und letztendlich wurzellos.

Ich liebe Israel, ich liebe auch Wien, unsere Generation wurde entwurzelt. Es ist kaum zu verstehen, ich selbst werde aus meinem gespaltenen Ich nicht klug. Kaum bin ich drei Tage in Israel, so habe ich das Gefühl, ich träume von Wien, da ich mich dort zu Hause fühle, und genauso wird Israel ein Traum, denn dort bin ich doch auch zu Hause.[103]

»Rußlandheimkehrer«

1949 fragten aus Karaganda zurückgekehrte Juden beim Roten Kreuz um Hilfe für die noch dort Verbliebenen an.[104] Im Unterschied zu den aus der Sowjetunion heimkehrenden Wehrmachtssoldaten vollzog sich die Rückkehr österreichischer Juden aus den sowjetischen Arbeitslagern unter Ausschluß der Öffentlichkeit und vor allem auch ohne größere Bemühungen der österreichischen Regierung. Auf die in der Sowjetunion festgehaltenen Juden wollte man vergessen, den heimkehrenden Soldaten hingegen wurde ein Empfang mit Blumen und Blasmusik bereitet. Führende Politiker hoben in Reden die von den Soldaten erbrachten besonderen Opfer hervor,* während Juden

---

* Adolf Schärf hielt vor heimkehrenden Soldaten eine Rede, in der er von Pflichterfüllung sprach; der KZ-Überlebende Alfons Gorbach verteidigte im Parlament die damals aktiven Soldatenbünde folgendermaßen: Man müsse die Opfer der Soldaten anerkennen, da sie gegen den Bolschewismus und somit für die Würde und Freiheit der Menschen gekämpft hätten. (»Hier kommt uns nur eines zu, in Ehrfurcht und Würde unser Haupt zu neigen.«) Vgl. Rauchensteiner, Manfried, Die Zwei: Die Große Koalition in Österreich 1945–1966. Wien 1987. S. 134.

ihre Rückkehr fast übelgenommen wurde, wie die Israelitische Kultusgemeinde beklagte.

In letzter Zeit, seit der Rückkehr der Kriegsgefangenen aus der Sowjetunion, beginnen die Behörden den sonderbaren Standpunkt einzunehmen, die Kriegsgefangenen seien die Heimkehrer, für die alles getan werden müsse, die alle Privilegien in Anspruch nehmen können, während unsere Leute nur Rückwanderer seien, die freiwillig zurückgekommen sind, die es lieber nicht hätten machen sollen und die keinesfalls Ansprüche auf besondere Vorzugsbehandlungen machen dürfen. Daß es sich dort zum Teil um Nazi oder um ihre Helfershelfer, in unserem Falle aber um die Naziopfer handelt, will man vergessen.[105]

Im März 1946 trafen in Wien unerwartet 208 Juden aus Karaganda ein. Sie waren ursprünglich in die baltischen Republiken und von dort in die Sowjetunion geflüchtet. Nach dem Angriff auf die Sowjetunion wurden sie in Lagern in Mittelasien interniert und wie die Kriegsgefangen zur Zwangsarbeit herangezogen. Unter den Rußlandheimkehrern befanden sich auch sogenannte »Nisko-Opfer«*. Im Winter 1942/43 starben viele an Unterernährung in sibirischen Lagern. Ab 1944 verbesserte sich die medizinische Versorgung und Verpflegung durch die Hilfe des Joint. Für die Sowjetunion aber galten die österreichischen Juden als Deutsche und somit als Feinde. Wie der aus Österreich stammende israelische Historiker Herbert Rosenkranz ausführte, teilte man ihnen mit, »daß sie keinen Grund hätten, sich über das Kriegsende zu freuen, sondern daß sie durch ihre Arbeit am russischen Volk wieder gutmachen müßten, was ihr Volk an der Sowjetunion verbrochen hat«.[106]

In Kriegsgefangene »umgewandelt«, sahen sie sich unter denselben Bedingungen wie diese zur Zwangsarbeit verpflichtet. Als großer Schock erwies sich dabei, daß manche mit Kriegsgefangenen gemeinsam in Lager gesperrt wurden. Nach vielen Enttäuschungen im Lager mußten sie bei ihrer Rückkehr auch noch erfahren, »daß alle, die uns

---

* Am 20. Oktober 1939 verließ der erste Transport nach Polen mit 912 Juden Wien, am 26. Oktober folgte ein weiterer mit 672 Personen. Offiziell sollten sie im okkupierten Gebiet eine jüdische Ansiedlung errichten, sie wurden aber bis auf 198 Personen, die nach Wien zurückkehren konnten, mit Schreckschüssen über die russische Grenze gejagt. Wer später nicht der Deutschen Wehrmacht in die Hände fiel, wurde in Arbeitslager nach Sibirien verschleppt. Vgl. Rosenkranz, S. 217.

lieb waren, nicht mehr da waren«.[107] In Wien fanden sie in einem sehr schlecht ausgestatteten Obdachlosenheim der Gemeinde Wien eine notdürftige Unterkunft.

1947 kam ich nach Wien. Meine Eindrücke waren vor allem negativ, denn wir wurden wohl am Bahnhof von einem Vertreter der österreichischen Regierung empfangen – wie wir aus dem Viehwaggon ausgeladen wurden – aber weiter haben wir nichts zu sehen oder zu hören bekommen.[108]

Rosenkranz schilderte auch, daß man sie erst nach mehreren Monaten in der sogenannten Reitzes-Villa im 19. Bezirk, in der Sieveringer Hauptstraße, untergebracht hatte. Als eine erste Hilfsmaßnahme setzte die Israelitische Kultusgemeinde für die Rußlandheimkehrer beim Hauptwirtschaftsamt der Stadt Wien die Zuteilung von 300 Bezugsscheinen auf Schuhe und Strümpfe durch. Auf den ersten Rückkehrertransport folgten kurze Zeit später kleinere Gruppen aus Karaganda und einzelne Überlebende der sogenannten Niskotransporte.[109] Um die restlichen österreichischen Juden aus der Sowjetunion zurückzuholen, regte die Israelitische Kultusgemeinde bei der Regierung den Ausbau eines umfassenden Suchdienstes an. Unterstützung fand sie bei der österreichischen Vertretung in Moskau, die bereit war, die anfallenden Reisekosten zu bezahlen und Reisepässe auszustellen.[110] Aber auch nach dem Erhalt eines österreichischen Reisepasses konnte sich die Ausreise aus der Sowjetunion noch sehr langwierig gestalten, wie der trostlose Brief eines Betroffenen zeigte. Karl Fischer, ein Opfer der Niskotransporte und Brauereiarbeiter bei Riga, schrieb 1948 an seine Schwester, daß er, obwohl im Besitz der erforderlichen österreichischen Papiere, befürchte, »daß die Erledigung durch die sowjetischen Behörden negativ ausfällt«.[111] 1947, nach sechseinhalbjähriger Trennung, gab er die ersten Lebenszeichen von sich. Er bat seine in den USA lebende Schwester, seine Rückholung in die Wege zu leiten. Noch 1953 und 1954 wiesen jüdische Zeitungen auf die Rückkehr von Wiener Juden aus der Sowjetunion hin. Zwei von ihnen waren in der Sowjetunion noch zusätzlich wegen Spionage verurteilt worden.[112]

7.
Die Problematik der »Wiedergutmachung«

*Das wichtigste Problem für die österreichischen Juden bildet unter
den gegebenen Verhältnissen wohl zweifellos die Wiedergutmachung, die neben der Frage der jüdischen Wohnungen, die eigentlich auch in das Gebiet der Wiedergutmachung gehört, das Schmerzenskind der jüdischen Frage ist.*[1]

Damit sprach die Israelitische Kultusgemeinde nicht nur die trostlose materielle Situation der Juden nach der Shoah an, sondern wies
auch auf die schmerzhaften Erfahrungen hin, die sie im Laufe der
»Wiedergutmachungs«-Verhandlungen mit der österreichischen Regierung machen mußte. Mit ihren Entschädigungsforderungen rüt-
telten die überlebenden Juden zwar an Österreichs Identität als erstes
Opfer des Nationalsozialismus, doch im Unterschied zu Deutschland
konnte sich Österreich von seiner Verantwortung an der Enteignung,
Vertreibung und Ermordung der Juden lossagen. Nicht nur der
»World Jewish Congress« nahm gegenüber Österreich eine nachsichtigere Haltung ein, auch der Staat Israel verzichtete aus realpoliti-
schen Interessen 1952 auf »Wiedergutmachungs«-Zahlungen von
Österreich.[2] Den österreichischen Juden wurde die moralische »Wiedergutmachung« vorenthalten, während die materielle Rückerstattung hinausgeschoben wurde. Die wenigen nach Österreich zurückgekehrten Juden fühlten sich als die wahren Verlierer des Kalten
Krieges. »Ihr feiert, wir trauern« – damit lehnte Rabbiner Eisenberg
die Einladung der Regierung zum zehnjährigen Bestehen des Staatsvertrages ab.[3]

Zur finanziellen Situation der Israelitischen
Kultusgemeinde

Die Wiener Israelitische Kultusgemeinde, vor 1938 eine der reichsten jüdischen Gemeinden in Europa, konnte in den Nachkriegsjahren nur mit Hilfe jüdischer Hilfsorganisationen, vor allem des »Ame-

rican Joint Distribution Committee«, kurz Joint,* existieren. Die
vielfach verarmten und kranken Überlebenden mußten auch der Unterstützung der durch den Nationalsozialismus zerstörten jüdischen
Sozialeinrichtungen und Wohltätigkeitsvereine entbehren. Vor 1938
deckten die Steuern der Mitglieder die Ausgaben der Israelitischen
Kultusgemeinde, in den Nachkriegsjahren hingegen betrugen die
Steuereinnahmen nur mehr 20% der benötigten Finanzmittel. 1946
standen 71.357 öS Einnahmen an Kultussteuer 796.750 öS Zuwendungen vom Joint gegenüber, und 1947 betrugen die Spenden des
Joint bereits 1,160.381 öS.[4] Der Joint subventionierte auch das wie-
dereröffnete jüdische Altersheim, das jüdische Spital, eine Volksküche sowie jüdische Kulturveranstaltungen, oder er ermöglichte jüdischen Studierenden den Abschluß eines Studiums in Österreich.
Dazu bemerkte der Tätigkeitsbericht der Israelitischen Kultusgemeinde:

*Es bleibt unvergessen, daß es der Joint war, der der jüdischen Be-
völkerung Wiens in den Jahren nach 1945 das Leben und Überleben nach den schweren Jahren des Hungers ermöglichte.*[5]

Als Folge dieser finanziellen Abhängigkeit mußte dem Joint ein Kon-
trollrecht hinsichtlich der Gebarung der Israelitischen Kultusgemeinde eingeräumt werden. Diese geriet dadurch in eine ideologische Abhängigkeit, was in den fünfziger Jahren innerhalb der Gemeinde zu
Konflikten führte. Um effektiv arbeiten zu können, gründete die
Israelitische Kultusgemeinde das Wohnungs-, das Wanderungs-, das
Gesundheits- und das Wiedergutmachungsreferat. Die Arbeit der einzelnen Referate zielte darauf ab, die grundlegendsten Bedürfnisse der
überlebenden Juden, wie ihre Rückholung, die Zuerkennung von
Wohnungen sowie die medizinische Versorgung, abzudecken. Um
dies zu gewährleisten, mußte um die Zuerkennung verschiedenster
»Wiedergutmachungs«-Leistungen gekämpft werden. Dies erwies
sich für die von der Regierung und den politischen Parteien alleinge-
lassenen Juden als eine äußerst schwierige Aufgabe.

*Ohne Vertretung bei der österreichischen Regierung, bar jedes Ein-
flusses im Parlament sowie in staatlichen beziehungsweise städti-
schen Exekutivstellen, ohne Unterstützung seitens der maßgeben-*

---

* Das AJDC, die größte amerikanische jüdische Hilfsorganisation, wurde nach dem Ersten Weltkrieg vorwiegend zur Unterstützung der russischen Juden gegründet.

den politischen Parteien begann die Kultusgemeinde den Kampf um
die Wiedergutmachung.[6]
In den Nachkriegsjahren bildete die allgemeine Wohnungsnot eines
der gravierendsten Probleme. Überlebende Juden fanden nur selten
ihre Familien oder Verwandten vor und waren auf die Aufnahme in einem überfüllten Asyl angewiesen. Wie in Biographien und auch in Interviews immer wieder geschildert wird, erwies sich der Besuch der
mit Erinnerungen behafteten »arisierten« Wohnung als eine besonders
schmerzhafte Konfrontation mit der Vergangenheit. Manche gingen
dreimal um das Haus herum, bis sie den Mut zum Anklopfen fassen
konnten. Dabei offenbarte sich häufig auch das unsensible Verhalten
der – auf ihr eigenes Wohl bedachten – neuen Wohnungsinhaber.
Manche Wohnungen hatten inzwischen auch die Besitzer gewechselt,
oder sie waren von Flüchtlingen belegt worden, was eine rechtliche
Rückstellung erschwerte. Wie das Beispiel eines Rückkehrers aus Israel zeigte, mußten Juden in ihrem Bemühen um die Rückstellung der
Wohnung auch Beleidigungen und Verletzungen seitens österreichischer Behörden hinnehmen. In einem Fall wurde die Rückgabe mit
der Begründung abgelehnt, daß der Antragsteller bei seiner Verhaftung – er war in Dachau inhaftiert – die Miete nicht im voraus bezahlt
hätte, wodurch das Mietrecht erloschen sei.[7]
Für die 6.000 überlebenden Wiener Juden, von denen 2.000 als
Dringlichkeitsfälle galten, forderte die Israelitische Kultusgemeinde
von den rund 60.000 »arisierten« Wohnungen 1.200 zurück.[8] Das
1946 gegründete Wohnungsreferat legte Listen von Wohnungen an,
die noch von ehemaligen Nationalsozialisten bewohnt waren. Aufgrund eines Abkommens mit der Stadt Wien stand der Israelitischen
Kultusgemeinde bezüglich der Einweisung in diese Wohnungen ein
Vorschlagsrecht zu. Anfang September 1946 erhielten auch tatsächlich etwa 90 Personen Einweisungsbescheide, doch einen Monat später hob das Wohnungsamt der Stadt Wien diese Vereinbarung wieder
auf.[9] 1947 waren beispielsweise von den 1.200 zurückgeforderten
Wohnungen erst 200 zurückgegeben worden.[10] Das Wohnungsreferat
der Israelitischen Kultusgemeinde erwies sich wegen der nicht einge-
haltenen Versprechungen als wenig effektvoll, und es wurde 1947 in
das Wiedergutmachungsreferat eingegliedert. Die Israelitische Kultusgemeinde verlagerte den Schwerpunkt ihrer Arbeit fortan auf die
legislatorische Ebene.[11] Ab 1947 waren Juden auch im Wohnungsaus-

schuß der Stadt Wien nicht mehr selbst, sondern nur durch politische Parteien vertreten, »den jüdischen Opfern gestand man weder Sitz noch Stimme zu«.[12]

Ungelöst blieb auch die Frage der Rückstellung von »arisierten« Mietwohnungen und gemieteten Geschäftslokalen. Das 5. Rückstellungsgesetz hätte hier zu einer Lösung führen sollen, doch 1950 wurde es vom Nationalrat fallengelassen.[13]

Als eine Form von jüdischer Selbsthilfe entstand – wiederum mit Mitteln des Joint – am 7. März 1949 in Wien die Jüdische Spar- und Kreditgenossenschaft. Durch die Vergabe von Darlehen sollte kleinen Gewerbetreibenden, Handwerkern sowie freiberuflich Tätigen zur Gründung einer neuen Existenz verholfen werden. Bis 1953 vergab die Jüdische Spar- und Kreditgenossenschaft 86 Darlehen, die eine Gesamtsumme von 1,276.500 öS ausmachten.[14]

Ein sehr trauriges Bild bot die soziale Lage der überlebenden Juden. Noch 1949 mußte die damals 11.710 Mitglieder zählende Israelitische Kultusgemeinde monatlich 1.616 Personen unterstützen. 489 davon waren über 60 Jahre alt und galten als dauernd arbeitsunfähig. Die als arbeitslos gemeldeten Juden erwiesen sich durch ihr hohes Alter und ihre Überrepräsentanz im Angestelltenbereich als kaum vermittelbar.[15] Auch von den »Judenchristen« konnten sich nur 20% selbst erhalten.[16] Jüdische ArbeitnehmerInnen waren auch mit der Tatsache konfrontiert, daß gesamte Branchen, in denen sie vor 1938 tätig gewesen waren, »arisiert« worden waren, und sie lehnten es ab, in einem »arisierten« Betrieb zu arbeiten. Jüdische ArbeitnehmerInnen fanden sich im Vergleich zu jüdischen Unternehmern dem Verhalten von Kollegen und Kunden wesentlich stärker und direkter ausgesetzt, und sie bekamen daher auch Antisemitismus eher zu spüren. Wie aus einer Untersuchung über jüdische Wirtschaftstreibende nach 1945 hervorgeht, schien Unternehmertum für jüdische Berufstätige eine attraktive Möglichkeit einer besseren Lebensgestaltung zu sein und kann in diesem Sinne auch als Strategie zur Vermeidung persönlicher antisemitischer Erfahrungen begriffen werden.[17]

Neben der individuellen Betreuung sorgte die Israelitische Kultusgemeinde auch für die Erhaltung und Wiedererrichtung von Sozialeinrichtungen. Das Jüdische Spital, einst als »Rothschildspital« durch seine renommierten Ärzte berühmt und Symbol »für Aufstieg und Untergang der Israelitischen Kultusgemeinde«,[18] war mit Flüchtlingen überfüllt. 1952 konnte es mit Mitteln des Joint in der Seegasse neu eröffnet werden, doch hatte es ständig mit finanziellen Problemen zu kämpfen. 1970 mußte es schließlich geschlossen werden.[19] Die Israelitische Kultusgemeinde betreute auch Erholungs- und Kinderheime, die ebenfalls nur durch die finanzielle Unterstützung des Joint erhalten werden konnten.[20]

Der lange Weg zur »Wiedergutmachung«

Man muß sich wundern, daß Österreich nicht noch Ansprüche an die Juden, an die jüdischen Weltorganisationen, stellt.[21]
Damit charakterisierte der sozialistisch orientierte »Bund werktätiger Juden« die »Wiedergutmachungs«-Verhandlungen in Österreich. Da der Verlust von 60.000 ermordeten Menschen nicht wiedergutgemacht werden kann und aus der Verfolgung resultierende psychische Folgen durch finanzielle Zuwendungen ebenfalls unbehebbar sind, erweist sich der – auch von der Israelitischen Kultusgemeinde verwendete – Begriff »Wiedergutmachung« als Beschönigung und sollte eigentlich durch »Entschädigung« und »Rückstellung« ersetzt werden. Dabei handelt es sich um einen sehr komplexen Themenbereich, der die individuelle Rückstellung von geraubtem Vermögen und Wertpapieren, Miet- und Pensionsrechte, Hilfeleistungen an Opfer, Alte, Gebrechliche und Bedürftige sowie Entschädigungsleistungen an die Israelitische Kultusgemeinde umfaßte. Ein spezielles Kapitel bildete dabei die Frage des erblosen Vermögens.[22]

Wie bereits die Problematik der KZ-Überlebenden verdeutlichte, schloß das Opferfürsorgegesetz anfangs »nur rassisch« Verfolgte aus der Opferfürsorge aus. Im Laufe der Jahre erfuhr das Gesetz zwar zahlreiche Novellierungen, die sich zwar auf sämtliche Opfer des Nationalsozialismus bezogen hatten, aber dennoch den Eindruck vermittelten, daß »ja ohnehin so viel geschehen sei« und »Was wollen die Juden noch?«[23] Erst die 1961 erlassene 12. Novelle, die den Kreis der Anspruchsberechtigten erweiterte, zeigte wirksame Erfolge. Träger von »Judensternen« und Kinder, die zum Abbruch ihrer Schulausbildung gezwungen worden waren, erhielten eine Pauschalentschädigung von 6.000 öS. Auch sogenannte »U-Boote«, Rückkehrer aus Mauritius, Karaganda und Shanghai und Überlebende von Ghettos sowie jene, die in alliierten Ländern Freiheitsbeschränkungen erlitten hatten, fanden sich erstmals miteinbezogen.[24]

Um die Frage der Rückstellung von entzogenem Vermögen zu lösen, erließ die Regierung am 10. Mai 1945 das sogenannte »Vermögensentziehungsgesetz«. Demnach waren die Besitzer von entzogenem Vermögen gezwungen, es innerhalb eines Monats anzumelden. Die Frist wurde jedoch wiederholt verlängert, und bis 31. Dezember 1945 existierte noch kein dafür zuständiges Amt. Dadurch ergab sich die Möglichkeit zum Weiterverkauf oder zur Verschiebung des Vermögens an einen »Zweit-« und »Dritt-Ariseur«. Am 15. Mai 1946 wurde noch das »Annulierungsgesetz« erlassen, das alle Rechtsgeschäfte für nichtig erklärte. Es stellte jedoch nur ein Rahmengesetz dar und mußte erst durch ein Bundesgesetz Gültigkeit erfahren. Bis 1947 erließ die österreichische Regierung unter Druck der USA drei Rückstellungsgesetze, wobei sich das erste auf jenes Vermögen bezog, das von österreichischen Behörden, vornehmlich von den Finanzlandesdirektionen, verwaltet wurde. Das zweite betraf die Rückstellung von Vermögenschaften, welche durch Volksgerichtsprozesse an die Republik Österreich gefallen waren, und das dritte und brisanteste sollte die individuelle Rückstellung regeln. Verschoben wurde die Frage der Miet- und Pachtverträge sowie des erblosen Vermögens. Wie die Israelitische Kultusgemeinde optimistisch bemerkte, wären die Gesetze an sich nicht schlecht gewesen, doch »ließ die praktische Durchführung zu wünschen übrig«. Die Behörden arbeiteten zu langsam, wiederholt mußten Versäumnisbeschwerden eingebracht werden, und Paragraphen ließen einen zu großen Spielraum zu. Der Rückstellungskommission wurde auch »Mitleid mit den Ariseuren« vorgeworfen.[25] Der »Neue Weg« kritisierte, daß manchmal sogar »Nazi als Sachverständige« wirkten.[26] Kritisiert wurde auch die kurze, ursprünglich nur auf ein Jahr angesetzte, jedoch unter Druck der USA immer wieder verlängerte Anmeldungsfrist. Betroffene, die im Ausland lebten, konnten nicht so schnell verständigt werden, und vielen fehlten auch die finanziellen Mittel zur Rückkehr und zum Rückkauf des Vermögens. Wie der Historiker Dietmar Walch aufzeigte, mußten aus diesen Gründen Vertriebene manchmal sehr ungünstige Vergleiche eingehen. Dabei erwies sich als weiteres Problem, daß österreichische Banken zur Rückzahlung von Kaufpreisen keine Kredite gewährten und die Finanzbehörden in den gegenwärtigen Aufenthaltsländern keine Erlaubnis für Überweisungen erteilten.[27] Friedrich Uprimny mußte beispielsweise als Verwalter im Haus seiner Familie in Steyr arbeiten, da er nach seiner Rückkehr aus Israel die finanziellen Mittel zum Rückkauf nicht aufbringen konnte. Erst 1961 erhielt er sein Elternhaus zurückgestellt.[28] Wie aus den Akten der Israelitischen Kultusgemeinde hervorgeht, waren bis 1953 nicht mehr als zwei Drittel des Wertes des Grundeigentums und ein Viertel der Betriebe zurückgestellt worden.[29]

Nachdem die Verhandlungen mit Deutschland 1952 abgeschlossen werden konnten, wandten sich die jüdischen Organisationen im Juni 1953 Österreich zu, um über das erblose Vermögen zu verhandeln. Die jüdischen Gemeinden in Österreich schlossen sich im selben Jahr zum »Verband der Israelitischen Kultusgemeinden Österreichs« zusammen, um gegenüber der Regierung und den politischen Parteien einheitlich auftreten zu können. Die Juden mußten sich geeint zeigen, damit sich »die Regierung nicht auf etwaige Uneinigkeiten berufen konnte«,[30] bemerkte die Israelitische Kultusgemeinde in ihrem Tätigkeitsbericht. Somit war es zum ersten Mal in der Geschichte der Juden in Österreich gelungen, einen Dachverband zu gründen.[31]

Die Grundlage für die Entschädigungsansprüche bildeten die von der Israelitischen Kultusgemeinde seit 1947 angelegten Karteien über das geraubte Vermögen. Unterstützt vom »World Jewish Congress« und vom »Committee for Jewish Claims on Austria« (Claims Committee), das sich aus 21 jüdischen Organisationen zusammensetzte, versuchte die Israelitische Kultusgemeinde, mit der österreichischen Bundesregierung Verhandlungen aufzunehmen.[32] Als Sprecher wirkte Nahum Goldmann, seit 1938 Präsident der Exekutive des »World Jewish Congress« und in den fünfziger und sechziger Jahren Sprecher der Diasporajuden. Während sich Deutschland seiner Täterrolle nicht entsagen konnte und – zwar zögernd und mit geringem Zuspruch der Bevölkerung – aus moralischen Gründen sowie zum Beweis seiner Demokratiefähigkeit Entschädigungszahlungen leistete,[33] lehnte Österreich unter Berufung auf die »Moskauer Deklaration« Verhandlungen mit den jüdischen Organisationen vorerst ab. »Österreich habe nichts gutzumachen, weil es nichts verbrochen habe«, behauptete 1946 der spätere ÖVP-Handelsminister Ernst Kolb.[34]

Nur unter Druck des State Department in Washington und des Foreign Office in London war die österreichische Bundesregierung zu

Verhandlungen mit den jüdischen Organisationen bereit. Diese wurden wiederholt ausgesetzt und bewußt in die Länge gezogen, wie es Bundesminister Helmer in einer Ministerratssitzung 1948 empfohlen hatte.[35] Nach wiederholten Abbrüchen erfolgten einzelne Zusagen, die letztendlich nicht eingehalten wurden. Als kleiner Erfolg galt laut Tätigkeitsbericht der Israelitischen Kultusgemeinde das 1953 erlassene Gesetz zur »praktischen Durchführung des Prinzips der Nicht-Diskriminierung«, womit auch im Ausland lebenden ehemaligen österreichischen Staatsbürgern das Recht auf Haft- und Beamtenentschädigung gewährt wurde.[36] Nicht gelöst blieben jedoch arbeitsrechtliche Rückstellungsprobleme, wie Dienst- und Sozialversicherungsverhältnisse der Arbeiter und Angestellten, wobei, wie der »Demokratische Bund« kritisierte, auch die Gewerkschaft versagt hatte.[37] Der »Demokratische Bund« schilderte auch den Kampf eines Emigranten mit den Versicherungsbehörden. Bei diesem ruhte die Angestelltenversicherung mit der Begründung, daß er ohne die Zustimmung der Anstalt das Land verlassen habe und somit die Emigration oder KZ-Haft als »Vergnügungsreise in die weite Welt« gelte. Als weiteres Argument führte die Versicherungsbehörde an, daß von 1938 bis 1945 die Deutsche Reichsversicherungsanstalt zuständig gewesen wäre.

Bekanntlich zahlt die Angestelltenversicherung an die vor der Vergasung ins Ausland geflüchteten Rentner und ihre Hinterbliebenen die Rente nur, wenn sie dazu gezwungen wird. Bisher hat nur die USA den in seinem Gebiet lebenden Rentnern das Recht auf die Rente verschafft; in allen andern Zufluchtsländern gehen die Rentner leer aus.[38]

Im Unterschied zu den im Ausland lebenden ehemaligen Beamten des Staates und anderer öffentlicher Körperschaften erhielten die Angestellten 1953 nur ein Viertel der ihnen zustehenden Renten. Diese wurden auf Sperrkonten gelegt und es durften nur kleine Beträge davon abgezogen werden. Ein Viertel des Betrages ging dabei bereits durch die Umrechnung in Dollar verloren. Zudem wurden noch 20% des umgerechneten Betrages als Ausländereinkommensteuer zurückbehalten.[39]

Als größerer Erfolg der Verhandlungen zwischen dem Claims-Komitee und der Regierung konnte 1955 die Gründung des mit 550 Millionen Schilling dotierten »Fonds für Hilfeleistung an politisch Verfolgte, die ihren Wohnsitz und ständigen Aufenthalt im Ausland haben«, kurz »Hilfsfonds«, verzeichnet werden. Die Bezeichnung »Hilfsfonds« aber sollte darauf verweisen, »daß es für Österreich keine Wiedergutmachung gibt, weil es nichts wiedergutzumachen hat, sondern nur eine freiwillige Hilfeleistung«.[40]

Bezugnehmend auf den österreichischen Staatsvertrag, der im Artikel 26 (2) die Rückstellung des erblosen Vermögens forderte, konnten die bereits 1947 in Aussicht gestellten Sammelstellen für das erblose Vermögen schließlich 1957 gegründet werden. Dabei war die Sammelstelle A für die jüdischen Opfer, die Sammelstelle B für alle übrigen politisch verfolgten Opfer des Nationalsozialismus zuständig. Da es sich zwar zu einem hohen, aber nicht ausschließlichen Prozentsatz um jüdisches Vermögen gehandelt hatte, fanden heftige Diskussionen über den Aufteilungsschlüssel, die Befugnisse der Sammelstellen und die Definition feststellbaren Vermögens statt. Nicht »rassisch« verfolgte Opfer und auch die »Allianz der Judenchristen« meldeten ihre Ansprüche an und forderten eine gleichmäßige Verteilung. Für die Israelitische Kultusgemeinde wäre diese Lösung einer »zweiten Arisierung« gleichgekommen. Letztendlich einigte man sich auf einen Schlüssel von 80:20,[41] was Dr. Georg Weis, Leiter der Sammelstelle A, als skandalös bezeichnete, denn immerhin hatte das jüdische Vermögen über 95% ausgemacht. Obwohl das Angebot der österreichischen Regierung weit unter den ursprünglichen Forderungen der jüdischen Organisationen lag, erhielten mit der Gründung der Sammelstellen die in Österreich lebenden jüdischen Opfer zum ersten Mal eine greifbare Hilfe. Tatsächlich fand die Verteilung erst zwischen 1962 und 1969 statt. Von den insgesamt 150 Milliarden Dollar an »arisiertem« Vermögen wurden knapp 300 Millionen zurückgestellt.[42]

1961 entstand unter Bezugnahme auf Artikel 26 (1) des österreichischen Staatsvertrages der »Fonds zur Abgeltung von Vermögensverlusten politisch Verfolgter« (= »Abgeltungsfonds«), wodurch geraubtes bewegliches Vermögen wie Aktien oder Wertpapiere ersetzt werden sollte. Da aber die Bundesrepublik Deutschland aufgrund des »Kreuznacher Abkommens«* beachtliche Zuwendungen (= 600 Millionen

---

* Abkommen zwischen Österreich und Deutschland, wonach sich Deutschland verpflichtete, an Österreich 600 Mill. DM zu bezahlen; 600 Mill. Schilling waren davon für den Hilfsfonds vorgesehen.

DM) an Österreich zu leisten hatte, stammte nur ein Teil der Zahlungen aus österreichischen Quellen.[43]

1958 beschloß der Nationalrat – ebenfalls unter Berufung auf Artikel 26 des Staatsvertrages – eine Regelung bezüglich der Rückstellung an Religionsgemeinschaften. Dabei sollte die israelitische aber übergangen werden. In Verhandlungen mit der österreichischen Bundesregierung setzte diese 1960 eine den anderen Religionsgemeinschaften gleiche Behandlung durch. Die Republik Österreich zahlte 30 Millionen Schilling für die Instandsetzung zerstörter religiöser Einrichtungen und rückwirkend bis 1958 einen jährlichen Betrag von 900.000 öS. Schließlich leistete sie noch Ersatz für die Bezüge der 23 Bediensteten der Israelitischen Kultusgemeinde.[44] Damit stellte der Staat erstmals in der Geschichte Österreichs staatliche Mittel für israelitische Kultuszwecke zur Verfügung, denn seit dem »Israelitengesetz« von 1890 galt es als selbstverständlich, daß die Ausgaben für Kultuszwecke von den Mitgliedern selbst aufgebracht werden mußten.[45]

1962 verzichteten die verhandlungsführenden jüdischen Organisationen auf weitere Ansprüche seitens der österreichischen Bundesregierung, was nicht alle Betroffenen widerspruchslos hinnahmen. Albert Sternfeld meinte beispielsweise,

daß die Bundesregierung mit Organisationen verhandelt habe, denen so mancher Vertriebene keine Legitimation zubilligte. Eine von ihrer Legitimation her fragwürdige Verzichtserklärung aus 1961 hat das Problem nicht gelöst, sondern nur auf die lange Bank geschoben.[46]

Josef Rubin-Bittmann, selbst Mitglied der österreichischen Sektion des Claims-Committee, beschuldigte Nahum Goldmann des Mißerfolges bei den Verhandlungen. »Passivität, Gleichgültigkeit, fehlendes Mitgefühl und enorme Eitelkeit hätten Goldmann versagen lassen.«[47] Die rechtszionistische »Heruth« kritisierte, daß man sich

anstatt mit einer substantiellen Wiedergutmachung, wie sie in Deutschland gewährt wurde und wird, mit einem Opferfürsorgegesetz abspeisen ließ. Schon in der Bezeichnung des Gesetzes als Opferfürsorge liegt die Negation eines Wiedergutmachungsanspruches. Um dies noch zu unterstreichen, wurde dem Gesetz ein karitativer Charakter gegeben.[48]

Trotz der Ansprüche seitens der jüdischen Organisationen konnte

Österreich letztendlich an seiner Rolle als erstes Naziopfer festhalten. Dennoch rührte die Problematik der Entschädigung und Rückstellung an dieser mühevoll aufgebauten Identität. Vor allem israelische Zeitungen[49] und auch Protestbriefe des »World Jewish Congress« hinterfragten die Opferrolle der Österreicher.

Österreich: eine Gemeinschaft unzähliger Opfer?

Opfer? Die gab es nicht, Österreich war ja bekanntlich das erste Opfer Hitlers gewesen. Der Herr Karl, der es sich immer gerichtet hatte, unter Hitler, nach Hitler, der Herr Karl ist überall.[50]
Wie die Kunsthistorikerin Hilde Zaloscer mit Entsetzen feststellte, konstituierte sich das Österreich der Nachkriegsjahre im Bewußtsein weiter Teile der österreichischen Bevölkerung und auch führender Politiker aus unzähligen Opfern. Zu den Bombenopfern, Witwen, Kriegsgefangenen, Hungernden und Frierenden kamen die ehemaligen Nationalsozialisten mit ihren Angehörigen als Opfer der alliierten Entnazifizierungspolitik sowie ehemalige »Ariseure«. Die ÖsterreicherInnen fühlten sich als Opfer der Deutschen und der Alliierten. Die Frage der Eigenverantwortung und die Tatsache der Mitbeteiligung am Nationalsozialismus, letztendlich Ursache für die Nachkriegssituation, mußten verdrängt werden. Wie der Politologe Anton Pelinka feststellte, entsprach es 1945 dem Interesse der wiedererstandenen Republik, die Beteiligung Österreichs an den nationalsozialistischen Verbrechen zu verschweigen, während der »Anschluß« als eine militärisch durchgeführte Besetzung Österreichs besondere Betonung fand.[51]

Die Form der österreichischen Vergangenheitsinterpretation wies aber in sich Widersprüche auf, denn österreichische Soldaten identifizierten sich auch mit der deutschen Wehrmacht, und sie sprachen vom »verlorenen Krieg«. Kriegerdenkmäler entstanden,[52] um Gefallene für ihre »Verteidigung der Heimat« zu ehren, und »Kameradschaftsbünde« sprachen von »Pflichterfüllung«. Bei einer Tagung der Israelitischen Kultusgemeinden Österreichs hinterfragte 1953 Emil Maurer, der damalige Präsident der Israelitischen Kultusgemeinde, Österreichs Opferrolle, denn als Opfer müßte es auch keine Renten an die Soldaten, die ja letztendlich nicht für die Freiheit gekämpft hätten, zahlen.[53] 1958 rief die Israelitische Kultusgemeinde »den begeisterten Jubelempfang, der 1938 den deutschen Befreiern zuteil wurde, die hervorragende Rolle, die Österreicher in der Nazibewegung spielten und ihre vorbehaltlose Teilnahme an den Verfolgungsaktionen gegen die Opfer« ins Gedächtnis.[54]

Um Österreichs Image als erstes Opfer Nazi-Deutschlands nicht zu gefährden, mußten eine bevorzugte Behandlung (»Wiedergutmachung«) für Juden vermieden und der trotz Shoah vorhandene Antisemitismus geleugnet werden. Im Februar 1947 sprach der damalige Wiener Bürgermeister Theodor Körner in der »Wiener Zeitung« vom »Märchen des Antisemitismus«. Dem Wiener wären antisemitische Tendenzen »jetzt vollkommen fremd. Erzählungen darüber sind bewußte Lügen oder gedankenloses Geschwätz.«[55] Seiner Meinung nach würden nur »Brunnenvergifter« diese Gerüchte in die Welt setzen. Der »Neue Weg« bezeichnete diese Aussagen als Lüge; Körner selbst wäre kein Antisemit, doch dürfe er nicht von sich auf andere schließen.[56] Der Körner-Artikel erschien auch in der ÖVP-nahen, in New York publizierten »Austria«, womit diese den gegen Österreich gerichteten »Hetzartikeln« im New Yorker »Aufbau« entgegentreten wollte. Körners Argument, daß es »außer den von den Nazis organisierten Ausschreitungen in Wien Judenpogrome niemals gegeben hat«, sollte die vom »Aufbau« befürchteten antijüdischen Ausschreitungen nach Abzug der »Besatzungstruppen« widerlegen.[57] In einem Beschönigungsschreiben an den »World Jewish Congress« sprach Körner im April 1947 dann vor allem die SPÖ von jeder Form von Antisemitismus frei.

An der Spitze unseres Staates stehen katholische und sozialistische Politiker, in Wien sind die Sozialisten in der Mehrheit, deren internationale und interkonfessionelle Einstellung Ihnen gewiß nicht unbekannt ist. Eine Partei, deren Gründer Victor Adler war und zu deren hervorragendsten Führer die Juden Dr. Otto Bauer, Dr. Robert Danneberg, Hugo Breitner, Prof. Tandler, Dr. Wilhelm Ellenbogen und andere mehr gehörten, ist gewiß die sicherste Garantie gegen ein Wiederaufleben einer antisemitischen Bewegung.[58]

Emigranten wie Ellenbogen oder Breitner, die die SPÖ nicht zurückholen wollte, mußten die Österreicher vom Vorwurf des Antisemitismus »reinwaschen«. Gleichzeitig distanzierten sich die neuen, nichtjüdischen Machthaber wie Oskar Helmer oder Adolf Schärf von der alten »verjudeten« Partei und agierten offen antisemitisch.[59] Auch

Bundeskanzler Leopold Figl dementierte, daß Österreich noch immer ein antisemitisches Land sei, das die »Wiedergutmachung« nur zögernd betreibe. »Solche Gerüchte« würden seiner Meinung nach »von politischen Kreisen inspiriert, die Österreich im Ausland diskreditieren wollen«.[60] Figl hieß »Juden als Österreicher«, aber »nicht als Juden«, willkommen und setzte die Vernichtung der Juden mit seinen eigenen KZ-Erfahrungen in Dachau gleich.[61] Wie Bundeskanzler Raab am 6. März 1955 in einer Radiorede ausführte, sah auch er keinen Unterschied darin, ob die »Verfolgung aus sogenannten rassischen, religiösen oder aus anderen Gründen erfolgt sei«.[62] Die Bagatellisierung der Shoah fand ihren dubiosesten Ausdruck in der Aussage des ehemaligen Dachauhäftlings und späteren Außenministers Karl Gruber, für den »eine Entschädigung ehemals österreichischer Juden eine ungerechte Bevorzugung gegenüber denjenigen darstellte, die geblieben und in Konzentrationslager gesteckt worden seien«.[63]

Vor allem der VdU, die Vorläuferpartei der FPÖ, trat für die »Unteilbarkeit des Leides« ein und lehnte jede Art von »Wiedergutmachung« ab.[64] Als Sprecher der »Ariseure« und der ehemaligen Nationalsozialisten erzielte der VdU bei den Nationalratswahlen im Jahr 1949 einen großen Erfolg. Die FPÖ setzte diese Politik fort; 1956 nahm Dr. Gredler in einer Parlamentsdebatte zum Hilfsfondsgesetz Stellung.

Man muß alle Probleme gleich behandeln, ob es sich um Möbel, um Wohnungen oder um Fragen der Umsiedler, der Bombengeschädigten, der Auslandsösterreicher, der Besatzungsgeschädigten oder der Kriegsopfer handelt.[65]

Anfang 1955 organisierte der Nationalratsabgeordnete Dr. Fritz Stüber, Mitbegründer des VdU und der weit rechts stehenden Splittergruppe »Freiheitliche Sammlung Österreichs«, eine Demonstration unter dem Motto »Hungerrenten und die jüdischen Forderungen an Österreich«. Als die Israelitische Kultusgemeinde gemeinsam mit dem KZ-Verband dagegen protestierte, ließ der Wiener Polizeipräsident Holaubek die Versammlung verbieten.[66]

Der VdU wirkte auch als Sprachrohr des »Verbandes der Rückstellungsbetroffenen«. Dieser Verband wurde im Sommer 1948 als Reaktion auf das 3. Rückstellungsgesetz gegründet. Mit seiner kostenlos verteilten Zeitschrift »unser Recht« führte er eine Kampagne zur Revision des Gesetzes, wobei er vor allem von den »Salzburger Nachrichten« publizistische Unterstützung erhielt. Zusammengefaßt wurde folgendermaßen argumentiert: Das Gesetz würde Mißbräuchen und Schwindeleien durch die Emigranten Tür und Tor öffnen und es stünde in krassem Gegensatz zum »altösterreichischen« und »abendländischen Rechtsdenken«. Zudem hätte es sich beim Erwerb von jüdischem Besitz um einen redlichen Kauf gehandelt.[67] Beide Teile hätten sich über den Kauf und die Kaufbedingungen geeinigt gezeigt,

die Angelegenheit wurde perfekt und der Verkäufer wanderte aus. Er hat seither sicherlich bessere Jahre erlebt wie wir und aus dem Kaufschilling zweifellos größeres Erträgnis erzielt als wir hier aus dem mit der Hypothek des Mieterschutz belasteten Zinshauses.[68]

Der »Verband der Rückstellungsbetroffenen« fand in Kardinal Innitzer einen Bündnispartner gegen das 3. Rückstellungsgesetz, ein, seiner Meinung nach, »Unrechtsgesetz«. Weite Teile der katholischen Bevölkerung wären dadurch existentiell bedroht, und bei den »Ariseuren« hätte es sich um »gutgläubige Erwerber« gehandelt.[69] Der »Neue Weg« reagierte schockiert auf die Duldung eines derartigen Vereins.

Wir können nur eines sagen: Es ist ein echt österreichischer Skandal, daß ein solcher Ariseurverband überhaupt gestattet ist. (. . .) Wir Juden sind nicht rachsüchtig und nichts liegt uns so fern wie Vergeltung. Wir sind ohne weiteres bereit, zu verzeihen. Wir verzeihen den PG, wenn sie heute einsehen, was ihre Partei verbrochen hat, und wenn sie es bereuen.[70]

Die Israelitische Kultusgemeinde forderte vom Bundeskanzler das Verbot des »Verbandes der Rückstellungsbetroffenen«, das dieser mit dem Argument ablehnte, daß in »Österreich jeder unbescholtene Bürger das Recht auf die Gründung eines Vereins hätte«.[71] Als Bundeskanzler Raab 1955 eine Delegation von »Ariseuren« empfing, zeigte man sich in jüdischen Kreisen sehr ungehalten darüber, daß man vor der Wiederaufnahme der Verhandlungen mit den jüdischen Organisationen mit den »Nutznießern« Kontakt aufgenommen hatte.[72]

Wie Robert Knight aufzeigte, war es Österreich gelungen, nach anfänglichen Konflikten, die vorwiegend Fragen der »Wiedergutmachung« und Entnazifizierung betrafen, zum akzeptierten Partner der Westmächte aufzusteigen und innenpolitisch an Handlungsspielraum zu gewinnen.[73] Während im Nachkriegsdeutschland die politische Elite bemüht war, Antisemitismus in Form von Philosemitismus zu kanalisieren,[74] war man in Österreich um keine Anti-Antisemitismus-Politik bemüht. Während in Deutschland bereits »Nathan der Weise« als idealtypischer Jude propagiert wurde, verfestigten sich in Österreich durch das Hinauszögern der »Wiedergutmachungs«-Verhandlungen die antijüdischen Stereotype von den reichen, rachesüchtigen Juden. Als die Israelitische Kultusgemeinde 1950 eine Massenversammlung gegen die schleppende »Wiedergutmachung« organisierte und auf Plakaten ihre Forderungen kundtat, mußten Juden folgende Beobachtungen machen:

> Stehkonvente der »Arier« bildeten sich vor den Litfaßsäulen, den Plakatwänden, das uns so vertraute, höhnische Lächeln spielte um den Mund der Betrachter, und leise flüsternd raunten sie einander Bemerkungen zu.[75]

Der »World Jewish Congress« als Bündnispartner

Wahlarithmetisch unbedeutend und durch Österreichs anerkannte Opferrolle ihres ursprünglich angestrebten politisch-moralischen Einflusses beraubt, fand die Israelitische Kultusgemeinde für die Zuerkennung ihrer Rechte im »World Jewish Congress« einen Bündnispartner. Dabei mußte sie auch immer wieder Antisemitismus in Kauf nehmen, und das antijüdische Stereotyp vom mächtigen »Weltjudentum«, das bis heute überdauert hat, erfuhr vor allem in den fünfziger Jahren eine neue Belebung. Obwohl die Israelitische Kultusgemeinde nur einige tausend Mitglieder zählte, akzeptierte sie der »World Jewish Congress« als ordentliches Mitglied, und österreichische Delegierte waren an Tagungen vertreten. Tagungen und auch Pressekonferenzen des »World Jewish Congress« dienten dazu, die Weltöffentlichkeit auf die Probleme in Österreich aufmerksam zu machen.[76] Der »World Jewish Congress« selbst trat wiederholt als Fürsprecher der österreichischen Juden auf, indem er öffentlich den Antisemitismus oder die schleppende »Wiedergutmachung« kritisierte, vor der Gefahr des Neonazismus sowie vor einem Ende der Okkupation ohne Garantie auf Demokratie warnte.[77] Bereits 1946 beklagte sich Dr. Bienenfeld im Namen des »World Jewish Congress« bei Bundeskanzler Schärf, daß Österreich davon ausgehen würde, daß es während der NS-Zeit einen redlichen Geldverkehr gegeben hätte und

Juden den Kaufpreis, von dem sie nie etwas gesehen hatten, zurück-zahlen müßten. Er kritisierte auch, daß »ein sehr beträchtlicher Teil der österreichischen Bevölkerung sich an den Morden und Deporta-tionen beteiligt hatte (. . .) an denen die österreichische Regierung nunmehr profitieren will«.[78] Unter den gegebenen Umständen sah er nur eine Möglichkeit, und zwar, alle alliierten Regierungen auf diesen Sachverhalt aufmerksam zu machen. Noch im Spätsommer 1946 äußerte Dr. Altmann, ein ehemaliger Wiener und 1945 Delegierter des »World Jewish Congress«, Bedenken bezüglich eines wiederaufle-benden Antisemitismus in Österreich. Dieser schien ihm nur ober-flächlich unterdrückt zu sein. Mit seiner skeptischen Voraussage, daß mit dem Beginn der »Wiedergutmachungs«-Verhandlungen ein Auf-leben des Antisemitismus zu erwarten sei,[79] mußte er leider recht be-halten. Im Sommer 1949 sandte der »World Jewish Congress« einen Beschwerdebrief über die antisemitische Linie der »Neuen Front« und der »Alpenrose« an den österreichischen Gesandten in den USA.[80] 1952 erfolgte ein Aufruf über die immer offener auftretende antisemi-tische und antiamerikanische Stimmung in Österreich. – »The World Jewish Congress warns of an open antisemitism and anti-americanism in Austria. The situation is extremely dangerous.«[81]

In einer Pressekonferenz anläßlich des Jahreswechsels 1953/54 richtete der politische Direktor des »World Jewish Congress« heftige Angriffe gegen Österreich. Er sprach von der »Wiege des Antisemitis-mus« und erwähnte auch Österreichs »niederträchtige Rolle bei der Machtergreifung der Nazis«.[82]

Im November 1948 sprachen Vertreter der Israelitischen Kultusge-meinde gemeinsam mit dem Vertreter des Joint und des »World Jewish Congress« beim Bundeskanzler vor und forderten die Verlän-gerung des 3. Rückstellungsgesetzes.[83] Als die Regierung die »Wie-dergutmachungs«-Verhandlungen nach einem kurzen Beginn im Juni 1953 im Dezember desselben Jahres bereits wieder beendet hatte, trat die Israelitische Kultusgemeinde gemeinsam mit dem »World Jewish Congress« und dem Claims-Komitee an die Öffentlichkeit. Präsident Maurer drohte unter Zuhilfenahme des »Weltjudentums« mit einem wirtschaftlichen Boykott Österreichs. Im Falle einer weiteren negati-ven Haltung kündigte er »verständliche Reaktionen des internationa-len Judentums an, was sich besonders bei Handelsabschlüssen und beim Fremdenverkehr ungünstig auswirken könnte«.[84] In New York

148

machten prominente österreichische EmigrantInnen, wie Alma Mahler Werfel, Dr. Otto Löwy (Nobelpreisträger für Medizin), Prof. Richard Schüller (ehemaliger österreichischer Gesandter in den USA) oder der Dirigent Bruno Walter, in einem offenen Brief ebenfalls darauf aufmerksam, daß Österreich nicht als Opfer angesehen werden dürfe. Aus eigenen Erfahrungen bezeugten sie, »daß der Nationalsozialismus nicht nur deutschen Ursprungs war, sondern von Österreichern aktiv unterstützt wurde«.[85] Sobald österreichische Juden aber ausländische Fürsprecher fanden, lebte das antijüdische Vorurteil von der »jüdischen Weltverschwörung« wieder auf. Vor allem Bruno Walter wurde vom VdU-Blatt »Neue Front« in rüdester Form angegriffen.[86] Der »Wiener Montag« tat den vorhin zitierten Brief als eine »Dolchstoßlegende, als ein übles Emigrantenstück« ab.[87] Ähnlich reagierte 1954 der »Volksbote«. Wie die »Presseinformationen der Israelitischen Kultusgemeinden« kritisierten, schob er den Juden »die Schuld für den Mißerfolg der Staatsvertragsverhandlungen in die Schuhe (...) indem das Gerücht in den Umlauf gesetzt wurde, daß sie bei den vier Außenministern gegen Österreich interveniert hätten«.[88] Als der »World Jewish Congress« 1952 bei der britischen Regierung gegen die Amnestie für ehemalige Nationalsozialisten protestierte, sprach Dr. Josef Zitta, der Vorsitzende des Katholischen Männerwerkes in Österreich, »von einem Diktat«, das »von außen« ausgeübt wird. Er warf den Juden eine unversöhnliche Haltung vor. Sie würden durch ihre Sucht nach Revanche und Rache die Bemühungen, ein Wiederaufleben des Rassenhasses zu verhindern, verunmöglichen.[89] Auch der »Wiener Montag« sprach dem »World Jewish Congress« jedes Recht auf Einmischung in die österreichische Innenpolitik ab. Er bezeichnete die USA als »die Schutzmacht der Juden«, und die Kritik des »World Jewish Congress« an der Begnadigung von NS-Verbrechern tat er folgendermaßen ab: »Was geht das den World Jewish Congress an?«[90] Die »Wiedergutmachungs«-Verhandlungen, der zunehmende Antisemitismus und die nur zögernd betriebene Entnazifizierung verlangten ein nach außen hin einheitliches Auftreten der Israelitischen Kultusgemeinde. Wie im folgenden gezeigt werden wird, war diese aber in sich sehr gespalten. Zudem zeigte sich der »World Jewish Congress« nicht nur als Bündnispartner gegen einen gemeinsamen Feind, sondern versuchte auch, seine eigenen Interessen durchzusetzen.

8.
Kalter Krieg in der Israelitischen Kultusgemeinde

1946 vermittelten die ersten demokratischen Wahlen noch das Bild einer relativ homogenen Israelitischen Kultusgemeinde. Dies erwies sich aber noch im Sommer desselben Jahres als eine Illusion. Unzufriedene fanden im »World Jewish Congress«, der im Juni 1946 zwei ehemalige Wiener Emigranten als Delegierte nach Wien sandte, einen Bündnispartner gegen die kommunistisch dominierte Israelitische Kultusgemeinde. Im sozialistischen »Bund werktätiger Juden« erwuchs der »Jüdischen Einigkeit« eine weitere Konkurrenz. Daneben schlossen sich für die Wahl 1948 verschiedenste zionistisch ausgerichtete Organisationen zu einem losen Bündnis, der »Jüdischen Föderation«, zusammen. Allmählich entfaltete sich auch die jüdische Presse; neben dem »Neuen Weg« erschienen 1947 die »Stimme«, das Organ der »Allgemeinen Zionisten«, und die »Renaissance«, das Organ der links-zionistischen »Poale Zion«. Ab 1948 wurde die »Neue Welt und Judenstaat«, die sich ursprünglich als Nachfolgerin der rechts-revisionistischen »Neuen Welt« Strickers verstand, herausgegeben. Im selben Jahr erschien auch »Die Gemeinde«, das offizielle Organ der Israelitischen Kultusgemeinde, die jedoch zwischen 1949 und 1958 wieder eingestellt wurde. 1949 erhielt die »Agudat Israel« mit der »Stimme Israel« ein Sprachrohr, 1950 gründeten die »Misrachi« die »Tribüne«, und ein Jahr später wurde das »Jüdische Echo«, die Zeitschrift der »Jüdischen Hochschüler«, ins Leben gerufen.

In den unmittelbaren Nachkriegsjahren führten Fragen des Zionismus oder des religiösen Judentums kaum zu innerjüdischen Konflikten, sondern das Naheverhältnis der Israelitischen Kultusgemeinde zur KPÖ bzw. SPÖ rief heftige Kontroversen hervor – »Entpolitisierung« wurde zum Schlagwort der Opposition. Auch die ideologische und materielle Abhängigkeit der österreichischen Juden von amerikanischen jüdischen Hilfsorganisationen sowie vom »World Jewish Congress« beeinflußte die politische Ausrichtung der Israelitischen Kultusgemeinde.

Die »Österreich-Mission« des »World Jewish Congress«

Am 20. Juni 1946 trafen Ernest Stiaßny und Siegfried Altmann, die beiden Delegierten des »World Jewish Congress« und der ihm angeschlossenen »American Federation of Jews from Austria«, zu einer »Mission« aus New York in Wien ein.[1]

Der »World Jewish Congress« wurde 1936 in Genf gegründet; 1938 protestierte er gegen den sogenannten »Anschluß« Österreichs an Hitler-Deutschland. Einflußreiche jüdische Organisationen blieben ihm vorerst noch fern, da sie das Bekenntnis zur jüdischen Nation nicht akzeptieren konnten. Wie der israelische Historiker Shlomo Shafir aufzeigte, gab es vor allem zwischen den Exekutiven in New York, London und Israel politische Kontroversen.[2] Größere Bedeutung kam dem »World Jewish Congress« dann während der »Wiedergutmachungs«-Verhandlungen mit Deutschland und Österreich zu. Beim »World Jewish Congress« handelte es sich allerdings nie um eine allumfassende Vertretung der Juden in der Diaspora, sondern lediglich um eine lose und pluralistische Dachorganisation, die lange Zeit auch mit finanziellen Schwierigkeiten zu kämpfen hatte. Die »Federation of Jews from Austria« umfaßte verschiedene von österreichischen Juden »hinübergerettete« oder neugegründete Vereine.[3] Dabei handelte es sich allerdings um zionistisch und konservativ ausgerichtete Organisationen; linksgerichtete politische Exilorganisationen, wie die sozialdemokratischen »Friends of Austrian Labour« oder das kommunistisch orientierte »Free Austrian Movement« waren nicht vertreten.

Siegfried Altmann kam 1887 in Nikolsburg zur Welt, und er wuchs in einer orthodoxen jüdischen Gemeinde im Burgenland auf. Vor 1938 leitete er das Blindeninstitut auf der Hohen Warte in Wien. In Wien stand er mit vielen prominenten Persönlichkeiten des Kulturlebens, wie Richard Beer-Hoffmann, Peter Altenberg, Hermann Broch, Friedrich Torberg, Bruno Walter, Anna Freud u. a. in Kontakt. 1939 emigrierte er nach New York, wo er innerhalb der österreichisch-jüdischen Emigration eine führende Rolle einnahm. Er gehörte der »Federation of Jews from Austria« an und wirkte als Chairman des »Austrian Jewish Representative Committee«, das sich mit dem »World Jewish Congress« affiliiert hatte.[4] 1942 gründete er gemeinsam mit Guido Zernatto in New York das »Austrian Insti-

tute«.* Zernatto, Schriftsteller und Generalsekretär der Vaterländischen Front, trat im Austrofaschismus dafür ein, daß Juden aus öffentlichen Positionen und aus dem Kulturleben Österreichs entfernt
werden sollten.[5] Dem »Austrian Institute« gehörten vor allem jene
jüdischen Emigranten an, die sich trotz ihrer Vertreibung noch immer
der deutschen Sprache sowie der österreichischen Kultur verbunden
fühlten. Als die österreichische Regierung 1963 in New York das
österreichische Kulturinstitut eröffnete, trat Altmann den Namen seiner Organisation an die österreichische Regierung ab. Als »Austrian
Forum« erhielten sie als Gegenleistung im neuerbauten »Austrian Institute« ein Büro und das Recht, in den Räumen des »Austrian Institute« Veranstaltungen abzuhalten.[6]

Ernest Stiaßny war seit seiner Schulzeit dem Zionismus verbunden.
1912 trat er der »Hasmonea«, später der zionistisch ausgerichteten
Mittelschülerverbindung »Zephira« bei, der er noch als »Alter Herr«
angehörte. 1932 gehörte Stiaßny zu den Gründungsmitgliedern[7] des
»Bundes jüdischer Frontsoldaten«.** Seiner Liebe zu den wehrhaften
jüdischen Verbindungen blieb er auch in den USA treu, wo er als Präsident des zionistischen »Ringes der wehrhaften jüdischen Akademiker« und auch der »Jewish War Veterans«, dem früheren »Bund jüdischer Frontsoldaten«, aufschien.[8]

Die »Mission« der beiden Delegierten des »World Jewish Congress« sollte den Spendern in den USA ein authentisches Bild über die
Lage der Juden in Österreich vermitteln und die seit Ausbruch des
Zweiten Weltkrieges unterbrochene Verbindung wiederherstellen. Seit
Kriegsende organisierten vor allem weibliche Mitglieder der »Federation of Jews from Austria« zahlreiche Lebensmittel- und Kleider-
sendungen für die überlebenden Juden in Österreich. Wie Stiaßny in

---

* Das »Austrian Institute« wurde als unabhängige und unpolitische Organisation mit
folgenden Zielen gegründet: dem wissenschaftlichen und künstlerischen Bemühen
aller Österreicher und an Österreich Interessierten zu dienen, Forschungsarbeit zu
leisten, österreichisches Kulturgut zu erhalten, es in den Dienst der Allgemeinheit
zu stellen und diese zu gewinnen, Österreich seiner historischen Bedeutung und seines kulturellen Ranges willen mit zu befreien und wieder aufrichten zu helfen. Siehe DÖW, Akt 9.420.
** Der »Bund jüdischer Frontsoldaten« war mit 8.000 Mitgliedern im Ständestaat die
stärkste jüdische Organisation und gehörte der »Vaterländischen Front« an. Vgl.
Maderegger, S. 57.

einem Bericht an den »World Jewish Congress« ausführte, warteten österreichische Emigranten in den USA nach der Befreiung Österreichs ungeduldig auf konkrete Informationen, um sich eine klare Meinung über ihre ehemalige Heimat bilden zu können.[9] Zur Kontaktaufnahme mit der jüdischen Bevölkerung Wiens fand im Konzerthaussaal eine Massenversammlung statt, wobei sich laut Stiaßny bereits die Dankbarkeit der Wiener Juden gegenüber dem »World Jewish Congress« zeigte.

They saw in us friends to come to renew the interrupted relations and to bring them moral and material help; great was their joy and enthusiasm.[10]

Nach den Vorstellungen des »World Jewish Congress« sollte Stiaßny auf seiner »Mission« auch erste Maßnahmen zur »Liquidation« der jüdischen Gemeinden in Österreich einleiten. Da aber die Tore nach Palästina noch geschlossen blieben und die USA und andere Länder in Übersee nur DPs aufnahmen, mußte die Neugründung einer Gemeinde in Österreich hingenommen werden. Zudem traf er in der Israelitischen Kultusgemeinde auf eine sehr selbstbewußte Führung, die trotz Shoah weiterhin um eine österreichisch-jüdische Symbiose bemüht war.

We had all been hopeful and convinced before proceeding to Vienna, it would be possible to liquidate the Jewish Community in a comparatively short time and taking into account the wish of the overwhelming majority of the Jews in Vienna, to bring them either to Palestine or to other countries.

On the strength of the given facts it must be stated that, whatever we like it or not, there will be a Jewish Community in Austria for years to come.[11]

Juden, die trotz Shoah in Deutschland oder Österreich leben wollten, galten als minderwertige Juden, als »Pariah«[12] und sogar als charakterlose Menschen. Dennoch affiliierte sich der »World Jewish Congress« bereits 1945 mit der Israelitischen Kultusgemeinde Wien, und zionistische Organisationen gründeten in Österreich Zweigstellen. Die jüdischen Gemeinden in Deutschland galten hingegen als illegale Organisationen. – »In the eyes of the world Jewry, the Jews of Germany had created an illegal organization.«[13] 1949 schloß die »Jewish Agency« ihr Büro in Deutschland, und laut Aussagen des »World Jewish Congress« hatten Juden »weder eine jüdische noch eine zionistische noch eine

menschliche Berechtigung zum Hierbleiben«.[14] Das Vorgehen gegenüber den Juden in Deutschland wurde von den jüdischen Gemeinden
aber nicht widerspruchslos hingenommen, wie sogar die damals
rechtszionistische »Neue Welt und Judenstaat« bemerkte.[15]

Der Wiener Kultusgemeinde kam aufgrund ihrer topographischen
Lage besondere Bedeutung zu; sie galt als letzte Bastion gegen den
»Eisernen Vorhang« und wurde somit von amerikanisch-jüdischen
Organisationen als wichtiger Stützpunkt für deren Osteuropapolitik
betrachtet. Wie aus einem Briefwechsel zwischen Stiaßny und dem
»World Jewish Congress« in New York hervorgeht, mußte dieser der
Israelitischen Kultusgemeinde mit Vorsicht begegnen. Im Kalten
Krieg stellte sich der »World Jewish Congress« auf die Seite des Westens, und auch die beginnenden »Wiedergutmachungs«-Verhandlungen veranlaßten ihn, seine Haltung bezüglich Österreich und vor allem gegenüber den jüdischen Gemeinden in Deutschland zu ändern.[16]

Der »Verband österreichischer Juden« als verlängerter Arm des »World Jewish Congress«

Bei ihrer Ankunft stand die jüdische Öffentlichkeit den WJC–Delegierten Altmann und Stiaßny noch freundlich gegenüber. Sogar der
»Neue Weg«, das Sprachrohr der kommunistisch ausgerichteten »Jüdischen Einigkeit«, hieß sie willkommen.[17] Kurze Zeit später spaltete
die Politik Stiaßnys[18] die ohnehin sehr inhomogene jüdische Gemeinde. Wenn er als Delegierter des »World Jewish Congress« das Fortbestehen der jüdischen Gemeinde in Wien schon nicht verhindern konnte, so wollte er zumindest deren politische Ausrichtung beeinflussen.
Vor 1938 dem konservativen, zionistischen Lager zugehörig und geprägt von seinen Exilerfahrungen in den USA, war Stiaßny eine kommunistische Israelitische Kultusgemeinde ein Dorn im Auge. Sowohl
die Politik des »World Jewish Congress« als auch die Politik der
Israelitischen Kultusgemeinde muß immer in Zusammenhang mit den
Lebensgeschichten der maßgebenden Personen gesehen werden, die
durch ihre Vertreibung und ihre Erfahrungen in den Exilländern ein
sehr emotionales Verhältnis zu ihrer früheren Heimat Österreich aufwiesen.[19] Auch Stiaßny führte seine Einstellung gegenüber Österreich
auf seine persönlichen Erfahrungen im Jahr 1938 zurück; er wollte

nicht vergessen, wie ihn das »Goldene Wiener Herz« behandelt habe, und könne daher auch nicht verstehen, daß Juden wieder in Österreich leben wollten.[20] Stiaßnys jüdisch-politische Ausrichtung nach 1945 muß aber auch auf seine politische Einbindung vor 1938, vor allem auf seine Zugehörigkeit zu einer zionistischen Studentenverbindung und zum »Bund Jüdischer Frontsoldaten«,[21] zurückgeführt werden. Beide Organisationen bestanden unter seiner Führung in den USA als »Exilorganisationen« weiter, was seinem Leben zu einer gewissen Kontinuität verhalf. Bei seiner Rückkehr nach Österreich versuchte er, an diese alten Verbindungen anzuknüpfen, wobei ihm allerdings die Israelitische Kultusgemeinde keine Anknüpfungspunkte bot. Als gemäßigter Zionist* sah er in Wien lediglich im bereits 1945 wiedergegründeten jüdischen Sportklub »Hakoah eine positive jüdische Kraft« und einen eventuellen Bündnispartner.

An important part of my activity centered about establishing contact with the Hakoah Youth Group. As already stated, this is the only group which has a positive Jewish attitude and which trains the young Jews enrolled in its ranks spiritually and physically for their future life in Palestine. On the occasion of a Herzl celebration, I had an opportunity to speak to these youths and to listen to their views in public discussions. Most of these young people have come back from various concentration camps and look upon their Zionist activity as their life work. To them »Hatikvah« is not just the Jewish anthem but the expression of their fighting spirit and of their own future.[22]

Unterstützung fand Stiaßny in US-Captain Albert Löwy, einem ehemaligen jüdischen Emigranten, der in führender Position für die US-Militärregierung tätig war und der ÖVP nahestand. Dieser verhalf ihm zu ersten Kontakten mit der österreichischen Regierung. Bevor Löwy in die USA emigrieren konnte, hatte er zwei Jahre im Konzentrationslager Dachau verbringen müssen, wo er sich mit dem späteren Bundeskanzler Leopold Figl und auch mit dem parteilosen Justizminister Gerö angefreundet hatte. Aufgrund dieser KZ-Beziehungen unterhielt er nach 1945 gute Kontakte zu den Regierungsvertretern der ÖVP. Diese kamen wiederum dem »World Jewish Congress« zugute.[23]

Um den Einfluß des »World Jewish Congress« auf die Politik der Israelitischen Kultusgemeinde Wien zu gewährleisten, rief Stiaßny im

---

* Stiaßny nahm ab 1947 bei den »Allgemeinen Zionisten« eine führende Rolle ein.

September 1946 als bewußte Konkurrenzorganisation zur Israelitischen Kultusgemeinde den »Verband österreichischer Juden« ins Leben. Dieses Vorgehen begründete er damit, daß die große Mehrheit der Wiener Juden der kommunistisch ausgerichteten Kultusgemeinde ablehnend gegenüberstehe und die Israelitische Kultusgemeinde große Probleme in der Zusammenarbeit mit österreichischen Behörden und den Militärbehörden hätte. Außerdem würden die »Vor-1938-Zionisten« die Zusammenarbeit mit der Israelitischen Kultusgemeinde verweigern, weshalb der »Verband österreichischer Juden« diesen zu einem »Comeback« verhelfen könnte.[24] Die Wahlergebnisse von 1948 widerlegten allerdings seine Analyse über die österreichischen Juden, denn die kommunistisch orientierte »Jüdische Einigkeit« ging bei diesen Wahlen mit 11 von 24 möglichen Mandaten wieder als weitaus stärkste Fraktion hervor.[25] Der Vorstand des »Verbandes österreichischer Juden« setzte sich auch keineswegs aus »38er-Zionisten« zusammen. So nahm beispielsweise Dr. Feldsberg, vor 1938 Mitglied der »Union österreichischer Juden« und heftiger Gegner der Zionisten,[26] als Generalsekretär im »Verband österreichischer Juden« eine führende Position ein. Feldsberg und der Kassier Arnold Weiner wechselten 1955 zum SPÖ-nahen »Bund werktätiger Juden«, der in den fünfziger Jahren mit den Zionisten heftige Kämpfe austrug. Der Vorsitzende, Landesschulinspektor Professor Feiertag, unterschrieb noch 1946 den Aufruf der von Brill angeführten »Jüdischen Einheitsliste«, vom »Verband der österreichischen Juden« zog er sich bald wieder zurück. Als bekannter Zionist war Bronislaw Teichholz, der Leiter des DP-Lagers im ehemaligen Rothschildspital, vertreten. Teichholz stammte aus Osteuropa und lebte vor 1938 nicht in Österreich. Er gehörte zu den führenden Mitgliedern der linken »Poale Zion«, die in Wien vor 1938 nie größere Bedeutung erlangt hatte.[27] Wie Feiertag trat auch Teichholz bei den Wahlen 1946 noch aktiv für die gesamtjüdische Liste ein.[28] Die restlichen Vorstandsmitglieder* des »Vereins österreichischer Juden« schienen später im öffentlichen jüdischen Leben nicht mehr auf.

Offiziell betonte der »Verband der österreichischen Juden« in seinem Aufruf, daß die Gründung in vollem Einvernehmen mit der Israelitischen Kultusgemeinde erfolgt sei und keineswegs als Konkurrenz-

---

* Kommerzialrat Bacher, Dr. Wilhelm Heublum und Dir. Hans Hermann Weber (Vizepräsidenten).

organisation aufgefaßt werden dürfe.* Die Hauptaufgabe des Verbands läge nur in der Aufrechterhaltung der Verbindung zum »World Jewish Congress«, da es, um die Interessen der Juden im Staat durchzusetzen, einer weltweiten jüdischen Vereinigung bedürfe.[29] Der »Verband österreichischer Juden« fungierte als verlängerter Arm des »World Jewish Congress«; nach der Abreise der Delegierten des »World Jewish Congress« sollte er vor allem dessen Interessen gegenüber der widerständischen kommunistischen Kultusgemeinde durchsetzen. Dieser Plan scheiterte zum einen am Widerstand der Wiener Juden, zum anderen zeigte das New Yorker Büro des »World Jewish Congress« nach Stiaßnys Abreise aus Wien ein recht zaghaftes Verhalten, und der »Verband österreichischer Juden« fühlte sich im Kampf gegen die ihm feindlich gesinnte Israelitische Kultusgemeinde alleingelassen. Nach seiner Gründung fehlte es ihm vor allem an finanziellen Mitteln und an der nötigen ideologischen Unterstützung seitens des »World Jewish Congress«. Dazu kamen noch innere Zwistigkeiten, die zum Rücktritt von Professor Feiertag führten.[30] Bereits im Oktober 1946 schlugen die Vorstandsmitglieder dem »World Jewish Congress« die Auflösung des Vereins und die Errichtung eines ständigen Büros mit Stiaßny als Leiter vor.

(. . .) die Gefertigten haben klar zum Ausdruck gebracht, daß sie die Form eines Vereines als Vertretung des Weltkongresses in Wien nicht nur für unzweckmäßig, sondern auch für gefährlich erachten. Nach Ansicht der Gefertigten wäre die Form eines Vereines aufzulösen und eine Geschäftsstelle in Wien einzurichten.[31]

Stiaßny war 1946 wieder kurz nach New York zurückgekehrt, wo er Sammlungen für die in Österreich lebenden Juden organisierte und sich auch für die Ausreise der österreichischen Juden aus Shanghai einsetzte. Bildberichte aus Wien sollten das Elend demonstrieren, und der Erlös von Pessach-Feiern oder »All-Star-Shows« wurde nach Österreich gespendet.[32] Die »American Federation of Jews from Austria« verstand sich aber nicht nur als ein Wohltätigkeitsverein, sondern explizit als politische Organisation, die, wie Stiaßnys weitere Arbeit in Wien demonstrierte, nicht nur die in den USA lebenden ehemaligen österreichischen

---

* Die konstituierende Sitzung erfolgte im Beisein von David Brill, die Statuten wurden von Vizepräsident Dr. Braun und von Amtsdirektor Braver unterzeichnet. AJA, WJC H43/AJCR 1946–48.

Juden in der Frage der »Wiedergutmachung« zu vertreten beanspruchte, sondern auch die Politik der Wiener Israelitischen Kultusgemeinde in eine ihr genehme Richtung zu lenken versuchte.

1947 kehrte Stiaßny erneut nach Wien zurück, wo er bis Ende 1951 das Büro des »World Jewish Congress« leitete. In Wien zählte er zu den einflußreichsten jüdischen Persönlichkeiten der Nachkriegsjahre.[33] Den Anlaß zur Feier für die Eröffnung von Stiaßnys Büro bildete die UNO-Entscheidung zur Schaffung eines unabhängigen jüdischen Staates. Dank der Unterstützung von Captain Löwy erschien ein Großteil der geladenen Regierungsmitglieder, die er in seiner Eröffnungsrede auf die Probleme der jüdischen DPs und vor allem auf die Bedeutung einer positiv erledigten »Wiedergutmachung« aufmerksam machte. Geladene Journalisten berichteten in den österreichischen Medien ausführlich über die Bestrebungen des »World Jewish Congress«, der damals in der Öffentlichkeit noch kaum bekannt war.[34]

Die Kontroversen zwischen der »Jüdischen Einigkeit« und Stiaßny, mittlerweile auch führender Funktionär bei den »Allgemeinen Zionisten«, traten bei den Kultuswahlen 1948 offen zutage. Der »Verband österreichischer Juden« war inzwischen zur Bedeutungslosigkeit herabgesunken und existierte nur mehr auf dem Papier.[35]

Widerstand gegen den »World Jewish Congress«: Die Gründung der »Jüdischen Einigkeit«

Obwohl die Führung der Israelitischen Kultusgemeinde nach längeren Diskussionen die Gründung des »Verbandes der österreichischen Juden« akzeptiert hatte, rief die damit verfolgte Intention des »World Jewish Congress« Proteste hervor. David Brill, der Präsident der Israelitischen Kultusgemeinde, beschwerte sich im Sommer 1947 darüber beim »World Jewish Congress« in New York.

Was nun den Verband der oesterreichischen Juden betrifft, so will ich mit aller Offenheit erklaeren, dass mit seiner Gruendung nur eine Konkurrenz gegenueber der Kultusgemeinde beabsichtigt war. (. . .) bis heute hat der Vorstand dieses Verbandes nichts anderes getan, als – ich finde kein anders Wort – auf das infamste die Kultusgemeinde zu bekaempfen. (. . .) Ich weiß natuerlich, dass sich ein Hinterkulissen-Briefwechsel zwischen Wien und New York entsponnen hat, der brunnenvergiftend wirkt. Und gerade der Verband oesterreichischer Juden oder besser gesagt, gewisse Personen in diesem Verbande, haben hier ganz besonders gewirkt. (. . .) Es gibt hierbei gewisse Kreise, die eines nicht verzeihen wollen und die dem gegenwaertigen Praesidenten der Kultusgemeinde seine Weltanschauung zum Vorwurf machen, obwohl ihm der gehaessigste Feind nicht vorwerfen kann, dass seine Taetigkeit innerhalb der Judenschaft auch nur das Geringste mit seiner politischen Ansicht zu tun hatte.[36]

Der Führung der Israelitischen Kultusgemeinde war bewußt, daß sie in den Augen des »World Jewish Congress« als »a group of adventurers who took over after liberation the Jewish Community«[37] galt und mit Hilfe amerikanischer Juden entmachtet werden sollte. Als Gegenreaktion schloß die Führung der Israelitischen Kultusgemeinde Stiaßny von internen Informationen aus. Sie führte auch ohne Rückfragen beim »World Jewish Congress« selbständig Entscheidungen durch. 1947 kritisierte Dr. Leon Kubowitzki, Generalsekretär des »World Jewish Congress«, in einem Brief an David Brill das seiner Meinung nach unkooperative Verhalten der Israelitischen Kultusgemeinde Wien.

Ich brauche nicht zu betonen, dass wir jede Anregung fuer eine Verbesserung dieser Zusammenarbeit immer begruessen werden und dass wir es aufrichtig bedauern, dass der direkte Meinungsaustausch mit Ihnen noch nicht begonnen hat. Die Folge ist, dass die Zusammenarbeit mit Ihnen eine bessere Harmonisierung erfordert, und ich hoffe gerne, dass sie diese Absicht teilen. (. . .) Der Juedische Weltkongress ist in Ländern mit verschiedenen Verfassungen und Ideologien vertreten, deren Fuehrer sich in wichtigen und grundsaetzlichen Fragen mit uns beraten. Es besteht kein Grund, warum die oesterreichischen Juden hier andere Wege gehen sollen.[38]

Der Konflikt entlud sich am Versuch der Israelitischen Kultusgemeinde, einen Delegierten zur »Moskauer Friedenskonferenz«* zu entsen-

---

* Die »Moskauer Friedenskonferenz« stand mit der Weltfriedensbewegung in Zusammenhang. Der 1948 in Wroclaw stattfindende »Kongreß der Kulturschaffenden zur Verteidigung des Friedens« gilt als Beginn der Weltfriedensbewegung. Intellektuelle aus 45 Ländern, unter ihnen Pablo Picasso, Georg Lukacs und Anna Seghers und auch Ernst Fischer. Gedacht als überparteiliche Friedensbewegung, entwickelte sie sich, bedingt durch den Kalten Krieg, allmählich zu einem Instrument der Kommunisten, die durch ihr Engagement eine der letzten Bastionen in Österreich zu halten versuchten. Vgl. Fischer, Ernst, Das Ende einer Illusion. Erinnerungen 1945–1955. Frankfurt/Main 1988.

den. Die politische Position der kommunistisch orientierten Israelitischen Kultusgemeinde erwies sich als unvereinbar mit jener des
»World Jewish Congress«, der im beginnenden Kalten Krieg bereits
offen auf seiten der USA stand und die Teilnahme am Weltfriedens-
kongreß, der als Instrument der Kommunisten angesehen wurde, ablehnte. Mit Ausnahme der polnischen Juden verließen nach diesem
Konflikt die Juden Osteuropas den »World Jewish Congress«.[39]

Gestützt auf die »finanzielle Autorität« der »Federation of Jews
from Austria« versuchte Stiaßny, die Widerstände der Israelitischen
Kultusgemeinde zu brechen und die Politik des »World Jewish Congress« durchzusetzen. Doch dürfte in den unmittelbaren Nachkriegsjahren der »World Jewish Congress« auch innerhalb der jüdischen
Gemeinden nur über eine geringe Autorität verfügt haben. Dies zeigte
sich beispielsweise an den Reaktionen der Wiener Israelitischen Kultusgemeinde, die an sie gerichtete briefliche Drohungen des »World
Jewish Congress« ignorierte. Stiaßny versuchte daher, den österreichischen Juden vor Augen zu führen, daß sie in Österreich eine un-
bedeutende, finanziell abhängige Minderheit darstellen würden. In einem offiziellen Brief sollte einer ihrer Geldgeber, die »Federation of
Jews from Austria«, ihre Bedenken gegenüber der politischen Entwicklung der Wiener Israelitischen Kultusgemeinde zum Ausdruck
bringen und zur Zusammenarbeit mit dem »World Jewish Congress«
aufrufen. Für Stiaßny war die Zeit gekommen, wo der »World Jewish
Congress« den Wiener Juden zeigen sollte, daß auch er bezüglich der
zukünftigen Entwicklung einiges zu sagen habe.* Damit erwiesen
sich der »World Jewish Congress« und die »Federation of Jews from
Austria« als Instrument zur Disziplinierung der als kommunistisch
angesehenen Kultusgemeinde, aber auch der Wiener Zionisten. »Mit
Genugtuung« stellte Stiaßny in einem Bericht im Mai 1949 fest,

---

* »I would like to have your opinion as to whether it would be advisable to send an of-
ficial letter signed by the officers of the American Federation of Jews from Austria to
the Committee expressing its grave concern about the political attitude of the Jewish
Community, asking them to communicate with the World Jewish Congress in the future before making decisions concerning Austrian Jewry all over the world. It seems
to me that the time has come where we have to show the representatives of Viennese
Jewry that we too have something to say about our common interests.« Brief vom
3. April 1947, Stiaßny an Kubowitzki. AJA, WJC, H45/Jewish Community Vienna
1947–1950.

daß Mandatare anderer Fraktionen Mitglieder in der Zionistischen
Organisation geworden wären und sich dadurch der Disziplin der
Zionistischen Organisation unterworfen hätten. Dies würde zur Ge-
sundung der Atmosphäre beitragen.[40]

Die Politik des »World Jewish Congress«, und hier vor allem die
Gründung des »Verbandes österreichischer Juden« sowie des »Verbandes der werktätigen Juden«, verhinderte bei den Wahlen 1948 die
Kandidatur einer gesamtjüdischen Liste. Als Folge der gescheiterten
Einigungsverhandlungen und als Reaktion auf die Politik des »World
Jewish Congress« riefen mehrheitlich Kommunisten bzw. der KPÖ na-
hestehende Juden am 23. November 1948 offiziell den Verband »Jüdische Einigkeit« ins Leben.[41] In Wien gehörte es zur Tradition, daß bei
jeder Neugründung eines jüdischen Vereines die Israelitische Kultusgemeinde um ein Gutachten gebeten wurde. Im Falle der »Jüdischen
Einigkeit« stellten Vizepräsident Dr. Maurer und Amtsdirektor Krell,
beide Funktionäre des »Bundes« und Mitglieder der SPÖ, negative
Gutachten aus. Ihrer Meinung nach gäbe es schon genügend ähnliche
Vereine, und die »Einigkeit« würde nur eine weitere Zersplitterung
hervorrufen. Weiters wurde beanstandet, daß der Verband der »Jüdischen Einigkeit das jüdische Glaubensbekenntnis nicht verlangt«[42]
und als außerordentliche Mitglieder auch Nichtjuden aufnahm. Diese
Kritik bezog sich hauptsächlich auf David Brill, dessen nichtjüdische
Ehefrau 1945 der Israelitischen Kultusgemeinde beigetreten war, was
bereits zwischen Kultusrat Ehrlich und Brill zu heftigen Konflikten
geführt hatte. Eine wesentlich härtere Kritik traf Brill jetzt seitens des
»World Jewish Congress«; er hätte seinen Schwager, einen SSler,
durch seinen Einfluß »zu einem Wiener Juden gemacht«[43] und so vor
der Entnazifizierung gerettet.

Die »Einigkeit« verstand sich zwar als überparteilich, aber als politisch, wie David Brill in seinem Referat bei der Gründung betonte.

Ich möchte da eventuellen Mißverständnissen vorbeugen; unser
Verband verfolgt politische Ziele, wie auch unser ganzes Leben ein
politisches ist.[44]

Brill hob auch hervor, daß es sich bei der »Jüdischen Einigkeit« um
»österreichische Juden« handeln würde, womit er die »Einigkeit« von
den jüdischen DPs abgrenzte. Die bedeutendsten Ausschußmitglieder
gehörten (zumindest damals) der KPÖ an[45], und daher konnte der Verband mit dieser offiziellen Neugründung das Image einer »KPÖ-Ex-

positur« nicht ablegen. Die Nähe zur KPÖ verdeutlichte sich auch bei allgemeinen Wahlen, wo die »Einigkeit« immer Wahlempfehlungen für die KPÖ abgab. Im Gegensatz zur SPÖ und ÖVP sei die KPÖ die einzige Partei, »die weder versteckten noch offenen Antisemitismus kennt«.[46] Heftige Kritik übte die »Einigkeit« an der SPÖ, und hier vor allem an Innenminister Oskar Helmer, der den »Verband der Unabhängigen« sowie den »Verband der Rückstellungsbetroffenen« genehmigte, hingegen der Rückkehr von Emigranten negativ gegenüberstand.[47] Große Empörung erregte 1948 eine Rede von Vizekanzler Dr. Adolf Schärf, die dieser, einige Tage bevor er bei einer Wählerversammlung des »Bundes« in der Israelitischen Kultusgemeinde sprach, vor Kriegsheimkehrern gehalten hatte. Schärf trat dabei für die Beseitigung »der sogenannten Privilegien von politisch Verfolgten« ein und forderte »eine Gleichstellung aller, die ihre Pflicht erfüllt haben, denn das Leid der Kriegsgefangenen ist so überwältigend, daß sie es in jeder Hinsicht mit jedem aufnehmen können«.[48] Die Kritik richtete sich auch gegen die »antisemitische Schreibweise« von SPÖ-nahen Provinzblättern[49] sowie gegen die »Arbeiterzeitung«.[50] Auch Adolf Schärf[51] und Oskar Helmer wurden des Antisemitismus beschuldigt, weshalb Juden der SPÖ die Stimme verweigern müßten, denn »nur die allerdümmsten Kälber wählen ihre Schlächter selber«.[52]

Ein letzter, allerdings fettgedruckter Punkt im Programm wies darauf hin, daß es »zu den heiligen Aufgaben gehöre, Israel mit allen moralischen, geistigen und materiellen Kräften zu unterstützen«.[53] Israel bilde von nun an den Mittelpunkt eines jeden Juden, womit keineswegs die Alijah, sondern ein solidarisches Verhalten gegenüber dem Staat Israel gemeint war. Die »Einigkeit« grenzte sich auch klar von der »Mapam«, der kommunistischen Partei Israels, ab.

Die »Jüdische Einigkeit« unterstützt Israel, die Mapam ist gut, aber nicht »unsere« Partei. Die Partei der österreichischen Juden ist die »Jüdische Einigkeit« und die hat ihre Aufgaben hier.[54]

Eine Auswanderung galt auch nach der Gründung des Staates Israel als »ein Davonlaufen vor dem Antisemitismus, als ein Zurückweichen vor dem Kampf«.[55] Den Kampf gegen Antisemitismus, Faschismus und Neonazismus sowie die Erkämpfung der vollen »Wiedergutmachung« zählte die »Einigkeit« zu ihren primären Anliegen.

Die Mitglieder der »Einigkeit« bildeten keine homogene Gruppe. Gemeinsam war ihnen ein ambivalentes Verhältnis zum Judentum sowie die Loyalität gegenüber der KPÖ, wobei ihr manche bereits seit der Gründung angehört haben, andere dagegen erst im Exil oder nach 1945 als Dankbarkeit für ihre Befreiung durch die »Rote Armee« dazugestoßen sind.

Kurt Weihs, ein führendes Mitglied der »Einigkeit«, schilderte in einem Interview, daß er nie an seiner Rückkehr nach Österreich gezweifelt hatte, »denn ein Kommunist geht in sein Land zurück, um dort zu wirken. Ich habe an Österreich geglaubt, und unser Ziel war der Aufbau eines freien, demokratischen Österreich.«[56] Aufgewachsen in einer sehr assimilierten, großbürgerlichen Familie – »wir haben eine Villa gehabt in Baden, und damals schon einen Chauffeur mit einem Kappel« –, reduzierte sich sein Judentum auf den Synagogenbesuch an hohen Feiertagen. Wie viele Wiener Juden grenzte sich seine Familie deutlich von den traditionellen Juden ab. Ihrer Meinung nach würde deren auffallende Erscheinung Antisemitismus provozieren, der sich letztlich auch gegen sie richten könnte. Trotz seiner Assimilation bekam er bereits in der Schule Antisemitismus zu spüren.

Das kann man sich überhaupt nicht mehr vorstellen, das ist heute kein Vergleich mit der Ersten Republik, da war er ausgesprochen rabiat und aggressiv.

Mit sechs Jahren besuchte er den sozialdemokratischen »Arbeiterturnverein«, später gehörte er den »Roten Falken« und dem »Verein Sozialistischer Mittelschüler« an.

Mit sechs, sieben Jahren sind wir – da waren viele Kinder von bürgerlichen Juden – im Arbeiterturnverein im Kreis marschiert und haben gesungen »Wir sind die Arbeiter von Wien«.

Über Belgien gelangte Kurt Weihs in die Schweiz, wo er auf österreichische Kommunisten stieß und schließlich als Vorstandsmitglied dem »Free Austrian Movement«, der kommunistisch ausgerichteten Widerstandsgruppe, angehörte. Noch im Dezember 1945 gelang ihm mit Hilfe der KPÖ die Rückkehr nach Wien. Vom traditionellen Judentum schon sehr weit entfernt, fühlte er sich nach der Shoah diesem als Schicksalsgemeinschaft verbunden. Einen Austritt aus der Israelitischen Kultusgemeinde hätte er als pietätlos empfunden. In der Israelitischen Kultusgemeinde sah er aber keine religiöse Institution, sondern »eine Art Gewerkschaft«, die sich um die »Sicherung und Erkämpfung der Rechte der Juden bemüht«. Obwohl er als Funktionär der »Jüdischen Einigkeit« tätig war, fühlte er sich in erster Linie der

KPÖ, mit der er ein neues, demokratisches Österreich aufbauen wollte, verbunden. Seine Parteizugehörigkeit beeinflußte sogar seine Berufswahl.

Ich wollte an der Umerziehung mitarbeiten und hab'deshalb auch Pädagogik studiert, doch mußten wir bei den Wahlen 1945 bereits die erste ganz große Enttäuschung hinnehmen, und ich konnte nicht in meinem Beruf tätig sein.

Obwohl oder gerade weil er selbst Opfer gewesen war, übernahm auch er die These von Österreich als erstem Opfer Nazi-Deutschlands. Dabei taten sich in ihm aber Widersprüche auf.

Ohne Zweifel hat sich die österreichische Bevölkerung nicht als befreit gefühlt und in einem hohen Ausmaß kollaboriert. Rein völkerrechtlich aber kann es als Opfer bezeichnet werden. Als ich aber bei einer Gewerkschaftstagung in Jugoslawien in einem Referat von Österreich als erstem Opfer gesprochen habe, wurde ich von den spanischen Kommunisten sehr kritisiert, denn die waren mit Recht das erste Opfer.

Karl H., ein weiteres Gründungsmitglied der »Einigkeit«, kehrte mit seiner Familie noch im Herbst 1945 aus der Schweiz zurück. Auch er wurde im »Free Austrian Movement« geschult und hätte sich kein anderes Land als Heimat vorstellen können.[57] Im Unterschied zu Kurt Weihs fühlte er sich aber nach der Shoah dem Judentum nicht nur als Schicksalsgemeinschaft verbunden, sondern legte auch Wert auf eine jüdische Tradition; anstatt christlicher Feste wurden jüdische, wie Pessah oder Chanukkah, gefeiert. Karl H. ist noch heute ein aktives Mitglied der »Hakoah«, die ihn bereits vor 1938 geprägt hat. Als Sportler lernte er, sich gegenüber Antisemitismus und Verfolgung nicht passiv zu verhalten, sondern zur Wehr zu setzen.

Während Kurt Weihs noch immer an eine Reformierung der KPÖ glaubt, trat Karl H. bald aus der Partei aus und wandte sich mehr und mehr dem Judentum zu. Bereits in den fünfziger Jahren bereitete ihm die Politik der KPÖ, die »Mitglieder unter Druck zwang, ihr Judentum abzustreifen«, Unbehagen. Damals stieß er auch innerhalb der KPÖ auf Antisemitismus.[58] Nach 1945 hat er Österreich als seine Heimat nie hinterfragt, doch als sich 1986 im Zuge des Bundespräsidentenwahlkampfs bei bürgerlichen Geschäftsfreunden und Sportkollegen alte Ressentiments gegen Juden zeigten, spielte er mit dem Gedanken einer Auswanderung.[59] Obwohl er die sogenannten »Arisierungen«

und Diskriminierungen seitens der Österreicher selbst miterlebt hatte, lebte er wie viele zurückgekehrten Juden[60] vierzig Jahre mit einer im Exil aufgebauten Illusion über Österreich, die er heute selbst als »ambivalent« bezeichnet. Bestätigung für die von ihm übernommene These von Österreich als erstem Opfer suchte er für sich in einer 1937 stattgefundenen »Pro-Österreich-Kundgebung«, die ihn glauben ließ, daß bei demokratischen Wahlen die Nationalsozialisten keine Mehrheit erzielt hätten. Auch er stellte sich sofort nach seiner Rückkehr der KPÖ zur Verfügung und ließ sich ebenfalls in seiner Berufswahl beeinflussen. Dem damals in der KPÖ stark ausgeprägten »Proletenkult« gehorchend, hat er sich erst spät selbständig gemacht.[61]

Michael Kohn, einer der bedeutendsten Funktionäre der »Einigkeit«, gehörte bereits zur Gründungsgeneration der KPÖ, damals KPDÖ. Kohn stammte aus einem religiösen Elternhaus in Galizien, und er war bereits als Kind in der jüdischen Arbeiterjugend aktiv. Während des Ersten Weltkrieges flüchtete er nach Wien, wo er 1917 an den Demonstrationen gegen den Krieg teilnahm. Damals gehörte er als führendes Mitglied der »Poale Zion« an, die bei den Antikriegsdemonstrationen, im Jännerstreik und bei der Bildung der KPDÖ eine überproportional große Rolle spielte. Wie John Bunzl aufzeigte, nahm Kohn 1920 als Delegierter der »Poale Zion« am Kongreß der »Kommunistischen Internationale« teil. Dabei soll er sich gegenüber Lenin folgendermaßen geäußert haben: »Genosse Lenin, laß den Juden die Judenfrage.«[62] Nachdem die Zusammenarbeit zwischen »Poale Zion« und »Kommunistischer Internationale« scheiterte und sich die »Poale Zion« aufspaltete, schloß er sich der KPDÖ an. Im Juni 1918 war er nur mehr nominell ein Poalezionist. Er stand dem Zionismus recht kritisch gegenüber und tauschte die Theorie einer allweltlichen Einheit gegen die des proletarischen Internationalismus Leninscher Prägung ein.[63] Wie Hilde Koplenig und Hans Hautmann aufzeigten, war Michael Kohn in der Gründungsphase an den Fraktionskämpfen der KPDÖ aktiv beteiligt.[64] Während des Nationalsozialismus überlebte er die Konzentrationslager Dachau und Buchenwald. 1939 gelangte er nach Frankreich, wo er sich der kommunistischen Widerstandsgruppe anschloß. Als Sechzigjähriger kehrte er 1945 nach Wien zurück. Kohn war zehn Jahre in der Israelitischen Kultusgemeinde und gleichzeitig auch für die KPÖ tätig. Wie die »Volksstimme« im Nachruf – der seine frühen Beziehungen zur zionistischen »Poale Zion« allerdings überging – bemerkte, war »Genosse Michael Kohn Mitglied und aufopferungsvoller Aktivist, auf jedem Posten, den die Partei ihm zuwies«.[65] Wie gezeigt werden wird, verhielt er sich in den fünfziger Jahren bezüglich der Problematik des Antisemitismus in Osteuropa loyal gegenüber der KPÖ und der Sowjetunion. Zeitgenossen,[66] darunter auch politische Gegner wie ein Vertreter der orthodoxen »Agudat Israel« oder der rechtszionistischen »Heruth«, beschrieben ihn als einen äußerst beliebten, durch seine traditionelle Herkunft auch religiös gebildeten Juden.

Da der »Einigkeit« die Führungsrolle bei freien Wahlen und einer hohen Wahlbeteiligung[67] zugesprochen worden war, widerspiegeln die Wahlergebnisse von 1946 und 1948 die politische Einstellung der Wiener Juden. Die bis zu Beginn der fünfziger Jahre breite Basis der »Einigkeit« muß auf mehrere Faktoren zurückgeführt werden. Das »Free Austrian Movement« und die kommunistische Widerstandsgruppe vermittelten den wurzellosen Flüchtlingen eine Art »Restheimat« und die Perspektive einer Rückkehr nach Österreich. In den Nachkriegsjahren sympathisierten sogar jüdische Unternehmer mit der KPÖ.[68] Für den Regisseur Peter Loos war es aufgrund seiner Erfahrungen mit der »österreichischen Freiheitsfront« in Frankreich »natürlich«, daß er, »in Wien angelangt, zur KPÖ ging«.[69] Im Unterschied zum Großteil der nichtjüdischen Bevölkerung erlebten vor allem KZ-Überlebende die Sowjetunion als Befreier. Wie Leon Zelman meinte, haben

Juden in der kommunistischen Partei ihr Heil gefunden (. . .), und zwar nicht aus Überzeugung, sondern was besonders die Überlebenden betraf, aus Dankbarkeit dafür, daß die Sowjetunion unter Aufbringung so vieler Opfer den Nationalsozialismus bekämpfte.[70]

Die nach England emigrierte Hilde Spiel schrieb, daß sie die Sowjetunion als ihre Lebensretterin betrachtet habe und daher nicht in Bausch und Bogen verurteilen konnte.[71] 1948 war sogar in der zionistischen »Stimme« zu lesen, daß jener, »der täglich den Tod vor Augen, von der siegreichen Roten Armee befreit wurde, nur schwerlich von der tiefen Dankbarkeit loskommen kann, die er empfindet«.[72]

In den unmittelbaren Nachkriegsjahren verdankten jüdische KZ-Überlebende dem Kommunisten Akim Lewit die Erkämpfung ihrer elementarsten Rechte. Rückkehrer aus Israel, Shanghai, Karaganda oder Nisko fühlten sich dem Kommunisten Michael Kohn, dem Leiter des Wanderungsreferates der Israelitischen Kultusgemeinde, für ihre Rückkehr zu Dank verpflichtet.[73]

Kommunisten, unter ihnen viele jüdischer Herkunft, haben nicht erst 1945 politische Widersprüche hingenommen. Auch der »Hitler-Stalin-Pakt«[74] oder das Verschwinden von GenossInnen im sowjetischen Exil[75] rief bei vielen bereits Zweifel hervor, doch wurde die Sowjetunion noch immer als einzige Kämpferin gegen den Faschismus gesehen. Ein Austritt aus der KPÖ hätte damals auch die völlige Isolation bedeutet.

Als Juden und Kommunisten doppelt diskriminiert, gebrochen vom Verlust zahlreicher Freunde und von der politischen Entwicklung in Österreich enttäuscht, blieb die KPÖ auch nach 1945 noch für viele die letzte Zuflucht. Um mit den zahlreichen Widersprüchen leben zu können, flüchteten sich viele in die politische Arbeit, in die »Arbeit für den Frieden«. Innerhalb der Partei traf man sich meistens mit ehemaligen jüdischen Emigranten oder mit KZ-Überlebenden, mit Menschen, mit denen man sich bereits jahrelang durch das gemeinsame Schicksal verbunden gefühlt hat. Wie eine Interviewpartnerin ausführte und wie auch Hazel Rosenstrauch durch ihre Arbeit verdeutlichte, lebten linke jüdische Intellektuelle in Österreich meist in einem wenn auch oft unbewußten Ghetto.[76]

9.
Der »Bund werktätiger Juden«

Die Geschichte des »Bundes werktätiger Juden« geht zurück auf den 1897 in Vilna gegründeten »Allgemeinen jüdischen Arbeiterbund«. Im jiddischsprechenden proletarischen und halbproletarischen Milieu entstanden, versuchte er innerhalb der russischen Arbeiterbewegung auch jüdisch-nationale Forderungen durchzusetzen. Außerhalb Rußlands erreichte er nur noch in Galizien größere Bedeutung, wo 1905 als Pendant zur russischen »Mutterpartei« die »Jüdisch Nationale Partei« entstand. Im Westen der ehemaligen Monarchie trat der »Bund« erst nach dem Ersten Weltkrieg in Erscheinung.[1] In Wien entstand zuerst die »Vereinigung für soziale jüdische Tätigkeit«, aus der 1927 der »Bund werktätiger Juden« hervorging.[2] Als sich die links-zionistische »Poale Zion« 1919/20 in einen kommunistischen und einen sozialdemokratischen Flügel spaltete, ging der »Bund« für die Kultusgemeindewahlen mit den linken Poale-Zionisten ein Bündnis ein. Doch schon 1929 führte die Frage des Zionismus zum Bruch dieser Koalition, und der »Bund« schloß alle zionistischen Mitglieder aus.[3] Bis 1934 blieben die linken Gruppierungen innerhalb der Israelitischen Kultusgemeinde bedeutungslos, während im Gegensatz dazu der Großteil der in Wien lebenden Juden und Jüdinnen bei allgemeinen Wahlen für die Sozialdemokratie stimmte.

Neubeginn nach der Shoah

Nach 1945 übernahmen erstmals Kommunisten die Führung der Israelitischen Kultusgemeinde, doch bereits bei der Wahl 1949 ging der sozialistische »Bund werktätiger Juden« als die stärkste Fraktion hervor und stellte bis 1981 den Präsidenten. 1946 kandidierten einige Sozialisten auf der Einheitsliste, doch waren sie im Vergleich zu den an der KPÖ orientierten jüdischen Funktionären noch unterrepräsentiert. Zu ihnen gehörte der 1902 in Zarwanica/Galizien geborene Wilhelm Krell, ein langjähriges Mitglied der Sozialdemokratischen Partei. Er

hatte Frau und Kind im Konzentrationslager verloren und war als Überlebender aktiv im KZ-Verband tätig. 1946 setzte er sich in der Israelitischen Kultusgemeinde für das Wohnungswesen ein, 1947 übernahm er
die Stelle des Amtsdirektors, eines der einflußreichsten Ämter in der Israelitischen Kultusgemeinde, das er bis 1972 ausübte. 1958 wurde unter seiner Redaktion die »Gemeinde«, das offizielle Organ der Israelitischen Kultusgemeinde, wieder herausgegeben. Vor allem durch seine
einflußreiche Funktion war er häufig Kritik ausgesetzt. Als weiterer
Sozialist kandidierte 1946 Dr. Otto Wolken. Bereits vor 1934 gehörte er
als Funktionär der Sozialdemokratie an, überlebte als Lagerarzt das
Konzentrationslager Auschwitz-Birkenau, wo er seit 1943 in eine Widerstandsgruppe eingebunden war.[4] Während seiner Tätigkeit als Lagerarzt war es ihm gelungen, Aufzeichnungen über den gesundheitli-
chen Zustand der Häftlinge anzulegen und Karteikarten verschwinden
zu lassen. In den späteren NS-Prozessen spielten diese Dokumente, die
er unter äußerst gefährlichen Bedingungen gerettet hatte, eine große
Rolle.[5] Nach seiner Rückkehr war Wolken als Arzt im Durchgangslager
Strudelhofgasse und als Leiter des Sanitätswesens im Rothschildspital
sowie im Gesundheitsreferat der Israelitischen Kultusgemeinde tätig.
1952 übernahm er von Bruce Teichholz die Leitung des DP-Lagers im
Rothschildspital sowie den Vorsitz im »Internationalen KZ-Verband«.[6]
Als ehemaliger KZ-Häftling gehörte er der Lagergemeinschaft Auschwitz und dem Bundesvorstand der SPÖ-nahen »Sozialistischen Freiheitskämpfer und Opfer des Faschismus« an.

Erst bei den Wahlen 1952 schienen Dr. Ernst Feldsberg und Dr. Rudolf Braun auf der Liste des »Bundes« auf, beide kandidierten 1948
noch für die »Jüdische Föderation«. Auch Hermann Wenkart, ein Mitbegründer der »Jüdischen Einigkeit«, wechselte 1952 zum »Bund«
über. Dr. Ernst Feldsberg trat als einer der wenigen Mitglieder der
»Union österreichischer Juden« 1945 wieder im jüdischen Leben in
Erscheinung. Innerhalb der »Union« gehörte Feldsberg zum sehr kleinen sozialdemokratischen Flügel, der die Politik der mehrheitlich li-
beral-konservativen »Union« kaum beeinflussen konnte.[7] 1894 in Ni-
kolsburg/Mähren geboren, zog Feldsberg zum Rechtsanwaltsstudium
nach Wien. Nach dessen Abschluß war er bis 1938 beim Giro- und
Cassenverein tätig. Er zeigte sich Österreich zutiefst verbunden, fühlte sich als Wiener und »konnte sich auch nach 1945 kein anderes Land
als Heimat vorstellen«.[8] Als Leiter der Friedhofsabteilung der Israeli-

tischen Kultusgemeinde blieb er bis 1943 in Wien (siehe Kapitel 1), während er seine Tochter Gerda mit einem Kindertransport nach England schicken konnte. Gemeinsam mit seiner Frau mußte er zwei Jahre in Theresienstadt verbringen. Nach seiner Rückkehr reaktivierte er den jüdischen Beerdigungsverein, die »Chewra Kaddischa«, und er erwarb sich große Verdienste um das jüdische Elternheim.

Das Judentum könnte man fast als sein Hobby bezeichnen. Er widmete sich intensiv dem Beerdigungsverein und dem Elternheim. Er hat den Sozialismus im Judentum gelebt. Er versuchte, die jüdische Tradition einzuhalten und, wenn möglich, am Samstag nicht zu arbeiten.[9]

1963 wurde Feldsberg zum Präsidenten der Israelitischen Kultusgemeinde gewählt. Im Unterschied zu vielen Funktionären des »Bundes« galt er als bewußter Jude, und selbst politische Gegner lobten sein fundiertes jüdisches Wissen.

Die Kultusgemeinde waren die »Alt-Wiener-Juden« und die waren meistens Sozialisten. Sie haben wenig Tradition gehabt, außer Dr. Feldsberg. Er war ein frommer Mann und hat sich auch gut ausgekannt im jüdischen Leben und hat eine große Rolle gespielt. Er war religiös, nicht fromm und hat was verstanden von der Religion und von den Sitten.[10]

Auch das von ihm verfaßte Testament weist auf seine Beziehung zum traditionellen Judentum seiner Herkunft hin. Zu seinen letzten Wünschen gehörte eine nach dem Ritus seines Heimatortes in aller Bescheidenheit abgehaltene Beerdigung. Bis ins Detail beschrieb er den gewünschten Ablauf der Zeremonie; das Grab durfte keinesfalls auf einem Hauptweg liegen, weder in der Israelitischen Kultusgemeinde noch an irgendeinem Bethaus sollten Trauerfahnen angebracht werden, und Trauerreden waren unerwünscht.

Die Zeremonie auf dem Friedhof ist in einfachster Weise durchzuführen. Der Oberrabbiner der Kultusgemeinde wird ersucht, keine Ansprache zu halten und nur ein Gebet zu verrichten. Ich lehne die Mitwirkung des Chores und eines zweiten Kantors ab. Ich wünsche, daß die religiöse Funktion vom Oberkantor Elias Gutman versehen wird. Ich wünsche weiters, daß Elias Gutman diese Funktion ohne Talar vornimmt. Die vorgeschriebenen Gebete dürfen nicht gesungen, sondern nur gesprochen werden. Ein El mole rachamim darf bei meinem Begräbnis nicht verrichtet werden, weil es der uralten

Tradition meiner Heimatgemeinde widerspricht. (...) Ich habe meine Aufgabe im Dienste des Judentums als Ehrenpflicht angesehen, für die mir Menschen nicht danken können. Die Entscheidung über meine Leistungen im Dienste des Judentums bleibt dem Richterspruch des Allmächtigen vorbehalten.[11]

1948 gewann der »Bund« in einigen der SPÖ bereits jahrelang verbundenen Remigranten neue Mitarbeiter. Aufgrund ihrer jeweiligen Lebensgeschichten und Erfahrungen während des Nationalsozialismus wiesen sie unterschiedliche Beziehungen zum Judentum auf. Gemeinsam war ihnen aber eine enge Beziehung zur SPÖ; zum Teil hatten sie bereits seit ihrer Kindheit der Sozialdemokratischen Partei angehört, die ihr Leben maßgebend bestimmt hatte. Dr. Emil Maurer, in den fünfziger Jahren die bedeutendste Persönlichkeit innerhalb der Israelitischen Kultusgemeinde, kehrte 1946 aus England zurück. 1884 geboren, verließ er seine arme, orthodoxe Familie, um in Wien zu studieren. Da die Familie für das Studium nicht aufkommen konnte, hatte er zuvor noch das Metalldruckergewerbe erlernt. Dabei stieß er zur Sozialdemokratie, der er 1898 beitrat. In kürzester Zeit beendete er sein Jusstudium. Danach war er als Konzipient in der Kanzlei von Josef Ticho, einem führenden Mitglied der »Union österreichischer Juden« und Vizepräsident der Israelitischen Kultusgemeinde, tätig. 1923 machte er sich als Rechtsanwalt selbständig. Daneben begann er seine politische Karriere in der Sozialdemokratischen Partei, die ihn 1932 zum Bezirksvorsteher Wien/Neubau vorschlug. Wie bei vielen Kommunisten und Sozialisten jüdischer Herkunft, bedeutete für Maurer nicht erst das Jahr 1938, sondern der Bürgerkrieg im Februar 1934 und das daraufhin folgende Verbot der Sozialdemokratischen Partei den großen Bruch in seinem Leben. Als »Revolutionärer Sozialist« mußte er bei seiner Verhaftung 1938 bereits auf Gefängniserfahrungen in Wöllersdorf zurückblicken. Im Unterschied von »nur« rassisch Verfolgten fand Maurer als »prominenter Häftling« in Dachau und Buchenwald in die dortigen Widerstandsgruppen Aufnahme, wo er »viele Mitarbeiter der illegalen Bewegung wiederfand«.[12] Sozialdemokratische Freunde bewirkten durch ihre Beziehungen zur englischen »Labour Party« seine Entlassung aus dem Konzentrationslager Buchenwald und ermöglichten ihm die Emigration nach England. Auch im Exil blieb er der Sozialdemokratie verbunden und gehörte deren Exilorganisation, der »Austrian Labour Party«, an.[13] Durch Interventionen der Gewerkschaft und die den Krieg überdauernde Freundschaft mit dem späteren Wiener Bürgermeister Bruno Marek gelang ihm bereits 1946 die Rückkehr nach Österreich.[14] Eigenen Aussagen zufolge gelobte er im Konzentrationslager, sich nach dem Krieg für den Aufbau der Israelitischen Kultusgemeinde einzusetzen.[15] Maurer übernahm 1948 die Funktion des Vizepräsidenten, von 1953 bis 1963 die des Präsidenten der Israelitischen Kultusgemeinde. Unter seiner Führung erzielte der »Bund« die absolute Mehrheit; politische Gegner bezeichneten ihn häufig als »Diktator der Kultusgemeinde«,[16] was sein Genosse Jakob Bindel zu »ein Diktator, aber ein gemütlicher«, abschwächte.[17]

Auch der 1901 in Wien geborene Jakob Bindel gehörte zu jenen Juden, denen bereits 1948 mit Hilfe der SPÖ eine Rückkehr möglich war. Ähnlich wie Maurer wies auch er von Kindheit an eine enge, emotionale Beziehung zur Sozialdemokratie auf. Bereits seine Eltern – der Vater Bernhard Bindel betrieb einen kleinen Friseurladen – waren Mitglieder der Sozialdemokratie und wurden 1935 wegen Verbreitung illegaler Druckwerke in einem Hochverratsprozeß verurteilt. Obwohl die Eltern aus Polen bzw. Ungarn stammten, lebten sie in Wien sehr assimiliert, und Jakob Bindel wandte sich bereits in den zwanziger Jahren vom Judentum ab und dem Sozialismus zu.

Mein Vater ist an den hohen Feiertagen noch in den Tempel gegangen. Wenn ich ihn als Bub begleitet habe, erinnere ich mich, daß ich am Yom Kippur, dem Fasttag, während des Betens vor die Synagoge gegangen bin und mir Maroni gekauft habe.[18]

Er heiratete eine Nichtjüdin und trat – beeinflußt durch seine sozialistische Sozialisation – 1924 aus der Israelitischen Kultusgemeinde aus, die er nur mehr als eine religiöse Institution betrachtete. Als überzeugter Marxist bekämpfte er die Abhängigkeit von jeder Religion; seiner Meinung nach mußte die Erziehung des »neuen Menschen« konfessionslos erfolgen.[19] Nach Einführung der »Rassegesetze« kehrte er 1933 aus Gründen der Solidarität wieder zur Israelitischen Kultusgemeinde zurück. Trotz seiner Assimilation bekam er vor allem in der Schule Antisemitismus zu spüren. Nach den Februarkämpfen 1934 machte er auch in der Sozialdemokratischen Partei antisemitische Erfahrungen; als »guter Jude« wurde er im Gegensatz zu anderen Juden aber noch akzeptiert.[20] Jakob Bindel hatte nach dem Ersten Weltkrieg auch kurz mit den Kommunisten sympathisiert. Als Mitglied der kommunistischen »Roten Garde« folgte er Egon Erwin Kisch* nach Ungarn, um zwischen Sowjetungarn und dem revolutionären Bayern eine Brücke zu bilden, was allerdings fehlschlug. *In einem halben Jahr war die Revolution zu Ende, der Kommunismus war zu Ende und ich war vom Kommunismus geheilt. Seit 1921 gehörte ich der Sozialistischen Arbeiterjugend, ab 1923 der Sozialdemokratischen Partei an.[21]*

Nach dem Ersten Weltkrieg mit drückender Arbeitslosigkeit konfrontiert – »Ich zog mit einem Handwagen durch Wien und hab' Fetzen aufgekauft«[22] –, erfuhr sein Leben durch die Aufnahme in die Abendschule (für Erzieher) der Kinderfreunde im Schloß Schönbrunn** eine Wende – »der Besuch der Abendschule legte die Wurzeln zu dem Geist, der ihn in den Jahrzehnten formte, formte und beglückte«.[23]

Nach Abschluß der Schule betätigte sich Jakob Bindel als Erzieher, Hort- und Wanderlehrer. Zudem übernahm er die Funktion des Landessekretärs der Kinderfreundeorganisation Niederösterreich. 1934 wurde er entlassen und wegen des Vertriebes von illegalen Zeitungen zu drei Monaten Haft verurteilt. Sein Bruder, ein revolutionärer Sozialist, flüchtete nach seiner Verwundung 1934 in die Sowjetunion, wo er 1939, als Soldat auf Seite der Sowjetunion kämpfend, sein Leben verlor. Jakob Bindel gelang es, nach seiner Haft als Werbeleiter in der Volkshochschule Urania unterzukommen. 1936 wurde er erneut wegen der Mitarbeit an einer illegalen Zeitung verhaftet und von der Urania gekündigt. 1939 floh er mit seiner Frau zunächst nach Opatija, von dort auf abenteuerliche Weise weiter nach Palästina. Dort schlug er sich als Hilfsarbeiter durch und diente fünf Jahre in der britischen Armee. Wie aus einem Briefwechsel zwischen Bindel und Hans Mandl hervorgeht, wollte er, obwohl über die schlechten wirtschaftlichen Verhältnisse in Wien informiert,

lieber heute als morgen drüben sein und Österreich mitaufbauen.

(. . .) Hilf uns also, so weit du kannst, und damit wirst du ja nicht

---

* Egon Erwin Kisch (1885–1948) gehörte 1918 zu den »Linksradikalen« und gilt als Gründer der »Roten Garde«. Bekannt wurde er als »rasender Reporter« auch durch seine Reportagen über soziale und politische Umbrüche. Siehe Hautmann, Hans, Die verlorene Räterepublik. S. 48.
** Max Winter, Vizebürgermeister von Wien und Reichsobmann der Kinderfreunde, ließ 1919 das kaiserliche Schloß Schönbrunn besetzen. Im November 1919 gründete Felix Kamitz dort die Schönbrunner Schule der Kinderfreunde.

nur uns, sondern der Heimat helfen. Denn Österreich braucht gewiss Antifaschisten und Demokraten.[24]

Bereits 1947 gelang es ihm, in einem der ersten geschlossenen Transporte aus dem damaligen Palästina nach Wien zurückzukehren. Seiner Rückkehr ging ein Briefwechsel mit Genossen voraus, wobei ihm auch der damalige Innenminister Oskar Helmer versicherte, daß er in Österreich gebraucht werde und die SPÖ alles für seine Rückholung unternehmen werde.

(. . .) Sehr begrüßen würde ich es, wenn Sie recht bald wieder in unserer Mitte arbeiten könnten, wo wir Sie gerade bei den Kinderfreunden dringend brauchen würden.

(. . .) ich bin auch über Ihre Bereitwilligkeit erfreut, uns beim Aufbau des durch die Kriegsfolgen so schwer mitgenommenen Österreich, das doch auch Ihre Heimat ist, mitzuhelfen. (. . .) Alle aufbauwilligen Kräfte sind uns willkommen, aber wir sind nicht nur durch den Krieg hart mitgenommen, das vergangene Regime hat uns arm, sehr arm gemacht. Sie werden staunen, wie sich alles verändert hat. Die Dinge und die Menschen.[25]

Im Gegensatz zur überwiegenden Mehrheit der Vertriebenen unterstützten prominente Sozialisten Bindels Rückholung. Wie aus einem Briefwechsel zwischen dem damaligen Kommunisten Franz West und Stadtrat Viktor Matejka hervorgeht, waren auch Kommunisten an seiner Rückkehr interessiert. In der Hoffnung, daß Bindel »Kommunist geworden ist« oder »zumindest bereit ist, auf uns zu hören und unsere Politik durchzuführen«, sollte er als Mitarbeiter des »Kinderlandes«, dem kommunistischen Pendant zu den sozialistischen »Kinderfreunden«, gewonnen werden.[26] Jakob Bindel erhielt dadurch das Gefühl vermittelt, in Österreich willkommen zu sein und gebraucht zu werden. Damit lassen sich seine persönlichen Erfahrungen mit neuen Forschungsarbeiten,[27] die gerade auch Oskar Helmer des Antisemitismus beschuldigen, nicht vereinbaren.

Der damalige Innenminister hat mir geholfen, in meine Heimat zurückzukehren. Ich habe meine Rückkehr bis zum heutigen Tag keinen einzigen Tag bereut. Ich habe die Arbeit, die mir Spaß macht, wiedergefunden, ich habe Menschen kennengelernt. Es gibt keinen Bundeskanzler und keinen Bundespräsidenten, außer den letzten*,

---

* Gemeint ist Kurt Waldheim.

der meine Arbeit nicht kennt und schätzt. Ich habe auch kaum Anti-
semitismus gespürt; es gibt ihn, das möchte ich ausdrücklich beto-
nen und ich verurteile die Art – »Du bist a guata Jud« – vollkom-
men.[28]

Der Empfang an der italienisch-österreichischen Grenze, wo man die
Rückkehrer in Viehwaggons pferchte, machte ihm zwar klar, daß Juden eigentlich nicht willkommen waren, doch gelang ihm kurze Zeit
später mit Hilfe der SPÖ eine zufriedenstellende berufliche und politische Karriere. Er fand in vielen GenossInnen wieder Freunde und in
der SPÖ eine Heimat: »Ich war ja einer der ihren, und sie haben mich
gerngehabt.«[29] Seine Einbindung in die Sozialistische Partei ver-
schleierte seinen Blick auf die Problematik der Vertriebenen und ließ
ihn übersehen, daß viele GenossInnen an ihrer Rückkehr gescheitert
waren. Bindel kam beim Wiederaufbau der Kinderfreundeorganisation große Bedeutung zu, zwischen 1947 und 1952 leitete er den Jung-
brunnen Verlag, von 1952 bis 1967 den Verlag Jugend und Volk. Bereits 1947 erhielt er die Funktion des Bundessekretärs der Kinderfreunde, später wurde er zum Ehrenpräsidenten ernannt.

Auf Anordnung der SPÖ engagierte er sich zwischen 1947 und
1952 auch in der Israelitischen Kultusgemeinde, »um dort mit den
Kommunisten ›aufzuräumen‹«. Es wäre aber verkürzt, seine Tätigkeit
in der Israelitischen Kultusgemeinde nur als antikommunistische Propaganda darzustellen; als Sozialreferent vollbrachte er unter schwierigen Bedingungen aufopfernde Leistungen. Wie er in Berichten über
das Sozialreferat immer wieder ausführte, ließen sich viele der Befür-
sorgten aufgrund ihres Alters oder schlechten Gesundheitszustandes
in den Arbeitsmarkt nicht mehr integrieren. Seine Theorie, daß Befürsorgte lernen müßten, sich selbst zu erhalten, konnte daher nur teilweise in die Praxis umgesetzt werden.[30]

Bindel fühlte sich durch die Erfahrungen während des Nationalsozialismus – seine Eltern und sein Bruder waren umgekommen – dem
Judentum wieder stark verbunden. Die Shoah löste bei ihm aber keine
Rückkehr zur jüdischen Tradition aus, die Zugehörigkeit zum Judentum verstand er als Solidarität mit einer Schicksalsgemeinschaft. Er
verwehrte sich aber dagegen, die Geschichte des jüdischen Volkes als
»auserwähltes« Schicksal zu betrachten und dabei die Tragik anderer
Völker zu übersehen. Heute bezeichnet er sich als Humanist und ab-
soluter Pazifist.[31] – »Wenn ich schon das Glück gehabt habe, daß ich

der Gaskammer entkommen konnte, so sehe ich meine Friedensgesinnung heute als Verpflichtung dafür.«[32] Unter dem Motto »Der Friede ist unteilbar« setzte sich Bindel noch mit 90 Jahren für die Errichtung von Friedensbibliotheken ein; 1989 konnte in Perchtoldsdorf/Niederösterreich bereits die tausendste eröffnet werden. Kurz vor seinem Tod im Frühjahr 1992 dachte er noch immer laut über die Umgestaltung des gesellschaftlichen Systems oder über die Abschaffung des Bundesheeres nach. So z. B. würde er auf alle Fälle Wehrersatzdienst leisten.[33]

Auch die 1913 in Wien geborene Anne Kohn-Feuermann verdankte der Sozialdemokratie eine positive Wende in ihrem Leben. Ihre Eltern führten noch einen traditionellen Haushalt, vermieden jede Art von politischem Engagement, doch zeigten sie sich nach außen hin assimiliert. Als Mädchen litt sie unter der konservativen Auffassung ihres Vaters, der sich gegen eine höhere Ausbildung der Tochter aussprach und sie ans Haus binden wollte. Das Judentum der Eltern wurde von ihr als Belastung empfunden, da es sie zur Außenseiterin stempelte. Zudem schloß sie der immer wieder erlebte Antisemitismus von der nichtjüdischen Umwelt aus. Über die Arbeiterbibliothek stieß sie zur »Sozialistischen Arbeiterjugend«, die ihr Leben maßgebend beeinflußte und ihr auch eine allmähliche Loslösung vom »engen, kleinbürgerlichen, strengen«[34] Elternhaus gestattete.

Ich zähle diese Jahre zu den schönsten in meinem Leben, die ich in der Jugendgruppe verbrachte. Ich war in der sozialistischen Bewegung, weil ich für die Gleichheit aller Menschen kämpfen wollte, und für mich war die Sozialdemokratie die einzige Partei, die dafür kämpfte.[35]

Im schottischen Exil trat sie der »Labour Party« bei und stand mit dem Büro der Sozialisten in Verbindung. Aus Treue zur Sozialdemokratie distanzierte sie sich vom kommunistisch orientierten »Free Austrian Movement«. Trotz aller Tragik verhalf ihr die Emigration zu einer gewissen Emanzipation; in Glasgow konnte sie ein Studium nachholen und einer befriedigenden Arbeit nachgehen.[36] 1956 kehrte sie, einem interessanten Arbeitsangebot der Stadt Wien folgend, nach Wien zurück. Wie Bindel hat auch sie diesen Schritt nie bereut.

Erstens sind die Menschen nicht mehr die gleichen geblieben und den Antisemitismus, den man hier hat, hat man anderswo auch. Es gibt kein Land, wo es nicht Antisemitismus gibt, wo man nicht die

Verpflichtung hat, gegen das Böse zu kämpfen. (. . .) Das kann ich
hier, das kann ich dort. Am Anfang war es schon schwer.
Auch Kohn-Feuermann war es möglich, in der SPÖ sofort wieder eine
Heimat zu finden, in der sie sich trotz aller Veränderungen zugehörig
gefühlt hat. – »Ich glaube, daß die Partei etwas sehr Gutes ist und daß
es Menschen sind, die das manchmal ausnützen.«

Der Nationalsozialismus intensivierte ihre Bindung zum Judentum,
das sie vor 1938 nur mehr als Religion und somit als Privatsache für
den einzelnen betrachtet hatte. Vor allem den Eltern gegenüber fühlte
sie sich zur Einhaltung einer gewissen Tradition verpflichtet.

Ich habe mein ganzes Leben am Jom Kippur gefastet. Ich habe es
mein ganzes Leben lang getan, und ich kann nicht anders. Es hat
nichts mit Überzeugung zu tun, es ist meine Tradition, und ich fühl-
te, daß ich es den Eltern schuldig bin. (. . .) Ich bin überhaupt nicht
religiös, ich kann das ganz offen sagen, aber ich halte diese Tradi-
tion ein, ich finde sie für wichtig und ich halt' sie einfach. Dazu
kommt noch die ganze Hitlergeschichte und der Holocaust, die ha-
ben mich mehr denn je mit dem Judentum verbunden. Solange ich
lebe, werde ich gewisse Dinge aufrechthalten, von denen ich weiß,
daß meine Eltern es gewollt hätten. Ich zünde am Todestag ein
Lichterl an und kauf' mir zu den hohen Feiertagen eine Karte für
den Tempel. Ich geh hin, bleib aber nicht lange dort.[37]

Wie Ernst Feldsberg sah auch sie in ihrer Arbeit als Kultusrätin die
Möglichkeit, Sozialismus zu leben. Verdienste erwarb sich Anne
Kohn-Feuermann durch die Betreuung von Alten, sozial Schwachen
und in den letzten Jahren durch ihren Einsatz für die Juden aus der
ehemaligen Sowjetunion. Anne Kohn-Feuermann starb 1994.

Dr. Anton Pick, 1898 in Wien geboren und von 1970 bis 1982 Präsident der Israelitischen Kultusgemeinde, kehrte sofort nach dem Krieg
aus Israel zurück. In seinem Bericht über seine Flucht aus Österreich
wies er wiederholt darauf hin, daß er keineswegs freiwillig nach Palästina gegangen sei. Psychisch gebrochen durch die Vertreibung, begab
er sich in Prag in die Hände von jüdischen Gaunern und gelangte auf einem illegalen Transport nach Palästina. Diese monatelange, mit Todes-
gefahren verbundene Schiffsreise prägte ihn für sein ganzes Leben.[38]
Er besuchte die Volksschule in Wien. Nach seinem Studium an der Wiener Universität wurde er 1930 als Rechtsanwalt eingetragen. 1920 trat
er der SDPÖ bei, 1934 verteidigte er Schutzbundmitglieder, ohne dafür

Geld zu nehmen. Er gehörte auch der 1928 gegründeten Sozialistischen Arbeitsgemeinschaft für Wirtschaft und Politik an, wo er mit Otto und Helene Bauer in engsten Kontakt trat. In Palästina/Israel gehörte er der MAPAI, der sozialdemokratisch ausgerichteten Arbeiter-Partei, an. Nach seiner Rückkehr nach Österreich kandidierte er 1955 für den »Bund«. Pick zählte zu den wenigen überlebenden Wiener Juden, die nach 1945 das intellektuelle Wiener Judentum der zwanziger und dreißiger Jahre repräsentierten und trotz Shoah eine österreichisch-jüdische Symbiose anstrebten. In zahlreichen öffentlichen Vorträgen über jüdische Künstler, Schriftsteller und Wissenschaftler versuchte er, die Tradition des assimilierten österreichischen Judentums nicht in Vergessenheit geraten zu lassen.[39]

Bei einer näheren Betrachtung der führenden Mitglieder des »Bundes« fällt auf, daß außer Dr. Feldsberg kein Funktionär vor 1938 im öffentlichen jüdischen Leben tätig war, sämtliche Kandidaten jedoch gehörten von Jugend an der Sozialdemokratie an. Die oft seit Jahrzehnten bestehende enge Bindung an die SPÖ vermittelte Mitgliedern des »Bundes« trotz ihrer Vertreibung Kontinuität und damit auch Selbstbewußtsein und erleichterte die Rückkehr nach Österreich. Auch nach 1945 bestand ein Naheverhältnis zur SPÖ, doch weder in der KPÖ noch in der SPÖ waren Vertreter der Israelitischen Kultusgemeinde in entscheidungstragenden Parteigremien zu finden. Otto Wolken gehörte der SPÖ und dem Bundesvorstand der »Sozialistischen Freiheitskämpfer« an, Paul Bernstein, ebenfalls ein Mitglied der »Sozialistischen Freiheitskämpfer«, wirkte auch als Bezirksobmann der SPÖ. Richard Toch war viele Jahre Bezirksrat des 9. Wiener Gemeindebezirks. Ernst Hein, Bezirksrat des 5. Bezirkes, schien als Nationalratskandidat der SPÖ auf. Karl Sonnenschein, seit 1890 gewerkschaftlich organisiert, nahm 1945 die Funktion eines Vertrauensmannes in Ottakring und Margareten ein. Jakob Bindel war als Bundessekretär der Kinderfreunde und Karl Lazar, seit 1972 Amtsdirektor der Israelitischen Kultusgemeinde, als sozialistischer Gewerkschafter, Bezirksrat und Sektionsleiter der SPÖ tätig.[40] Jene Juden, die in der SPÖ führende Funktionen ausübten, wie Bundeskanzler Bruno Kreisky oder der Chefredakteur Oscar Pollak, standen der Kultusgemeinde fern.

Obwohl sich der »Bund« »werktätig« nannte, befanden sich unter den Funktionären kaum Arbeiter, sondern Angestellte, Beamte, einige Kaufleute, Ärzte und Rechtsanwälte. Frauen waren als Kandidatinnen nur ganz selten zu finden, und wenn, dann weit hinten gereiht. Es muß allerdings erwähnt werden, daß der »Bund« Berta Hirsch-Laufer als erste Frau zur Vizepräsidentin der Israelitischen Kultusgemeinde ernannte. Berta Hirsch-Laufer, die in Wien überlebt hatte, setzte sich in der Israelitischen Kultusgemeinde hauptsächlich für alte und bedürftige Menschen ein. Nach ihrem Tod veranlaßten ihre Verwandten die Überführung nach Israel.[41] Anne Kohn-Feuermann wirkte bis zu ihrem Tod als Obfrau des »Bundes«. Auch Gerda Feldsberg, die Tochter des früheren Präsidenten, nahm lange eine führende Rolle im »Bund« ein. Im Unterschied zu ihrem Vater fühlt sie sich Österreich nicht mehr so eng verbunden; für sie ist London eine mindestens ebenso lebenswerte Stadt wie Wien.[42] Bei den Kultusgemeindewahlen 1992 schien sie nicht mehr auf der Liste des »Bundes« auf.

Als großes Problem erwies sich die Überalterung sowohl der Funktionäre als auch der Basis. Auf der Kandidatenliste für die Kultuswahlen 1952 war Paul Bernstein mit 35 Jahren mit Abstand der Jüngste; ihm folgten einige Fünfzigjährige, und sieben waren über 64 Jahre alt.[43] Da sich die Wähler des »Bundes« großteils aus älteren RemigrantInnen zusammensetzten, führte unter anderem deren Überalterung zum Machtverlust des »Bundes«. Eine neue, jüngere Basis konnte nicht mehr gewonnen werden, da eine Identifikation mit dem »Bund« eine emotionale Beziehung zur Sozialdemokratie vorausgesetzt hätte, wie sie die zweite Generation zur SPÖ nach 1945 nicht mehr aufbauen konnte. Vor allem das jüdische Selbstverständnis und die Nahostpolitik Bruno Kreiskys rief innerhalb der Israelitischen Kultusgemeinde immer wieder Unstimmigkeiten hervor und machte für viele Juden die SPÖ und somit auch den »Bund« unwählbar. 1976 verlor der »Bund werktätiger Juden« die absolute Mehrheit in der Israelitischen Kultusgemeinde, und 1981 mußte die Funktion des Präsidenten an Dr. Ivan Hacker, dem Kandidaten der »Alternative«, abgegeben werden.

Das Programm

Das Programm des »Bundes« glich in vielen Bereichen dem der »Einigkeit«. Während sich die »Einigkeit« der KPÖ verbunden fühlte, sah der »Bund« in der SPÖ seine Bündnispartnerin, »die einzige Vorkämpferin in Österreich gegen den Faschismus und Antisemitismus«.[44]

Während der »Wiedergutmachungs«-Verhandlungen verteidigte der »Bund« die SPÖ gegenüber Angriffen des World Jewish Congress und israelischen Zeitungen.[45] Der »Bund« setzte auch sozialistische Politiker, wie den damaligen Wiener Bürgermeister Franz Jonas, dessen Nachfolger Bruno Marek oder Bundespräsident Theodor Körner als Wahlredner bei den Kultusgemeindewahlen ein.[46] FürsprecherInnen fand er auch in der KZ-Überlebenden Rosa Jochmann, in Stella Klein-Löw, Nationalrätin und selbst jüdischer Herkunft, oder im KZ-Überlebenden Otto Probst, Verkehrsminister und Vorsitzender der Österreichisch-Israelischen Gesellschaft. Die bereits erwähnte Rede, welche Vizekanzler Adolf Schärf bei seinem Auftritt in der Israelitischen Kultusgemeinde vor Heimkehrern gehalten hatte, trübte kurz das Verhältnis zur SPÖ. Von der »Einigkeit« heftig kritisiert, traten auch Präsident Maurer und Amtsdirektor Krell bei Schärf einen Protestbesuch an. Ansonsten unterhielt der »Bund« zur Wiener SPÖ in den fünfziger Jahren eine sehr loyale und enge Beziehung; bedeutende SPÖ-Funktionäre, wie Bruno Marek, nahmen an der Generalversammlung des »Bundes« teil.[47] Als einer der wenigen Nichtjuden forderte Marek auch für »rassisch Verfolgte« eine »Wiedergutmachung«. Er galt auch als Vorkämpfer gegen den Antisemitismus.[48] In den unmittelbaren Nachkriegsjahren nahm er auch im »Neuen Weg« dazu Stellung.[49] Nach seinem Amtsantritt als Wiener Bürgermeister hielt er 1965 eine Rede gegen den Antisemitismus und stattete als erster Wiener Bürgermeister der Israelitischen Kultusgemeinde einen offiziellen Besuch ab.[50] Seiner Antisemitismusanalyse folgend, war die Arbeiterschaft sowohl vor 1938 als auch nach 1945 vor Antisemitismus gefeit. Durch gewerkschaftliche Schulungen wären die Arbeiter dem Antisemitismus nie erlegen gewesen und nach 1945 völlig davon geheilt worden. Im Unterschied zum »deklassierten Mittelstand, zu den Angestellten und zu jenen, die keine festen Wurzeln haben«, war seiner Meinung nach der »arbeitende Mensch gegenüber Antisemitismus widerstandsfähiger«.[51] Ähnlich argumentierte auch Theodor Körner, der, um Österreichs Opferrolle nicht zu gefährden, vom »Märchen des Antisemitismus«[52] sprach. Selbst der Arbeiterbewegung seit Jahrzehnten verbunden, war es vielen Mitgliedern des »Bundes« offensichtlich ein großes Bedürfnis, Mareks und Körners Analysen Glauben zu schenken und damit auch ihr Hierbleiben und vor allem ihre Mitgliedschaft in der SPÖ zu rechtfertigen. Trotz Shoah strebte der »Bund« die Assimilation an und fürchtete die

Abdrängung in ein politisches und gesellschaftliches Ghetto. Während sich manche Zionisten streng von Nichtjuden abgrenzten, sah der »Bund« durch gemeinsame Gefängnis- und KZ-Erlebnisse in Sozialisten Leidensgenossen und Bündnispartner. – »Wir haben Vertrauen in die SPÖ-Funktionäre, denn sie waren auch in den Kerkern Hitlers.«[53] Präsident Maurer wies in einer Rede 1956 darauf hin, daß »nicht nur Juden, sondern auch andere Österreicher durch die nationalsozialistische Verfolgung in und außerhalb Österreichs gelitten haben«.[54]

Als unumstrittener Mittelpunkt des Lebens galt Österreich, weshalb Maurer auch wiederholt zum Hierbleiben aufrief.

Wir Juden haben die Pflicht, auszuhalten in Österreich, als gute Juden und gute Österreicher.[55]

Wir wollen als geachtete, gleichberechtigte Bürger in Österreich leben und eine starke und lebensfähige Israelitische Kultusgemeinde.[56]

An oberster Stelle des Programmes stand daher wie bei der »Einigkeit« der Kampf gegen Antisemitismus und Neofaschismus, für die Demokratie und Gleichberechtigung der Juden in Österreich sowie für eine gerechte »Wiedergutmachung«. Erst der vierte Programmpunkt bezog sich auf Israel, dessen Gründung auch der »Bund« als »eines der größten Ereignisse der Weltgeschichte«[57] feierte. Dem Zionismus sprach der »Bund« aber mit der Errichtung des selbständigen Judenstaates die Existenzberechtigung ab. Diese Auffassung führte in den fünfziger Jahren zu heftigen Kontroversen mit den Zionisten (siehe Kapitel 12). In den sechziger Jahren änderte der »Bund« seine antizionistische Haltung und vereinigte sich 1963 mit der »Poale Zion-Hitachduth (Mapai)«,[58] die aber durch den Abzug der jüdischen Flüchtlinge in Österreich bedeutungslos geworden war.

Weder religiös* noch zionistisch, konnte der »Bund« schwer eine positive jüdische Identität finden. Um das Judentum nicht auf eine Opfer- und Schicksalsgemeinschaft reduzieren zu müssen, kam dem Warschauer Ghettoaufstand große Bedeutung zu. Dieser diente vielfach den religionslosen Juden als »Religionsersatz«.[59] Die Betonung des jüdischen Widerstandes ermöglichte es, die Passivität der verfolg-

---

* Im »Demokratischen Bund« werden für nichtreligiöse Juden und Jüdinnen ab 1952 häufig die Hohen Feiertage erklärt. Dabei wurde betont, daß für Nichtreligiöse der Sinn dieser Festtage im Zusammenfinden von Juden, in der Besinnung und Sammlung liegen würde.

ten Juden zu widerlegen und der Shoah-Generation zu neuer Würde zu verhelfen.[60] Zudem vereinnahmte der »Bund« den Aufstand als jüdisch-sozialistische Erhebung, als Glanzleistung des »Bundes«.[61] Doch auch die »Poale Zion« wollte den Aufstand für sich beanspruchen, und Sozialisten und Links-Zionisten stritten sich darüber, wem bei der Erhebung die eigentliche Führung zugekommen war.[62]

Während Mitglieder der »Einigkeit« den Niedergang ihrer Partei, der KPÖ, erleben mußten, stand der »Bund« immerhin einer Großpartei, in Wien der regierenden Partei, nahe. Enge Kontakte zu einflußreichen Politikern erleichterten die Durchsetzung von Wünschen der Israelitischen Kultusgemeinde, schränkten aber gleichzeitig ihre Kritikfähigkeit ein.

Der »Bund« an der Macht – Das Problem des »Ausverkaufs«

Gegner warfen dem »Bund« vor, daß er Liegenschaften der Israelitischen Kultusgemeinde »um einen Pappenstiel« an die SPÖ Wien verkauft hätte, was einer »zweiten Arisierung« gleichkäme.[63]

Wenn man dem Judentum in Österreich keine Zukunft einräumt, dann braucht man auch kein Vermögen, und deshalb wurde der Großteil des Vermögens verkauft.[64]

Mit diesen Worten kritisierte der von Simon Wiesenthal Anfang der sechziger Jahre gegründete »Ausweg« die Politik der Israelitischen Kultusgemeinde, die seiner Meinung nach einer »Liquidierung des österreichischen Judentums« gleichkam. Für den Währinger Friedhof bezahlte die Gemeinde Wien beispielsweise nur den Preis eines Grünlandes, das sie sechs Monate später in Baugrund umwidmete.

Schon zum Zeitpunkt des Verkaufes war dieses Grundstück mindestens das Fünfzigfache des Kaufpreises, den die Gemeinde Wien bezahlt hat, wert . . . Da es sich bei dem Grundstück in Währing um Friedhofsgebiet handelt, wurde es als Grünfläche verkauft. (. . .) Die Umwidmung erfolgte bald, denn schon am 10. Jänner, also sechs Monate später, hat der Magistrat dieses Grundstück in einen Baugrund verwandelt, und heute steht auf diesem Grundstück ein zwölfstöckiges Hochhaus.[65]

In den sechziger Jahren mußte sich die vom »Bund« regierte Israelitische Kultusgemeinde vor allem für den Pauschalverkauf von vier Grundstücken verantworten: ein Teilbereich des Währinger Friedhofes, die Liebfrauengründe (ca. 70.000 m²), der Tempelgrund (Pazmanitengasse) und das Stiftungsheim (Goldschlagstraße 84). Durch das 1947 erlassene 3. Rückstellungsgesetz erhielt die Israelitische Kultusgemeinde geraubte Besitzungen zurückerstattet, die, auch bedingt durch die miserable finanzielle Situation der Israelitischen Kultusgemeinde, zum Teil wieder weiterverkauft wurden. Zum einen fehlte der Glaube an den Fortbestand eines österreichischen Judentums, zum anderen benötigte sie den Verkaufserlös für die Unterstützung von Sozialfällen und zur Betreuung jüdischer Flüchtlinge. Die zurückerhaltenen Gebäude befanden sich teilweise auch in einem schlechten baulichen Zustand, und eine Instandsetzung hätte die Israelitische Kultusgemeinde finanziell überfordert.[66] Da der »Bund« in der Israelitischen Kultusgemeinde über die Mehrheit verfügte, wurde er später für diese Grundverkäufe verantwortlich gemacht. Die Entscheidung dafür ging aber auf eine Plenarsitzung im Jahr 1954 zurück; damals stimmten von 25 Kultusvertretern 20 dafür, einer enthielt sich der Stimme, ein Vertreter der »Zionistischen Föderation« lehnte den Verkauf ab und zwei gewählte Mandatare nahmen an der Sitzung nicht teil.[67]

1954 führte der Verkauf des ehemaligen Rothschildspitals zu heftigen Konflikten. Unterstützt von Freiherr Anselm von Rothschild wurde es 1873 gegründet und von der Israelitischen Kultusgemeinde verwaltet. Im Laufe der Jahre entwickelte es sich zu einem modernen Krankenhaus, an dem bis 1938 berühmte Ärzte wirkten.[68] Als der Großteil der jüdischen Bevölkerung Österreichs 1942 deportiert wurde, mußte es an die SS abgegeben werden. In der ehemaligen Talmut-Thora-Schule in der Malzgasse konnte nur mehr ein kleines jüdisches Krankenhaus weitergeführt werden, das aber 1944 auch für die rund 15.000 zwangsdeportierten ungarischen Juden zuständig und dadurch völlig überfüllt war. In den Nachkriegsjahren gewährleistete die Unterstützung durch den Joint im Vergleich zu anderen Krankenhäusern eine ausreichende medizinische Versorgung. Dennoch drängte die Israelitische Kultusgemeinde auf eine Renovierung des ehemaligen Rothschildspitals und auf die Übersiedlung des jüdischen Spitals in sein ursprüngliches Gebäude in die Währinger Straße.[69] Mit Hilfe der UNRRA und der Bundesregierung wurde es schließlich renoviert, aber in ein DP-Lager verwandelt, das bis zur Gründung des Staates Israel an die

200.000 jüdische Flüchtlinge passierten.[70] Als Leiter des DP-Lagers im ehemaligen Rothschildspital wirkte Bruce Teichholz, der Vorsitzende des »Internationalen Komitees für jüdische KZler«.

In Zusammenhang mit dem 3. Rückstellungsgesetz wurde das Rothschildspital schließlich an die Israelitische Kultusgemeinde zurückgestellt.[71] Da sich das Gebäude für die kleine jüdische Gemeinde als zu groß erwies, wurde es an das Bundesministerium für Inneres vermietet. Dieses brachte dort weiterhin Flüchtlinge unter, die Mitte der fünfziger Jahre mit der dort noch verbliebenen jüdischen Schule umgesiedelt wurden.[72] Dabei kam es zu einer Auseinandersetzung zwischen einem Rabbiner und der Polizei.

Der aus dem Osten geflüchtete Rabbiner Neumann wohnte mit Frau und Kindern im jüdischen Flüchtlingsheim im Rothschildspital. Das Innenministerium hatte die Räumung eines Traktes dieses Spitales verfügt, und Neumann war nach Auszug sämtlicher Flüchtlinge der letzte, der seine Wohnung nicht verlassen hatte. Man hatte ihm zwar für den Fall seines Auszuges andere Wohnmöglichkeiten angeboten – allerdings in der russischen Zone, in die Neumann als Ostflüchtling begreiflicherweise nicht ziehen wollte.[73]

Die Polizisten fühlten sich angeblich durch das Schächtmesser des Rabbiners bedroht und schlugen mit den Gummiknüppeln brutal zu, so daß der Rabbiner ins Krankenhaus gebracht werden mußte. Ein dem Rabbiner zu Hilfe eilender Freund wurde in die Schlägerei involviert und schließlich zu zwei Monaten Arrest verurteilt. Die »Stimme«, das Sprachrohr der Allgemeinen Zionisten, warf der Israelitischen Kultusgemeinde vor, hinter der Räumung des Rothschildspitals zu stehen, da sie dessen Verkauf geplant gehabt hätte.[74] In der Plenarsitzung der Israelitischen Kultusgemeinde vom 24. Juni 1955 fand schließlich eine Diskussion über den Verkauf des Gebäudekomplexes statt,[75] den die Israelitische Kultusgemeinde letztendlich an das Wirtschaftsförderungsinstitut verkaufte.

Laut Simon Wiesenthal erwarb der Magistrat Wien insgesamt 90% der von der Israelitischen Kultusgemeinde veräußerten Grundstücke, auf denen sich bis 1938 Bethäuser befunden hatten. Dieser gab es an Baugenossenschaften weiter, die sich nicht immer an die Vereinbarung hielten, an den neuerbauten Wohnhäusern Gedenktafeln anzubringen. Nur an einem Drittel der 23 Häuser befindet sich eine solche Gedenktafel.[76]

10.
»Wien wird Herzl nicht verraten« – Erbe und Neubeginn der Zionisten

Bei den Kultuswahlen 1948 trat neben dem »Bund« die »Jüdische Föderation« als weitere Opposition auf. Wie die Zionisten bei den Wahlen im Jahr 1932 berief sie sich auf »den großen Propheten Herzl«, den »Wien nicht verraten wird«.[1] Die »Jüdische Förderation« verstand sich als Wahlbündnis, das sich aus der »Zionistischen Föderation« und aus unparteiischen Verbänden zusammensetzte. Zu diesen zählten der von Stiaßny, dem Delegierten des WJC, ins Leben gerufene »Verband österreichischer Juden«, der jüdische Sportklub »Hakoah«, der »Verband polnischer Juden«, die »Jüdische Hochschülerschaft« und der »Verband jüdischer Kriegsopfer«. Der »Zionistischen Föderation« gehörten folgende, bereits aus der Zeit vor 1938 bekannte Gruppen an: die »Poale Zion«, die »Misrachi«, die »Revisionisten«, der »Zionistische Landesverband« sowie kleinere Arbeiterparteien.[2] Noch 1945 reaktivierten Zionisten den »Zionistischen Landesverband«,[3] der bereits 1896 als Teilorganisation der »Zionistischen Weltorganisation« entstanden war. Dem »Zionistischen Landesverband« waren der zionistische Frauenverband »WIZO« sowie der »Keren Kajemed«, ein Fonds, der zum Landkauf in Palästina gegründet wurde, untergeordnet. Ottilie Gröbel, eine thoratreue, KZ-überlebende Wienerin, wirkte als erste Präsidentin der »WIZO«. Der zionistische Frauenverein zeigte nach 1945 hauptsächlich soziales Engagement für den Aufbau Palästinas/Israels.[4] Diskussionen über »Fragen der Feministik«, die vor 1938 noch stattgefunden hatten, fanden in den Nachkriegsjahren kaum mehr statt.[5]

Kurz nach Kriegsende wurde auch der »Keren Hajessod« reaktiviert. Dieser unterstand der Jewish Agency und sammelte für den Aufbau Palästinas. Sowohl der »Keren Hajessod« als auch der »Keren Kajemed« waren vor 1938 auch bei assimilierten Juden sehr bekannt, die blauweiße Büchse stand in viele jüdischen Heimen. An der Belebung des »Keren Hajessod« und auch des »Keren Kajemed« waren der bereits erwähnte Bernhard Braver und Prof. Berthold Hirschl wesentlich beteiligt. Hirschl gehörte seit 1905 einer zionistischen Mittel-schülerverbindung an, 1910 gründete er den »jüdisch-akademischen Philosophieclub«, nach 1918 schien er als Mitglied des jüdischen Na-tionalrats auf. Zudem war er auch an der Gründung des Chajes-Gym-nasiums beteiligt. Als Zionist der ersten Stunde wirkte er nach 1945 zudem als Gründungsmitglied der »Hakoah« und des »Herzl-Clubs«, dem Vorläufer der »B'nai-B'rith-Loge«.[6]

Die »Misrachi« wurden 1902 in Vilna gegründet. Sie versuchten, alle thoratreuen Zionisten zu vereinigen. Im Unterschied zu anderen orthodoxen Gruppierungen, wie etwa der »Agudat Israel«, definierten sie das Judentum als national-religiöse Gemeinschaft. 1945 standen sie – von einigen Ausnahmen abgesehen – abseits der Israelitischen Kultusgemeinde. Erst allmählich schufen sie sich in den DP-Lagern eine neue Basis. Damals betrachteten sie ihre Arbeit in Wien lediglich als Provisorium, als eine Art erste Überlebenshilfe für die jüdischen Flüchtlinge. Daraus wurde einige Jahre später »eine Dauerlösung«.[7] Es entstand die Talmud-Thora-Schule »Sinai«, 1949 nahm die Ju-gendbewegung »Bnei Akiva« ihre Tätigkeit auf. 1952 übersiedelten die »Misrachi« unter ihrem Präsidenten Israel Neugröschl von der Türkenstraße auf den Judenplatz, und sie begannen sich allmählich zu etablieren. Im selben Jahr erschien auch die »Tribüne«, das Organ der »Misrachi und Hapoel in Österreich«. Obwohl es laut »Misrachi« für das Leben in der Diaspora keine Rechtfertigung gäbe, müßte es als ein Faktum hingenommen werden. Daraus leiteten sie auch ihre Existenz-berechtigung ab, die sie darin sahen,

> *das Judentum aus den Armen der Assimilation zu retten und zur Tradition zurückzuführen. (. . .) Nichts wird uns davor zurückhal-ten, die Schädlinge unseres Volkes, egal ob es sich um äußere oder innere handelt, öffentlich anzuprangern und für ihre Ausmerzung zu kämpfen.*[8]

Besonderes Augenmerk galt daher der Erziehung der Jugend, und Misrachi engagierten sich auch bei der Errichtung des hebräischen Schulwerks in der Ruthgasse.

Da die Wiener Juden dem Zionismus fernstanden, mußten sowohl die rechts-zionistischen »Revisionisten« als auch die links-zionisti-sche »Poale Zion« ihre Anhänger in den DP-Lagern suchen.[9] Als pu-blizistisches Sprachrohr bedienten sich die »Revisionisten« der »Neu-en Welt und Judenstaat«, die ab 1948 erschien und sich als die Nachfolgerin der revisionistischen »Neuen Welt« Strickers definierte. Daneben erschien das »Bulletin der Zionistisch-Revisionistischen Union in Österreich«, für dessen Inhalt sich Herbert Reisner, kurze Zeit auch Vorsitzender der »Jüdischen Hochschülerschaft«, verantwortlich zeigte. Die »Revisionisten« forderten in ihrem Programm »die Liquidation der Diaspora«.[10] Vor allem den RemigrantInnen aus Israel standen sie sehr negativ gegenüber. Diese galten als »Deserteure« und sollten von jüdischen Organisationen keine Unterstützung erhalten, wobei die Schuld der Rückkehr nicht nur bei den EmigrantInnen, sondern vor allem in der sozialistischen Regierung Ben Gurions gesucht wurde.[11] Die »Revisionisten« standen auf der Seite Begins und forderten ein Israel auf beiden Seiten des Jordans, »Rumpf-Israel« sollte vergrößert werden.[12] Während der »Bund« und die »Einigkeit« in der Bekämpfung des Antisemitismus eine ihrer Hauptaufgaben sahen, wollten die »Revisionisten«, aber auch einige Mitglieder der »Poale Zion«, dies den Nichtjuden überlassen. Da es Antisemitismus auf der ganze Welt gäbe, wäre die einzige Lösung daher eine Auswanderung nach Israel.[13] Nach Teichholz, einem Mitglied der »Poale Zion«, »war der Kampf gegen den Antisemitismus sinnlos, denn er ist eine ewige Begleiterscheinung des jüdischen Daseins in der Diaspora«. In Österreich würde das Ausbrechen eines offenen Antisemitismus nur durch die Besatzung verhindert werden.[14] Während Sozialisten und Kommunisten in ihren nichtjüdischen Genossen Bündnispartner erblickten, stellte »Neue Welt und Judenstaat« die Frage, wie sich Juden nach 1945 gegenüber den Gojim zu verhalten hätten und ob die »Brudermörder« noch als Menschen zu behandeln wären.[15] Auch in der »Renaissance«, der Zeitung der »Poale Zion«, meinte Viktor Pordes, daß »die Kultusgemeinde nur mehr dem nationalen und religiösen Leben zu dienen hätte«.[16] Juden sollten zwar zu allen politischen Fragen Stellung nehmen, politisch aktiv werden dürften sie aber nur dann, wenn es sich um jüdische Angelegenheiten handelte.

Er wird es (seine Meinung äußern, Anm. d. A.) immer sachlich loyal, vor allem vom Standpunkt des Wohles jener Gemeinschaft, in der er lebt, tun, bestrebt, ihr und nicht einer besonderen politischen Richtung zu dienen, immer mit der Reserve, dem Takt der Zurückhaltung, die einer Minorität geziemt und zugleich auch dessen eingedenk, daß ihm in der Initiative, in diesen Dingen mitzureden, die anderen vorangehen müssen.[17]

Während sich »Bund« und »Einigkeit« als Vorkämpfer und in allen Fragen der Demokratie verstanden, proklamierten Zionisten politische Zurückhaltung. Statt aktueller politischer Probleme in Österreich diskutierten sie in ihren Publikationen fast ausschließlich die Politik Palästinas/Israels. Als nach der Gründung des Staates Israel der Großteil der jüdischen Flüchtlinge Österreich verlassen hatte, standen die Zionisten vor dem Problem, daß sich die österreichischen Juden der Alijah verweigerten. Auch führende zionistische Persönlichkeiten blieben, sofern sie bereits vor 1938 in Österreich gelebt hatten, hier. Manche gehörten sogar zu den »Israeldeserteuren«, wie der Jurist Heinrich Kiwe,[18] Mitglied der »Allgemeinen Zionisten«.[19] Auch Alfred Reischer, einer der bedeutendsten Funktionäre der »Revisionisten«, kehrte in den fünfziger Jahren aus Israel zurück. Bernhard Klammer, bereits in hohem Alter, zählte zu den wenigen Wiener Zionisten, die nach Israel gingen. Seit seinem 18. Lebensjahr gehörte er bereits einer zionistischen Studentenverbindung an, nach 1945 reaktivierte er den »Verband alter Herren«, und er erwarb sich auch Verdienste um den »Herzl-Club«.[20]

Dr. David Schapira, der Spitzenkandidat der »Jüdischen Föderation«,[21] wurde 1897 in Stojanow/Galizien geboren. Er zählte zu den Hochdekorierten des Ersten Weltkrieges (»Silberne Tapferkeitsmedaille 1. Klasse«). Nach dem Krieg arbeitete er als Konzertsänger; 1928 eröffnete er – trotz eines Augenleidens, das er sich im Krieg zugezogen hatte – eine Rechtsanwaltskanzlei. Zudem betätigte er sich auch in der Blindenfürsorge. 1938 war es ihm noch gelungen, seine Söhne ins Ausland zu schicken. Er überlebte mit seiner Frau in Theresienstadt. Tragischerweise starb die Frau unmittelbar nach dem Krieg. Schapira gehörte der »Poale Zion« sowie der »Mapai« an, und er galt auch als Mitglied der SPÖ.[22] An zweiter Stelle der »Jüdischen Föderation« kandidierte Viktor Pordes. Er gehörte ebenfalls der »Poale Zion« und der »Mapai« an. Pordes flüchtete 1914 von Galizien nach Wien, wo er als Rechtsanwalt arbeitete. Daneben schrieb er für die »Neue Freie Presse« und für das »Wiener Tagblatt«.[23] Ab 1953 zeichnete er für den Inhalt der »Renaissance« verantwortlich. An dritter und vierter Stelle kandidierten Dr. Ernst Feldsberg, als Vertreter des »Verbandes der österreichischen Juden«, und Benzion Lazar, der den »Verband der jüdischen Kriegsopfer« repräsentierte. Wie bereits erwähnt, wechselten Dr. Ernst Feldsberg und Dr. Rudolf Braun, der

188

David Schapira im Ersten Weltkrieg

den siebenten Listenplatz einnahm, 1952 zum »Bund« über. Mit Bernhard Braver kandidierte an fünfter Stelle ein weiteres Mitglied der »Poale Zion«. Wie aus der Kandidatenliste der »Jüdischen Förderation« hervorging, übernahm die »Poale Zion« bei den ersten Nachkriegswahlen innerhalb der Zionisten die Führung, was dem »Linkstrend« der Israelitischen Kultusgemeinde entsprach. Auch die »Misrachi« waren auf der Kandidatenliste erst weit hinten zu finden; Sigmund Fuchs schien erst an 12. Stelle auf. Wenig Bedeutung kam auch den Frauen zu; Ottilie Gröbel war als Vertreterin der »WIZO« an letzter und völlig aussichtsloser Stelle gereiht.

Bei der »Jüdischen Föderation« handelte es sich um eine äußerst heterogene Gruppe, wobei die einzelnen Gruppen in sich wieder gespalten waren. So setzte sich die »Jüdische Hochschülerschaft« neben Kommunisten und Sozialisten auch aus »Revisionisten«, aus Mitgliedern der »Poale Zion« oder der »Misrachi« zusammen. Ähnlich heterogen erwies sich die Basis des jüdischen Sportvereins »Hakoah«. Während manche in der »Hakoah« einen Ersatz für die Familie suchten, nur Sport betreiben und endlich wieder genug zu essen haben wollten,[24] bemühten sich andere, wie etwa Berthold Hirschl, um den Aufbau einer streng zionistischen Sportgruppe. Zu Spaltungen führte auch die enge Bindung zionistischer Vereine an ihre »Mutterparteien« in Israel. In den fünfziger Jahren spaltete sich der »Zionistische Landesverband« und verlor an Bedeutung. Vor 1948 hatten alle die Errichtung des Staates Israel als gemeinsames Ziel vor Augen. Die Existenz des Staates aber löste heftige Kontroversen in der Diaspora aus; man konnte sich über das »Wie« des Staates nicht mehr einigen. Da sich die »Jüdische Föderation« vorwiegend auf die Flüchtlinge in den DP-Lagern stützen mußte, wurde ihr mit der Gründung des Staates Israel ihre Basis entzogen. Dem Bündnis war daher nur eine kurze Dauer beschieden, die Zionisten erzielten in Wien nie größeren Einfluß.

oben: David und Helene Schapira mit Rabbiner Eisenberg
unten: Rede David Schapiras anläßlich der Überführung der Gebeine
Herzls nach Israel, 1949 (erster von links: Rabbiner Eisenberg)

11.
Weltpolitik in der Wiener Israelitischen Kultusgemeinde

Während der letzten Wochen (. . .) seit dem Ende des Krieges wur-
de den Juden in Österreich schmerzlich zum Bewußtsein gebracht,
daß sie sich an einem kritischen Punkt der Weltereignisse befinden.
(. . .) Weil das Schicksal und Glück der Juden in Österreich so fest
mit dem Weltgeschehen verbunden ist und weil die Judenschaft in
Österreich so unmittelbar auf den Anprall der großen Entwicklun-
gen unserer Zeit, die Juden betreffen, reagiert, wurde die Wiener
Kultusgemeinde in gewissem Sinne zu einem Barometer der
Schwierigkeiten in diesem Gebiet und ein Maßstab der Moral die-
ses Zeitalters.[1]

Zacharias Schuster, der europäische Direktor des »American Jewish
Committee«, beschrieb sehr treffend die Bedingungen, unter denen
der Wiederaufbau der Israelitischen Kultusgemeinde erfolgt war.
Österreich lag topographisch im Zentrum des Ost-West-Konfliktes,
und die Westorientierung der österreichischen Regierung wurde spätestens nach den Wahlen im November 1945 deutlich. Jüdische Organisationen zeigten an der Wiener Israelitischen Kultusgemeinde nicht
nur aufgrund ihrer günstigen topographischen Lage besonderes Interesse, Wien galt auch als Brücke zwischen den im Kalten Krieg ideo-
logisch voneinander getrennten west- und osteuropäischen Juden. Wie
Stiaßny 1952 in einem Brief ausführte, erhielten osteuropäische Juden
noch am ehesten für einen Wienbesuch eine Ausreiseerlaubnis. Zudem erwies sich Wien, verglichen mit England oder der Schweiz, als
ein äußerst preiswerter Tagungsort.[2] Sowohl Juden als auch Nichtjuden empfanden dabei einen kommunistischen Präsidenten der IKG als
störend. Österreichische politische Parteien versuchten daher in Zusammenarbeit mit amerikanischen jüdischen Organisationen, ihnen
genehme Juden in die Israelitische Kultusgemeinde zu entsenden und
die Macht der Kommunisten zu brechen. Die Kultusgemeindewahlen
von 1948 und 1953 verdeutlichten, daß die Identitätssuche der in
Österreich lebenden Juden von unterschiedlichen Faktoren abhängig

war. Ihres Vermögens beraubt und aufgrund ihrer dezimierten Zahl wahlarithmetisch unbedeutend, bedurfte die Israelitische Kultusgemeinde der finanziellen sowie ideologischen Unterstützung ausländischer Organisationen. Es zeigte sich auch, daß die Politik jüdischer Organisationen von den individuellen Schicksalen der einzelnen Funktionäre stark geprägt war. Weder bei den Vertretern des »World Jewish Congress« noch bei jenen der Israelitischen Kultusgemeinde handelte es sich »nur« um Juden, sondern aufgrund der unterschiedlichen Lebensgeschichten auch um Kommunisten, Sozialisten, Zionisten, (Fast-)Amerikaner oder trotz Vertreibung noch immer um »loyale Österreicher«.

Koalition gegen die KPÖ-Vorherrschaft

Bei den 2. Kultusgemeindewahlen am 11. April 1948 ging die von David Brill geführte Liste der kommunistisch orientierten »Jüdischen Einigkeit« mit 2.263 Stimmen (= 11 Mandate) noch mit Abstand als stimmenstärkste Partei hervor. Es folgten ihr die zionistisch ausgerichtete »Liste der jüdischen Föderation« mit 1.646 (= 8 Mandate) und die an der SPÖ orientierte »Jüdisch-sozialistische Liste (= Bund werktätiger Juden)« mit 1.046 Stimmen (= 5 Mandate).[3] Erfolglos blieben die »Jüdische Kaufmannschaft« (183 Stimmen) mit Aron Moses Ehrlich an der Spitze sowie die »Vereinigte religiöse Liste« (149 Stimmen). Ehrlich kandidierte bereits bei den Wahlen 1946, doch wurde ihm sein Mandat wieder aberkannt, da er zu diesem Zeitpunkt noch nicht im Besitz der österreichischen Staatsbürgerschaft war.[4] Ehrlich gehörte zu den Außenseitern und umstrittensten jüdischen Persönlichkeiten der Nachkriegszeit. Bürgerliche Medien unterstützten seine Kritik an der Israelitischen Kultusgemeinde, da er ihr neben Unregelmäßigkeiten in der Verteilung der Joint-Mittel auch vorwarf, durch die Vorherrschaft der Kommunisten einem neuen Antisemitismus den Boden zu bereiten.[5]

Nach den Grundsätzen der Demokratie und den Gepflogenheiten der Israelitischen Kultusgemeinde[6] erwartete sich die »Jüdische Einigkeit«, daß sie als stärkste Gruppe wieder den Präsidenten stellen würde. »Bund« und »Föderation« wählten aber Dr. David Schapira zum Präsidenten, Josef Rubin-Bittmann (»Jüdische Föderation«) und

Emil Maurer (»Bund«) zu Vizepräsidenten. »Bund« und »Jüdische Föderation« formten eine Zweierkoalition, wobei sie die »Jüdische Einigkeit« aus allen Bereichen der Israelitischen Kultusgemeinde ausschlossen.[7]

Man war entschlossen, die Majorität der Wiener Juden auszuschalten, und so trat das ein, was in einer Wiener Tageszeitung als »antidemokratischer Putsch« bezeichnet wurde. Es war ein Gewaltstück sondergleichen, und wir würden statt antidemokratisch antijüdisch wählen, denn es ist nicht nur undemokratisch, nicht nur ungerecht, sondern im wahrsten Sinn des Wortes unjüdisch.[8]

So die Interpretation der »Jüdischen Einigkeit«, die diesen für sie enttäuschenden Wahlausgang der Intervention nichtjüdischer Kräfte, denen »Juden Gehorsam geschenkt hatten«,[9] zuschrieb. Wiederholt kritisierte der »Neue Weg« die Einmischung des »World Jewish Congress«, des »Bundes werktätiger Juden«, der Tagespresse und auch der »Besatzungsmächte«.[10] Der »Jüdisch-sozialistischen Liste« sprach die »Jüdische Einigkeit« aufgrund ihrer engen Bindung an die SPÖ das »Jüdisch-Sein« ab, sie beschimpfte sie als »Fremdkörper in der Kultusgemeinde«.[11] Neben der SPÖ galt Ernest Stiaßny, der Wiener Delegierte des »World Jewish Congress«, als ihr Hauptfeind. Dieser versuchte, entgegen den offiziellen Statuten des »World Jewish Congress«*, die politische Entwicklung der Wiener Israelitischen Kultusgemeinde zu beeinflussen. Wie aus einem Briefwechsel zwischen Stiaßny und Vertretern des »World Jewish Congress« hervorgeht, galt die Ausschaltung der Kommunisten als vorrangiges Ziel.

You know that it is our well-considered policy for the WJC not to interfere in the international affairs of a Jewish community, but that does not mean a show of indifference. (. . .) It is self-understood that the WJC is interested in having a leadership that is favorably inclined toward the WJC idea. (. . .) We all hope that Brill will lose and we have to concentrate all our efforts that no »Volksdemokratie« will be established at the Kultusgemeinde.[12]

---

* Laut Rudolf Bienenfeld, Mitarbeiter des WJC, verfolgt dieser weder zionistische noch antizionistische Ziele und weist auch keine besondere Ideologie auf. Da Israel nur die eigenen Staatsbürger schützen kann, fungiert der WJC als der Vertreter der Juden in der Diaspora. In: Die Gemeinde, 5/Juli, August 1949, S. 4.

Nach Meinung der »Einigkeit« wirkte sich diese Politik zum Schaden der Wiener Juden aus. Im Mai 1948 forderte daher der Kommunist Dr. Eduard Broczyner in einem offenen Brief Stiaßny auf, Österreich zu verlassen:

Wie eine Meute stürzte man sich auf Brill, und Sie, Herr Stiaßny, waren das treibende Element. Kommen Sie nun nicht mit Richtigstellungen. Sogar im »Ring der alten Herren«*, wo durchaus ehrenwerte Männer sitzen, hieß es, Sie seien es, der eine Einigkeit verhindere, Sie seien es, der es zu einem abscheulichen und unnötigen Wahlkampf kommen ließ. (. . .) Alles ging gegen Brill los, mit der einzigen Begründung, er sei Kommunist. (. . .) Und was Brill in diesen zwei Jahren für das Ansehen des Judentums getan hat, haben Sie in wenigen Monaten zunichte gemacht, und es werden Jahre vergehen, bis diese Schande, welche der Wahlkampf über die Juden gebracht hat, gutgemacht sein wird. (. . .) Ich wiederhole, Herr Stiaßny, schuld an dieser ganzen Wahlschande sind Sie, der Repräsentant des World Jewish Congreß in Wien, und ich sage Ihnen ganz offen: Sie haben diese Ihre Stellung mißbraucht; dieser Mißbrauch ist um so verdammenswerter, als Sie sich verpflichtet hatten, sich in die Angelegenheiten der Kultusgemeinde nicht einzumengen und dies sogar mit ihrer Unterschrift bekräftigten. Sie haben diese Worte gebrochen, und es wäre an der Zeit, wenn Sie Ihre Koffer packen und Wien und Österreich verlassen. Das wird den Juden hier in Wien nur nützen.[13]

Damit fand der Konflikt zwischen »World Jewish Congress« und »Einigkeit« seine Fortsetzung. Als Mitglied, später Vizepräsident der »Allgemeinen Zionisten« in Wien[14] stand Stiaßny offen auf der Seite der »Jüdischen Föderation«, wobei er seine Autorität wieder unter Berufung auf die Finanzkraft der ihm verbundenen amerikanischen Juden zu untermauern versuchte.[15] Selbst die Wahlnummer der linkszionistischen »Renaissance«, an der auch Stiaßny mitarbeitete, wies auf die Autorität der amerikanischen Juden hin.

Bedenket, daß die amerikanischen Juden die Kultuswahl in Wien mit größter Aufmerksamkeit verfolgen. Die Ergebnisse dieser Wahlen werden sie nicht gleichgültig lassen. Besinnet Euch! Gefährdet

---

* Stiaßny gehörte als »Alter Herr« der akademischen Verbindung »Zaphira«, der er bereits als Mittelschüler in Wien beigetreten war, an. Siehe Die Stimme, 60/1952.

nicht diese einzige und großartige Hilfe. Wählet daher die Liste, die Zionisten und Nichtzionisten in gemeinsamer Arbeit zur Wahrung rein jüdischer Interessen vereinigt. Die Vergangenheit soll Euch als Lehre dienen! Wählet keine Exponenten der österreichischen politischen Parteien in die Kultusgemeinde![16]

Auch Bruce Teichholz, der Leiter des DP-Lagers im Rothschildspital, betonte 1948 in einer Radiorede »die unermeßliche Bedeutung der Hilfe des amerikanischen Judentums«. Er wies auch auf seine enge Zusammenarbeit mit dem »World Jewish Congress« hin.[17] Was ein für die amerikanischen Juden enttäuschendes Wahlergebnis zur Folge hätte, führte er den Wiener Juden mit einem amerikanischen Sprichwort vor Augen: »In einen Brunnen, aus dem man Trinkwasser schöpft, wirft man keine Steine«,[18] womit gesagt werden sollte, daß die Opferbereitschaft der amerikanischen Spender nicht durch eine falsche Parteinahme strapaziert werden sollte. In seiner Pessach-Predigt rief auch Rabbiner Eisenberg zur Dankbarkeit gegenüber den amerikanischen Juden auf.

Gedenke an die liebende Hand Deiner Brüder von jenseits des Meeres, die aus Amerika herüberreicht, um es Dir zu ermöglichen, das Fest der Befreiung nach unserer alten Überlieferung zu feiern.[19]

Die »Austria«, eine der ÖVP und den Monarchisten nahestehende Exilzeitschrift in New York, veröffentlichte einen Artikel über den Ausgang der Kultusgemeindewahlen in Wien, der die Vermutungen der »Einigkeit« bestätigte.

Herr Stiaßny, der hier in Amerika stets die Bande mit seiner österreichischen Heimat aufrechthielt, zählt innerhalb der Wiener Judenschaft zu ihren besten amerikanischen Freunden, und es war insbesondere sein Verdienst, durch seine Persönlichkeit die bis zum Vorjahr bestandene kommunistische Hegemonie innerhalb der Wiener Israelitischen Kultusgemeinde zu brechen und an deren Stelle eine demokratische Verwaltung in die Wege zu leiten.[20]

1949 konfrontierte die »Einigkeit« Stiaßny mit einem weiteren Vorwurf. Obwohl die Israelitische Kultusgemeinde Dr. Schapira und Dr. Broczyner – er forderte Stiaßny wiederholt zum Kofferpacken auf – als Delegierte für die im August 1949 stattfindende Tagung des Europarates des »World Jewish Congress« nominiert hatte, hätten diese »wegen dunkler Machenschaften« keine Visa erhalten, während Stiaßny dort selbst als Delegierter der österreichischen Juden aufgetreten war. Zur Klärung dieses Vorfalles forderte die »Einigkeit« die Einsetzung einer eigenen Kommission.[21]

Kurze Zweierkoalition und neue Krise

Die Koalition zwischen »Bund« und »Jüdischer Föderation« erwies sich nur von kurzer Dauer. Ursache des Zerwürfnisses bildete ein Artikel in der ÖVP-nahen »Wirtschaft«, der sich mit der Novellierung des dritten Rückstellungsgesetzes befaßte und als antisemitisch empfunden wurde.[22] Der »Bund« verfaßte eine scharf Protestresolution gegen die ÖVP, während Schapira eine allgemeine Resolution, ohne dabei eine Partei explizit zu nennen, zur Abstimmung bringen wollte. Dieser Konflikt führte zu heftigen emotionalen Auseinandersetzungen, in deren Verlauf Maurer als Sprecher des »Bundes« Schapira des dreifachen Verrates beschuldigte: als Sozialist an den Sozialisten, als Zionist an den Zionisten und als Jude an den Juden.[23] Schapira trat daraufhin als Präsident zurück, was eine ernsthafte Krise auslöste. Erst nach langwierigen Verhandlungen – »sie währten Tage und Nächte hindurch« –, bei denen Ernest Stiaßny die Vermittlerrolle zukam, konnte kurzfristig eine Einigung erzielt werden.[24] Zurückzuführen war diese Einigung auf den immer offener zutage tretenden Antisemitismus und vor allem auf den Wahlerfolg des »Verbandes der Unabhängigen« (VdU), der Vorläuferorganisation der FPÖ, der bei den Nationalratswahlen 1949 auf Anhieb 11,7% der abgegebenen Stimmen erzielte. Dies löste in der jüdischen Gemeinde einen großen Schock aus, und der zurückgetretene Präsident Schapira meinte, daß ihm

> *die ernste Situation angesichts der Ergebnisse der Nationalratswahlen die Pflicht auferlege, eine persönliche Angelegenheit gegenüber dem Wohl der jüdischen Gemeinschaft zurückzustellen und alles zu tun, um die gefährdete Einigkeit im Judentum selbst wieder zu festigen.*[25]

Der VdU und danach auch die FPÖ wurden ihrem Anspruch einer liberalen Partei nie gerecht. Obwohl es sich bei den Gründern des VdU um keine belasteten Nationalsozialisten handelte, galt er als Sammelbecken und als Sprachrohr ehemaliger Nationalsozialisten. Nach 1947 gelangte die Entnazifizierung an ihre Grenzen, und die österreichische Regierung drängte immer wieder auf eine Amnestie. 1948 wurde eine Minderbelastetenamnestie erlassen, und von den 537.000 Registrierten galten nur mehr 42.000 als »belastet«.[26] Dies rief die Frage nach einer Integration der ehemaligen Nationalsozialisten auf und führte seitens der Großparteien zum Buhlen um deren Stimmen. Oscar Pollak, der aus dem englischen Exil zurückgekehrte Chefredakteur der »Arbeiterzeitung«, bezeichnete dieses Verhalten als »Sündenfall der österreichischen demokratischen Parteien«.[27] Während die SPÖ als heimliche Geburtshelferin des VdU auftrat, um durch die Gründung eine zweiten bürgerlichen Partei die ÖVP zu spalten, versuchte die ÖVP mit ehemaligen nationalsozialistischen Führungspersonen ins Gespräch zu kommen, um so einen Teil des neuen Wählerpotentials an die eigene Partei zu binden.* Im Juni 1949 organisierte die »Jüdische Einigkeit« eine Kundgebung gegen diese »Gmundner Vorfälle«, wobei sie nicht nur das geheime Treffen zwischen ehemaligen Nationalsozialisten und bedeutenden Funktionären der ÖVP, sondern vor allem auch das Verhalten der SPÖ kritisierte.

Das ist das Erschreckende, daß, während ein Teil der verantwortlichen österreichischen Stellen mit Hochverrätern unterhandelt, der andere Teil, gegen den ja diese Machination auch gerichtet ist, das vertuschen will. (. . .) Im übrigen hat jede der herrschenden Parteien ihre eigenen Nazi. Die letzteren haben schon eine ganze Unzahl von österreichischen Zeitschriften und Zeitungen und gründen einen Verband nach dem anderen. Der Verband der Unabhängigen unter seinem »Führer« Dr. Kraus erfreut sich des Wohlwollens der SPOe, die da meint, es ist besser, daß sie sich in eigenen Parteien konstituiert.[28]

Bei den im Dezember 1949 stattfindenden Kultuswahlen mußte sich das Wiener Judentum daher gegenüber seinen immer stärker werdenden Gegnern geeint zeigen. Dies rief bei der »Einigkeit«, die jetzt wieder in die Geschäfte der Israelitischen Kultusgemeinde miteinbezogen wurde, ganz besondere Zufriedenheit hervor.

Das unter Schmerzen geborene Kind, die Einheitsliste der Wiener Judenschaft oder die Gesamtjüdische Liste (wie sie sich nennt), ist

---

* 1949 führten beispielsweise prominente ÖVP-Politiker in Oberweis, einem kleinen Ort bei Gmunden, mit ehemaligen Nazigrößen Verhandlungen. Vgl. Rathkolb, S. 82 ff.

*Tatsache geworden. (. . .) So treten diesmal alle jüdischen Gruppie-
rungen gemeinsam vor die Wähler mit einer Liste, mit einem Programm. Kampf gegen den Faschismus und Neonazismus, Kampf gegen den Antisemitismus!*[29]

Bei einer Wahlbeteiligung von 60% entfielen bei der dritten Kultusge-
meindewahl im Dezember 1949 4.986 Stimmen auf die »Gesamtjüdische Liste«, die damit 19 der 20 zu vergebenden Mandate erhielt. Die
»Liste Ehrlich« erzielte 268 Stimmen und erhielt damit das restliche
Mandat. Laut »Neuem Weg« wurde Aron Moses Ehrlich aber wieder
einhellig zum Feind der Juden erklärt. Ehrlichs Liste »sei durch nichts
berechtigt, einem persönlichen Ehrgeiz entsprungen, moralisch ver-
werflich und das Judentum schädigend«[30]. Zudem wurden hinter dieser Liste sogar antisemitische Kreise vermutet.

Noch während der Einigungsverhandlungen kündigte sich bereits
ein neuer Konflikt an. »Bund« und »Einigkeit« brachten einen Antrag
zur Abänderung des Wahlrechtes ein. Wahlberechtigt sollten demnach
nur mehr jene nichtösterreichischen Staatsbürger sein, die seit zwei
Jahren (bisher genügten sechs Monate) in Wien seßhaft waren. Damit
sollten die sogenannten »Zuagraasten« von der Israelitischen Kultusgemeinde ferngehalten werden. »Bund« und »Einigkeit« bedienten
sich dabei einer Strategie aus dem Jahre 1936. Damals gab die »Union
österreichischer Juden« als selbsternannte Sprecherin der »österreichischen Juden« beim Magistrat eine Aufsichtsbeschwerde ein; nur mehr
österreichischen StaatsbürgerInnen sollte das Wahlrecht in der Israelitischen Kultusgemeinde zuerkannt werden. Dadurch wollte sie die
Mehrheit der Zionisten brechen und verhindern, »daß die in Österreich
beheimateten, positiven religiösen und vaterländisch fühlenden Teile
zurückgedrängt werden«.[31] Sowohl 1936 als auch 1948 scheiterte dieser Ausgrenzungsversuch der osteuropäischen Juden am Einspruch des
Ministeriums bzw. des Magistrats. 1949 verweigerte Unterrichtsminister Hurdes eine Abänderung des Gesetzes, worauf Teichholz als Sprecher der DPs in der »Renaissance« bemerkte, daß der konservative Unterrichtsminister demokratischer wäre als die sich als sozialistisch und
kommunistisch verstehenden jüdischen Vertreter.[32] Die Zionisten hätten nur für jene Flüchtlinge, die auch in Österreich ansässig waren, ihre
Steuern in der Israelitischen Kultusgemeinde zahlten und einen Wohnsitz aufweisen konnten, nie aber für die DPs in den Lagern das Wahlrecht gefordert. Zynisch bemerkte er, daß Juden in der Arbeiterkammer

ihrem Wahlrecht nachkommen dürften, in der Israelitischen Kultusgemeinde aber davon ausgeschlossen werden sollten. Der Israelitischen Kultusgemeinde wäre es demnach egal, ob 8.000 oder 20.000 Juden in Österreich leben würden; sie betreibe eine Hetzkampagne gegen ausländische Juden, obwohl diese bereit waren, für die österreichischen Remigranten und KZ-Rückkehrer Teile ihrer Essensrationen abzugeben und sie in ihren Flüchtlingslagern aufzunehmen.[33]

Als der »Bund« 1957 über die absolute Mehrheit verfügte, änderte er das Wahlrecht. Dies wurde als Abgrenzung gegenüber den 1956 aus Ungarn geflüchteten Juden interpretiert. NichtösterreicherInnen mußten ab jetzt vorweisen, daß sie bereits seit vier Jahren über einen ordentlichen Wohnsitz in Österreich verfügten, seit zwei Jahren polizeilich gemeldet waren und ihre Steuerschulden bei der Israelitischen Kultusgemeinde nicht länger als zwei Jahre zurücklagen.[34] Das Wahlrecht stand fortan ständig im Zentrum innerjüdischer Auseinandersetzungen.

Der Mandatsverlust der Kommunisten in der Israelitischen Kultusgemeinde

Bei den Kultuswahlen 1952 mußte die »Einigkeit«, diesmal als »Jüdisch Demokratische Liste« angetreten, gegenüber 1948 einen Verlust von über 50% hinnehmen. Relativ gute Resultate erzielte sie nur noch im 2. Bezirk. Während der »Bund« mit 12 Mandaten zur stärksten Fraktion aufstieg, reduzierten sich die Mandate der »Einigkeit« von 11 auf 5.[35] Nach den Wahlen stellte der »Bund« daher erleichtert fest,

daß unsere Mitbürger in Österreich, unsere Brüder und Freunde in aller Welt nicht mehr sagen können, daß die Wiener Israelitische Kultusgemeinde kommunistisch ist.[36]

Zurückzuführen ist dieses Wahlergebnis auf den Machtverlust der KPÖ* und auf den zunehmenden, sich in Form von Antizionismus

---

* Bei den ersten freien Wahlen im November 1945 erzielte die KPÖ ein unerwartet schlechtes Ergebnis. Während auf die ÖVP 85 und auf die SPÖ 76 Mandate entfielen, erhielt die KPÖ nur 4 Mandate. Nach 1945 mußten die Kommunisten weitere Verluste hinnehmen, und die KPÖ wurde politisch zunehmend marginalisiert.

äußernden Antisemitismus in Osteuropa. Während die KPÖ gegenüber der Israelitischen Kultusgemeinde eine sehr zwiespältige Politik betrieb, stand der »Jüdisch Demokratischen Liste« bei den Kultuswahlen zudem ein geschlossener antikommunistischer Block gegenüber; die sonst sehr gespaltenen jüdischen Organisationen fanden in den Kommunisten einen gemeinsamen Feind.

In einer Großkundgebung im Messepalast wandte sich die Wiener Judenschaft eindeutig gegen die Kommunisten, es war eine Versammlung der wahren jüdischen Einigkeit gegen die unbelehrbare »Einigkeit«, die Proponenten der Kommunisten.[37]

Ähnlich dem »Demokratischen Bund«, dem Organ des »Bundes werktätiger Juden«, stellte auch Zacharias Schuster, der europäische Direktor des »American Jewish Committee«, zufrieden fest,

daß, nachdem die Kommunisten 1952 aus der Führung der Gemeinde ausgeschaltet waren, eine stabile und fortschrittliche jüdische Verwaltung eingerichtet wurde.[38]

In den fünfziger Jahren verlagerte der »World Jewish Congress« sein politisches Hauptengagement von Deutschland und Österreich auf Osteuropa. Das Augenmerk galt nicht mehr dem Antisemitismus, sondern der Kommunismus avancierte zum Hauptfeind der Juden, wie auch Dr. Siegfried Roth, der Sekretär der europäischen Exekutive des »World Jewish Congress« in London, bei einem Vortrag in Wien ausführte.

Der Antisemitismus stellt heute nicht das Problem für die Juden in der Welt dar. Die Juden in der Welt bzw. die jüdische Existenz sind heute nicht so sehr durch den Antisemitismus bedroht als vielmehr durch weltpolitische Strömungen, die besondere und schwierige Probleme für das Judentum schaffen. Der Redner nannte in diesem Zusammenhang als erste Gefahrenquelle den Kommunismus. Die Isolierungspolitik des Kommunismus ist zwar allgemein, betrifft aber die Juden in einer besonderen Weise. Sie führt zur Teilung des jüdischen Volkes. Diese Tendenz hat sich seit Ausbruch des Kalten Krieges verstärkt.[39]

Das Bangen galt von nun an der »jüdischen Welt im Osten«, der nach den USA größten Diaspora. Auf der 3. Vollversammlung des »World Jewish Congress«, die 1953 in Genf stattfand, zeigten sich die Teilnehmer über die Auswirkungen des Kalten Krieges und das endgültige Ende einer einheitlichen jüdischen Welt sehr enttäuscht.[40] Der Ei-

serne Vorhang machte sich auch in der Zusammensetzung der Teil-
nehmerliste bemerkbar, auf der die Vertreter der Ostblockländer nicht
mehr aufschienen.

*Kontraste fehlten im WJC diesmal, was zu einer fast uniformen Har-
monie der Ansichten führte.[41]*

So kommentierte der »Demokratische Bund« den Tagesablauf in
Genf. Der sozialistische »Bund« schloß sich der Politik des »World
Jewish Congress« an und vertrat die Meinung, daß die Israelitische
Kultusgemeinde auf den Antisemitismus in Osteuropa reagieren
»und einen Wall gegen den Antisemitismus jenseits des Eisernen
Vorhanges errichten müsse«.[42] Nicht mehr der Antisemitismus im ei-
genen Land, sondern die Vorfälle in Osteuropa dominierten den
Wahlkampf. Der in Form von Antizionismus und in der Verfolgung
jüdischer Intellektueller sich äußernde Antisemitismus in Osteuropa[43] lieferte zahlreiche Angriffspunkte gegen die »Jüdische Demokratische Liste«. Diese stand der Politik der Sowjetunion und der
KPÖ sehr kritiklos gegenüber und galt berechtigterweise als Vertreterin der »Kominform-Politik«. In Anlehnung an die »moskautreue«
KPÖ* verteidigte die »Einigkeit« bzw. die »Jüdische Demokratische
Liste« die antijüdische Politik der Volksdemokratien. Antisemitismus
in der Sowjetunion galt beispielsweise als »Märchen, das von pro-
fessionellen Judenhetzern in den USA ausging«[44]; nicht die Sowjetunion, sondern die USA wurde des Antisemitismus und Rassismus
beschuldigt.

Im Jänner 1952, einen Monat vor den Kultuswahlen, publizierte der
»Bund« ein Sonderheft zum Thema »Wie geht es den Juden in den
Volksdemokratien?«[45] Darin wurde der zunehmende, sich in Form
von Antizionismus und -kosmopolitismus äußernde Antisemitismus
in Osteuropa kritisiert. Der »Jüdischen Einigkeit« wurde vorgeworfen, daß sie Österreich in eine Volksdemokratie umwandeln und die
Juden ins Verderben führen wolle. Juden, die immer noch der KPÖ angehören bzw. die Volksopposition unterstützten würden, müßte daher

---

* Über das Verhalten der KPÖ gegenüber den Prozessen in Prag, Ungarn, Polen, Bul-
garien und Moskau, wo hauptsächlich Juden angeklagt waren und Antisemitismus in
Form von Antizionismus und Antikosmopolitismus auftrat, siehe Spira, Leopold,
Feindbild Jud. 100 Jahre Politischer Antisemitismus in Österreich. Löcker 1981; v. a.
Kapitel: Sonderproblem KPÖ.

dieselbe Behandlung wie Slansky* zugefügt werden. Die »Jüdische Demokratische Liste« wieder sprach von einer »Greuelpropaganda der Werktätigen«[46] und warf dem »Bund« vor, mit ihrer Diskreditierung der Volksdemokratien Antisemitismus zu fördern und sich »Nazimethoden« zu bedienen.

Vor wenigen Tagen wurde Euch ein niederträchtiges Werk zugesendet, voll von Verleumdungen und verlogener Hetze gegen die Sowjetunion und unsere Nachbarländer, ganz nach dem Schandmaul von Göbbels, Hitler und Streicher. Erinnert Euch der teuflischen Verlogenheit, mit der diese Führer des Dritten Reiches uns Juden aller Verbrechen beschuldigten, die ihrer sadistischen Phantasie entsprangen und gegen uns infernalischen Haß und ungebändigte Mordlust der rückständigen Volksschichten wachriefen. Haben die irregewordenen »Führer« der Werktätigen anderes getan? (. . .) Ebensolche bewußten Fälschungen sind die Behauptungen über die gegenwärtige Lage der Juden in den Volksdemokratien.[47]

Für die »Einigkeit« waren alle Berichte über die Verfolgung von jüdischen Intellektuellen und Politikern in Ungarn, der Tschechoslowakei und Polen erlogen. Im Klima des Kalten Krieges fühlte sie sich als jüdisch-kommunistische Gruppierung offensichtlich in die Zeit des Nationalsozialismus zurückversetzt.

Man kann nur das Rezept anwenden, das wir im KZ bei den in unsere Hände gelangenden Nazizeitungen gebrauchten: wir nahmen das Gegenteil als wahr an und trafen das Richtige.[48]

Als Kommunisten verteidigten sie auch die Enteignung von jüdischen Bürgern in Osteuropa, und sie forderten den Freispruch von Ethel und Julius Rosenberg,[49] die in den USA für die Weitergabe von Geheimnissen aus der Atomforschung an die Sowjetunion zum Tode verurteilt worden waren. Das Todesurteil wurde 1954 vollstreckt; Richter und Anwälte waren jüdischer Herkunft, wodurch das Urteil zu einer patriotischen Kundgebung der amerikanischen Juden wurde. Laut Spira erfüllte der Prozeß gegen die Rosenbergs eine ähnliche Funktion wie der

---

* Rudolf Slanksy, Generalsekretär der KPC, wurde zusammen mit 15 Funktionären wegen einer »Verschwörung« angeklagt; 11 der 15 Angeklagten waren Juden, und es wurden dabei häufig die Begriffe »Zionist« und »Kosmopolit« verwendet. Vgl. Spira, S. 121 sowie London, Arthur, Ich gestehe – Der Prozeß um Rudolf Slansky. Hamburg 1970.

Prozeß gegen Slansky und seine Mitangeklagten: die Konditionierung der öffentlichen Meinung auf die Bedingungen des Kalten Krieges.[50]

Michael Kohn stellte den Antrag, daß die Israelitische Kultusgemeinde an Präsident Truman ein Protestschreiben verfassen sollte, worauf der »Bund« drohte, daß dann auch

die Galgen von Prag, die Ereignisse in Budapest und in Ostdeutschland sowie Nachrichten, die von Gegenden noch weiter östlich in der Welt bekannt geworden sind, zur Sprache kommen würden.[51]

Trotz ihrer Wahlverluste nahmen die Kommunisten mit fünf Mandaten noch immer eine bedeutende Rolle ein, weshalb laut »Bund« eine endgültige »Abrechnung mit den Kehilla-Kommunisten, dem letzten Rest, die uns durch die Wahl 1952 noch erhalten geblieben sind«,[52] erfolgen mußte. Diese irrationale Angst vor den Kommunisten bekam auch Leon Zelman, Mitglied der SPÖ und Gründer der »Jüdischen Hochschülerschaft«, zu spüren. Zelman stammte ursprünglich aus Polen. Als Jugendlicher überlebte er das Ghetto Lodz und verschiedene Konzentrationslager. Nach seiner Befreiung in Mauthausen fand er durch die Freundschaft mit jungen kritischen Sozialisten, wie Peter Strasser, in der SPÖ eine Art neue Heimat. Im Kalten Krieg sollten auf Anordnung der SPÖ Kommunisten aus der »Jüdischen Hochschülerschaft« ausgeschlossen werden.* Als er sich dagegen wehrte, drohte ihm die SPÖ mit dem Ausschluß aus der Partei.[53] Auch das »Jüdische Echo«, die Zeitschrift der »Jüdischen Hochschüler«, wurde von verschiedensten Seiten als kommunistisch diskreditiert.[54] Wie im Laufe einer Gegenüberstellung zwischen Leon Zelman und dem damaligen Präsidenten Maurer hervorgeht, erwies sich dieser Vorwurf allerdings als unhaltbar. Maurer schwächte den Vorwurf des Kommunismusverdachtes ab, wobei er allerdings dem »Jüdischen Echo« die Existenzberechtigung absprach; die Zeitschrift sei weder politisch noch literarisch von Nutzen, da den Herausgebern aufgrund ihrer Jugend die Reife fehle, um die Politik in Österreich oder gar die Weltpolitik zu verstehen. Zusätzlich beanstandete er noch schwere stilistische und sonstige Fehler.[55]

---

* Kurt Weihs, letzter Präsident der »Einigkeit«, schien beispielsweise kurz als Präsident der JHS auf, und Ruth Hirschler, damals Mitglied der KPÖ, gehörte zu den Mitbegründern der JHS.

Die im Jänner 1952 einsetzende hohe Austrittswelle aus der Israelitischen Kultusgemeinde bot sich als Anlaß zum endgültigen Kampf gegen die Kommunisten an. 1952 wurden 144 Austritte verzeichnet, zwischen 1952 und 1954 insgesamt 457.[56] Unter den Ausgetretenen befanden sich viele Mitglieder der KPÖ, unter anderen sogar der ehemalige Kultusrat Heinrich Nagler. Offensichtlich um vor weiteren Austritten abzuschrecken, druckte der »Bund« die Namen der Abtrünnigen allmonatlich im »Demokratischen Bund« ab.[57] Wie aus Leserzuschriften hervorgeht, akzeptierten nicht alle Mitglieder dieses Vorgehen.[58]

Ein Teil der Austrittswelle kann auf die Kultussteuer, die vor allem Leute mit kleinem Einkommen nicht mehr zahlen wollten, zurückgeführt werden. Wie die »Einigkeit« kritisierte, waren Unternehmer schwer zu fassen, hingegen konnte sogar der Fall eintreten, daß die Israelitische Kultusgemeinde Befürsorgte wegen Steuerschulden pfändete.[59] Überlebende fühlten sich unmittelbar nach der Shoah, als ihnen das Ausmaß der Katastrophe bewußt worden war, aus Gründen der Solidarität mit ermordeten Eltern und Freunden dem Judentum und somit der Israelitischen Kultusgemeinde verpflichtet. In den fünfziger Jahren erlaubte der zeitliche Abstand eine allmähliche Loslösung, der Großteil der Wiener Juden versuchte auch nach der Shoah seine Assimilation fortzusetzen. Dies drückte sich u. a. auch in der zunehmenden Zahl von »Mischehen« aus, ein aufgrund der Minderheitenstellung für viele notwendiger, jedoch vom Judentum wegführender Schritt.[60] Die Israelitische Kultusgemeinde reduzierte sich zum Verwaltungsapparat, der mit den einzelnen Mitgliedern persönlich kaum mehr etwas zu tun hatte. KommunistInnen verließen zu Beginn der fünfziger Jahre auch aus Gehorsam gegenüber der KPÖ die Israelitische Kultusgemeinde, wobei der Prozeß gegen das Ehepaar Rosenberg den letzten Anstoß geben konnte, wie ein an die Israelitische Kultusgemeinde gerichteter Brief zeigte.

Nach gründlicher Beschäftigung mit dem Prozess Ethel und Julius Rosenberg ist ein schon seit langem in mir gewachsener Entschluss, aus der Kultusgemeinde auszutreten, so stark geworden, dass ich mich aufgerafft habe, Ihnen heute zu schreiben. Ich teile Ihnen hiemit mit, dass ich ab 1. Jänner 1954 nicht mehr Mitglied der Israelitischen Kultusgemeinde sein möchte. Ich will mit einer Vertretung der Judenschaft nichts zu tun haben, die es vorzieht, mit so notori-

schen Antisemiten wie Schärf und Helmer zusammenzuarbeiten und darüber nicht die Courage hat, für zwei jüdische Menschen, wie Ethel und Julius Rosenberg waren, zwei unschuldige Opfer der amerikanischen Kriegspolitik, ihre Stimme zu erheben.
Meine restliche Steuerschuld werde ich ab 1. 9. 1953 abzuzahlen versuchen.[61]

Entgegen den Interessen der »Einigkeit« rief die KPÖ im Zuge der politischen Ereignisse in Osteuropa zum Austritt aus der Israelitischen Kultusgemeinde auf.[62] Michael Kohn, neben Akim Lewit der bedeutendste Vertreter der »Jüdisch Demokratischen Liste«, interpretierte die Austritte hingegen nur als Protest gegen die hohe Kultussteuer. Er forderte deren Abschaffung und die vollständige Unterstützung der Israelitischen Kultusgemeinde durch den Staat. Als positives Beispiel nannte er das damalige Ostdeutschland, ein Reizwort für die Gegner der »Jüdischen Einigkeit«.

Als Kohn das Loblied über Ostdeutschland zu singen begann, geriet er so sehr in Begeisterung, daß er ganz überhörte, daß sein Klubgenosse, Ing. Otto Hermann, der einzige Parade-Nichtkommunist der Fraktion der Einigkeit, einen Zwischenruf machte: »Was? In Ostdeutschland geht es den Juden so gut? Das ist mir ganz neu!« – Aber das Wort Ostdeutschland, das Kohn unvorsichtigerweise aussprach, war das richtige Stichwort. Genosse Dr. Otto Wolken meldete sich zu Wort und riß den Heuchlern von der Jüdischen Einigkeit die Tarnmaske vom Gesicht.[63]

1953 war ein äußerst ungünstiger Zeitpunkt, sich bei jüdischen Problemen auf die DDR zu berufen. Im Dezember 1952 setzte dort eine antijüdische Hetzwelle ein: Juden wurden aus hohe Ämtern ausgeschlossen, Vorsteher der jüdischen Gemeinden wurden verhört und gezwungen, Erklärungen zu unterschreiben, in denen der Zionismus dem Faschismus gleichgestellt wurde. Viele Juden, unter ihnen auch jüdische Gemeindevorsteher, flüchteten in den Westen.[64]

Neben der Diskussion um die politische Entwicklung in Osteuropa führten schließlich Auseinandersetzungen um den Joint zum Ausschluß der »Jüdisch Demokratischen Liste« aus der Israelitischen Kultusgemeinde. Vor 1938 eine der reichsten Kultusgemeinden in Europa, war die Wiener Israelitische Kultusgemeinde nach 1945 zu einer Almosenempfängerin geworden, die nur mittels finanzieller Unterstützung durch den Joint existieren konnte. Dies löste heftige innerjüdische Diskussionen bezüglich der Verteilung der zuerkannten Mittel aus. Kultusrat Ehrlich bezeichnete den Joint als »Schmerzenskind der Kultusgemeinde« und seinen Verteilungsapparat »als Schindluder-Büro«.[65] Präsident David Brill sprach bezüglich der Zuteilung von Krediten an die Israelitische Kultusgemeinde von »einem mühevollen Kampf mit dem Joint«. Er wollte dabei gar nicht näher auf dessen Beschuldigungen eingehen, da »sonst ein ganzes Schuldenregister des Joint aufscheinen würde«. In den fünfziger Jahren vermutete die »Jüdisch Demokratische Liste« (vorher »Einigkeit«) im Joint ein Instrument, das ihre Ausschaltung aus der Israelitischen Kultusgemeinde betreiben würde. »Flüsterpropaganda« zufolge hätte der Joint vor den Wahlen mit dem Entzug der finanziellen Unterstützung gedroht, falls die Mehrheit der Kommunisten nicht gebrochen werden würde. Im Ausgang der Wahlen 1952 sah die »Jüdisch Demokratische Liste« daher das Ende der Selbständigkeit der Israelitischen Kultusgemeinde, die sich jetzt »den Beschlüssen des Vorstandes der SPÖ und den Weisungen des Joint unterwarf«.[66] Jüdische Organisationen in den USA, wie der »World Jewish Congress« oder der Joint, standen im Kalten Krieg auf Seite der Westmächte,[67] was in osteuropäischen Ländern heftige Vorurteile auslöste und dem in Form von Antizionismus auftretenden Antisemitismus zusätzlichen Boden bereitete. Die »Sozialistische Einheitspartei Deutschland« (SED) warf beispielsweise dem Joint vor, »in den Volksdemokratien Sabotage und Spionage« zu betreiben. Nach dem Slansky-Prozeß galten internationale amerikanische Hilfsorganisationen als »Werkzeug des amerikanischen Imperialismus«, und Zionismus wurde mit Faschismus gleichgesetzt.[68] Auch die »Volksstimme«, die Tageszeitung der KPÖ, übernahm diese antiamerikanische und antijüdische Hetze, wobei sich unter den Journalisten auch Juden und Jüdinnen befanden.[69] In einem Bericht über eine angebliche Ärzteverschwörung* in der Sowjetunion wurde der Joint als »zionistische Agentur des amerikanischen Imperialismus« bezeichnet.[70] Die KPÖ stand jüdisch-amerikanischen Organisationen aber nicht erst in den fünfziger Jahren feindlich gegenüber; wie Josef Meisel schrieb, verzichteten manche Kommunisten sogar in der Emigration auf die Unterstützung von amerikanischen Hilfsorganisatio-

---

* Ärzte mit jüdisch klingenden Namen wurden 1953 beschuldigt, die Ermordung von prominenten Persönlichkeiten in der Sowjetunion vorzubereiten. Keller, S. 203.

nen, da sie dahinter westliche Spionage vermutet hatten.[71] Obwohl die Politik des Joint in den osteuropäischen Ländern bisher noch kaum erforscht wurde, kann angenommen werden, daß er ähnlich dem »World Jewish Congress« eine prowestliche Politik vertrat. Im gereizten Klima des Kalten Krieges wurde dies von der KPÖ als »Weltverschwörung« interpretiert und der »Einigkeit« zum Verhängnis.

Ich frage, so Dr. Wolken, die Wiener jüdischen Kommunisten, von denen viele 1946, 1947 und 1948 beim Joint gearbeitet haben, ob sich etwa in den Konserven, die der Joint verteilte, Gift oder Pestbazillen, Revolver, Dolche und andere Mordinstrumente befanden? – Damals war der Joint diesen Herrschaften, als sie sich – an der Quelle befindlich – doppelte Pakete geben ließen, recht. Heute bezeichnen sie jedoch den Joint als Verbrecherorganisation! (Entrüstung und Pfuirufe unter den Zuhörern).[72]

Als eine Art Bestrafung für ihre Kritik am Joint und für ihr unkritisches Verhalten gegenüber den Volksdemokratien wurde bei der Plenarsitzung des Kultusvorstandes am 26. Februar 1953 die Zahl der Kommissionsmitglieder von 6 auf 5 reduziert. Somit war die »Jüdisch demokratische Liste« wieder einmal ausgeschlossen, wie der »Demokratische Bund« schrieb.

Genosse Jakob Bindel erklärte, daß die Fraktion der werktätigen Juden angesichts dessen, daß die »Jüdische Einigkeit« sich im Wahlkampf für die VO ausgesprochen habe und so alle Schandtaten, die gegen Juden in den Ostblock- und Satellitenstaaten begangen wurden, decke, und angesichts der letzten unverantwortlichen Presseangriffe der kommunistischen Zeitungen gegen den »Joint« und den Staat Israel, den Antrag stelle, die Anzahl der Kommissionsmitglieder von sechs auf fünf zu verringern, wodurch für die Vertreter der »Einigkeit« in den Kommissionen kein Platz mehr vorhanden wäre.[73]

Zufrieden stellte der Tätigkeitsbericht der Israelitischen Kultusgemeinde von 1953–1955 fest, daß der Führung der Israelitischen Kultusgemeinde vom Joint viel Lob zugeteilt wurde und »niemals in der Geschichte der IKG (. . .) die Beziehungen zum Joint so enge, so freundschaftliche und so harmonische wie in den letzten Jahren waren«.[74]

Wie Harry Maor und Micha Bodemann auch für die jüdischen Gemeinden in Deutschland aufzeigten, erwiesen sich amerikanische jüdische Hilfsorganisationen als Instrument zur Durchsetzung bestimmter politischer Interessen und hatten eine »Disziplinierung der enormen Vielfalt jüdischer Menschen zur Folge«.[75]

Das Ende der »Einigkeit«

Bei den Wahlen 1955 verlor die »Einigkeit« zwei Mandate an den »Bund«, der damit über die absolute Mehrheit in der Israelitischen Kultusgemeinde verfügte. 1959 und 1964 war die »Einigkeit« noch mit einem Mandat in der IKG vertreten, bei den Wahlen 1968 verfehlte sie um zwei Stimmen ein Mandat und schied aus der Israelitischen Kultusgemeinde aus. Wie einer der letzten Funktionäre meinte, »konnte die Politik der KPÖ damals in der Kultusgemeinde nicht mehr verkauft werden«.[76] Der Einmarsch der sowjetischen Truppen in Prag, antisemitische Vorfälle in Polen und vor allem auch die Position der KPÖ im »Sechs-Tage-Krieg«* führten zum Austritt bzw. zu Parteiausschlüssen auch von Mitgliedern jüdischer Herkunft.** Nach Kurt W., einem führenden Mitglied der »Einigkeit«, glaubten sie so lange an die KPÖ und an die »Verleumdungstheorien«, »weil im Klima des Kalten Krieges alle gegen uns waren.«[77] Den Aufruf der KPÖ zum Austritt aus der Israelitischen Kultusgemeinde interpretierte er als Protest gegen die undemokratische Führung.[78] Seiner Meinung nach darf die Politik der KPÖ nicht auf ihre Haltung gegenüber der Israelitischen Kultusgemeinde und ihre Beziehungen zu Israel reduziert werden.

Nur Blauäugige können annehmen, daß es gelingen könnte, alle Erzübel des Kapitalismus zu beseitigen. Der Kampf gegen den Antisemitismus ist aber ein Wesensbestandteil der Politik der Kommunisten. Die Tragik des Geschehens liegt aber darin, daß nicht nur in dieser Frage in der Praxis anders gehandelt wurde.[79]

Um seine enge emotionale Verbindung zur KPÖ aufrechterhalten zu können, mußte er zwischen Theorie und Praxis sowie zwischen Innen-

---

* Laut Spira (S. 125 ff.) nahm die KPÖ am Beginn des »Sechs-Tage-Krieges« noch eine differenziertere Haltung ein, übernahm aber letztendlich den Antizionismus der Sowjetunion, der eindeutig antisemitische Züge trug.
** Zu nennen wären beispielsweise Leopold Spira, Franz Marek, Franz West, Antonie Lehr, Theodor Prager, Gundl Herrnstadt, Hildegard Koplenig oder Josef Meisel.

und Außenpolitik der KPÖ differenzieren. Während sich die KPÖ in Anlehnung an die Sowjetunion 1953 von ihrer ursprünglich positiven Haltung gegenüber Israel distanzierte und den Antizionismus und zum Teil plumpen Antiamerikanismus in Osteuropa rechtfertigte, erklärte sie sich gleichzeitig zur Vorkämpferin gegen den Antisemitismus in Österreich.[80] Als die KPÖ bei den Wahlen 1966 zur Stimmabgabe für die SPÖ aufrief, bildete der 4. Wahlkreis, zu dem auch die Leopoldstadt gehörte, eine Ausnahme. Dort kandidierte sie mit einer eigenen Liste, und Kurt W., der damalige Vorsitzende der »Jüdischen Einigkeit«, schien an prominenter Stelle auf. Dies fand auch in der »Volksstimme« Erwähnung.[81] Dadurch sollte um jüdische Stimmen geworben werden, zudem bekam der jüdische Kandidat ein Gefühl von Akzeptanz vermittelt.

Die »Jüdische Einigkeit« erwies sich als die wahre Verliererin des Kalten Krieges: Auf höchst undemokratische Weise aus der Israelitischen Kultusgemeinde hinausgedrängt, trübte sich auch die Beziehung zur KPÖ. Neben der Verteidigung des Antisemitismus in Osteuropa und der Politik gegenüber Israel nahm die KPÖ auch während der »Wiedergutmachungs-Verhandlungen« eine bisher wissenschaftlich noch nicht erforschte antijüdische Position ein. Der KPÖ-nahe KZ-Verband sprach beispielsweise ausländischen jüdischen Organisationen, die die Interessen der vertriebenen österreichischen Juden wahrnahmen, das Recht auf eine Verhandlungteilnahme ab. Er tat sie als »amerikanische zionistische Organisationen« und »deren internationale Filialen, die mit Österreich nichts zu tun haben«, ab.[82] Enttäuscht zeigte sich die »Einigkeit« auch vom Verhalten der KPÖ gegenüber den jüdischen KZ-Überlebenden. Wie Michael Kohn kritisierte, wollte die KPÖ gemeinsam mit den kommunistischen KZ-Überlebenden im neuen Staat eine bedeutende Rolle einnehmen, wobei ihr die Juden aber hinderlich waren.[83]

In den fünfziger Jahren verlief die Front noch nicht zwischen Juden und Nichtjuden, doch spätestens 1968 verließ der Großteil der jüdischen Mitglieder die KPÖ oder wurde ausgeschlossen. Da sich viele Mitglieder der »Einigkeit« als politisch Verfolgte jüdischer Herkunft verstanden und zum Teil auch aktiv gegen den Nationalsozialismus Widerstand geleistet hatten, bereitete ihnen auch die allgemeine politische Entwicklung in Österreich herbe Enttäuschungen: Als WiderstandskämpferInnen waren sie weniger willkommen als die Kriegsheimkehrer, und als Juden wurden sie auf eine jüdische Opferrolle reduziert, wie Gundl Herrnstadt kritisierte.

Uns Juden mögen sie nur als Opfer, als Kommunisten mögen sie uns weniger, und von Widerstand reden sie schon lange nicht mehr, vor allem die amerikanischen Juden nicht.[84]

Mit zunehmendem Alter, aber auch bedingt durch den endgültigen Zusammenbruch »ihrer Religion«, des Kommunismus, sowie durch den seit 1987 verstärkt auftretenden Antisemitismus in Österreich kehrten manche Ausgetretene wieder zur Israelitischen Kultusgemeinde zurück. »Anstelle vom Parteilokal treffen sich einige jetzt in der Synagoge«, meinte Gundl Herrnstadt.[85] Auch Franz West, ehemaliger Chefredakteur der »Volksstimme«, setzte sich im Alter mit seiner jüdischen Identität auseinander. Kurz vor seinem Tod hätte er eine Israelreise geplant gehabt.[86] Die Interviewpartnerin Fanny G., die aus ethisch-moralischen Gründen gegenüber den Eltern nie aus der Israelitischen Kultusgemeinde ausgetreten ist, aber auch noch immer der KPÖ angehört, kümmert sich um jüdische Flüchtlinge aus der Sowjetunion, deren Hilfsorganisation ihr ehemaliges Parteilokal in der Schüttelstraße übernommen hat.[87] KommunistInnen berichteten auch, daß sich ihre atheistisch erzogenen Kinder oder Enkelkinder dem Judentum zuwandten.[88] Die Interviewpartnerin Hilde K. zeigte sich zuerst entsetzt darüber, daß ihre Enkelkinder in die Israelitische Kultusgemeinde eingetreten sind. Sie selbst trat bereits in den zwanziger Jahren aus und hat nie an einen Wiedereintritt gedacht.

Ich habe mich niemals als religiös gefühlt und habe 1945 überhaupt nicht daran gedacht, in die Kultusgemeinde zurückzukehren. Es lag mir fern, da einzutreten, denn das war nie meine Identität. Meine war der Kommunismus, die Zukunft, das Neue. (. . .) Es ist komisch, daß sich meine Enkelkinder als Juden fühlen. Sie sind in die Kultusgemeinde zurückgekehrt. Sie haben sich meinen Geburtsschein geben lassen und sind ganz jüdisch jetzt. Eine hat den Sohn beschneiden lassen und sie feiern wieder jüdische Feiertage. Zuerst war ich so vollkommen entsetzt, aber dann dachte ich, es ist ihre Sache. Sie sagen, es gibt Antisemitismus. Ich habe das Gefühl gehabt, daß Religion einbindet. (. . .) Es ist schwer, darüber hinwegzukommen, zu sehen, daß das alles nichts war. Manchmal denke ich, ich habe meine Kinder so erzogen, und jetzt erfahren sie, daß das alles falsch war.[89]

211

1988 stellte die »Gemeinde« zufrieden fest, daß der bekannte Schriftsteller Robert Schindel zur Israelitischen Kultusgemeinde zurückgekehrt ist. Seine Eltern gehörten in Frankreich der kommunistischen
Widerstandsgruppe an. Als sie als Fremdarbeiter getarnt nach Österreich zurückkehrten, wurden sie verhaftet. Der Vater kam in Dachau
um, die Mutter überlebte Auschwitz und Ravensbrück. Getarnt als
Kind »asozialer« Eltern, überlebte der 1944 geborene Robert in einem
Kinderheim der nationalsozialistischen Volkswohlfahrt in Wien. So-
zialisiert in der Kommunistischen Jugend und aktiv in der Studenten-
bewegung tätig, hat er in den siebziger Jahren »permanent versucht,
aus dem Judentum auszutreten«. Wie er feststellen mußte, ist dieses
aber nicht aus ihm ausgetreten.[90] Wie »Die Gemeinde« berichtete, begann er sich allmählich von der KPÖ zu lösen und sich mit Fragen des
Judentums zu beschäftigen.[91] 1992 erschien Robert Schindels vieldis-
kutierter Roman »Gebürtig«, in dem er sich auf den unterschiedlichsten Ebenen mit der Problematik von jüdischer Identität und dem Miteinander bzw. dem Bruch zwischen Juden und Nichtjuden auseinan-
dersetzt.

12.
Die Krise des Zionismus

Seit dem »Sechs-Tage-Krieg« 1967 stand die Israelitische Kultusgemeinde loyal an der Seite Israels. In den fünfziger Jahren hingegen
fanden noch heftige Diskussionen über Sinn und Aufgaben des Zionismus nach der Staatsgründung statt. Der Staat Israel vermittelte den
Juden und Jüdinnen in Wien nicht nur ein verstärktes Selbstbewußtsein und letzten Schutz vor neuen Verfolgungen, sondern forderte
auch ein Bekenntnis zu bedingungsloser Loyalität. Das erschwerte
wiederum das Bemühen der »Wiener Juden«, trotz Shoah weiterhin
eine österreichisch-jüdische Symbiose anzustreben und ließ Befürchtungen aufkommen, daß eine enge Beziehung zu Israel ihre Loyalität
gegenüber Österreich in Frage stellen könnte. Da sich die zionistischen Organisationen nicht mit dem Staat an sich, sondern mit einzelnen israelischen Parteien identifizierten, führte die Politik Israels in
der ohnehin sehr heterogenen Wiener Israelitischen Kultusgemeinde
zu weiteren Spaltungen.

Von »Assimilanten« und »Kaffeehauszionisten« –
Schlagworte aus dem Wahlkampf der fünfziger Jahre

1955 kandidierten die Zionisten als »National-Jüdische Wahlgemeinschaft«,[1] an deren Spitze Gustav Leitner stand. Leitners Familie
gehörte zu den Wegbereitern der österreichischen Papierindustrie,
aber auch zu den führenden Vertretern der Orthodoxie. Sein Onkel
Moritz Leitner gründete in Mattersburg, damals Mattersdorf, eine Je-
schiwa (= Talmud-Thora-Schule), für die er sein Haus zur Verfügung
stellte. Zudem sorgte er für den Unterhalt von bedürftigen Schülern.
1938 zählte er zu den Führern der »Agudat Israel« in Wien.[2]
    In den fünfziger Jahren herrschte über die Auslegung des Zionis-
mus große Verwirrung. Während für die sogenannten »Assimilanten«,
wie dem »Bund«, die Aufgabe des Zionismus mit der Gründung des
Staates Israel erfüllt war, sahen sich Zionisten jetzt gezwungen, ihre

Diasporaexistenz zu rechtfertigen. Vor den Wahlen im Jahr 1952 nahm der »Bund« gegen die Zionisten folgendermaßen Stellung:

Nach Gründung des Staates Israel könne heute niemand mehr das Privileg für sich in Anspruch nehmen, als Zionist zu gelten. (. . .) Prinzipiell sei vor allem festgestellt, daß durch die Errichtung des Staates Israel das Programm der Zionisten erfüllt wurde.[3]

Der »Bund« betrachtete Österreich als unhinterfragte Heimat, in der er für Juden wieder eine Zukunft erblickte. Wie es Kultusrat Ernst Hein ausdrückte, war Israel nur für jene Juden gedacht, die einer Verfolgung zu entgehen hatten.

Ich war kein Zionist, ich war immer Sozialist und bin Sozialist. Ich sage aber, daß das Werk Herzls epochal genannt werden muß, wenn nur ein Jude, um Verfolgungen zu entgehen, den Boden Israels betreten kann.[4]

Der »Bund« betrachtete die Politik der Zionisten in Österreich als gescheitert. Die Kandidatur unter einem neuen Namen (»National-Jüdische Wahlgemeinschaft« statt »Jüdische Förderation«) wäre nur ein letzter hilfloser Versuch, »die Firma, die zusammengebrochen ist, zu retten, indem sie unter dem Namen der Frau weitergeführt wurde«.[5] Den in Österreich lebenden Zionisten warf der »Bund« vor, hier gut und ohne die Absicht einer Alijah zu leben. Selbst die aus Israel geschickten Emissäre, die für die Alijah werben sollten, würden vom Geist der »Wiener Kaffeehauszionisten« angesteckt werden und sich jahrelang in Österreich aufhalten.[6] Zionismus wäre nur »ein Mittel, um Minderwertigkeitskomplexe überzukompensieren und um Positionen im öffentlichen jüdischen Leben anzustreben«.[7] Des öfteren witzelte der »Bund« über die Zionisten folgendermaßen: »Wer ist heute noch Zionist?« – »Einer, der in Wien von einem anderen Juden Geld sammelt, damit einen dritten nach Israel schickt und mit dem eigenen Geld in Wien gut lebt.«[8] Die Zionisten wieder kritisierten am »Bund«, daß er zum Verbleiben in Österreich aufrief,[9] durch sein fehlendes jüdisches Bewußtsein eine Assimilationspolitik betreibe und Israel finanziell zu wenig unterstütze. Diese Politik würde »zur Liquidierung der Juden« führen, weshalb, laut »Jüdischem Echo«, das 1955 die »Nationaljüdische Wahlgemeinschaft« unterstützte, »die Tendenz zur Selbstauflösung der Gemeinde gestoppt werden müsse«.[10] Zu einem Eklat führte ein von Präsident Maurer verfaßter Brief an den »United Appeal For Israel ›5710‹ Magbith Meuchedeth«, in dem er ausführte, daß die Israelitische Kultusgemeinde 1950

214

nur einen Betrag von 1.000 öS spenden könne, da sie im selben Jahr bereits 11.000 öS an Israel gespendet habe. Trotz der finanziellen Abhängigkeit und völligen Verschuldung der Israelitischen Kultusgemeinde wären zusätzlich für die Überführung der Gebeine Chajes'* noch weitere 10.000 öS aufgewendet worden. Als Antwort mußte sich die Israelitische Kultusgemeinde folgende Belehrung gefallen lassen:

Der Beschluß Ihrer Kultusgemeinde gibt uns Veranlassung, Ihnen nahezulegen, die Frage der Bedeutung von Israel noch einmal zu durchdenken. Es gibt jüdische Gemeinden in der Welt, die nach unserer Meinung mit Recht glauben, daß sie Israel verpflichtet sind, die daher nicht nur die größten materiellen Opfer bringen, sondern auch ihre Kinder herschicken, um sich den Reihen unserer Jugend anzuschließen. (. . .) Hoffentlich kommt bald die Zeit, wo die Wiener Kultusgemeinde von den lebenden Gedanken des verstorbenen Oberrabbiners Chajes sich beeinflussen läßt.[11]

Bruce Teichholz, Zionist und Leiter des DP-Lagers im Rothschildspital, bezeichnete das Vorgehen Maurers als »spießbürgerliche Engherzigkeit«, womit sich die Israelitische Kultusgemeinde kein »Ruhmesblatt geschaffen« und »die tiefverwurzelten Gefühle der großen Massen der Juden in Wien verletzt hätte«.[12] Die linkszionistische »Renaissance« warf Maurer vor, »die Nazizeit in London in Sicherheit verbracht zu haben und dort nur auf den Umfang seines wohlbeleibten Körpers bedacht gewesen zu sein. Er sei weder ein guter Jurist noch ein guter Redner, und er würde sich Sozialist nennen, dabei aber Kapitalinteressen vertreten«.[13]

1954 zog Maurer abermals die Kritik der Zionisten auf sich, indem er es ablehnte, bei der Feier zum 45jährigen Bestehen des jüdischen Sportklubs »Hakoah« im Ehrenpräsidium zu fungieren. Die Ablehnung begründete er damit, daß die »Hakoah« dem zionistischen Dachverband angehöre, er aber unter Zionismus nur die Unterstützung Israels verstehen würde. Während Nationalratspräsident Hurdes und Bundesminister Dr. Kolb dem Ehrenpräsidium angehörten, blieb der Präsident der Israelitischen Kultusgemeinde dem Festkomitee fern, was Zionisten als »Schmähung« interpretierten.[14] 1958, im Rahmen

---

* 1949 wurden die Gebeine Theodor Herzls sowie des bekannten Wiener Oberrabbiners Prof. Dr. Chajes nach Israel überführt. Siehe Die Gemeinde, 7/ September 1949. S. 2 ff.

der Feier zum zehnjährigen Bestehen Israels, sprach sich Maurer gegen eine doppelte Loyalität aus; seit 60 Jahren sei er Sozialist, aber kein Zionist, denn da müßte er nach Israel gehen, sonst wäre jeder Zionismus nur ein Lippenbekenntnis.[15]

»Bund« und Zionisten trugen ihre Konflikte sogar in der Synagoge aus. Anlaß dazu bot die Predigt von Rabbiner Eisenberg, die dieser 1952 anläßlich des Todestages von Oberrabbiner Prof. Dr. Chajes gehalten hatte. Eisenberg führte dabei aus, daß die »deutschösterreichischen Juden« vor dem Nationalsozialismus Chajes ihre Mißbilligung ausgedrückt hätten. Zionismus wäre nur für die verfolgten osteuropäischen Juden eine ernstzunehmende Bewegung gewesen, während die österreichischen Juden Wien als ihre Heimat angesehen hätten und hierbleiben wollten. »Bund« und »Einigkeit« hätten daraufhin demonstrativ den Stadttempel verlassen. Vor allem Dr. Feldsberg fühlte sich als ehemaliges Mitglied der »Union österreichischer Juden« davon sehr betroffen, denn, wie er in der Sitzung des Kultusvorstandes am 3. Dezember ausführte, sah er sich sogar in der Synagoge verbalen Angriffen ausgesetzt.

Die Ausführungen des Oberrabbiners waren dazu angetan, das Andenken jener Mitglieder des damaligen Kultusvorstandes, die nicht selbst Mitglieder der Zionistischen Fraktion waren, herabzusetzen. Die Wirkung dieser herabsetzenden Geschichtsbetrachtung war eine solche, daß ich persönlich im Tempel angegriffen wurde, denn unter der Wirkung der Ausführungen des Herrn Oberrabbiners wurde von der Männergalerie ausgerufen: »Da sitzt einer von ihnen, der Dr. Feldsberg!«[16]

Im Wahlkampf 1955 stand Dr. Feldsberg im Mittelpunkt der Auseinandersetzungen zwischen »Bund« und Zionisten.[17] Während die »National-Jüdische Wahlgemeinschaft« dem »Bund« seine Bindung an die SPÖ und sein geringes jüdisches Bewußtsein vorwarf, setzte Feldsberg die »Jüdisch-Nationalen« mit den Nationalsozialisten gleich, und er sprach von der »rechten, extrem faschistischen Heruth«.[18]

Der Feind steht diesmal rechts, sogar ganz rechts. (. . .) Die »Jüdisch-Nationalen« bilden eine Gefahr durch das Programm, welches in ihrem Namen selbst schon enthalten ist: Nationalismus, Chauvinismus. Nationalismus und Chauvinismus führen zu einer Aufspaltung der Bürger eines Landes, führen zu Unfrieden, führen zu Unfreiheit, führen zu Diktatur.[19]

216

Mit dem Begriff »national« assoziierte der »Bund« vor allem Nationalsozialismus und Chauvinismus. Feldsberg warf der »Jüdisch-Nationalen Wahlgemeinschaft« vor, daß sie mit dem Namen Rechtsradikale animieren würde, es sei »eine Aufforderung an Hunderttausende Bekenner des Hakenkreuzes von gestern, sich in einer nationalen Bewegung zu sammeln«.[20] Neben den Befürchtungen, daß auch jüdischer Nationalismus Rechtsradikalismus und vor allem Antisemitismus provozieren könnte, fühlte sich der »Bund« durch eine jüdisch-nationale Partei auch in seinem Bemühen, als loyale Österreicher gleichberechtigt akzeptiert zu werden, bedroht.

Jüdischer Nationalismus, eine national-jüdische Liste ist eine eminente Gefahr, die dazu führen kann, daß wir die Gleichberechtigung verlieren und auf den Status von Minderheitsrechten kommen.[21]

Aus Angst, ins Ghetto gedrängt zu werden, wehrte sich der »Bund« auch gegen eine »Entpolitisierung« der Israelitischen Kultusgemeinde und widersprach der Forderung, daß die »Gemeindepolitik frei von nichtjüdischen Einflüssen sein müsse«.[22] Juden müßten in österreichischen Parteien Bündnispartner sehen, denn zehntausend Juden können sich nicht mit einer Mauer umgeben und isoliert, als Staat im Staat leben, ohne sich dadurch selbst ins Ghetto zu drängen.[23] Die Angst, nur als Minderheit betrachtet und damit isoliert zu werden, bestimmte auch das Verhalten des »Bundes« gegenüber einer jüdischen Schule, der er sehr skeptisch gegenüberstand.[24]

Ungelöste Konflikte, die vor 1938 hauptsächlich zwischen Zionisten und der »Union österreichischer Juden« ausgetragen wurden,[25] wiederholten sich nach 1945. Auch 1936 stand Dr. Feldsberg, damals Vertreter der »Union österreichischer Juden«, im Zentrum der Auseinandersetzungen.[26] Die Gründung des Staates Israel, der auch von den Wiener Nichtzionisten loyales Verhalten forderte und dem sich die meisten Juden verbunden fühlten, emotionalisierte die Diskussion in den fünfziger Jahren.

Der Verlust der Basis

Zionistischen Einschätzungen zufolge handelte es sich beim Rücktritt des Präsidenten Schapira (siehe S. 195) nicht nur um eine Krise innerhalb der Israelitischen Kultusgemeinde, sondern bereits um eine

Krise des Zionismus. Die zionistische »Neue Welt und Judenstaat« beklagte vor allem, daß sich der Präsident während des Konfliktes auf keine zionistische Basis stützen konnte.[27]

Die »Präsidentschaftskrise« in der Kehilla Wien wurde behoben, und zwar in einer Weise, die leider einer Bankrotterklärung der »Zionistischen Förderation« als Faktor im Leben der Gemeinde nahekommt. (. . .) Das Scheiden Dr. Schapiras wird (. . .) nicht gerade begrüßt, aber auch nicht besonders bedauert, da Dr. Schapira schon bald nach der Wahl zum Präsidenten diktatorische Allüren zu entwickeln begann. Unter seiner Amtsführung konnte das zionistische Element innerhalb der Kehilla Wien so wenig erstarken, daß die Zionisten arge Rückschläge bei den bevorstehenden Gemeindewahlen befürchten.[28]

Die »Jüdische Föderation« setzte sich aus unterschiedlichen zionistischen Gruppen zusammen. Die »Hakoah« bildete für viele Mitglieder einen Ersatz für die ermordete Familie, für das verlorene Elternhaus. Mit Hilfe von Sport wollten sie vergessen, ins Leben zurückkehren und die verlorenen Jugendjahre nachholen. Nach kurzer Aufbauphase entstanden bald Konflikte über die jüdisch-politische Ausrichtung des Vereins. Während Erich Sinai, Präsident von 1958 bis 1987, die »Hakoah« zwar als eng mit Israel verbunden, aber als keinen zionistischen Verein, der auch Nichtzionisten offenstand,[29] beschrieb, war laut Heinrich Hirschler, einer der treibenden Kräfte bei der Wiedergründung, die »Hakoah den Statuten nach ein zionistischer Klub«. Seiner Meinung nach werden

junge Juden nach Österreich nicht zurückkommen, und wir Zionisten wollen das auch nicht, ja, wir wünschen, daß auch die noch hier befindliche Jugend nach Erez Israel gelange.[30]

Auch Ignaz Barchelis, einer der ersten Präsidenten nach 1945, erwartete sich von der »Hakoah« eine Erziehung der Jugend zur Alijah.[31]

Kontroversen löste vor allem die Fußballsektion, das Sorgenkind der »Hakoah«, aus. Zum einen fehlte die jüdische Jugend, und die Mannschaft wurde mit nichtjüdischen Spielern aufgestockt, zum anderen zeigte sich gerade am Fußballplatz auch nach 1945 Antisemitismus.*

---

* So beispielsweise beim Meisterschaftsspiel der 3. Klasse gegen Sparta, dem Brigittenauer SC, wo »Schlachtet die Juden« gerufen wurde. Vgl. Bunzl, Hoppauf Hakoah. S. 148.

Wasserballmannschaft der Hakoah, Anfang der fünfziger Jahre

Das warf die Frage auf, ob die »Hakoah« weiterhin an Wettkämpfen teilnehmen sollte. Während ein Teil der Mitglieder für die Auflösung des Fußballvereins plädierte, waren andere der Meinung, daß Sporterfolge in Österreich das Hauptziel des Klubs sein sollten. 1950 wurde der Fußballverein aufgelöst, und die »Hakoah« galt wieder als ein jüdischer Verein, dem, wie beklagt wurde, die jungen Wiener Juden fernblieben. »Die Juden in Wien glaubten, daß die Hakoah überflüssig sei«, so die Kritik eines ihrer Präsidenten.[32]

Als ähnlich inhomogen erwies sich die Basis der »Jüdischen Hochschülerschaft«, deren Reservoir jüdische Flüchtlinge aber auch überlebende österreichische Juden bildeten.[33] Wie in der »Hakoah« fanden auch hier junge Juden einen Familienersatz und die Möglichkeit, durch geselliges Beisammensein das Grauen zumindest für kurze Zeit zu vergessen. Obwohl es schwer war, »mit diesem Erbteil Feste zu feiern«,[34] wurde manchmal auch bis spät in die Nacht hinein getanzt. Leon Zelman, der Gründer der »Jüdischen Hochschülerschaft«, beschrieb deren Anfangsphase.

Ich habe einen Freund gehabt, der sich aus einem Hochhaus geschmissen hat, weil er es nicht mehr ertragen konnte. Die große Tragödie begann erst nach dem Krieg, als wir begonnen haben, nachzudenken. Wir haben keine Sprache gehabt, keine Eltern. (. . .) Ich war damals so glücklich, wie ich gesehen habe, daß die Jugend tanzt, daß sie auch fröhlich sein kann.[35]

Zelman war Mitglied der SPÖ, doch schienen im Vorstand auch Kommunisten (z. B. Ruth Herzler), linke Zionisten (Kurt Weigl, Akiba Ehrenreich) sowie Mitglieder der Revisionisten bzw. nichtlinke Zionisten (Herbert Reisner, Rita Koch) auf.[36] Trotz ihrer geringen Mitgliederzahl kam der »Jüdischen Hochschülerschaft« innerhalb der jüdischen Gemeinde große Bedeutung zu. Die Zeitschrift der »Jüdischen Hochschülerschaft«, das 1951 gegründete »Jüdische Echo«, entwickelte sich zum Forum für aktuelle, niveauvolle innerjüdische Diskussionen. Neben der Problematik der »Christlich-Jüdischen Begegnung«,[37] thematisierte sie immer wieder Fragen der jüdischen Identität, Probleme des Verhältnisses Israel – Diaspora und auch des Generationskonfliktes innerhalb der jüdischen Gemeinde. Allgemein politisch stand das »Jüdische Echo« der SPÖ nahe. 1953 unterstützte es bei den Wahlen für die österreichische Hochschülerschaft indirekt den »Verband Sozialistischer Studenten Österreichs«, oder Zelman forderte »mehr Arbeiterkinder an die Universität« und erteilte »der Reaktion eine Absage«.[38] Das »Jüdische Echo« zog sich dadurch innerhalb der »Jüdischen Föderation« heftige Kritik zu; die »Stimme« und auch »Neue Welt und Judenstaat« verdächtigten es des Kommunismus.[39] Wie bei der »Hakoah« handelte es sich auch bei der »Jüdischen Hochschülerschaft« um eine inhomogene, fluktuierende Gruppe. Der Großteil der Universitätsabsolventen verließ – bedingt durch die geringen Zukunftsaussichten für Akademiker und aufgrund antisemitischer Erfahrungen[40] – Österreich. Ende der fünfziger Jahre dominierten israelische Studenten die »Jüdische Hochschülerschaft«. Wie zionistische Zeitungen beklagten, distanzierten sich diese von den Wiener Juden sowie den ostjüdischen Studenten.

Es ist zu bedauern, daß die Studenten aus Israel, die die Wiener Hochschulen besuchen, wenig Interesse für die hiesigen Kollegen zeigen. Obwohl es ihnen nicht gelungen ist, einen eigenen Klub zu bilden, zeigen sie wenig Anteilnahme für die Tätigkeit ihrer Wiener Kollegen. Auch sie könnten manches dazu beitragen, um unsere Jugend mit Israel zu verbinden und sollten es sich zur Pflicht machen, ihren Kollegen den Weg in die Heimat zu weisen.[41]

Die Basis der zionistischen Wähler bildeten ostjüdische Flüchtlinge, die aber nach der Gründung des Staates Israel Österreich großteils verließen. Der verbliebene Rest zeigte an der Israelitischen Kultusgemeinde wenig Interesse, und bei den Wahlen 1949 mußten die Zionisten bereits deutliche Stimmenverluste hinnehmen. Die Wahlbeteiligung der wahlberechtigten DPs betrug nur mehr 30%, während sich die »Wiener Juden« damals noch mit über 60% an der Wahl beteiligten. Auch Interviews mit ehemaligen DPs bestätigen das geringe Interesse an der Israelitischen Kultusgemeinde sowie ein ablehnendes Verhalten seitens der »österreichischen Juden«. Sie fühlten sich als »Zuagraaste«, bevorzugten den Zusammenschluß auf nationaler Basis und gründeten Landsmannschaften.[42] Der »Neue Weg« warf den zionistischen Führern sogar vor, daß sie die Flüchtlinge zur Teilnahme an den Wahlen zwingen würden.[43]

Die aus dem Wahlkampf 1948 an zweiter Stelle hervorgegange Liste der jüdischen Föderation hat das Gros ihrer Wähler aus den jüdischen DPs bezogen. Von diesen 1.100 Wählern haben zirka 950 ihre Stimmen abgegeben, also Stimmen von Personen, die sich bekanntlich nur vorübergehend hier aufhalten und sehnsüchtig auf die Möglichkeit einer Weiterreise, sei es nach Palästina, sei es nach anderen überseeischen Ländern, warten. Ihre hohe Wahlbeteiligung ist unter anderem auch auf den ungeheuren Druck zurückzuführen, der auf sie ausgeübt wurde. Sie, die im Register des Internationalen Komitees für jüdische Flüchtlinge geführt werden, wurden geradezu gezwungen, zur Wahl zu gehen, da sie sonst unter der Drohung standen, der Ausreisemöglichkeiten beraubt zu werden. Viele von ihnen äußerten sich ganz offen, daß sie eigentlich persönlich gar kein Interesse an der Kultusgemeinde hätten, daß sie aber wählen müßten.[44]

Führende Zionisten bemühten sich, in den DP-Lagern für ihre politischen Ideen zu werben. Inwieweit mit Drohungen gearbeitet wurde, ist schwer nachzuweisen.[45] Perspektiv- und mittellos, standen jüdische Flüchtlinge in einem finanziellen und psychischen Abhängigkeitsverhältnis zu den jüdischen Hilfsorganisationen. In ihrer Perspektivlosigkeit waren sie bereit, sich »für alles registrieren zu lassen«.[46] Bruce Teichholz schrieb, daß er als Leiter des Rothschildspitals

die Liquidierung des jüdischen Flüchtlingswesens forderte, doch niemand beeinflußt hat, wohin er gehen soll. (. . .) Ich habe niemandem meine eigene Auffassung aufgedrängt, doch jede Gelegenheit benutzt, meine feste Ueberzeugung zum Ausdruck zu bringen, keine fremden Länder zu bevorzugen, sondern sich nach Erez zu begeben.[47]

Wie das »Jüdische Echo« schrieb, hatten viele durch die Verfolgung den Glauben verloren, und »der Zionismus konnte am besten von allen die jüdische Existenzfrage beantworten«.[48] Zionismus vor Hitler war daher etwas anderes als nach der Shoah, und er hat wenig mit der konkreten Politik der Zionisten zu tun.[49] Wie auch Leon Zelman meinte, mußten sich Überlebende an etwas festklammern, um weiterleben zu können.[50]

Die Entstehung des Staates Israel gab uns Sicherheit und Selbstvertrauen, ja auf eine gewisse Weise hatte unser sinnloses Leiden doch noch einen Fluchtpunkt außerhalb unserer selbst bekommen, auf das es sich beziehen konnte. Die Generation, die die Shoah erleiden mußte, erlebte die Entschädigung, daß nach zweitausend Jahren ein eigener Staat der Juden errichtet wurde. Wir Jungen nahmen Israel persönlich, ohne je dort gewesen zu sein.[51]

Als Nahum Goldmann beispielsweise in einem DP-Lager von der Möglichkeit eines Judenstaates sprach, »fielen Frauen in Ohnmacht, und die Menge skandierte weinend: ›Ein jüdischer Staat, ein jüdischer Staat!‹«[52] Mit den Flüchtlingen verließen auch prominente zionistische Führer – allerdings selten in Richtung Israel – Österreich. Bronislaw Teichholz wurde 1950 verabschiedet,[53] wodurch die zionistische Bewegung in Wien, und hier hauptsächlich die »Poale Zion«, die einflußreichste Persönlichkeit verlor. Teichholz lebte nur einige Jahre in Israel und ließ sich später in New York nieder. Ende 1951 mußten die »Allgemeinen Zionisten« den Verlust einer bedeutenden Führungspersönlichkeit beklagen, denn Ernest Stiaßny schloß das Büro des »World Jewish Congress«. Aber auch er ging nicht nach Israel, sondern kehrte nach New York zurück. Mit der Gründung des Staates Israel begab sich Zerach Strauch,[54] Präsident des »Jüdischen Zentralkomitees« in der amerikanischen Zone und Mitglied der »Allgemeinen Zionisten«, auf Alijah.

Mit dem Ende der illegalen Transporte gingen auch Bricha-Führer, wie Ephraim Dekel, Leiter der Bricha in Salzburg und Autor eines Buches über die Bricha,[55] oder Asher (Arthur) Ben-Nathan, der österreichische Oberkommandierende der Bricha, von Österreich fort. Lippa Neufeld und Josef Rosenstrauch, Flüchtlinge aus Osteuropa und bedeutende zionistische Aktivisten, begaben sich 1950 auf Alijah.[56] Ihnen folgte das Ehepaar Schumer, wodurch der hebräischen Schule, die an Lehrermangel litt, eine weitere Pädagogin verlorenging. Dora Schumer schien auch im Vorstand der zionistischen Frauenorganisation WIZO auf.[57] Die von den Zionisten propagierte Alijah verstärkte die Krise der zionistischen Organisationen in Wien, denn von nun an mußten sie ohne die prominenten Führer und ohne die jüdischen Flüchtlinge, die nach 1945 die zionistischen Organisationen aufgebaut und gewählt hatten, auskommen.

Auswirkungen der Politik Israels auf die Diaspora

Die von allen enthusiastisch begrüßte Gründung des Staates Israel führte bereits 1949 zu einer Identitätskrise des Zionismus in der Diaspora. Fragen wie jene, wer nach der Gründung des Staates Israel außerhalb des Staates noch Zionist sei oder ob der Zionismus nach der

Staatsgründung überhaupt noch eine Aufgabe hätte, lösten nicht nur in Wien innerjüdische Konflikte und Spaltungen aus, wie auch der Judaist Kurt Schubert ausführte:

Unmittelbar nach der Gründung des Staates Israel und seiner militärischen Konsolidierung bemerkten die meisten Zionisten aller politischen Richtungen, daß sich der Zionismus in einer Krise befinde. Kaum war das Ziel der Eigenstaatlichkeit erreicht, hörte die Spannkraft auf, die den zionistischen Anstrengungen in Israel selbst und in den Diasporaländern ihren Elan verlieh. (. . .) Die alten zionistischen Schlagworte und Methoden ziehen nicht mehr, seitdem mit der Gründung des Staates Israel das Ziel scheinbar erreicht wurde. Das europäische und das überseeische Judentum nimmt seine Patronanz dem jungen Staat gegenüber in keineswegs ausreichender Weise ernst.[58]

Ab 1948 befaßten sich auch die jüdischen Zeitschriften mit dieser Problematik. Die »Stimme« bemerkte selbstkritisch, daß das Erhalten des Staates wesentlich schwerer sei, als man es sich gedacht hatte. Es sei kein Geheimnis, daß sich die zionistische Bewegung nach Gründung des Staates Israel in einer Krise befunden hätte.[59] Auch für das »Jüdische Echo« war »dieser als Ideal gedachte Staat schöner und besser, als er jemals verwirklicht werden konnte. Die Gegenwart, die Wirklichkeit, hat den Traum ins Gesicht geschlagen.«[60] Gustav Leitner, Vorsitzender der »Zionistischen Föderation«, warf die Frage auf, wer noch Zionist wäre, wenn bereits alle Israel akzeptieren würden.

Der grundlegende Irrtum, der von denen, die heute den Zionismus in der Diaspora negieren, gemacht wird, besteht in der Behauptung, daß heute alle – oder zumindest fast alle – Juden für Israel sind. (. . .) Für den wahren Zionisten bleibt Israel auch aus der Ferne seine einzige Heimat, seine einzige religiöse Richtung, sein einziges Ziel und sein einziges geistiges und kulturelles Zentrum.[61]

In den unmittelbaren Nachkriegsjahren stand das physische Überleben im Vordergrund, und die Überlebenden mußten ihre Energie in Familiengründungen und in den wirtschaftlichen Wiederaufbau investieren. In den fünfziger Jahren rückten allmählich Fragen des jüdischen Bewußtseins, des kulturellen Überlebens in den Vordergrund. Dabei zeigte sich, daß nicht nur in Europa, sondern auch in den USA große Identitätsprobleme bestanden.[62] Während ein Großteil der Wiener Juden weiterhin die Assimilation anstrebte, versuchten Zionisten diese Krise durch eine politische und kulturelle Bindung an Israel zu bewältigen. Dabei stießen sie auf die bis heute ungelöste Frage, ob Juden in der Galuth (außerhalb Israels) das Recht hätten, Israel zu kritisieren. »Darf er über die Zustände in Israel offen reden und schreiben – oder ist eine solche Offenheit mit seinem zionistischen Wesen unvereinbar?«[63] fragte 1952 die zionistische »Neue Welt und Judenstaat«. Nach dem »Sechs-Tage-Krieg« 1967 zeichnete sich die jüdische Gemeinde zumindest nach außen hin durch eine unerschütterliche Loyalität zum Staat Israel und seinen jeweiligen Regierungsparteien aus,[64] während in den fünfziger Jahren noch offene Diskussionen über die Beziehung zu Israel stattfanden. Die einzelnen zionistischen Organisationen in Wien solidarisierten sich mit ihren Schwesterparteien in Israel, während sie an israelischen Regierungsparteien heftig Kritik übten. Einig waren sich alle darüber, daß mit der Gründung des Staates die Mission der Zionisten in der Diaspora noch nicht erfüllt sei; seit der Gründung des Staates wäre nur eine Verwirrung über ihre Aufgaben entstanden.[65] Zu Differenzen führte allerdings die Frage über den Aufbau des Staates. Während beispielsweise die »Misrachi« in erster Linie einen Staat im Geiste der Thora und jüdischen Tradition anstrebten, schwebte den »Allgemeinen Zionisten« ein Modell zwischen Kapitalismus und Sozialismus vor. Die »Poale Zion« wieder zeigte sich der linkszionistischen »Mapai« verbunden und strebte ein sozialistisches Israel an, während die »Heruth«, das Sprachrohr der Revisionisten, in Anlehnung an die Partei Begins für ein kapitalistisches Israel eintrat. Die »Revisionisten« sahen ihren Hauptgegner in der Mapai,[66] die »Poale Zion« wieder bezeichnete diese als faschistisch.[67] Politische Machtkämpfe fanden nicht nur zwischen rechts und links, sondern auch zwischen den zwei linken Parteien, der »Mapam« und der »Mapai« statt. Während die »Poale Zion«, später auch der »Bund«, der »Mapai« nahestanden, zeigte sich die »Einigkeit« der »Mapam« verbunden. Nachdem die »Jüdische Einigkeit« in der Israelitischen Kultusgemeinde 1949 entmachtet worden war, traten einige ihrer Mitglieder der in Österreich neugegründeten »Mapam« bei. Dadurch verschoben sie das Kräfteverhältnis in der »Zionistischen Föderation«, was ihnen heftige Vorwürfe einbrachte.[68] Laut »Einigkeit« konnte das von den »rechtsbürgerlichen« und »sozialdemokratischen Elementen der Zionistischen Föderation nicht geschluckt werden«.[69] Die »Mapam« galt fortan als »kommunistische

Tarnorganisation, als Trojanisches Pferd, das sich einmal kommunistisch, einmal zionistisch zeigt«, der das »Zionistisch-Sein« abgesprochen wurde.[70]

Während die Zionisten dem »Bund« und der »Einigkeit« ihre enge Bindung an SPÖ und KPÖ vorwarfen, standen sie selbst vor einem ähnlichen Loyalitätsproblem. Die Frage der politischen Ausrichtung der zionistischen Parteien in der Diaspora und ihre Loyalität gegenüber den entsprechenden Parteien in Israel führte nicht nur in Österreich zu Spaltungen und letztendlich zum Machtverlust der zionistischen Organisationen. 1950 fand in Paris eine erregte Diskussion über die Problematik der Identifikation mit israelischen Parteien statt, wobei sich beispielsweise die »Allgemeinen Zionisten« für eine Nichtidentifikation mit der israelitischen Mutterpartei aussprachen, während die »Poale Zion« dafür eintrat, um der zunehmenden Assimilation entgegenzuwirken.

Natürlich muß das zu unnatürlichen Situationen führen. Der Jude aus Brooklyn wird von der »Agudath Israel« ausgenutzt, der Bursche in Chile wird durch die Zirkulare des »Haschomer Hazair« fanatisiert und vom schöpferischen Ideal entfernt, der Chawer der »Poale Zion« in Paris nimmt die Orientierung der »Mapai« an, der »Allgemeine Zionist« in Buenos Aires spielt Gebietspolitik im Namen der Klasseninteressen in Israel. Aber eine andere Möglichkeit für die natürliche Ambition, sich gesellschaftlich und politisch zu entwickeln, ist in der heutigen Wirklichkeit nicht vorhanden. Je mehr der Jude in der weiten Welt ein jüdisches Leben führen will, muß er sich gedanklich und psychisch nach Israel »übertragen«.[71]

Laut Wolfgang Tischenkel, einem Vertreter der »Allgemeinen Zionisten«, sollten sich Juden in der Diaspora »nur mit der Medinath Jisrael (= dem Land Israel, Anm. d. A.) identifizieren«.[72] Damit konnten sie sich aber nicht durchsetzen, und die Spaltung der »Allgemeinen Zionisten« in Israel[73] führte auch in Wien zu einer Spaltung. Sowohl »Progressive« als auch »Rechtsgerichtete (Klaliim)« versuchten, auf die Diaspora Einfluß zu nehmen. In Wien intervenierten beispielsweise Emissäre (Gesandte) aus Israel, die rechtsgerichteten Parteien angehörten, um den von eher linken Zionisten dominierten »Zionistischen Landesverband«[74] zu unterwandern.

Unvermutet erschienen auf der Bildfläche in Wien Abgesandte der Rechten, nahmen Verbindungen mit einigen Vorstandsmitgliedern

auf und beeinflußten sie, Unfrieden in unsere Reihen zu tragen.
(. . .) Erst durch das Auftauchen der Emissäre traten Divergenzen
zu Tage, die bei vernünftiger Überlegung und bei gutem Willen
nicht in Erscheinung hätten treten können.[75]
Vor allem Dr. David Gelles und Dr. Wolfgang von Weisl wurden der
Spaltung beschuldigt. Gelles stammte aus einer orthodoxen Familie;
sein Vater war Rabbiner, und er selbst besuchte bis zu seinem 17. Lebensjahr eine Jeshiwa. Seit 1921 wirkte er als Jurist in Wien, wechselte zum Zionismus über und gehörte dem Stricker-Kreis an.[76] Seine
zionistische Tätigkeit setzte er in den USA fort, wo er sich als »Allge-
meiner Zionist energisch gegen jegliche Beteiligung von Juden als Juden oder von jüdischen Parteien im zukünftigen Europa« aussprach.[77]
Dr. Weisl, 1896 in Wien geboren, zeigte sich von frühester Jugend an
dem Revisionismus, »der sein Leben bestimmte«, verbunden. Sein
Vater, ein Hof- und Gerichtsadvokat und in seiner Jugend ein »ge-
fürchteter Säbelfechter«, befreundete sich mit Theodor Herzl und zog
aus dieser Freundschaft sofort Konsequenzen: Der Weihnachtsbaum
mußte verschwinden, und in der Familie wurden christliche Feste
durch jüdische ersetzt. Der Vater meldete sich 1914 noch als 57jähri-
ger freiwillig zum Militär, und auch Wolfgang »wollte kämpfen – ein
Krieg gegen den judenmordenden Zarismus war für mich heilig«.
Nach dem Ersten Weltkrieg reiste Wolfgang Weisl zum ersten Mal
nach Palästina. Dort versuchte er, die religiösen »Misrachi« revisioni-
stisch zu unterwandern. In Wien wirkte er als Arzt, aber auch als Korrespondent und Orientberichterstatter für verschiedene namhafte Zeitungen. Nach mehrmaligen Orientreisen – in Palästina galt er bereits
als Führer der revisionistischen Weltbewegung – kehrte er 1931 nach
Wien zurück, wo er wieder zur revisionistischen Elite gehörte.
Während des Zweiten Weltkrieges trat er in Palästina der britischen
Armee bei, und als Zweiundfünfzigjähriger nahm er 1948 noch aktiv
am Unabhängigkeitskrieg teil.[78] Seine Wien-»Mission« in den fünfziger Jahren fand aber bei den österreichischen Zionisten kaum Zuspruch. So kritisierte neben der »Stimme«, dem Organ der »Allgemeinen Zionisten«, auch die links-zionistische »Renaissance«, daß
Dr. Weisl in Wien die »österreichischen Revisionisten« ins Leben gerufen hatte, wodurch eine weitere Spaltung zu befürchten sei.[79]
    1957 teilten sich die »Allgemeinen Zionisten« in Wien in einen
»progressiven« und einen »allgemeinen Flügel«.[80] Während die

»Neue Welt und Judenstaat«, das publizistische Organ der Revisionisten – jetzt nur mehr als »Neue Welt« – dem »Bund« und auch der SPÖ sehr nahe stand,[81] erhielten die rechten Zionisten in der 1957 gegründeten »Heruth« ein eigenes Sprachrohr. Als langjährige Herausgeber wirkten Siegfried Lazar, Sohn von Benzion Lazar, und Alfred Reischer, der 1938 in der rechts-zionistischen Jugendbewegung Betar und Barak tätig war. Beide waren auch Funktionäre der ÖVP, was sich auf die politische Linie der »Heruth« niederschlug.[82] Politisch stand die »Heruth« auch der »Paneuropa-Union« Otto von Habsburgs nahe, wobei an eine jüdische Tradition aus der Zeit der Monarchie angeknüpft wurde.

Otto Habsburg ist ein Judenfreund aus Ueberlieferung und Ueberzeugung, seine Liebe zum Judentum liegt ihm im Blut, seine Achtung für die Juden, deren viele er zu seinen besten Freunden zählt, ist das Ergebnis einer tiefen, reifen inneren Einstellung.[83]

Siegfried Lazar konnte als »Mischling« in Wien überleben. Seit über 40 Jahren gehört er der ÖVP an und wirkte auch als Bezirksrat im zweiten Bezirk. Antisemitismus hat er eigenen Aussagen zufolge innerhalb der ÖVP keinen gespürt, dennoch sollten seiner Meinung nach Juden im politischen Leben keine Führungspositionen übernehmen.[84] Alfred Reischer kehrte 1950 aus Israel zurück, gehörte als Unternehmer dem Wirtschaftsbund an und wirkte mit Unterstützung der ÖVP als Bundesgreminalstellvertreter der Radiogroßhändler. Seine Mitgliedschaft in der ÖVP rechtfertigte er mit liberalen Persönlichkeiten in der ÖVP, in die er auch seine Hoffnungen setzte.

Es gab und gibt in der ÖVP einige Leute, die von hervorragenden Geistesgaben sind. Ein Mann wie der Busek, wo man kaum seinesgleichen findet. Und so etwas gab es natürlich bei den Christlichsozialen nicht, die waren eindeutig antisemitisch, nicht so militant wie die Nazis, aber die Juden waren ausgeschlossen.[85]

Wie vielen Europäern bereitete ihm das Klima in Israel körperliche Beschwerden. Nach der Staatsgründung war es ihm nur schwer möglich, Arbeit zu finden und für seine Familie zu sorgen, während in Wien der elterliche, traditionsreiche Betrieb auf seine Übernahme wartete. Israel blieb weiterhin »das zentrale Anliegen seiner Existenz«, und vom Zionismus bezog er seine jüdische Identität. Obwohl er das religiöse Judentum schätzte, da es die jüdische Tradition bewahrt hat, war er selbst nicht religiös und besuchte keine Synagogen.

Ich bin ein nationaler Jude. Meine Ansicht ist eine persönliche, aber ich plappere kein Gebet nach, das ich nicht glaube.[86]
Durch sein Engagement für die »Revisionisten« konnte er seine jüdische Identität in Wien aufrechterhalten, sein Weggehen aus Israel entschuldigen und an seine jüdische Identität vor 1938 anknüpfen. Alfred Reischer starb 1994.[87]

1958 führten Machtkämpfe zwischen den einzelnen Parteien zur Bedeutungslosigkeit der »Zionistischen Föderation«, der 1958 der allgemeine Flügel der »Allgemeinen Zionisten«, die »Misrachi« und die »Hakoah« aus Protest gegen die linke Vorherrschaft fernblieben.[88] Die in Israel erfolgte Vereinigung von »Allgemeinen Zionisten« und »Heruth« wurde in Wien nicht mehr nachvollzogen; bis heute blieben sie als eigene Gruppen bestehen.

Wir sollten uns hier schon längst mit den Allgemeinen Zionisten vereinigt haben. Das sind heute nur mehr ein paar ältere Herren, die sich irgendwo noch zum gemeinsamen Gebet treffen.[89]
Einig waren sich die zionistischen Organisationen darin, daß sie in der Diaspora kulturelle und erzieherische Aufgaben zu erfüllen hätten, um die Brücke zwischen Israel und Diaspora nicht abzubrechen.

Die Golah ist nicht gerechtfertigt, aber ein Faktum, eine Wirklichkeit. Unsere Aufgabe ist es, das Judentum aus den Armen der Assimilation zu retten und zur Tradition zurückzuführen.[90]
Zionistische Vereine* und jüdische Schulen sollten die geistige Verbindung zu Israel intensivieren, eine weitere Assimilation verhindern und vor allem die Jugend auf die Alijah vorbereiten. Zionistisches Engagement in der Diaspora mußte auch das schlechte Gewissen über die eigene Rückkehr aus Israel oder über die immer wieder hinausgeschobene Alijah beruhigen.

Wenn ich ehrlich bin, beschuldige ich mich selbst, wie man es den Pharisäern vorwirft, Wasser zu predigen und Wein zu trinken. In Israel hat man wenig zu essen bekommen und hier sind wir 1950 zu den Fleischtöpfen. (. . .) Manchmal habe ich ein intensiv schlechtes

---

* Zu nennen wären der »Herzl-Club«, der hebräische Sprachverein »Brith Ivrith«, der »Jüdische Schulverein«, verschiedene zionistische Jugendorganisationen oder die »Gesellschaft der Freunde der Hebräischen Universität«, die auch Nichtjuden zu ihren Mitgliedern zählte, die »Gesellschaft zur Förderung der Importe von Israel nach Österreich«, die »Österreichisch-Israelische Handelsgesellschaft«.

Gewissen. Ich habe es allerdings inzwischen schon zum Teil be-
ruhigt, denn ein Teil meiner Familie ist jetzt in Israel und ich pend-
le hin und her.[91]

In Österreich verbliebene Zionisten fühlen sich erleichtert, wenn sich
ihre Kinder in Israel niederlassen. Auch Simon Wiesenthal meinte auf
die Frage, ob er jemals an eine Alijah gedacht habe, daß seine Tochter
mit ihrer Familie in Israel lebt und er dadurch »das Liebste, was er
habe, nach Israel gegeben hat«.[92]

Die meisten Wiener Juden aber blieben dem Zionismus fern. Die
1946 mit Hilfe des Joints gegründete jüdische Schule hatte ständig
an Schülermangel zu leiden – die Wiener Juden zeigten kein Interesse, und die Schüler kamen hauptsächlich aus Polen und Rumänien.
Sie mußte schließlich 1967 geschlossen werden.[93] Wie die »Tribüne«
kritisierte, würden Wiener Juden lieber für den Stephansdom als für
Israel spenden.[94] Statt einer Alijah mußte eine Rückwanderung aus
Israel verzeichnet werden,[95] was die »Renaissance« als »demora-
lisierendes Verfallsphänomen«[96] kritisierte. Sie warf den Juden in
der Diaspora Bequemlichkeit, mangelnde Solidarität mit jenen, die
unter Einsatz ihrer Kräfte Israel aufbauen würden sowie fehlendes Heimatbewußtsein vor. »Die natürliche Parole der Bürger jedes
gesunden Volkes ist: ›Überall ist es gut, aber am besten ist es zu
Hause.‹ Ihr Teitels aber fühlt Euch überall gut, nur nicht zu Hause.«[97]

Ende der sechziger Jahre veröffentlichte der »Ausweg«, die Zeitschrift des von Simon Wiesenthal gegründeten »Bundes jüdischer
Verfolgter des Naziregimes«, eine von der »Zionistischen Organisation« geführte Diskussion über die »Ära nach Goldmann«. Dabei wurden Überlegungen angestellt, wie mittels strengerer Maßnahmen den
Mitgliedern und vor allem langjährigen zionistischen Funktionären
die Alijah nähergebracht werden könnte.

Wir können uns nicht damit abfinden, daß zionistische Führer jahr-
zehntelang in den Ländern der Diaspora sitzen blieben, ohne die
geringsten Anstalten zu machen, die Idee der Alijah in ihr Lebens-
programm aufzunehmen. Nach Gründung des »Bundes der Olim«
innerhalb der Zionistischen Organisationen werden Personen nicht
dauernd Führer sein können, die sich nicht selbst diesem Bund
anschließen und den Weg nach Israel gehen. (. . .) Erwachsene kön-
nen nicht ohne weiteres zur Alijah gezwungen werden, aber Zioni-

sten können verpflichtet werden, ihren Kindern jüdische und zioni-
stische Erziehung zu geben.[98]

1955 löste die Einführung des österreichischen Bundesheeres neue Diskussionen aus. Vor allem junge Juden sahen sich erneut vor Loyalitätsprobleme gestellt, denn im Unterschied zur Bundesrepublik Deutschland waren sie in Österreich nicht vom Wehrdienst befreit. Zionisten warfen den jüdischen Soldaten vor, die »gefahrlose« österreichische Uniform bereitwillig für die israelische eingetauscht zu haben.

Was machen nun unsere jungen Juden in Österreich, wo sie mit Worten und Fahnen bei Versammlungen, ja mit »kühnstem« Gesichtsausdruck, stets manifestieren wollen, daß sie bereit seien, Israel zu verteidigen? Ja was machen sie wirklich hier, wenn sie die Studien beendet haben – falls sie wirklich studieren? Das Leben in Wiener Kaffeehäusern und Tanzlokalen scheint ja amüsant zu sein. Wie selten wird es doch durch die unangenehme Pflicht unterbrochen, hie und da bei Versammlungen ein weißes Hemd mit Davidstern und mit einem blauen Tuch anzuziehen. Oder haben wir übersehen, daß ihr »Österreichtum«, die Bereitschaft in österreichischer Uniform das Land zu verteidigen, stärker ist als ihre Behauptung, sie seien bereit, in israelischer Uniform Israel zu verteidigen?[99]

1956 bereiteten die ungarischen Flüchtlinge den Wiener Zionisten eine große Enttäuschung. Entgegen den zionistischen Vorstellungen bevorzugte ein Großteil der ungarischen Juden die USA oder Kanada als neue Heimat und verweigerte die Alijah nach Israel.[100] Ab 1970 führte dann die Frage der sowjetischen Juden zu Konflikten innerhalb der Israelitischen Kultusgemeinde, aber auch zwischen Israel und Diaspora. Während überzeugte Zionisten, auch wenn sie selber aus Israel nach Österreich zurückgekehrt waren, sowjetischen Juden außerhalb Israels das Existenzrecht absprechen, sehen andere in deren Ansiedlung die einzige Möglichkeit für den Fortbestand von jüdischen Gemeinden in Österreich.[101] Paul Grosz, der derzeitige Präsident der Israelitischen Kultusgemeinde Wien, verspricht sich von den sowjetischen Juden eine Belebung der jüdischen Gemeinde. Für Zionisten, auch wenn sie selbst in Österreich leben, gibt es hingegen »für Juden nur eine Lösung, und das ist Israel. Israel ist das Land, wo Juden hingehören, und nicht Rußland, Amerika und sicherlich nicht Wien«.[102]

In Österreich machte sich die Krise des Zionismus auch in der zionistischen Presse bemerkbar. Die »Stimme« erschien nur mehr vor hohen Feiertagen und in Kleinformat, die »Renaissance« mußte von 1952 bis 1953 wegen einer Erkrankung ihres Herausgebers Löwy eingestellt werden, was auch auf einen personellen Engpaß hinweist. Bis 1970 konnte sie noch gemeinsam mit ihrer Schweizer Schwesternorganisation erscheinen, wobei sich nur wenige Artikel mit der Situation von Juden in Österreich befaßten. Die »Neue Welt« – ab 1952 ohne »Judenstaat« und weniger zionistisch, dafür aber dem »Bund« nahestehend – wandelte sich 1958 zur »Illustrierten Neuen Welt«. Die Krise der Presse muß auch in Zusammenhang mit der Überalterung der zionistischen Gründergeneration nach 1945, von denen in den fünfziger und frühen sechziger Jahren viele starben, gesehen werden. Von der einst innerhalb der Zionisten einflußreichen »Poale Zion/Mapai« blieben nur mehr einige Funktionäre übrig, die sich 1963 mit dem »Bund werktätiger Juden« vereinigten. Die religiösen »Misrachi« entwickelten sich allmählich zur stärksten Fraktion innerhalb der »Zionistischen Föderation«. Nach Jahren des provisorischen Daseins, die hauptsächlich der Flüchtlingsbetreuung gewidmet waren, folgte ab 1951 eine Konsolidierung. 1952 erschien ihre Zeitung, die »Tribüne«, und im selben Jahr erwarben sie von der Israelitischen Kultusgemeinde ein Gebäude am Judenplatz 8, wodurch Räume für das »Beth Haknesset« (Betsaal), die »Talmud-Thora-Schule« und die »Bnei Akiva« (Jugendbewegung) vorhanden waren. Kommerzialrat Max Berger, ein KZ-Überlebender aus Schlesien, ließ sich 1949 in Wien nieder, und er erwarb sich große Verdienste um die Adaptierung des Gebäudes.[103] Seit 1961 schien er als Mitglied im Vorstand der Israelitischen Kultusgemeinde und auch als deren Vizepräsident auf.

1967 übte der »Sechs-Tage-Krieg« eine ungeheure psychologische Wirkung auf die Diaspora aus.

Ressentiments früherer Jahre waren vergessen, vergessen waren persönliche Kontroversen. Menschen, die miteinander seit Jahren kein Wort mehr gesprochen haben, sie alle fanden sich im Solidaritätskomitee zusammen, um für die Sache Israels zu arbeiten.[104]

Wurde dem »Bund« in den fünfziger Jahren noch zuwenig finanzielle Opferbereitschaft für Israel vorgeworfen, so verpfändete die vom »Bund« dominierte Israelitische Kultusgemeinde 1967 unter seiner Führung Liegenschaften und nahm Kredite auf, um Israel mit 10 Millionen Schilling zu unterstützen.

Kritische Auseinandersetzung zwischen Zionisten und »Assimilan-
ten« gehörten der Vergangenheit an. Die jetzige Gemeinde ist ein-
mütig in ihrem Gefühl der Verbundenheit mit Israel, was die Geld-
spenden beweisen.[105]
Mit der Spendenfreudigkeit versuchte der »Bund« aber auch die Existenz einer jüdischen Gemeinde in der Diaspora zu rechtfertigen.
Es zeigte sich, wie notwendig eine gut geführte Gemeinde auch für
Israel ist. Das jüdische Volk in der Diaspora ist der einzige Bun-
desgenosse Israels, auf den es blind vertrauen darf.[106]
Erst 1982 fanden sich, allerdings von Außenseitern der jüdischen Gemeinde formuliert, kritische Stellungnahmen gegenüber Israel, die
sich hauptsächlich auf den Libanonkrieg bezogen.[107] Jüdische Kritik
an Israel warf aber immer die Frage auf, ob damit in Österreich Antisemitismus ausgelöst werden könnte. Meistens wurden Bruno Kreisky und der Politologe John Bunzl beschuldigt, durch ihr politisches
Engagement »Antisemitismus in Österreich wieder hoffähig gemacht
zu haben«.[108] Die Beziehung der Israelitischen Kultusgemeinde sowie
einzelner Juden und Jüdinnen zum Staat Israel muß auch immer in
Zusammenhang mit der Israelpolitik des jeweiligen Landes gesehen
werden. Zwischen Österreich und Israel herrschte immer Befangenheit, und nichtjüdische ÖsterreicherInnen wiesen und weisen sehr
emotionale Beziehungen zu Israel auf, die weniger auf der realen Politik Israels als auf der eigenen Geschichte und Psyche basieren dürften.[109] Denn jüdische Kritik an Israel kann leicht für antisemitische
Motive vereinnahmt werden und zur eigenen Schuldentlastung dienen
(»Die Juden sind nicht besser als die Nazis!«).[110]

13.
Die Orthodoxie macht auf sich aufmerksam

Dem orthodoxen Judentum als religiöses, soziales und politisches Phänomen wurde nicht nur in Österreich[1] bisher kaum Beachtung geschenkt. Religiöse Überlebende sind in Österreich publizistisch bisher kaum an die Öffentlichkeit getreten, und auch die Wissenschaft wandte sich vorwiegend den politisch Verfolgten, Künstlern und Wissenschaftlern und assimilierten Juden zu. Andererseits kann in den letzten Jahren eine Verklärung des osteuropäischen Stetls, eine fast folkloristische Annäherung an das traditionelle Judentum beobachtet werden, wie auch Abraham Johoschua, israelischer Schriftsteller und Professor für Literaturwissenschaft, kritisierte.

Unangemessen, aber weit verbreitet ist die Reduktion jüdischer Realität auf ein verklärtes osteuropäisches Stetl und falsch interpretierte chassidische Werte: Ein »Flucht«- und Zerrbild.[2]

Vor Jahren selbst dem orthodoxen Judentum, das als überholte und einengende Lebensweise galt, entflohen, entwickelten nach der Shoah auch assimilierte Juden und Jüdinnen eine emotionale Beziehung zum religiösen Judentum. Für sich selbst lehnten sie diese Lebensform, von der sie befürchteten, wieder ins Ghetto gedrängt zu werden, strikt ab, der Orthodoxie fühlten sie sich jedoch zu Dank verpflichtet, da diese durch die strenge Einhaltung der jüdischen Gesetze über jahrhundertelange Verfolgungen hinweg das Judentum am Leben erhalten hat. Der Vorstand der Salzburger Kultusgemeinde meinte beispielsweise, daß er, obwohl selbst nicht religiös, »alles tut, um den Religiösen die Einhaltung ihrer Tradition zu ermöglichen«.[3] Auch Georg Wozasek, der sehr assimiliert aufgewachsene Vorstand der Linzer Kultusgemeinde, fühlte sich nach seiner Rückkehr aus den USA dem religiösen Judentum näher. Reformen lehnt er aus Angst, daß letztendlich vom Judentum nichts mehr übrigbleiben würde, ab.

Wenn man was erhalten will, kann man es nicht verwässern, besonders wenn man eine Minorität ist, sollte man es genau nehmen. In Österreich bin ich viel mehr Jude als in Amerika.[4]

Ein Vertreter der orthodoxen »Agudat Israel« schilderte den Kommunisten Michael Kohn, der in einer orthodoxen Familie aufgewachsen war, sich aber schon als Jugendlicher dem Kommunismus zugewandt hatte, *als den besten Menschen, den er gekannt hat. Als Sekretär im Ministerium hat er der »Agudah« immer geholfen, wenn wir was gebraucht haben – er tat alles für die religiösen Juden, obwohl er selbst nicht mehr religiös war. Damals waren noch die arischen Gesetze und wir hatten Probleme beim Schächten. Da hat er uns was geschrieben, daß wir schächten durften.*[5]

Andererseits rief bei assimilierten Juden das auffallende Äußere von sehr orthodoxen Juden Ängste wach. Sie befürchteten, daß der gegen Orthodoxe gerichtete Antisemitismus alle Juden treffen könnte. Wie bereits erwähnt,[6] plädierte die Israelitische Kultusgemeinde in den Nachkriegsjahren für ein Verschwinden der »Kaftanjuden«.

Der Begriff Orthodoxie bezieht sich hier auf religiöse Gruppen, die streng nach den Gesetzen der Thora leben. Innerhalb der Orthodoxie haben hinsichtlich der Beziehung zum Zionismus, aber auch bedingt durch die jeweilige geographische Herkunft, immer unterschiedliche Ausprägungen bestanden. Wie vor 1938[7] brachten die Flüchtlinge auch nach 1945 aus den verschiedenen Regionen ihre Riten nach Wien mit. Durch die strenge Einhaltung von vertrauten Gesetzen, die ihr Leben bestimmten, konnten sich entwurzelte jüdische Flüchtlinge – die Mitglieder der Orthodoxie waren großteils ausschließlich osteuropäische Flüchtlinge – an Bekanntes klammern und so einen Rest von Kontinuität bewahren, wie Paul D., ein ehemaliger ungarischer Flüchtling, ausführte.

Ich lebe in Wien so wie in Ungarn. Ich gehe zwei Mal am Tag beten und arbeite nie am Samstag – ein Orthodoxer arbeitet am Samstag nicht. Der Unterschied ist nur soviel, daß ich hab' keinen Bart wie mein Vater.[8]

Gesetze werden streng befolgt, obwohl deren Einhaltung rational nicht immer begründet werden konnte und verschiedene InterviewpartnerInnen unterschiedliche und auch in sich widersprüchliche Interpretationen gaben.*

---

* Auf die Frage, warum sich Frauen vor der Hochzeit die Haare schneiden lassen müssen, wurden beispielsweise folgende Erklärungen gegeben: H. R. meinte, es wäre ein Schutz vor Vergewaltigungen, da Juden ständig verfolgt wurden. P. D. führte es auf gefangene Nichtjüdinnen zurück: diese hätte zwei Wochen ohne Haare vor dem Haus sitzen müssen, und wenn der Jude sie dann immer noch begehrte, durfte er sie heiraten.

Das Leben nach den aus der alten Heimat bekannten Riten und Gesetzen konnte zur Wahrung der jüdischen Identität beitragen und innere Sicherheit vermitteln, es verhinderte aber auch eine Einigung der ohnehin zahlenmäßig sehr kleinen Orthodoxie. Wie vor 1938 konnte auch nach 1945 ihre Aufspaltung nicht verhindert werden; die Orthodoxie erwies sich als ebenso heterogen wie die übrige jüdische Bevölkerung Wiens. »Misrachi«, »Agudat Israel«, »Chassiden« oder »Lubawitscher« blieben einander fremd, oft auch Feind. Ein Gründungsmitglied der »Agudat Israel« grenzte sich beispielsweise zu den »Lubawitschern« folgendermaßen ab. – »Gott behüte, die Agudah hat mit den Lubawitschern nichts zu tun, ihr Benehmen ist für uns ein fremdes Gebiet.«[9]

Kontroverse Ansichten bestanden nicht nur bezüglich des Zionismus und der jeweiligen Riten; die Flüchtlinge brachten auch Vorurteile gegenüber anderen Nationen mit und bevorzugten in Wien den Zusammenschluß in Landsmannschaften. Animositäten zwischen polnischen, ungarischen oder rumänischen Juden bestanden in Wien auch innerhalb der Orthodoxie fort.

Ich bin noch Ungar, ja sicher. Das müssen sie verstehen. Überall auf der Welt wird ihnen ein Jude sagen: »Ich bin Jude und Amerikaner, oder (. . .) In Ungarn wird man das nicht sagen. – Ich bin ein ungarischer Jude. Zuerst war er Ungar, dann Jude, auch wenn er fromm war. (. . .) Es gibt nur religiöse und nichtreligiöse Juden (. . .) höchstens er ist ein Ungar. Daß der Ungar kann nicht leiden den Pollaken, und der Pollak findet den Ungarn dumm, das ist eine andere Sache. Das ist doch ein ausgesprochener Bledsinn.[10]

Ein aus Polen/Lodz stammender Jude grenzte sich wieder von den ungarischen und tschechischen Juden ab. Im Vergleich zu ihnen fühlte er sich als Rabbiner, »denn diese haben nicht die Gelegenheit gehabt, zu lernen. So eine Schule wie ich sie besucht habe, gab es nur in Lodz.«[11]

Provisorischer Neubeginn

Während vor allem junge Überlebende im Zionismus eine Art Religion fanden, beklagte die »Stimme Israels«, das Organ der orthodoxen »Agudat Israel«, daß die Religion der Verfolgung nicht standhalten konnte.

Es ist leider eine allzu bekannte Tatsache, daß der Glaube vieler Menschen den Erlebnissen des Unterganges der europäischen Judenschaft nicht standhielt. Eine Art geistiger und moralischer Nihilismus machte sich in den Kreisen der Überlebenden breit. Sprach man zu diesen seelischen Ruinen von einem Neuaufbau des jüdischen Lebens und der jüdischen Religion, so hatten sie nur ein leichtes Kopfschütteln und ein wehmütiges Lächeln übrig.[12]

Orthodoxe Juden kehrten kaum nach Wien zurück.[13] 1938 bedeutete auch das völlige Ende für die berühmte »Schiffschul«, einer bekannten österreichisch-jüdischen Tradition,* die in Brooklyn als »Congregation Adas Yereim« fortlebte und sich auch in New York innerhalb der Orthodoxie großer Bekanntheit erfreute.[14] Wie ein Gründungsmitglied der »Agudat Israel« schilderte, fanden sich 1946 in ihrem Bethaus in der Czerningasse keine zehn orthodoxen Männer zum Gebet ein. Überlebende Juden wurden für die Teilnahme am Gebet, wofür zehn erwachsene Männer anwesend sein müssen, bezahlt, um dieses überhaupt zu ermöglichen.

1947 waren wir zuerst nur zu dritt: der Benjamin Schreiber, der Tempeldiener, der ist später nach Amerika ausgewandert, und ich. Wir haben KZ-Überlebende vom Heimkehrerheim jeden Tag Frühstück und außerdem Geld gegeben, daß sie zum Beten kommen. Nach einem Jahr haben wir sie praktisch gekündigt, weil wir sie nicht mehr gebraucht haben. Essen haben sie weiterhin bekommen, nur kein Geld. Das waren alte zerbrochene Juden, Advokaten (. . .), so verlassen, allein geblieben.[15]

---

* Wie in Ungarn und Deutschland entwickelte sich auch in Österreich eine spezielle Art von Orthodoxie, die als Reaktion auf eine veränderte Lebensform und auf die jüdische Reformbewegung erklärt wird. Die »Schiffschul (Adas Jisroel)«, benannt nach der Synagoge in der Großen Schiffgasse 6, übernahm in Wien allmählich alle rituellen Aufgaben einer Kehilla (= Gemeinde) für die gesetzestreuen Juden. Während in Deutschland und Ungarn »Austrittsgemeinden« entstanden, konnte in Österreich eine Abspaltung verhindert werden. Die »Schiffschul« zeichnete sich dadurch aus, daß ihre Mitglieder an den wirtschaftlichen und kulturellen Errungenschaften der Außenwelt teilnahmen, gleichzeitig aber ein streng religiöses Eigenleben (eigene Synagogen, Schulen, Einhaltung der Gesetze wie Shabbat . . .) beibehielten. Dazu Sternfeld, Albert, in: Ziegler, Senta, Sie kamen als Kinder. Wien 1938; Burstyn, Ruth, Die »Schiffschul« – Geschichte, Hintergründe. In: Heilige Gemeinde Wien. Sammlung Max Berger. Katalog zur 108. Sonderausstellung des Historischen Museums der Stadt Wien. 12. November 1987–15. Juni 1988.

Auch bei der »Agudat Israel« erwies sich die Überalterung als großes Problem. Die Jugend fehlte, und die Funktionäre waren zwischen 50 und 60 Jahre alt. 1956 setzte die »Agudat Israel« daher große Hoffnungen in die ungarischen Flüchtlinge, unter denen sich auch Orthodoxe befanden. Hier zeigte sich die nachhaltige Tragik der Shoah. Da der Großteil der orthodoxen Juden ermordet wurde, bemühten sich zahlreiche Länder um die Ansiedlung orthodoxer Juden aus Ungarn, indem sie »vielversprechende Einladungen aussprachen«, die gerne angenommen wurden, wie die »Stimme Israel« ausführte.

Der ungeheure Mangel an Menschenmaterial, insbesondere von jüdischen Personen orthodoxer Gesinnung, die die Verwüstung der Nazizeit mit sich gebracht hat, macht sich überall, wo ein jüdische Leben neu aufgebaut werden soll, äußerst bemerkbar. Es ist daher nur begreiflich, daß die Agudas Israel von aller Welt Einladungen in der letzten Zeit erhalten hat, aus den Kreisen der jüdisch-orthodoxen Flüchtlinge möglichst viel Einwanderer nach den betreffenden Ländern zu bringen.[16]

Wie die religiös-zionistische »Misrachi« begann auch die »Agudah« ihre Arbeit in den DP-Lagern. 1912 in Polen gegründet, wurde sie 1919 auch in Wien aktiv und übernahm allmählich die Führung innerhalb der Orthodoxie.[17] Während des Nationalsozialismus bestand eine Expositur in der Schweiz, und 1946 fand in London, dem Zentrum der »Agudah-Weltbewegung«, das erste Treffen statt.[18] Auch nach 1945 ist es der »Agudah« wieder gelungen, als Sprecherin der Orthodoxie aufzutreten. Vor dem Krieg gab sich die »Agudah« explizit antizionistisch, wodurch sie sich eindeutig von den »Misrachi« abgrenzte.[19] Nach den Aussagen eines führenden Mitgliedes wurde auch nach der Gründung des Staates Israel der Zionismus als nationale Bewegung von einem religiösen Standpunkt aus abgelehnt.

Ich bin ein Antizionist, ich liebe Israel und gebe alles. Ich wäre aber auch in Israel kein Zionist. Ich bin ein Orthodoxer, und in meinen Augen ist Herzl nicht der Erfinder von Israel. Israel steht in der Thora, und ich brauche nicht den Herzl dazu. Ich bin nie ein Zionist gewesen und hoffe auch, nie einer zu sein – ich unterstütze Israel als Jude, nicht als Zionist.[20]

Die »Agudat Israel« zeigte sich Israel zwar emotional verbunden – die »Stimme Israel«, das Organ der »Agudah«, propagierte 1949 den »thoratreuen Bauern in Israel« als jüdisches Ideal[21] – lehnte jedoch im

Unterschied zu den »Misrachi« die Mitgliedschaft in der »Zionistischen Föderation« ab und stand dem Zionismus als nationale Bewegung weiterhin fern.

Unterstützt vom Joint entstanden koschere Küchen und Umschulungskurse, die Flüchtlinge auf das Leben in Israel vorbereiten sollten. In der Grünangergasse eröffnete die »Agudah« eine »Thalmud Thora Schule« für Knaben, in der Czernin- und ab 1949 ebenfalls in der Grünangergasse eine »Beth Jakob Schule« für Mädchen, die dort die Aufgaben der thoratreuen Frau vermittelt bekamen.[22] Während die männlichen Schüler privat wohnten, waren die Mädchen in der Liechtensteinstraße in einem Wohnheim (Benot-Heim) untergebracht, das laut »Stimme Israel« als »Reservoir für religiöse Ehefrauen«[23] galt.

(. . .) dieses Heim genoß in kurzer Zeit nach seiner Errichtung in Wien einen derart guten Ruf, daß ein Mädchen aus diesem Benot-Heim nicht nur für die agudistischen jugendlichen Einwanderer, sondern auch für die in Wien ansässigen Heiratskandidaten die einzig mögliche Partie war, da es sonst in Wien keine orthodoxe Familie mit erwachsenen Töchtern gab.[24]

Das Leben im Ghetto, Konzentrationslager oder im Versteck machte die Einhaltung religiöser Gesetze fast unmöglich. Häufig fehlten auch Mütter, die die Tradition an die heranwachsenden Töchter weitergeben hätten können. Die religiösen Schulen boten nicht nur Gelegenheit, das durch die Shoah verlorengegangene religiöse Wissen nachzulernen, sondern mußten diesen jungen Menschen auch Heimat und Familie ersetzen. Das erste Zentrum der »Agudat Israel« entstand in der Liechtenstein- und der Czerninstraße, später eröffnete die »Agudah« in der Weihburggasse ein koscheres Restaurant und ein Bethaus. Zwischen 1946 und 1953 nahmen rund 4.500 Zöglinge ohne jedes Entgelt religiösen Unterricht, über 500 Personen bezogen monatliche Unterstützungen und bis 1964 erhielten 22.750 Flüchtlinge materielle Betreuung.[25] Um die Einhaltung der religiösen Bedürfnisse zu ermöglichen, unterhielt die »Agudah« in der Floßgasse eine streng rituelle Mikwah (= rituelles Bad). Bis 1953 finanzierte die »Agudat Israel« 235 Betriebe. Die von Benjamin Schreiber gegründete »Agudah-Bank« gewährte jenen, die sich in Österreich eine neue Existenz aufbauen wollten, Kredite. Die Agudah-Bank verstand sich auch als Konkurrenz zu der von der Israelitischen Kultusgemeinde ins Leben gerufenen »Jüdischen Bank«, die, wie die »Agudat Israel« kritisierte, die Kredite vorwiegend an ehemalige Wiener Juden vergab, obwohl die »Agudah« in der Gründungsphase der Bank miteinbezogen war.[26] Aus dem Provisorium entwickelte sich allmählich eine feste Niederlassung. Denjenigen, die in Wien leben wollten, mußte beim Ansuchen um Gewerbescheine und Wiedergutmachung, wozu nichtösterreichische Juden gegenüber Deutschland berechtigt waren, oder beim Erwerb der österreichischen Staatsbürgerschaft geholfen werden. Im Jahre 1956 engagierte sich die »Agudat Israel« sehr bei der Betreuung der orthodoxen ungarischen Juden.

1949 zählte die »Agudat Israel« rund 800 Mitglieder, und bei den Kultuswahlen 1955 erhielt sie 600 Stimmen.[27] Damit erzielte sie mehr Stimmen als beispielsweise 1934, wo auf den orthodoxen Block bei wesentlich mehr Wahlberechtigten nur 435 Stimmen entfallen waren. Nach 1945 fehlte aber die Infrastruktur für ein orthodoxes Leben. In den fünfziger Jahren machte daher die Orthodoxie, die bis dahin in der Israelitischen Kultusgemeinde nicht vertreten war, auf ihre religiösen Bedürfnisse aufmerksam.

Der Kampf gegen die Israelitische Kultusgemeinde

1948 kandidierte zum ersten Mal eine religiöse Liste, die aber den Einzug in die Israelitische Kultusgemeinde nicht schaffte. 1949 gründete Benjamin Schreiber, der Vorsitzende der »Agudat Israel«* und der »Hapoel Agudath«, die »Interessensvertretung orthodoxer Juden«, auch »Khal Israel« genannt. Im selben Jahr schlossen sich auch Rabbiner aus Osteuropa zu einem, in den Augen der Kultusgemeinde »illegalen« Rabbinerverband zusammen und »taten das Rabbinat der Israelitischen Kultusgemeinde in Acht und Bann«.[28] Eine Zersplitterung der Orthodoxie konnte aber nicht verhindert werden. Bei den Wahlen 1952 kandidierten bereits zwei religiöse Gruppierungen: die von Schreiber geführte »Agudat Israel« als »Block der religiösen Juden« und die »Unpolitische Liste der religiösen Juden«. Obwohl beide eine Abspaltung von der Israelitischen Kultusgemeinde anstrebten, stan-

---

* Agudas – oder auch Agudah – in Verbindung mit Israel wird Agudat Israel geschrieben.

den sie einander feindlich gegenüber. So warnte die »Agudah« 1955 vor einer Stimmabgabe für die »Vereinigung der religiösen Juden«: denn wer so wählt, »begeht einen Verrat gegen das religiöse Judentum«.[29] Nachdem sich die seit 1950 geführten Verhandlungen mit der Israelitischen Kultusgemeinde als nicht zufriedenstellend erwiesen hatten, versuchte die »Vereinigung orthodoxer Juden«, wie einige Male vor 1934, ihre Wünsche unter Drohung einer Austrittsgemeinde durchzusetzen.[30] 1954, ein Jahr vor den Kultuswahlen, trat die Orthodoxie sehr fordernd an die auch nichtjüdische Öffentlichkeit. Über den ÖVP-Pressedienst veröffentlichten österreichische Zeitungen, daß die »Kahl Israel« an das Unterrichtsministerium das Ersuchen gestellt habe, als separate jüdische Gemeinde anerkannt zu werden.[31] Die Orthodoxie verwies auf ihre Vernachlässigung seitens der Israelitischen Kultusgemeinde und sie forderte eine ausreichende finanzielle Unterstützung für ihre religiösen Bedürfnisse wie Bethaus, Schule, eigene Schächter, ein rituelles Bad und eine rituelle Küche.

Die Leitung der Kultusgemeinde, die (. . .) für das religiöse Bedürfnis der orthodoxen Schichten nicht das minimalste Interesse aufbringen konnte, ist durch die Gründung der »Khal Israel« alarmiert worden. (. . .) Denn eines muß gesagt werden: solange die Erfordernisse des religiösen Judentums nicht erfüllt werden, wird es in unserer Stadt keinen Frieden geben. Wir sind durch die Gesetze unserer heiligen Religion gebunden und werden davon um kein Jota nachgeben, da es nicht eine Frage des Wollens oder Nichtwollens, sondern des Herzens und des Gewissens ist (. . .) und es ist daher leicht verständlich, wenn viele nach diesen Opfern nicht die Lust verspüren, für eine Kultusgemeinde, die für sie nichts leistet, auch noch Kultussteuer zu entrichten.[32]

Die Orthodoxie berief sich dabei auf das Gesetz von 1890, das die Israelitische Kultusgemeinde zur Erhaltung ritueller Einrichtungen verpflichtete. Die Vertretung der Israelitischen Kultusgemeinde stützte sich auf dasselbe Gesetz und kritisierte an der Orthodoxie, daß diese sich Rechte anmaße, die nur ihr zustehen würden. Da das Gesetz von 1890 auch die Anzahl der Israelitischen Kultusgemeinden in Österreich genau festgelegt hatte, wäre die Gründung einer »Austrittsgemeinde« eine Gesetzesverletzung gewesen, und sie forderte daher das Verbot der »Khal Israel«. Beide brachten bei der Polizeibehörde und beim Magistrat Aufsichtsbeschwerden ein.[33] Wie aus der »Stimme

Israel« hervorging, lag den Konflikten die Frage der Verteilung der finanziellen Ressourcen zugrunde.

Die thoratreuen Juden Wiens entrichten ihre Kultussteuer an die Gemeinde (. . .) Die Israelitische Kultusgemeinde Wien verwendet aber die Gelder aus den Kultussteuern nicht für Kultuszwecke, so daß die thoratreuen Juden Wiens, obwohl sie Kultussteuer zahlen, sämtliche religiöse Anstalten und Institutionen aus eigenen Mitteln erhalten müssen. Aus den Geldern der Kultussteuer wird von der Kultusgemeinde eine Volksküche subventioniert, in der der jüdische Ritus nicht eingehalten wird. Dies bedeutet für die frommen Juden eine schwere Gewissensbelastung, wenn sie gezwungen werden, antireligiöse Institutionen der Gemeinde mitzufinanzieren.[34]

Anfangs unterstützten auch die »Misrachi« die Forderungen der »Agudah«. Sie kritisierten unter anderem auch die von der Israelitischen Kultusgemeinde geleitete Volksküche im 2. Bezirk. Diese sei zwar billig, aber nicht koscher, und während viele Nichtjuden zu ihren Besuchern zählten, würde sie von den Orthodoxen aus religiösen Gründen boykottiert werden.[35] Bemängelt wurde auch, daß die Israelitische Kultusgemeinde »unter nichtjüdischer Leitung« in Neulengbach ein Kinderferienheim für nichtreligiöse Kinder errichtet habe, der »Bne Akiba«, der Jugendbewegung der »Misrachi«, hingegen finanzielle Unterstützung verweigert werde.[36] Die Israelitische Kultusgemeinde wieder warf der Orthodoxie vor, durch ihre feindselige Haltung nichtorthodoxen Juden den Besuch der Mikwah zu verleiden.[37]

Zugeständnisse an die »Khal Israel« hätten der Israelitischen Kultusgemeinde große finanzielle Verluste verursacht. Da sich die »Khal Israel« beispielsweise weigerte, von der Israelitischen Kultusgemeinde bezahlte Schächter und Rabbiner anzuerkennen, entgingen dieser hohe Einnahmen.

Der Schächter erhält für jedes geschlachtete Rindvieh ca. 400 Schilling. Einem illegalen Rabbinerverband, dem selbstverständlich kein Rabbiner der Kultusgemeinde angehörte, muß eine Abgabe geleistet werden.[38] (. . .) Auf diese Weise wurden der Kultusgemeinde im Jahr 1951 allein 400.000,– S an Schachtgebühren entzogen. Alle Versuche, diese Umtriebe zu steuern, ja selbst die Inanspruchnahme der Gemeinde Wien und der Landesbehörden als Aufsichtsbehörden waren vergebens. Unbekümmert um Erlässe und Verfügungen wurde die Kultusgemeinde um ihre Einnahmequelle gebracht, welche genügt hätte, um mehr als die Hälfte des Abganges des Altersheims und des Spitals zu decken. Diese entzogenen Einnahmen wurden für Selbstzwecke dieser »orthodoxen« Juden verwendet.[39]

Obwohl Emil Maurer, der sozialistische Präsident, Bethäuser besuchte und mit der Orthodoxie Verhandlungen geführt hatte,[40] nahm die »Khal Israel« im Wahlkampf 1955 ihre Forderungen nicht zurück, und sie drohte mit der Gründung einer »Austrittsgemeinde«. In der Ablehnung dieser Forderungen bot der Vorstand der Israelitischen Kultusgemeinde »jedoch ein Bild seltener Einmütigkeit«. Selbst Vertreter der »Misrachi«, die auch der »Khal Israel« angehörten, distanzierten sich von dieser. Auch Josef Leitner und sein Vater Moritz Leitner, ohne sein Wissen zum Ehrenpräsidenten der »Agudat Israel« gewählt, nahmen öffentlich von der »Khal Israel« Abstand.[41] Die Israelitische Kultusgemeinde sah in einer »Austrittsgemeinde«, die in Wien bisher verhindert werden konnte, eine ernsthafte Bedrohung und grundsätzlich nachteilige Auswirkungen auf die »Wiedergutmachungsverhandlungen«.

Seit Mitte des 19. Jahrhunderts waren die Wiener Oberrabbiner bestrebt, die Einheit der Israelitischen Kultusgemeinde zu wahren. Auch Rabbiner Akiba Eisenberg bemühte sich seit seinem Amtsantritt im Jahr 1948 um einen Kompromiß zwischen Orthodoxie und Reformjudentum.[42] Ungarischen Juden wieder war das Nebeneinander mehrerer Kultusgemeinden vertraut. Interviews zufolge fühlte sich die Orthodoxie, die sich fast ausschließlich aus Flüchtlingen zusammensetze, von den Machthabern der Israelitischen Kultusgemeinde als »Zuagraaste« behandelt und wollte, wie auch anfangs viele Zionisten, mit ihnen »nichts zu tun haben«.

Die »Alt-Wiener Juden« waren große Antisemiten. Wir waren die »Zuagraasten«. Bei Gemeindesitzungen in der Kultusgemeinde haben sie nicht nur ein Mal geschrien: »Was wollt's, Ihr ›Zuagraasten‹!«[43]

Die »Khal Israel« war sich ihrer Macht bewußt und nutzte den sensiblen Zeitpunkt der »Wiedergutmachungsverhandlungen« zur Erkämpfung ihrer Interessen. 1955, als sie bei den Wahlen mit rund 600 Stimmen in den Kultusvorstand einziehen konnte, verzichtete sie vorläufig auf eine Abspaltung.[44] 1958 unterzeichnete der »Bund«, der in der Israelitischen Kultusgemeinde damals über die absolute Mehrheit verfügte, einen Vertrag mit der Orthodoxie; u. a. sollte die Mikwah streng koscher renoviert und die »Khal Israel« mit größeren finanziellen Zuwendungen bedacht werden.[45] Nachdem der »Bund« seine absolute Mehrheit verloren hatte, bildete er 1977 mit der »Khal Israel« eine Koalition. Laut »Ausweg«, dem Organ des »Bundes Jüdischer Verfolgter des Nationalsozialismus«, hat sich die »Khal Israel mit Leib und Seel dem Bund verkauft« und sollte ihren Namen in »religiöse Abteilung der Werktätigen« ändern.[46] Die Annäherung der »Khal Israel« an den »Bund« führte auch zu neuen Konflikten innerhalb der Orthodoxie. Zusätzliche Subventionen an die »Khal Israel« lösten öffentliche Proteste einer der »Khal Israel« feindlich gesinnten orthodoxen Gruppierung, der »Machsike Hadas«*, aus. Diese wurde vom »Bund jüdischer Verfolgter des Nationalsozialismus« unterstützt, der in den sechziger Jahren versuchte, die absolute Mehrheit des »Bundes« zu brechen.

Es gibt zwei religiöse Gruppen, die Schulen für jüdische Kinder unterhalten, Khal Israel und Machsike Hadas. Khal Israel betreut etwa 30 Kinder, Machsike Hadas 100, aber beide Gruppen bekommen für diesen Zweck die gleichen Subventionen. Alle Vorschläge, die Subventionen nach der Anzahl der Kinder zu gestalten, scheiterten am Widerstand der »Werktätigen«, die die Stimmen der Khal Israel dringend brauchen. Kultusrat Ing. Wiesenthal sagte daher ganz offen, daß es sich hier um eine politische Subvention handelt, und daß man aus diesem Grund auch keine Kontrolle über die Verwendung der Gelder, die die Kultusgemeinde an Khal gibt, vornimmt. Man zahle das Geld nicht für die Bedürfnisse des Khal Israel, sondern man zahle für die Stimmen im Kultusrat.[47]

Trotz Absprachen und trotz der Koalition mit dem »Bund« standen orthodoxe Gruppierungen der Israelitischen Kultusgemeinde fern. 1965 erörterte beispielsweise die »Gemeinde« das Problem des Religionsunterrichts. Während sich Rabbiner Manfred Popp von den orthodoxen Kindern eine Belebung des Religionsunterrichtes und auch ein homogenes Judentum in der nächsten Generation erhoffte, wollten orthodoxe Eltern ihre Kinder nicht mit Kindern aus liberalem Haus in die gemeinsame Religionsstunde schicken.[48] Auch ein Gründungsmitglied der »Agudat Israel« stand der Annäherung an den »Bund« skep-

---

* Eine extrem orthodoxe Gruppe. Vgl. Schmid, S. 57.

tisch gegenüber und hielt weiterhin an der Idee einer separaten orthodoxen Gemeinde fest.

Ich wäre heute noch für eine Trennungsorthodoxie, ich habe mich
von der Politik komplett zurückgezogen. Die Führung von der Agu-
dah, wenn sie bekommen von der Kultusgemeinde ein paar Schil-
ling, dann bleiben sie. Ich bin heute noch für die Trennungsortho-
doxie, denn ich bin ein Ungar, und ich fühle mich auch noch da-
nach.[49]

Benjamin Schreiber

Benjamin Schreiber, Gründer und Präsident der »Agudat Israel und
Hapoel Agudah«, ging nicht nur als radikaler Vertreter einer »Austrittsgemeinde« in die Geschichte ein. Wie die »Pressemitteilungen
der Israelitischen Kultusgemeinden« schrieben, war Benjamin Schreiber »hier im Lande als Cadbury-König und wegen seiner Liebesga-
benaffaire mit den Gerichten bekannt«.[50]

Als »Cadbury-König«* oder »Zuckerbaron«[51] beschäftigte Schreiber auch führende Politiker. Er wurde mehrere Male wegen Schwarz-
handels verhaftet, mußte aber aufgrund mangelnder Beweise immer
wieder freigesprochen werden. Die kanadischen Behörden verweigerten ihm ein Einreisevisum (offensichtlich wurden von alliierten Zen-
surstellen seine Überseegespräche abgehört),[52] Innenminister Helmer
bezeichnete Schreiber »als Schieber ersten Ranges«[53] und er vermutete, daß die »Agudat Israel« lediglich als Tarnorganisation für die Geschäfte ihres Präsidenten diene. Auch innerhalb der jüdischen Gemeinde galt er als bekannter Schwarzhändler. Wie aus einem Briefwechsel zwischen dem Bundesministerium für Inneres und dem
Bundespräsidenten hervorgeht, hatte Schreiber aber von der österreichischen Polizei nichts zu befürchten.

Benjamin Schreiber hat in den Nachkriegsjahren diverse Manipu-
lationen mit Lebensmittelimporten grössten Umfanges durchge-
führt. Die als Liebesgaben bezeichneten Lebensmittel wurden mit-
tels gefälschten Empfangsbestätigungen auf den schwarzen Markt
gebracht. Schreiber war mehrmals in Haft, verstand es aber, nicht

---

* Cadbury ist der Name einer englischen Süßwarenfabrik.

nur seine Haftentlassung, sondern sogar die Einstellung sämtlicher
Verfahren zu erreichen.[54]
Zur Behauptung einer schlechten Bevormundung durch die öster-
reichische Polizei ist zu sagen, dass eine solche niemals erfolgt ist.[55]

Ein Mitarbeiter Schreibers beschrieb die »Liebesgaben-Firma« folgendermaßen:

Die Jüdische Liebesgabenfirma »Jampad« gehörte der Agudah, die
Bons verteilt hat, die angeblich Verwandte in der Schweiz, den USA
oder sonstwo kaufen konnten. Das war aber nur ein Schmäh. In
Wirklichkeit haben wir die Bons hier verkauft, und das war verbo-
ten. Wir haben die Lebensmittel ganz normal gekauft bei Handels-
organisationen, sie waren aber als Liebesgaben getarnt.
Ich habe dabei verdient, und die Käufer haben auch verdient, denn
sie haben es am Schwarzmarkt wieder verkauft. Leute kamen zur
Agudah und kauften, auch ohne Bons, Lebensmittel. Ich habe Säcke
fürs Geld gehabt, die waren am Abend immer voll mit Dollar, eng-
lischen Pfund (. . .).[56]

Wie er weiters ausführte, wurde die Wirtschaftspolizei mit großen
Mengen von Lebensmitteln bestochen. Dies ermöglichte die Arbeit
der an sich illegalen »Liebesgabenfirma«, verdeutlichte aber auch,
daß der den Juden angelastete Schwarzmarkt ohne nichtjüdische Partner undurchführbar gewesen wäre.

Der Wirtschaftspolizei, die war in Aspern, nicht weit von uns, denen
haben wir jedes Monat gegeben: 100 kg Zucker, Kakao, Rosinen. –
Dafür haben sie weggeschaut? – Was heißt weggeschaut, sie waren
blind.[57]

Innenminister Helmer war bemüht, die Einbürgerung von Benjamin
Schreiber zu verhindern. Nachdem dieser in Wien zwölfmal vergeblich um die Zuerkennung der österreichischen Staatsbürgerschaft an-
gesucht hatte, wagte er in der Steiermark einen weiteren Versuch. Mit
Hilfe des ÖVP-Landeshauptmannes Josef Krainer war er diesmal erfolgreich. Wie ein Mitglied der »Agudat Israel« ausführte, war Krainer auch anderen jüdischen Flüchtlingen beim Ansuchen um die
Staatsbürgerschaft behilflich.

Der Krainer hat es doch für den Schreiber gemacht. Alle haben ihn
genannt »Pepi-Onkel«. Ganz einfach, Sie haben können reden mit
ihm, so wie Sie mit mir reden. In Wien sind viele über ihn Staats-
bürger geworden. Antisemit war er keiner, wie liberal er war, das

weiß ich nicht. Er war aber ein Demokrat. Ich habe in Graz ein Sä-
gewerk und eine Möbelfabrik gehabt und den Krainer oft im Kaf-
feehaus getroffen, beim Kartenspielen, mit der großen roten Nase. –
»Brauchst was?« – hat er gesagt. Sag'ich: »Ich brauch'gar nichts,
Staatsbürger bin ich schon geworden.«[58]

Schreiber verlegte seinen Hauptwohnsitz von Wien nach Graz, wo
ihm unter Berufung auf das »Optionsgesetz« – d. h. er erklärte sich als
Volksdeutscher – 1955 die österreichische Staatsbürgerschaft zuerkannt wurde. Helmer fühlte sich von Schreiber, aber auch von der
ÖVP hintergangen.

Es muß dazu loyalerweise festgestellt werden, dass die Verleihung
der Staatsbürgerschaft durch das Amt des Landeshauptmannes
Krainer in einem Zeitpunkt durchgeführt wurde, zu dem der er-
wähnte Referent in Urlaub war. (...) Schon die in dieser Anfrage
angeführten Umstände lassen den Verdacht gerechtfertigt erschei-
nen, dass Herr Benjamin Schreiber entgegen den Bestimmungen
des Gesetzes, also unter Mißbrauch der behördlichen Gewalt, ein-
gebürgert wurde. Es darf wohl angenommen werden, dass die über-
wiegende Mehrheit der steirischen Bevölkerung, soweit sie bisher
den Herrn Landeshauptmann Krainer und seine Partei, die ÖVP,
gewählt hat, mit dem neuen Landsmann keine besondere Freude
hat.[59]

Von den Sozialisten argwöhnisch beobachtet, suchte Schreiber bei der
ÖVP Unterstützung, die in Schreiber wieder einen Bündnispartner ge-
gen die von den Sozialisten dominierte Israelitische Kultusgemeinde
sah.[60] Dabei wurde deutlich, daß Staatsbürgerschaftsverleihungen ein
Naheverhältnis zu politischen Parteien, die damals auch bereit waren,
Bestechungsgelder anzunehmen, voraussetzten. Während Schreiber
mit Hilfe der steirischen ÖVP »Österreicher« wurde, versuchte es sein
Partner zuerst bei der SPÖ.

Ich bin 1946 mit einem ungarischen Paß nach Wien gefahren, ganz
legal. Als er abgelaufen ist, hab ich ihn beim ungarischen Konsulat
zurückgegeben. Dann habe ich eingereicht für die Staatsbürger-
schaft. Aber glauben Sie nicht, daß das ist so einfach. Zuerst haben
mich die Sozialisten eine Menge Geld gekostet, und sie haben mich
nicht erledigt. Ich war selber Sozialist damals, das gehört zur Reli-
gion. Ich habe gegeben 12.000,– S Parteispende. Dann bin ich zu
den »Schwarzen« gegangen. Da hat der Parteisekretär mir folgen-

des gesagt: »15.000,– S Parteispenden, 15.000,– S für mich – ganz
einfach – und 2.000,– S für die Gemeinde und 2.000,– S für den
Bund, und ich garantiere Ihnen 4 Wochen.« Und wirklich, nach vier
Wochen hab ich's gehabt. Es hat mich 34.000,– S gekostet. Ich hab
bekommen eine Quittung, aber ich hab sie weggeschmissen, es war
uninteressant.[61]

Die »Khal Israel« thematisierte als eine der ersten jüdischen Organisationen die Problematik der Einbürgerung jüdischer Flüchtlinge. Kritik
traf dabei auch die Israelitische Kultusgemeinde, die »noch keinen
Versuch unternommen hatte, sich für die Interessen der Heimatvertrie-
benen einzusetzen«.[62] Während der Beirat der Volksdeutschen aktiv für
deren Einbürgerung eingetreten wäre, hätte sich die Israelitische
Kultusgemeinde eher ablehnend verhalten, was wiederum auf das am-
bivalente Verhältnis der »Wiener Juden« zu den »Zuagraasten« hin-
wies:

Die Israelitische Kultusgemeinde hat jedes Ansuchen um Befürwor-
tung abgelehnt, sogar im Falle eines ehrwürdigen Rabbiners, für
den sich der Direktor des Joint, Herr Troube, so sehr eingesetzt
hat.[63]

Der Fall Schreiber verdeutlichte auch, daß österreichische Politiker
sich die Rolle des Wächters über die Nachkriegsmoral anmaßten, an
die sie sich selbst nicht gehalten hatten. Während sich einerseits das
offizielle Österreich weigerte, erbloses »arisiertes« Vermögen an die
durch den Krieg zum Großteil verarmten österreichischen Juden
zurückzugeben, empfand es Innenminister Helmer andererseits als
besonders abstoßend, daß sich Schreiber an armen Juden bereichern
würde.

Daß Schreiber seit 1945 ein reicher Mann geworden ist, mag inter-
essant sein, dass er aber diesen Reichtum auf Kosten der armen Ju-
den erreicht hat, ist schon Begründung genug, dass man gegen ihn
vorgeht.[64]

Helmer, der sich selbst gegen die Rückholung jüdischer Emigranten
aussprach, die sogenannten »Wiedergutmachungsverhandlungen«
»in die Länge ziehen« wollte, und dessen Partei selbst Spenden von
Schwarzmarktgeschäften annahm, ernannte sich zum Fürsprecher
der »armen Juden«. Schreiber, der sich in den österreichischen Nach-
kriegsverhältnissen offensichtlich schnell zurechtfand, zeigte im Unterschied zu Wiener Juden kein Interesse an einem moralischen und

wirtschaftlichen Wiederaufbau Österreichs und fühlte sich österreichischen politischen Parteien auch nicht emotional verbunden. Als
überzeugter Anhänger der Orthodoxie strebte er auch keine Assimilation und damit Anerkennung von Nichtjuden an. Ihm ging es um
die Durchsetzung sowohl persönlicher Bedürfnisse als auch der Interessen der »Agudat Israel«, wofür er bereit war, verschiedenste
Bündnisse einzugehen. Auf große Ablehnung stieß er aber, als er
Dr. Helfried Pfeifer, ehemaliger Universitätsprofessor an der Universität Wien sowie Mitglied der NSDAP, ein Entlastungszeugnis aus-
stellte[65]. Als dieser 1961 in den »Akademischen Rat« berufen werden sollte, rollte das »Neue Österreich«[66] dessen Vergangenheit auf.
Schreiber richtete hierauf an Unterrichtsminister Dr. Drimmel ein
Schreiben, in dem er im Namen der »Polnischen Juden« (auf dem
Briefpapier der »Agudat Israel«) Pfeifer folgendermaßen entlasten
wollte.

(. . .) daß die jüdische Gesellschaft kein Interesse an Benachteili-
gungen von Personen wegen ihrer Weltanschauung hat, wenn sie
persönlich keinen Anteil an den vom Nationalsozialismus geübten
Verletzungen der Menschenrechte nahmen. Unserer Überzeugung
nach sind Aktionen gegen Personen, die kein Naziverbrechen be-
gangen haben, zur Bekämpfung des Antisemitismus nicht geeignet.
Nach Überprüfung der in der beiliegenden Äußerung enthaltenen
Informationen gehört Herr Prof. Dr. Helfried Pfeifer nicht zu jenem
Personenkreis, der zu bekämpfen ist.[67]

Die Israelitische Kultusgemeinde distanzierte sich in einer Resolution
von Benjamin Schreiber und der »Agudat Israel, die nur eine kleine
Minderheit innerhalb der jüdischen Bevölkerung Österreichs ver-
tritt«.[68] Für diese Resolution stimmten sogar die drei Vertreter des
»Khal Israel«.

Die »Jüdische Interessensgemeinschaft«

Bei den Wahlen 1955 führte Schreiber auch die »Jüdische Interessensgemeinschaft« an. Neben Paul Deblinger, einem bekannten Mitglied
der »Agudat Israel«, war auf dieser Liste auch Simon Moskovics,
Gründer der heutigen Winter-Bank, vertreten. Moskovic, ein gebürtiger Ungar, kam erst nach 1945 mit seiner Familie nach Wien. Er wird

als tiefreligiöser Jude und als bedeutender Bankmann, der österreichischen Kanzlern, Financiers und Nationalratspräsidenten als Ratgeber diente, beschrieben.[69] Auch der bekannte Kommerzialrat Josef (Joschi) Leitner* oder Julius Ackermann, der später auf der von Simon Wiesenthal gegründeten Liste »Ausweg« aufschien, kandidierten für die »Jüdische Interessensgemeinschaft«.[70] Im Gegensatz zur »Khal Israel« stellte die »Jüdische Interessensgemeinschaft« kaum religiöse, sondern wirtschaftliche Forderungen. Sie verstand sich als Interessenvertretung jener jüdischen Flüchtlinge, die versuchten, in Österreich wirtschaftlich Fuß zu fassen.

Noch immer lebt ein großer Teil der jüdischen Bevölkerung in Österreich in Not und Elend. Fast täglich gehen Menschen zugrunde, weil in Österreich keine finanzkräftigen Institutionen bestehen, die sich dieser Unglücklichen annehmen und ihnen zur Einschaltung in die Wirtschaft verhelfen. (. . .) Die »Jüdische Interessensvertretung« soll und wird im Namen der in Österreich lebenden Flüchtlinge sowohl bei den zuständigen Landesregierungen wegen der Einbürgerung der jüdischen Emigranten und beim UNO–Hochkommissar wegen Zuteilung von Darlehen sprechen.[71]

Der Namen »Interessensgemeinschaft der Altösterreicher« sollte das Recht der ostjüdische Flüchtlinge auf die Zuerkennung der österreichischen Staatsbürgerschaft demonstrieren, aber auch ihre Ansiedlung in dem für Juden sehr belasteten Österreich rechtfertigen. Laut »Jüdischer Interessensgemeinschaft« wären Juden nach 1945 aus Osteuropa nach Wien gekommen, »weil die Hauptstadt der Republik Österreich einmal die Krone der österr.-ungar. Monarchie, in der sie lebten, war«.[72] Österreichische Politiker standen einer Niederlassung von jüdischen Flüchtlingen jedoch negativ gegenüber, wie es Karl Renner im Ministerrat 1946 deutlich ausdrückte:

Ich glaube nicht, daß Österreich in seiner jetzigen Stimmung noch einmal erlauben würde, diese Familienmonopole aufzubauen. Si-

---

* Josef Leitner erhielt, der Familientradition entsprechend, sowohl eine religiöse Ausbildung als auch eine Vorbereitung auf die Arbeit in der elterlichen Papierfabrik. Nach seiner Rabbinatsprüfung, die er in einer Jeshiwa in der Slowakei ablegte, absolvierte er einen Lehrgang für Papiererzeugung an der Technischen Universität in Wien. Zusammen mit seiner Frau floh er 1938 nach Frankreich, gelangte über Umwege in die USA, von wo aus er nach Palästina ging. 1948 kehrte er nach Wien zurück. Vgl. Pollak, Michael, Des Lebens Lauf.

cherlich würden wir es nicht zulassen, daß eine neue jüdische Ge-
meinde aus Osteuropa hierher käme und sich hier etablierte,
während unsere eigenen Leute Arbeit brauchen.[73]

In ihrem Bemühen, in Österreich eine neue wirtschaftliche Existenz aufzubauen, zeigte sich die »Jüdische Interessensgemeinschaft« nicht nur von der österreichischen Bevölkerung, sondern auch von den österreichischen Juden enttäuscht.

Ihre Glaubensgenossen haben leider die eigene Emigration schnell
vergessen und an Stelle einer Unterstützung erhielten die Emigran-
ten, kaum eingetroffen, Aufforderungen zur Bezahlung der Kultus-
steuer, deren Höhe sehr oft ihren ganzen Verdienst überschritten
hat. Der einzige Kontakt zwischen der Israelitischen Kultusgemein-
de in Wien und den Emigranten bestand in dem Steuerexekutor, der
öfters Taschenpfändungen durchführte, auch in Fällen, wo die Ein-
treibung auch auf mildere Art möglich war.[74]

Kritisiert wurde auch das Verhalten der Israelitischen Kultusgemeinde während der »Wiedergutmachungs«-Verhandlungen, die sich 1955 an einem sehr kritischen Punkt befanden und letztendlich zur Gründung der »Jüdischen Interessensgemeinschaft« beigetragen haben. Seit 1953 leistete Deutschland Zahlungen an die »Conference on Jewish Claims against Germany«, die auch die in Österreich lebenden jüdischen Opfer des Nationalsozialismus vertrat. Im folgenden ging es um die Verteilung dieser Mittel. Während sich die Israelitische Kultusgemeinde als die Vertretung aller in Österreich lebenden Juden verstand und daher auch die für die jüdischen Flüchtlinge gedachten Auszahlungen übernehmen wollte, setzte sich die »Jüdische Interessensgemeinschaft« für eine individuelle Zuteilung »zum Zweck der Neugründung und Erhaltung jüdischer Existenz« ein.[75] Damit wurde deutlich, daß auch in Fragen der »Wiedergutmachung« innerhalb der jüdischen Gemeinden Kontroversen bestanden. Die Vertreter der ehemaligen jüdischen Flüchtlinge blieben von den Verhandlungen ausgeschlossen und waren nicht bereit, das Ergebnis zu akzeptieren. Mit Recht machte die »Jüdische Interessensgemeinschaft« darauf aufmerksam, daß jene Juden, die bis 1938 als österreichische Staatsbürger galten, als die wahren Verlierer angesehen werden mußten. Aufgrund einer Vereinbarung zwischen der österreichischen und der deutschen Regierung waren diese als einzige nicht berechtigt, an Deutschland Ansprüche zu stellen.[76]

14.
Ausblick

1959 kandidierte bei den Kultusgemeindewahlen erstmals der »Bund jüdischer Verfolgter des Naziregimes« (»BJVN«) und erzielte auf Anhieb 6 der 24 zu vergebenden Mandate. Vor allem ehemalige Flüchtlinge aus Osteuropa, die sich von der Führung der Israelitischen Kultusgemeinde bisher vernachlässigt gefühlt hatten, bildeten die Basis dieser von Simon Wiesenthal ins Leben gerufenen Gruppierung. Innenpolitisch löste der »BJVN« mit seiner Publikation, dem »Ausweg«, heftige Kontroversen über Österreichs Mitbeteilung am Nationalsozialismus aus. Anlaß dazu boten u. a. die mangelnde Entnazifizierung und die durch Geschworenengerichte wiederholt erfolgten Freisprüche von NS-Verbrechern wie Franz Murer (1963), dem Leiter des Ghettos in Vilna, der Gebrüder Mauer (1966), die als SSler am Massaker von Stanislau/Galizien beteiligt gewesen waren, oder von Franz Novak (1966), einem Mitarbeiter (»Fahrdienstleiter«) von Eichmann.[1]

Bei den abgehaltenen Prozessen kam es im Gerichtssaal immer wieder zu antisemitischen Vorfällen, und die oft aus dem Ausland angereisten jüdischen Zeugen empfanden die Freisprüche als Diskriminierung der jüdischen Überlebenden; beim Maurer-Prozeß erlitt ein israelischer Zeuge einen Herzanfall.[2] – »Und trotzdem – als der Vorsitzende den Freispruch verkündete, konnten wir es nicht anders empfinden als eine schwerer Beleidigung, eine Beleidigung gegen das jüdische Volk«,[3] schrieb die israelische Zeitung »Haaretz«.

Simon Wiesenthal schilderte die antisemitischen Ausfälle bei dem in Salzburg abgehaltenen Prozeß gegen die Brüder Mauer:

Die Zuhörer klatschten den Verteidigern Beifall und lachten, wenn jüdische Zeugen auf die Bibel vereidigt wurden. Alle Zeugen bestätigten die Identität der Brüder; das Ergebnis der Beweisaufnahme zwar zwingend. Nach einer vielstündigen Beratung kamen die Geschworenen zu der Entscheidung, die Angeklagten hätten sich zwar des Mordes schuldig gemacht, dabei aber im Befehlsnotstand gehandelt.[4]

Auch die Tageszeitung »Die Presse« sprach von »einer Kundgebung des Antisemitismus«, und kritisierte vor allem, daß das Publikum in lautem Beifall ausbrach, als die Verteidigung mit der Behauptung arbeitete, so etwas wie ein Komplott habe die Brüder Mauer vor das Geschworenengericht gebracht.[5]

In den sechziger Jahren wurden die noch ausständigen Verfahren dann endgültig eingestellt. Unter anderen wurden jene zwei SS-Ingenieure freigesprochen, die die Gaskammern von Auschwitz nicht nur gebaut, sondern auch repariert hatten.[6] Nachdem 1972 in Wien zwei Auschwitzprozesse mit Freisprüchen endeten, hat sich die Justiz mit Auschwitz nicht mehr befaßt.[7]

Simon Wiesenthal forderte wiederholt eine Reform des Geschworenengerichts – bei politischen Prozessen sollten belastete und verfolgte Personen nicht als Geschworene nominiert werden –, wobei er mit Dr. Christian Broda, von 1960 bis 1966 sozialistischer Justizminister, heftige Konflikte austrug. Während Broda die Geschworenengerichtsbarkeit als einen untrennbaren Bestandteil des Verfassungsstaates betrachtete und jede Reform ablehnte, hielt Wiesenthal hingegen viele der Geschworenen noch nicht für demokratiefähig. So mußte ein Prozeß kurzfristig abgebrochen werden, da sich unter den acht Geschworenen fünf ehemalige Nationalsozialisten befunden hatten. Als Minimalreform verlangte Wiesenthal daher den Ausschluß von »belasteten« Geschworenen, was aber von der SPÖ abgelehnt wurde.[8]

1966 überreichte Simon Wiesenthal Bundeskanzler Josef Klaus (ÖVP) das »Schuld- und Sühne-Memorandum der österreichischen SS-Täter«.[9] Indem er aufzeigte, daß Österreicher zu einem überaus hohen Prozentsatz an der Judenverfolgung beteiligt gewesen waren, rührte er massiv an Österreichs Rolle als erstes Opfer des Nationalsozialismus. Noch konnte Österreich jedoch seine Opferrolle aufrechterhalten und das Memorandum wurde mehr oder weniger ignoriert. Wiesenthal kritisierte auch wiederholt den Umgang der SPÖ mit ehemaligen Nationalsozialisten, wobei er nachwies, daß in der SPÖ bedeutende Positionen von »Ehemaligen« besetzt waren.[10] Als Bruno Kreisky 1970 vier ehemalige Nationalsozialisten zu Ministern ernannte, rief Wiesenthals Kritik auch im Ausland Proteste gegen Österreich hervor. Als Gegenmaßnahme beantragte die SPÖ an ihrem Parteitag 1970 die Schließung des Dokumentationsarchives des »BJVN«, das der damalige SPÖ-Generalsekretär und Unterrichtsminister Leopold Gratz als »Femegericht« bezeichnete.[11] Damit schloß sich die

SPÖ einer Forderung der FPÖ an, die dies bereits als Reaktion auf das »Schuld- und Sühne-Memorandum« sowie auf die 1967 erfolgte Verhaftung des KZ-Kommandanten Franz Stangl forderte. Friedrich Peter, der damalige Obmann der FPÖ, fragte 1967 bei einer Versammlung in Kärnten, »wer Simon Wiesenthal ermächtigt habe, auf österreichischem Boden seine Menschenjagd durchzuführen«.[12]

Einen weiteren Eklat löste Kreiskys Beziehung zur FPÖ und zu deren Obmann Friedrich Peter aus. 1975 wäre Kreisky im Falle einer Wahlniederlage zu einer Koalition mit der FPÖ bereit gewesen. Als Simon Wiesenthal vier Tage nach der von der SPÖ gewonnenen Wahl via TV die Öffentlichkeit von Peters Mitgliedschaft bei der 1. SS-Infanteriebrigade informierte, fühlte sich Kreisky persönlich attackiert und setzte Wiesenthal mit der »Mafia« gleich. Zudem unterstellte er ihm Beziehungen zur Gestapo.[13] Diese »Kreisky-Wiesenthal-Kontroverse« hatte eine Welle von Antisemitismus zur Folge, wobei Wiesenthal in Österreich weitgehend isoliert blieb. Unterstützung erhielt er lediglich vom »Bund Sozialistischer Freiheitskämpfer und Opfer des Faschismus« und von der »Aktion kritische Wähler«, die vor der Wahl das liberale Klima unter Kreisky gepriesen und für ihn tatkräftig geworben hatte.[14] Während das »profil« (der damalige Herausgeber Peter Michael Lingens arbeitete kurz in Wiesenthals Büro) Wiesenthals Position vertrat, stellte sich die »Kronen Zeitung«, die auflagenstärkste Zeitung Österreichs, hinter Kreisky. Plumpeste Antisemiten erhielten in ihr die Möglichkeit, mit Leserbriefen an die Öffentlichkeit zu treten.[15]

Während Wiesenthal mit dem sozialistischen Justizminister Christian Broda und sehr oft mit Bruno Kreisky heftige Kontroversen über Österreichs Vergangenheit austrug, behielt der SPÖ-nahe »Bund werktätiger Juden« in der Israelitischen Kultusgemeinde bis 1976 die absolute und bis 1981 die relative Mehrheit. Die »Gemeinde« ignorierte 1966 das »Schuld- und Sühne-Memorandum«. Auch zu den Konflikten zwischen Wiesenthal und Kreisky, in denen es immerhin um die österreichische Beteiligung am Nationalsozialismus ging, nahm das offizielle Organ der Israelitischen Kultusgemeinde kaum oder nur äußerst zaghaft Stellung. Am 1. Juli 1970 findet sich auf Seite 2 der »Gemeinde«, inmitten eines Artikels über die »Realpolitik der Regierung Kreiskys«, eine Presseerklärung des Präsidiums der Israelitischen Kultusgemeinde Wien. Darin hieß es, daß im Hinblick auf die nationalsozialistischen Greueltaten Juden das Recht zustehen würde, »ehemalige Nationalsozialisten und insbesondere ehemalige Angehörige der SA und SS als solche zu benennen, wenn sie sich um öffentliche Ämter bewerben bzw. wenn sie in öffentliche Ämter gelangen«. Im November 1975 gestaltete die »Jüdische Jugend« eine Seite zum »Fall Peter«, wobei es sich im wesentlichen um eine Dokumentation von Zeitungsartikeln handelte.[16] In derselben Nummer wurden auch ein an Bundeskanzler Dr. Bruno Kreisky adressiertes Telegramm sowie eine Presseerklärung der Israelitischen Kultusgemeinde Wien vom 13. Oktober 1975 veröffentlicht. Ohne Simon Wiesenthals Namen zu erwähnen, bat der Vorstand der Israelitischen Kultusgemeinde Kreisky relativ höflich um Aufklärung über den von ihm wiederholt gebrauchten Ausdruck »Mafia«; die Israelitische Kultusgemeinde befürchtete, daß der dadurch ausgelöste Antisemitismus alle Juden treffen könnte. In den nächsten Ausgaben der »Gemeinde« sucht man allerdings vergeblich nach einer Antwort Kreiskys. In der vorhin zitierten Presseerklärung distanzierte sich die IKG vom »sogenannten Dokumentationszentrum des Bundes jüdischer Verfolgter des Naziregimes« und solidarisierte sich nur indirekt mit Wiesenthals Kritik an Peter.

Es ist das Recht und die Pflicht eines jeden Juden, der in den Konzentrationslagern gelitten hat oder dessen Familienangehörige in Vernichtungslagern getötet wurden, zu verlangen, daß die Personen, die diese Verbrechen verübt haben, die an diesen Verbrechen teilgenommen haben oder zu deren Ausführungen beigetragen haben, der verdienten Strafe zugeführt werden.«[17]

»Es ist wahr, daß Simon Wiesenthal in Wien all die Jahre hinweg von vielen unter uns Juden in seinem Kampf um die gute Sache – um unsere Sache – alleine gelassen wurde«, schrieb die »Gemeinde« zu seinem 80. Geburtstag.[18] Aus Angst, daß der gegen Wiesenthal gerichtete Antisemitismus und das ihm anhaftende »Rächerimage« alle Juden in Österreich treffen könnte, grenzten sich die Wiener Juden vom »zuagraasten« Wiesenthal ab. »Dieser Mensch macht nur Riches« (d. h. er weckt den schlafenden Antisemitismus) – so ein mittlerweile verstorbener Funktionär der Israelitischen Kultusgemeinde.[19] Juden, die mit der SPÖ sympathisierten, sahen in Wiesenthal auch einen Agenten der ÖVP und interpretierten seine Kritik an Kreisky als ÖVP-Wahlhilfe.

Generationswechsel

Erst 1981 verlor der »Bund« die Mehrheit in der Israelitischen Kultusgemeinde. Die überalterten und in die Minderheit geratenen »Wiener Juden« sahen sich allmählich von einer kritischen und selbstsicheren, jüngeren Generation abgelöst. Die »Alternative«, die sich aus unterschiedlichen Gruppierungen zusammensetzte, stellte mit Dr. Ivan Hacker den Präsidenten. 1981 kandidierte erstmals auch die »Junge Generation«, der es gelang, mit vier Mandaten in den Kultusvorstand einzuziehen. Mit der Ablösung des »Bundes« war auch eine Abkehr von der SPÖ und eine Annäherung an die ÖVP verbunden.[20] Kreisky wurde neben dem Konflikt mit Simon Wiesenthal seine Nahostpolitik* angelastet; viele Juden machten ihn für die gegen jüdische Personen und Institutionen gerichteten Terrorüberfälle, wie 1981 auf die Wiener Synagoge und 1985 auf ein von Juden bewohntes Haus, verantwortlich.[21] Durch Sicherheitsvorkehrungen isoliert, fühlten sie sich ins ungewollte Ghetto gedrängt. – »Seine Politik brachte uns Juden bisher nur Tod und Verderben, manchmal Mitgefühl, meistens Unverständnis für unsere Haltung«, schrieb der »Ausweg« nach dem Überfall auf die Synagoge in Wien und zog folgendes Resümee:

Die konsequente und vorkämpferische österreichische Politik der Aufwertung der PLO als der »alleinigen Vertretung der Palästinenser« mag auf wirtschaftlichem oder erdölpolitischem Gebiet und auch in den Formen der Weltpolitik eine gewisse Umwegrentabilität erbringen; uns Juden brachte diese Politik bisher nur Tod und Verderben, manchmal Mitgefühl, meistens Unverständnis für unsere

---

* Früher als andere europäische Politiker und teilweise im Gegensatz zur offiziellen österreichischen Haltung (auch jener der SPÖ) hatte Kreisky die Notwendigkeit einer Lösung des Palästinenserproblems unter Berücksichtigung der Rechte der PalästinenserInnen erkannt. Zahlreiche Nahostinitiativen im Rahmen der »Sozialistischen Internationale« bildeten den Beginn seiner späteren Bemühungen, die PLO in Europa politisch »salonfähig« zu machen. Den Höhepunkt stellte 1979 der Besuch Arafats in Wien dar, der einem Staatsempfang gleichkam. 1980 wurde Dr. Ghazi Hussein als offizieller Vertreter der PLO in Wien ernannt. Kreiskys Politik stieß nicht nur in Israel, sondern auch innerhalb Österreichs auf Kritik. Vgl. Kreisky, Bruno, Das Nahostproblem. Reden, Kommentare, Interviews. Wien – München – Zürich 1985; Bielka E./P. Jankowitsch/H. Thalberg (Hg.), Die Ära Kreisky. Schwerpunkte der österreichischen Außenpolitik. Wien – München – Zürich 1983; Bunzl, Gewalt ohne Grenzen.

Haltung. (. . .) Als Juden in Österreich sind wir aber vor allem in
der Auseinandersetzung um die Palästinenser, wegen der zentralen
Rolle, die die Kreiskysche Einmischungspolitik spielt, in die denk-
bar schlechteste Lage geraten. Der Terrorüberfall hat eine schock-
artige Wirkung auf die Bevölkerung gehabt.[22]

Die neue Führung der Israelitischen Kultusgemeinde bemühte sich
auch um größere politische Präsenz in der Öffentlichkeit. 1982 erschien die »Gemeinde« in neuem Format mit hebräischen Monats-
namen und Jahreszahlen, 1984 übersiedelte die Administration der
Israelitischen Kultusgemeinde vom 9. Bezirk (Bauernfeldgasse) in die
Seitenstettengasse, wo sich die Israelitische Kultusgemeinde von
1826 bis 1938 befunden hatte.[23] Den Schritt aus der Anonymität ins
Rampenlicht der Öffentlichkeit drückte die Israelitische Kultusgemeinde durch die gemeinsam mit der Stadt Wien und dem »Jewish
Welcome Service« organisierten Ausstellung »Versunkene Welt«
(1984), dem Besuch des New Yorker Bürgermeisters Edward Koch
(1984), der Eröffnung des Chajes Gymnasiums (1984) oder mit der
1985 in Wien stattgefundenen Tagung des »World Jewish Congress«
aus.[24] Diese Aktivitäten sollten im In- und Ausland darauf hinweisen,
daß es in Österreich wieder eine lebendige jüdische Gemeinde gibt
und daß nach dem Abgang von Bruno Kreisky zwischen der jüdischen
Gemeinde und dem »offiziellen Österreich« eine Klimaverbesserung
stattgefunden hat.

Da sich die Israelitische Kultusgemeinde auch von ausländischen
jüdischen Organisationen ignoriert und alleingelassen fühlte, sollte
die WJC–Tagung auch die internationale Isolation beenden.[25] Doch
wieder einmal geriet die Israelitische Kultusgemeinde als Verteidige-
rin und Mahnerin Österreichs in einen inneren Widerspruch. Als dem
WJC bekannt wurde, daß der FPÖ-Verteidigungsminister Fri-
schenschlager den bisher in Italien inhaftierten SS-Obersturmbann-
führer Walter Reder – ihm wurde die Ermordung von 1.800 Menschen, darunter vielen Frauen und Kindern, zur Last gelegt – am Grazer Flughafen mit Handschlag feierlich willkommen geheißen hatte,
sollte die Tagung abgebrochen werden. Erst nachdem sich der österreichische Bundeskanzler Sinowatz beim »World Jewish Congress«
entschuldigt hatte, konnte die zum Abbruch entschlossene Mehrheit
noch einmal beruhigt werden. – »Ein abgebrochener Kongreß hätte
eine Katastrophe dargestellt, für Wien, für mich«, schrieb Leon Zel-

man, auf dessen Bemühungen die Tagung in Wien zurückging.[26] Dennoch erlebte die Israelitische Kultusgemeinde die Tagung als Erfolg. Wie die »Gemeinde« schrieb, konnten viele Konferenzteilnehmer von der Leistungsfähigkeit der Wiener jüdischen Gemeinde und somit von ihrer Existenzberechtigung in Österreich überzeugt werden.[27]

Die »Waldheim-Affäre« – das Ende aller Illusionen

1986 löste der Bundespräsidentenwahlkampf eine große Desillusionierung aus. Jene Juden und Jüdinnen, die geglaubt hatten, in Österreich wieder eine Heimat gefunden zu haben, zeigten sich vom Ausmaß eines für nicht mehr möglich gehaltenen Antisemitismus sehr enttäuscht, manche dachten sogar an eine Auswanderung.

Die Israelitische Kultusgemeinde lastete den antisemitisch geführten Wahlkampf aber nicht nur der ÖVP an, sondern führte das Fortleben des Antisemitismus hauptsächlich auf Bruno Kreiskys Politik zurück. »Gerade die SPÖ hat in Sachen ›Nazivergangenheit‹ und ›Antisemitismus‹ nicht immer so strenge Maßstäbe angelegt wie im Fall Waldheim«, schrieb die »Gemeinde« nach der Wahl.[28]

Der massiv auftretende Antisemitismus ließ kaum vernarbte Wunden neu aufbrechen, und das Handeln der Israelitischen Kultusgemeinde war immer auch bestimmt von der Angst, durch ihre Kritik dem Antisemitismus neuen Auftrieb zu geben und wieder einmal zu »Vaterlandsverrätern« abgestempelt zu werden. Zudem befürchtete man, durch die Kritik an Waldheim und an der ÖVP von deren politischen Gegnern vereinnahmt zu werden. Die Israelitische Kultusgemeinde übte anfangs auch große Zurückhaltung, und sie trat erst an die Öffentlichkeit, als »halb Österreich in eine Pogromstimmung versetzt wurde«.[29] Wieder einmal galt es, »abzuwägen« und die richtige Antwort zu finden, um der »für Juden in Österreich so komplizierten Situation gerecht zu werden«.[30] Die – auch in den Augen von Juden[31] – undiplomatische Intervention des »World Jewish Congress« stellte die Israelitische Kultusgemeinde vor ein großes Dilemma. Während die massiven antisemitischen Reaktionen auf die Stellungnahme des »World Jewish Congress« eine Distanzierung nicht mehr zuließen, stellte dessen Pauschalurteil über Österreich die Existenz einer jüdischen Gemeinde in Österreich in Frage. Als die Israelitische Kultusgemeinde dem »World

Jewish Congress« vorwarf, durch undiplomatisches Vorgehen das Leben der Juden in Österreich zu gefährden, riet dieser zur Auswanderung.[32] Die Israelitische Kultusgemeinde und auch Simon Wiesenthal fühlten sich vom »World Jewish Congress« nicht nur übergangen, sondern auch bevormundet. Bei der Jahreskonferenz des »European Jewish Congress« im Mai 1986 sprach Präsident Paul Grosz, er löste dann 1987 Ivan Hacker ab, »jedem Außenstehenden das Recht ab, uns zu belehren, wie wir den Antisemitismus bei uns zu Hause zu bekämpfen haben«.[33] Am 10. Mai 1986 nahm die Israelitische Kultusgemeinde schließlich mit einem Inserat im »Kurier« öffentlich Stellung. Dabei prangerte sie die politische Instrumentalisierung des Antisemitismus an, sprach sich aber auch gegen die pauschale Verurteilung Österreichs als antisemitisch aus. Während manche Juden dieses Inserat geradezu als Solidarisierung mit Waldheim und mit den Antisemiten betrachteten, wollten andere in der Kritik am »World Jewish Congress« noch weitergehen. Peter Landesmann schlug beispielsweise vor, daß sich die Israelitische Kultusgemeinde mit einem Inserat in österreichischen Tageszeitungen vom »World Jewish Congress« distanzieren sollte.[34] In einem Brief an die Kultusvorsteher drückte er auch sein Erstaunen darüber aus, »daß das Bild Singers im Fernsehen, mit dem Kapperl auf dem Kopf, nicht noch mehr Antisemitismus hervorbrachte«.[35] Auch Präsident Ivan Hacker betrachtete die Wiederherstellung des Ansehens Österreichs als das vorrangige Interesse, wie er wiederholt in Pressekonferenzen betonte.[36] Trotz der ihnen zugefügten Enttäuschungen waren Juden und Jüdinnen auch nach Waldheim bereit, das Image Österreichs im Ausland zu korrigieren, wahrscheinlich auch, weil sie es für sich selbst brauchten, um ihre Hierbleiben rechtfertigen zu können.

Nach Waldheim stand ich unter Schock. Dennoch sah ich wieder das Positive, nahm ich den Kampf wieder auf. Der Aufschrei der Intellektuellen, die Empörung der Jugend, die Standfestigkeit vieler Politiker dienten mir als Trost. Ich tat meine Arbeit weiter, im Bewußtsein, daß ich als Teil dieser Stadt benützt wurde. Ich flog nach Amerika und erklärte, Wien sei nicht antisemitisch, Wien habe zu 53 Prozent gegen Waldheim gestimmt.[37]

Einen Hoffnungsschimmer erblickte die Israelitische Kultusgemeinde in einer kleinen, aber aktiven demokratischen Minderheit, die als Bündnispartner im Kampf gegen »Haß und Intoleranz« angesehen wurde und aus der sie selbst auch ihre Legitimation bezog.[38]

1987 stellte die »Gemeinde« dann zunehmend das neue jüdische Selbstbewußtsein und weniger die Desillusionierung und Enttäuschung in den Vordergrund. Für einzelne erwies sich Waldheim auch als eine psychische Entlastung, da den Österreichern endlich öffentlich der Spiegel vorgehalten werden konnte. Wie ein Interviewpartner meinte, fühlte er sich nach 1986 »pudelwohl in Österreich, weil endlich das Trennende über das Einigende gestellt wurde«.[39] Allen voran die jüdische Jugend wehrte sich gegen einen »vorauseilenden Gehorsam« und trat für ein stolzes, selbstbewußtes Agieren ein. 1987 veröffentlichte »Noodnik«, die Zeitschrift der »Vereinigung jüdischer Hochschüler in Österreich« folgenden Protest:

Wir denken nicht daran, uns den Kopf des Antisemiten zu zerbrechen. Wir sagen, was uns stört, und wir sagen es laut. (. . .) Auch dann, wenn eine Spende fürs Altersheim oder ein Orden für ein Vorstandsmitglied winken sollte. Darauf können wir verzichten, denn die Zeit der Hofjuden ist vorbei.[40]

Auf Kritik stießen die Jüdischen Hochschüler auch, als sie 1988 die Veranstaltung der B'nai-Brith-Loge zum Thema »Schreiben österreichische Zeitungen antisemitisch?« störten. Sie betrachteten es als unverantwortlich, daß eine jüdische Organisation bereit war, in ihren Räumen mit Antisemiten (unter den geladenen Journalisten befand sich auch der Kronenzeitungs-Kolumnist Richard Nimmerrichter alias »Staberl«, dessen antisemitische Artikel wiederholt kritisiert wurden) zu diskutieren.[41]

Allmählich mußten auch führende Politiker und Vertreter der katholischen Kirche Österreichs Mittäterrolle zur Kenntnis nehmen. 1991 meinte Erhard Busek (ÖVP), Wissenschaftsminister und Vizekanzler, bei einer Gedenkveranstaltung in Mauthausen:

Es fehlt in diesem Lande noch immer ein offenes Eingeständnis des auch von Österreichern begangenen Unrechts. Allzu rasch ist die Moskauer Deklaration von 1943 uminterpretiert worden, als seien wir nicht dabei gewesen.[42]

Im Juli 1991 gab Bundeskanzler Franz Vranitzky im Rahmen einer Erklärung zu Jugoslawien eine vor allem im Ausland vielbeachtete Stellungnahme über Österreichs Mitverantwortung im »Dritten Reich« ab.[43] Ab 1986 zeichnete sich auch eine neue Beziehung zwischen Juden und Christen ab, denn im Unterschied zu Deutschland war in Österreich der jüdisch-christliche Dialog nur von engagierten

Einzelpersonen getragen worden, und es kam ihm wenig bewußt-seinsbildende Breitenwirkung zu.[44] Erst 1986 trafen erstmals Spitzen-vertreter der jüdischen und christlichen Religionsgemeinschaft zu-sammen, und im selben Jahr thematisierte Kardinal König öffentlich die Mitverantwortung der katholischen Kirche am Nationalsozialis-mus.[45] Seit 1991 ist auch eine rege Reisediplomatie nach Israel zu be-obachten. Bundespräsident Thomas Klestil, damals noch zweiter Mann des Außenministeriums, Bundeskanzler Franz Vranitzky, der Wiener Bürgermeister Helmut Zilk, der ehemalige Vizekanzler Er-hard Busek oder Wissenschaftsminister Rudolf Scholten bemühten sich, die seit der Regierung Kreisky und der »Waldheim-Affäre« be-stehenden Konflikte zu beenden und auf die nun ausgezeichneten Be-ziehungen zwischen den beiden Staaten hinzuweisen.[46] Ende der acht-ziger Jahre konnte die Israelitische Kultusgemeinde die bisher ver-geblich beanspruchte Rolle einer moralischen Instanz gewinnen, was nicht nur auf den – sowohl auf jüdischer als auch auf nichtjüdischer Seite stattgefundenen – Generationswechsel, sondern hauptsächlich auf das in den achtziger Jahren angeschlagene Opferimage Öster-reichs zurückzuführen ist. Das Wohlergehen der österreichischen Ju-den und deren kulturelle Entfaltung[47] sowie die Beziehung zum Staat Israel werden zunehmend als Beweis für Österreichs Demokratie-fähigkeit herangezogen, womit aber die Gefahr des Philosemitismus und der Instrumentalisierung des Staates Israel gegeben ist. Allen vor-an der in Wien ausgewachsene und noch vor 1938 nach Palästina aus-gewanderte ehemalige Jerusalemer Bürgermeister Teddy Kollek muß-te wiederholt zur Demonstration der gegenseitigen Freundschaft her-halten. Juden und Jüdinnen, die Österreich weiterhin mit Mißtrauen betrachteten, stießen auf weniger Gegenliebe. Als der ORF die dreitei-lige Dokumentation »Wien – Jerusalem« ausstrahlte und einige der Interviewten ihre Distanz gegenüber Österreich ausdrückten, be-schwerte sich der damalige Wiener Bürgermeister Helmut Zilk. – »Wieso erlauben sich diese Leute so etwas zu sagen, nach all dem, was wir gemacht haben!« – brüllte er ins Telefon, wie Leon Zelman schrieb.[48] Während eines öffentlichen Gespräches mit Teddy Kollek wiederholte Zilk des öfteren, daß sich die Juden in Wien wohlfühlen und Vertriebene gern auf Besuch kommen würden. Dabei nahm er auch zum Film »Wien – Jerusalem« Stellung und meinte, er kenne die Taktik der Redakteure, die immer nur Negativbeispiele heranziehen würden.[49] Wie auch die Reaktionen auf den »World Jewish Congress« während der Auseinandersetzung um Waldheim zeigten, werden kritische Juden sehr schnell zu »Provokateuren« abgestempelt, während »angenehme Juden« zunehmend in die Gefahr geraten, politisch instrumentalisiert zu werden. Abschließend wäre daher zu fragen, ob die moralische Aufwertung der Israelitischen Kultusgemeinde, aber auch die zahlreichen Ehrungen für den in Österreich jahrelang beschimpften Simon Wiesenthal nicht auf deren Distanz gegenüber dem »World Jewish Congress« und ihr letztendlich doch gemäßigtes Verhalten während der Waldheim-Affäre zurückzuführen sind.

Anhang

Anmerkungen

Einleitung

1 Königseder, Angelika/Juliane Wetzel, Lebensmut im Wartesaal. Die jüdischen DPs (Displaced Persons) im Nachkriegsdeutschland. Frankfurt/Main 1994, S. 16.

2 Vgl. Wilder-Oklade, Friederike, The Return Movement of Jews to Austria after the Second World War. With special considerations of the return from Israel. The Hague 1970.

3 Gemeinde, September 1983 – Elul 5743, S. 5.

4 Vgl. Embacher, Helga, Die Reaktionen der jüdischen Gemeinde Wien auf Antisemitismus. In: Werner Bergmann – Rainer Erb – Albert Lichtblau (Hg.): Schwieriges Erbe. Der Umgang mit Nationalsozialismus und Antisemitismus in Österreich, der DDR und der Bundesrepublik Deutschland. Frankfurt – New York 1995.

5 Vgl. Beckermann, Ruth, Unzugehörig. Österreich und Juden nach 1945. Wien 1989, S. 10.

1.
Neubeginn ohne Illusion

1 Vgl. Pick, Anton, Zur Geschichte der Wiener Israelitischen Kultusgemeinde. In: Klaus Lohrmann (Hg.), 1.000 Jahre Österreichisches Judentum. Studia Judaica Austriaca IX; Häusler, Wolfgang, Toleranz, Emanzipation und Antisemitismus. Das österreichische Judentum des bürgerlichen Zeitalters (1782–1918). In: Drabek/Häusler/Schubert/Stuhlpfarrer/Vielmetti, Das österreichische Judentum. Voraussetzungen und Geschichte. Wien 1974.

2 Vgl. Weitzmann, Walter R., Die Politik der jüdischen Gemeinde Wiens zwischen 1890 und 1914. In: Gerhard Botz/Ivar Oxaal/Michael Pollak (Hg.), Jüdisches Leben und Antisemitismus in Wien seit dem 19. Jahrhundert. Buchloe 1990.

3 Vgl. Mertens, Christian, Das jüdische Vereinswesen Wiens in der Zeit zwischen den Weltkriegen. Diplomarbeit. Wien 1988; Budischowsky, Jens, Assimilation, Zionismus und Orthodoxie in Österreich: 1918–1938. Dissertation. Wien 1990; ders., 444 Vereine? Jüdische Gruppen und die politischen Parteien 1918 bis 1938. In: Jüdisches Echo. Nr. 1, Tischri 5750 – Oktober 1989; Rozenblit, M. L., The Jews of Vienna, 1867–1914: Assimilation and Identity. Albany 1983; Beller, Steven, Vienna and the Jews 1867–1938. A Cultural History. Cambridge University Press 1989; Berkley, George E., Vienna and its Jews. The Tragedy of Success. Cambridge 1988.

4 Vgl. Rosenkranz, Herbert, Wer war Dr. Löwenherz? In: David, Dezember 1990.

5 Vgl. Gabriele Anderl, Die Zentralstelle für jüdische Auswanderung in Wien, 1938–1943. In: David, April 1993. Dazu auch: Safrian, Hans, Die Eichmann-Männer. Wien 1992.

263

6 Vgl. Stern, Willy, Israelitische Kultusgemeinde – Ältestenrat der Juden in Wien. In: Kurt Schmid/Robert Streibel, Der Pogrom 1938. Judenverfolgung in Österreich und Deutschland. Wien 1990. S. 95; Rosenkranz, Herbert, Verfolgung und Selbstbehauptung der Juden in Österreich 1938–1945. Wien – München 1978. S. 285.

7 Deutschkron, Inge, Ich trug den gelben Stern. München 1978. S. 92.

8 Vgl. Moser, Jonny, Österreichs Juden unter NS-Herrschaft. In: Talos, Emmerich/ Ernst Hanisch/Wolfgang Neugebauer (Hg.), NS-Herrschaft in Österreich. Wien 1988. S. 195.

9 Bettauer, Hugo, Die Stadt ohne Juden. Wien 1922.

10 Fritz Rubin-Bittmann über seine Eltern, die als U-Boot in Wien überlebten. In: Leben in Wien, Illusion ohne Ende, Ende einer Illusion. In: Wolfgang Plat (Hg.), Voll Leben und voll Tod ist diese Erde. Bilder aus der Geschichte der jüdischen Österreicher (1910–1945). Wien 1988.

11 Stadler, Friedrich (Hg.), Vertriebene Vernunft I und II. Emigration und Exil der österreichischen Wissenschaft. Wien–München 1987 und 1988.

12 Zohn, Harry, Wien erfüllt die Prophezeiung: Die Stadt ohne Juden. In: Jüdisches Echo, 5/Jänner 1956, S. 14.

13 Aufbau, 18. Oktober 1946, S. 1.

14 Ebd., 31. August 1945, S. 1 und 27. September 1946, S. 4.

15 Zohn, Harry, Wiener Judentum. In: Jüdisches Echo, Nr. 7, März 1956, S. 2 ff.

16 Wantoch, Erika, Von der Flucht eines Juden durch die Hölle. In: Profil, Nr. 10/7, März 1988.

17 Zelman, Leon, Wiener jüdische Gemeinde nach 1945. In: Mitteilungsblatt der Aktion gegen den Antisemitismus. Nr. 120, November 1990.

18 Jüdisches Echo, 2, 3/November 1952; NW, Dezember 1951, S. 5.

19 Levi, Primo, Die Untergegangenen und die Geretteten. München 1990. S. 16.

20 Siehe auch Dan Diner, Jenseits des Vorstellbaren – der »Judenrat« als Situation. In: »Unser einziger Weg ist Arbeit«. Das Ghetto in Lodz 1940–1944. Wien 1990. S. 16.

21 Vgl. Rabinovici, Doron, Instanzen der Ohnmacht. Die Reaktion der Israelitischen Kultusgemeinde Wien auf die nationalsozialistische Verfolgung 1938/39 und der Disput über Resistenz und Kooperation nach 1945. Diplomarbeit. Wien 1991.

22 Dazu siehe Gross, Leonard, The last Jews in Berlin. New York 1982. Zu dieser Problematik gibt es über Wien noch keine ausführliche Arbeit.

23 DNW, 9/Mitte Mai 1948, S. 3.

24 Vgl. Oberösterreichische Nachrichten, 18. 5. 1946, S. 3.

25 Brief des Jüdischen Zentralkomitees an die jüdischen Transitlager, 19. 10. 1946. Simon Wiesenthal Collection (SWC), Akt M-9/9, 11, Yad Vashem (Jerusalem).

26 Vgl. Hilsenrath, Edgar, Nacht. Roman. München 1990; oder das Theaterstück »Ghetto« des israelischen Autors Joshua Sobol.

27 Interview mit J. R., Salzburg 1990.

28 Nejim, Edward, Der letzte Weg. In: Babylon. Beiträge zur jüdischen Gegenwart. 6/1989.

29 Bericht des Präsidiums der Israelitischen Kultusgemeinde Wien über die Tätigkeit während der Jahre 1945–1948. S. 5.

30 Vgl. Rosenkranz, Verfolgung und Selbstbehauptung. S. 285.

31 Vgl. Rabinovici, Instanzen der Ohnmacht.

32 Vgl. Berkley, S. 343.

33 Vgl. Neue Welt und Judenstaat, Mitte Dezember 1948 sowie Volksgerichtsverfahren gegen Karl Ebner, 1964/47, DÖW, 8919/1

34 Vgl. Rosenkranz, Verfolgung und Selbstbehauptung. 299 ff.; Aufbau 30. 8. 1946.

35 Clare, George, Letzter Walzer in Wien. Spuren einer Familie. Frankfurt/Main–Berlin–Wien 1984. S. 276.

36 Die Stimme, 45/1951, S. 1.

37 Wenkart, Hermann, Befehlsnotstand, anders gesehen. Tatsachenbericht eines Lagerfunktionärs. Wien 1969. S. 2.

38 Bubis, Ignatz: Ich bin ein deutscher Staatsbürger jüdischen Glaubens. Ein autobiographisches Gespräch mit Edith Kohn. Köln 1993. S. 77 ff.

39 Vgl. Safrian, S. 68 ff.

40 Die Stimme, 58/1952, S. 2.

41 Vgl. Ausweg, 6/1966.

42 Brief vom 28. Juni 1966, Simon Wiesenthal an N. Goldmann. Central Zionist Archives Jerusalem, Z6/1175.

43 Vgl. Steines, Patricia, Der alte Währinger Israelitische Friedhof. Sinn und Zweck der Dokumentation jüdischer Friedhöfe. In: Die Gemeinde, 17. Mai – 4. Siwan 5751, S. 19 ff.

44 Heruth, Adar II 5749 – März 1989, S. 4.

45 DÖW, Akt 17142.

46 Ebd.

47 Maria König, in: Dokumentationsarchiv des österreichischen Widerstandes (= DÖW) (Hg.), Jüdische Schicksale, Erzählte Geschichte, Bd. 3, S. 245.

48 Rubin-Bittmann, S. 314.

49 Vgl. DÖW, Akt 17142.

50 Vgl. Tuchmann, Bericht über meine Tätigkeit bei der Wiener Kultusgemeinde in den Jahren des Naziregimes 1938–1945. Verfaßt im Rahmen des Kriegsverbrecherprozesses gegen Tuchmann, Wiener Landesgericht, September 1945. DÖW, Akt 17142.

51 Vgl. Die Stimme, 81/1953, S. 2; Nachruf.

52 Aussage von Frau Franzi Löw, DÖW, Akt 17142.

53 Siehe Liste der in Wien überlebenden Juden, DÖW, Akt 11.564/5.

54 Vgl. Die Stimme, 57/1952 und 82/1954; Gespräch mit Siegfried Lasar.

55 Aussagen von Franzi Löw und W. Blumenfeld im Rahmen des Prozesses gegen Tuchmann.

56 Gespräch mit Siegfried Lasar, Wien 1991.

57 DNW, 5, 6/1946, S. 13 (Amtliche Mitteilung der IKG).

58 Die Stimme, 46/1951, S. 8; 50/1951, S. 5; 81/1953, S. 2.

59 Vgl. Hubenstorfer, Michael, Ärzte-Emigration, In: Vertriebene Vernunft I. S. 382.

60 Vgl. Mark, Karl, 75 Jahre Roter Hund. Lebenserinnerungen. Wien – Köln 1990. S. 187.

61 Siehe Liste der in Wien überlebenden Juden. DÖW.

62 Vgl. Die Tätigkeit der Israelitischen Kultusgemeinde Wien in den Jahren 1952–1953. Wien 1955. S. 3.

63 Vgl. Fein, Erich/Karl Flanner, Rot-Weiß-Rot in Buchenwald. Wien 1987.

64 Die Gemeinde, 3/November 1948, S. 12.

65 Vgl. DÖW, Akt Nr. 1330; Die Gemeinde, April 1960, S. 9.

66 Vgl. Jüdisches Echo 7, 8/1954 und Fraenkel, S. 35–37.

67 Vgl. Die Stimme 83/1954, Nachruf.

68 Vgl. Leser, Norbert: Jüdische Juristen. In: Österreichisches jüdisches Geistes- und Kulturleben. Hg. von der Liga der Freunde des Judentums. Bd. 2. Wien 1988. S. 30.

69 Die Stimme, 85/1954, S. 8.

70 DNW, 5, 6/1946.

71 Vgl. Albrich, Thomas, Österreichs jüdische nationale und zionistische Emigration. In: Zeitgeschichte. Schwerpunkt: Österreichische Juden nach 1945. 18. Jg., Heft 7/8, 1990/91.

72 Vgl. DNW, 11, 12/1946 und 15, 16/1946; Bericht des Präsidiums der Israelitischen Kultusgemeinde Wien über die Tätigkeit in den Jahren 1945–1948. Wien 1948.

73 Neue Welt und Judenstaat, Mitte September 1948, S. 2.

74 Renaissance, 34/1950, S. 5,.

75 Rubin-Bittmann, S. 286.

76 Gespräch mit Dr. Fritz Rubin-Bittmann, Salzburg 1991.

77 Vgl. Die Gemeinde. 1/1948, S. 7 und 15. März 1993 – 22. Adar 5753, S. 47.

78 Vgl. ebd., 3/1948, S. 8.

79 Vgl. Der Lebensbaum. Bericht der Israelitischen Kultusgemeinde 1960–64. Wien 1964. S. 102.

80 Heruth, Dezember 1958, S. 2.

2.
Die Überlebenden

1 Vgl. Wilder-Okladek, Friederike, The Return Movement of Jews to Austria after the Second World War. With special consideration of the return from Israel. The Hague, Martinus Nijhoff 1970. S. 114; Dies., Die jüdische Bevölkerung Wiens. In: Schmid/Streibel, Der Pogrom. S. 101 (Als Quelle gibt Wilder-Okladek die IKG an).

2 Zur Problematik der »U-Boote«: Moser, C. Gwyn, Jewish U-Boote in Austria 1938–1945. In: Simon Wiesenthal Center Annual, Volume 2, 1985; Ungar-Klein, Brigitte, Bei Freunden untergetaucht – U-Boot in Wien. In: Der Pogrom; Rubin-Bittmann, Leben in Wien; Weinzierl, Zu wenig Gerechte. Österreicher und Juden-verfolgung 1938 – 1945. Graz – Wien – Köln 1969.

3 Vgl. Weinzierl, Zu wenig Gerechte. S. 84.

4 Vgl. Moser, G., S. 58.

5 Lotte Freiberger, in: DÖW (Hg.), Jüdische Schicksale. S. 204.

6 Vgl. Hilberg, Täter, Opfer, Zuschauer, S. 149 ff.

7 Ebd., S. 215.

8 Vgl. Wilder, Die jüdische Bevölkerung in Wien. S. 101.

9 Vgl. Die Tätigkeit der Israelitischen Kultusgemeinde Wien in den Jahren 1952 bis 1954. Wien 1955. S. 43. Zukünftig zitiert als Tätigkeit 1952 bis 1954.

10 Vgl. Report on Austria by Lady Reading. AJA; WJC H43, Austria 1946.

11 DNW, 7, 8/1946, S. 15.

12 Beckermann, Ruth, »Unzugehörig«. Österreicher und Juden nach 1945. Wien 1989.

13 Siehe auch Bohleber, Werner, Das Fortwirken des Nationalsozialismus in der zweiten und dritten Generation nach Auschwitz. In: Babylon, Heft 7/1990. S. 73.

14 Dr. A. Friedmann, Das Stigma. Vom Umgang miteinander. In: Die Gemeinde. 20. September 1989 – 20. Elul 5749, S. 9.

15 Frau Lemberger in ihrem Vortrag über die »Frau im Judentum« in der Jüdischen Volkshochschule in Wien am 5. März 1990.

16 Vgl. Die Gemeinde, 3. Februar 1986 – 25. Schwat 5746, S. 8.

17 Vgl. Thalberg, Hans, Von der Kunst, Österreicher zu sein. Erinnerungen und Tagebuchnotizen. Wien–Köln–Graz 1984. S. 213.

18 Vgl. Fürstenberg, Doris, Jeden Moment war dieser Tod. Interviews mit Frauen, die Auschwitz überlebt haben. Düsseldorf 1986. S. 36, S. 42 und S. 93.

19 Berger, Karin/Elisabeth Holzinger u. a., Ich gebe Dir einen Mantel, daß Du ihn noch in Freiheit tragen kannst. Widerstehen im KZ. Österreichs Frauen erzählen. Wien 1987. S. 274.

20 Interview mit H. S., Wien 1986.

21 Friedmann, S. 9.

22 Report on Austria by Lady Reading, August 1946, AJA, WJC H 43/Austria 1946.

23 DNW, 3/1947, S. 1.

24 Report on Austria.

25 Ebd.

26 Vgl. Embacher, Helga/Michael John, Remigranten in der österreichischen Wirtschaft nach 1945. Wiederaufbau und Wirtschaftswunder in der Provinz. In: Österreichisches jüdisches Geistes- und Kulturleben. Bd. 4. Wien 1991.

27 Report on Austria.

28 Laut Tätigkeitsbericht der IKG von 1945–1948 wurden 1946 290 und 1947 143 Wiedereintritte verzeichnet; dem standen 25 bzw. 38 Austritte gegenüber. Vgl. S. 49.

29 Amery, Jean, in: Hans Jürgen Schultz (Hg.), Mein Judentum. München 1978. S. 71 ff.

30 Maor, S. 8.

31 Vgl. David Brill, An die Judenschaft Wiens. Maschingeschriebener Aufruf. In: YIVO 8/37954.

32 DNW, 8/Ende April 1948, S. 1.

33 Ebd., 9/Anfang Mai 1848, S. 8.

34 Interview mit Dr. Weinberger, Salzburg 1987.

35 Vgl. Kuhnert, Herbert, Der Ausschluß. Wien 1988; Deutsch, Gitta, Böcklinstraßenelegien. Erinnerungen. Wien 1993.

36 Vgl. Reich-Ranicki, Marcel, Über Ruhestörer. Juden in der deutschen Literatur. München 1993. S. 129.

37 Hilde Spiel, in: »Im Gespräch«, Ö1, 12. Oktober 1989.

38 Spiel, Hilde, Fanny von Arnstein oder die Emanzipation. Ein Frauenleben an der Zeitwende 1758–1818. Frankfurt/Main 1981.

39 Spiel, in: »Im Gespräch«.

40 Vgl. Reich-Ranicki, S. 129.

41 Kreisky, in: Jüdische Portraits. S. 142 ff.

42 Kreisky, Bruno, Im Strom der Politik. Erfahrungen eines Europäers. Berlin 1988. S. 293.

43 Ebd., S. 141.

44 Ebd., S. 295.

45 Vgl. Kreisky, Zwischen den Zeiten. Erinnerungen aus fünf Jahrzehnten. Berlin 1986. S. 402.

46 Vgl. Weigel, Es gibt keine Juden. In: Heute, 6. Februar 1960, S. 4.

47 Weigel, Hans, Eine Bilderbuch-Heimkehr. Kapitel aus meinen nichtgeschriebenen Memoiren. In: Vom Reich zu Österreich. Kriegsende und Nachkriegszeit in Österreich erinnert von Augen- und Ohrenzeugen. Salzburg–Wien 1983. S. 76.

48 Dazu die von Weigel verfaßte Artikelserie in »Heute«, Februar 1960.

49 Vgl. Weigel, Man kann ruhig darüber reden. Umkreisung eines fatalen Themas. Graz – Wien – Köln 1986. S. 13.

50 Ebd., S. 77.

51 DNW, 3/4/1945, S. 8.

52 Heute, 13. Februar 1960, S. 5.

53 Vgl. die Leserbriefreaktionen auf Weigels Artikelserie in: Heute, Februar 1960.

54 Vgl. Interview mit Verkauf-Verlon, Willy, in: Die Gemeinde, 2. November 1983 – 7. Ches. 5745, S. 2.

55 Zur Person von William S. Schlamm, der sich in den USA vom Sozialisten zum McCarthyisten wandelte, siehe Krispyn, Egbert, William S. Schlamm und der politische Coriolis Effekt. In: Dokumentation des österreichischen Widerstandes und Dokumentationsstelle für neuere österreichische Literatur (Hg.), Österreicher im Exil. Protokoll des Internationalen Symposiums zur Erforschung des österreichischen Exils von 1934 bis 1945. Wien 1977.

56 Schlamm, William S., Wer ist Jude? Ein Selbstgespräch. Stuttgart 1964.

57 Die »Neue Welt und Judenstaat« veröffentlichte 1948 eine Artikelserie über »Judentum als Rasse«. Vgl. Neue Welt und Judenstaat, Ende Juli und Anfang August 1948.
    In der »Gemeinde« finden sich immer wieder Artikel zur Frage des jüdischen Bewußtseins. Vgl. »Wer ist Jude?« (28. November 1958), »Das Phänomen der jüdischen Intelligenz« (1. Juli 1970), »Suche nach Heimat« (10. April 1987 – 11. Nissan 5747), »Einer jüdischen Gemeinde beitreten?« (8. Juli 1983 – 27. Tamus 5743), »Identifikation im Judentum« (6. September 1983 – 28. Elul 5743), »Das ungekannte Judentum« (5. Dezember 1986 – 3. Kislew 5747), »Die Nicht-Immatrikulierten« (8. Juli 1983 – 27. Tamus 5743); vgl. auch Schultz, Hans Jürgen (Hg.), Mein Judentum. Stuttgart 1978; Broder, Henryk M./Michael Lang, Fremd im eigenen Land. Frankfurt/Main 1979.

58 Vgl. Zur Wiedergutmachung. In: Der Judenchrist, 1/September 1953.

59 Vgl. Maderegger, S. 60 ff. Über die Problematik getaufter Juden im Exil siehe Kriss,

Susanne. Jung war ich in »großer Zeit«. In: Erika Thurner (Hg.), Wien–Belgien–Retour? Materialien zur Zeitgeschichte. Bd. 7. Wien–Salzburg 1990.

60 Interview mit Konrad Fleischer, Wien 1990.

61 Vgl. DÖW, Jüdische Schicksale. S. 172 ff.

62 Andren, Greta, Ein Brief einer Christin. Gerty Fischer. Stockholm 1947.

63 Vgl. DÖW (Hg.), Jüdische Schicksale.

64 Ebd., S. 190.

65 Vgl. Weinzierl, Zu wenig Gerechte. S. 94.

66 Interview mit Irma Raffaela Toledo, Salzburg 19889.

67 Embacher, Helga, Doppelt ausgeblendete Frauenerfahrungen: Irma Raffaela Toledo
    – Biographie einer Salzburger Künstlerin. In: Frau Sein in Salzburg. XI. Landes-
    Symposion, 17. November 1990. Schriftenreihe des Landespressebüros 1991.
    S. 210.

68 Vgl. ebd.

69 Vgl. Der Judenchrist, 3/November 1954.

70 Vgl. ebd., 1/September, 2/Oktober 1954, 5/Jänner 1955, 9/Juli, August 1955.

71 Vgl. Walch, Dietmar, Die jüdischen Bemühungen um die materielle Wiedergutma-
    chung durch die Republik Österreich. Wien 1971. S. 84 ff.

72 Vgl. Propper, Dürfen Judenchristen Österreicher sein? In: Der Judenchrist, 5/Jänner
    1955.

73 Ebd., 5/Juli 1954.

74 Freie Welt, Mai 1947.

75 Vgl. Freie Welt, Mitteilungsblatt des Vereins jüdischer und ehemals jüdischer Ar-
    beiter. Mai 1947 bis Juni 1954.

76 Ebd., 1/1. Mai 1947.

3.
Jüdische »Displaced Persons« oder die Zuagraasten

1 Verkauf-Verlon, Willy, Situationen. Eine autobiographische Wortkollage. Wien
   1983. S. 70.

2 Teuber, Charlotte, in: Verdrängte Schuld, verfehlte Sühne. S. 354.

3 Vgl. Albrich, Thomas, Exodus durch Österreich. Die jüdischen Flüchtlinge
   1945–1948. Innsbruck 1987; Dekel, Ephraim, B'richa, Flight to the Homeland. New
   York 1973.

4 Vgl. Moser, Jonny, Via Freiheit in die Freiheit. Der Transit jüdischer Flüchtlinge seit
   1945. In: Jüdisches Echo, Tischri 5751 – Oktober 1990. S. 69; Zelman, Leon, Ein
   Leben nach dem Überleben. S. 111; Elias, Ruth, Die Hoffnung hielt mich am Leben.
   Mein Weg von Theresienstadt und Auschwitz nach Israel. München 1995. S. 252.

5 Vgl. Friedmann, Benedikt, »Iwan hau die Juden«. St. Pölten 1989; Szabolcs, Szita,
   Utak a Pokolbol (Wege der Hölle). Kecskemet 1991; Freund, Florian, Arbeitslager
   Zement. Das Konzentrationslager Ebensee und die Raketenrüstung. Wien 1989;
   Freund, Florian/Bertrand Perz, Das KZ in der Serbenhalle. Zur Kriegsindustrie in
   Wiener Neustadt. Wien 1987; Bertrand Perz, Projekt Quarz. Steyr-Daimler-Puch
   und das Konzentrationslager Melk. Wien 1991.

6 Vgl. Iskult, 11/25. 5. 1954, S. 6 ff.
7 »Todschweigen« (Dokumentarfilm, 1984) von Margareta Heinrich und Eduard Erne.
8 Interview mit J. R., Salzburg 1987.
9 Vgl. Francois, Fejtö, Judentum und Kommunismus. Antisemitismus in Osteuropa. Wien–Frankfurt–Zürich 1967; Hodos, Georg Hermann, Schauprozesse: Stalinistische Säuberungen in Osteuropa 1948–1954. Frankfurt/Main–New York 1988.
10 Vgl. ebd. S. 131.
11 Strauch, Z., Die jüdischen DPs in Salzburg. In: Salzburgs wiederaufgebaute Synagoge. S. 45.
12 Vgl. Landau, Ernst, Von Salzburg nach Jerusalem. Das Wirken der Bricha. In: Salzburgs wiederaufgebaute Synagoge. S. 50.
13 Interview mit Viktor Knopf, Zell am See 1988.
14 Vgl. Königseder, Angelika/Wetzel, Juliane, Lebensmut im Wartesaal. Die jüdischen DPs (Displaced Persons) im Nachkriegsdeutschland. Frankfurt/Main 1994. S. 26 ff.
15 Earl G. Harrison, ehemaliger »United States Commissioner of Immigration«, verfaßte einen Bericht über seinen Besuch in europäischen DP-Lagern im Juli 1945.
16 Vgl. Dinnerstein, Leonard, America and the Survivers of the Holocaust. New York 1982.
17 Vgl. Salzburger Nachrichten, 20. Oktober 1947 oder 20. Februar 1947; Demokratisches Volksblatt, 20. Februar 1947.
18 Interview mit Marko Feingold, Salzburg 1987.
19 Interview mit Viktor Knopf, Zell am See 1988.
20 Vgl. Laqueur, Walter, Der Weg zum Staat Israel. Geschichte des Zionismus. Wien 1972.
21 Interview mit Mordechai Gold, Tel Aviv 1988.
22 Albrich, S. 181.
23 Salzburger Nachrichten, 10. September 1946.
24 Neue Welt und Judenstaat, 71/Dezember 1951.
25 Berichte und Information, Heft 39, 1947. Salzburger Tagblatt, 11. November 1947, S. 5. Siehe DNW, 17/Mitte September 1947, S. 7 und 20/Mitte November 1947, S. 8. Salzburger Tagblatt, 30. August 1947, S. 5. Siehe auch Knight, »Ich bin dafür . . .«
26 Vgl. Berichte und Informationen, 39/1947; DNW, 17/1947 und 20/1947; Salzburger Tagblatt, 30. August 1947 und 11. November 1947.
27 Vgl. Der neue Weg, 20/1947.
28 Vgl. ebd., 17/1947, S. 7, sowie Knight, Ich bin dafür.
29 Simon Wiesenthal, in: DNW, 20/November 1947.
30 DNW, 7/Mitte April 1947, S. 6 (Jüdische Schleichhändler und die Presse).
31 Vgl. Interview mit Marko Feingold, Salzburg 1987, DNW, 7/Mitte April 1947, S. 6; ebd., 3/1948; Salzburger Nachrichten, 10. Februar 1948 (in einem Bericht über Schwarzhändler wurde bei den beiden verhafteten Österreichern das Religionsbekenntnis weggelassen, während der betroffene Flüchtling den »Titel« Jude vor seinen Namen erhielt); dazu auch Rathkolb, Oliver, Zur Kontinuität antisemitischer und rassistischer Vorurteile 1945/1950. In: Zeitgeschichte, 5/1989.
32 DNW, 4/1948.

33 Vgl. Albrich, Exodus; Ders., Zur Kontinuität eines Vorurteils. Die ostjüdischen Flüchtlinge in Vorarlberg nach dem Zweiten Weltkrieg. In: Werner Dreier (Hg.). Antisemitismus in Vorarlberg. Studien zur Geschichte und Gesellschaft Vorarlbergs 4. Bregenz 1988. Für Deutschland siehe Stern, Frank. Im Anfang war Auschwitz. Antisemitismus und Philosemitismus im deutschen Nachkrieg. Gerlingen 1991.
34 Bundesminister Helmer in der Ministerratssitzung vom 20. Mai 1947. in: Knight. S. 173.
35 Vgl. ebd., S. 52.
36 Arbeiterzeitung, 21. August 1946.
37 Segev, Tom, Die siebte Million. Der Holocaust und Israels Politik der Erinnerung. Hamburg 1995, S. 162 ff.
38 Brief des US-Hauptquartiers an das Jüdische Zentralkomitee vom 28. Juni 1949 und vom 20. Februar 1948. SWC, M-9/5–8 bzw. M-9/71/70.
39 Brief von Frau Klein an das Jüdische Zentralkomitee. SWC. M-9/71/70.
40 Vgl. Koppel S. Pinson, Die Persönlichkeit der Displaced Persons (DP). In: Babylon 5/1989.
41 Jüdische Rundschau, 1/1946. YIVO/New York, 15/5199.
42 Interview mit Moritz Einziger, Wien 1987.
43 Zelman, S. 123.
44 Vgl. Jacobmeyer, Wolfgang, Jüdische Überlebende als »Displaced Persons«. In: Geschichte und Gesellschaft, 9. Jg., 1983, S. 438. Siehe auch SWC. 75/7–1.
45 Vgl. Jacobmeyer, Wolfgang, Jüdische Überlebende als »Displaced Persons«. S. 431 ff.
46 Vgl. Peck, J. Abraham, Holocaust Survivors in America. In: Jack Fischel/Sanford Pinsker, Jewish-American History and Culture. An Encyclopedia. New York–London 1992.
47 Vgl. Mitteilungsblatt des American Joint Distribution Committee. 1/1948.
48 Zelman, S. 139.
49 Vgl. Peck, S. 515; Jacobmeyer, S. 437.
50 Beckermann, Unzugehörig. S. 10.
51 Juden in Salzburg. Videofilm von Helga Embacher und Klaus Mertel. Salzburg 1989.
52 Vgl. Burgauer, S. 21; Segev, S. 163.
53 Der Begriff stammt von Sternfeld, Albert, Betrifft: Österreich. Wien 1990. Ders.. in: Die Gemeinde, Februar 1990 – Schwat 5750.
54 Vgl. Troller, Georg Stefan, Selbstbeschreibung. Hamburg 1988. S. 253.

4.
Selbstverständnis der Israelitischen Kultusgemeinde – Identitätssuche in einer antisemitischen Gesellschaft

1 Bericht 1945 bis 1948. S. 5.
2 DNW 23/Mitte Dezember 1949, S. 2.
3 Vgl. Albrich, Thomas, Österreichs jüdische nationale und zionistische Emigration. In: Zeitgeschichte, Heft 7/8, 1990/91. S. 194.
4 Vgl. Renaissance, 8/1948 (Wahlaufruf der Jüdischen Föderation).

5 Vgl. Tätigkeit 1952 bis 1954, S. 27. Dazu auch Bericht 1945 bis 1948; DNW, 1/Mitte Jänner 1947, S. 13 und 17/Mitte September 1947; Jüdische Nachrichten, 14/12. Februar 1947.

6 Vgl. Bericht 1945 bis 1948.

7 Lebensbaum, S. 51.

8 Auszug aus einem Referat, das bei der Generalversammlung der Israelitischen Kultusgemeinden Österreichs am 17. Juni 1956 gehalten wurde. In: Iskult, 67/1956, Beilage.

9 Ebd.

10 Knight, S. 10.

11 Über die Instrumentalisierung der Juden in der ehemaligen BRD vgl. Bodemann, Michal Y., Staat und Ethnizität: Der Aufbau der jüdischen Gemeinden im Kalten Krieg. In: Micha Brumlik/Doron Kiesel u. a., Jüdisches Leben in Deutschland seit 1945. Frankfurt/Main 1988.

12 Vgl. Knight, S. 10.

13 Vgl. Iskult, 111, 118/1958; ebd., 67/1956; ebd., März und Oktober 1953.

14 Die Gemeinde, 25. Juli 1958, S. 1.

15 Ebd., Jänner/Februar 1949, S. 14.

16 Steindling, Dolly, Meine Jugend. Ein Bericht. Wien 1990. S. 223.

17 Hakel, Hermann, Aus den Tagebüchern. In: Vom Reich zu Österreich. S. 118.

18 Vgl. Bunzl, in: Wiener Tagebuch, 3/März 1985.

19 Thalberg, Hans, Von der Kunst, Österreicher zu sein. Erinnerungen und Tagebuchnotizen. Wien–Köln–Graz 1984. S. 198 und S. 153.

20 Vgl. Rattner, Anna/Lola Blonder, 1938 – Zuflucht Palästina. Zwei Frauen berichten. Bearbeitet und eingeleitet von Helga Embacher. Wien–Salzburg 1990. S. 156 ff.

21 Ebd., S. 155.

22 Vgl. Clare, George, Letzter Walzer in Wien – ein Nachtrag. In: Botz, Gerhard u. a., Eine zerstörte Kultur. S. 354. Lothar, Ernst, Das Wunder des Überlebens. Erinnerungen und Ergebnisse. Wien–Hamburg 1961. S. 256. Spiel, Hilde, Rückkehr nach Wien. S. 31.

23 Hofmann, Paul, Viennese. Splendor, Twilight and Exile. New York 1988. S. 305.

24 Spira, Leopold, Feindbild Jud. 100 Jahre Antisemitismus. Wien 1981. S. 105.

25 Standard, 15. November 1991.

26 Vgl. Spiel, Hilde, Rückkehr nach Wien. Ein Tagebuch. Frankfurt/Main 1989. S. 78 ff.; Verkauf-Verlon, Willy, Heimkehrprobleme in Palästina und Israel. Manuskript. S. 11; Zaloscer, Hilde, Eine Heimkehr gibt es nicht. Ein österreichisches curriculum vitae. Wien 1988. S. 117.

27 Kleines Volksblatt, 22. November 1945.

28 Freundlich, Elisabeth, Abschied und Wiederkehr. In: Vom Reich zu Österreich. S. 69; dies., Die fahrenden Jahre. Erinnerungen. Salzburg 1992. S. 133.

29 Wiener Montag, zitiert in: Iskult, 10. Oktober 1954 und 30. Dezember 1953.

30 Ennsthaler, zitiert ebd., 30. November 1953.

31 Wiener Samstag, 27. 9. 1952.

32 Grazer Montag, 28. Mai 1951 (»Der Fetzenmarkt«).

33 Sonntagspost, zitiert in: Iskult, 4. November 1953.

34 Salzburger Nachrichten, zitiert in: Iskult, 10. März 1954.

35 Ebd., 7. April 1954.

36 Merk's Wien, Mai 1953, zitiert in: Iskult, 10/12. Mai 1954, S. 4.

37 Vgl. Kleines Volksblatt, 22. Juni 1952 und 29. Juni 1952.

38 Brief vom 25. Juni 1952, IKG an Raab. Archiv der IKG Wien.

39 Brief vom 27. Juni 1952, Scheidl an die IKG. Archiv der IKG Wien.

40 Der Judenchrist, 4/Juni 1954, S. 5 sowie 2/Oktober 1954, S. 2.

41 Vgl. Iskult, 24. 10. 1958, S. 3 und 23. 1. 1958, S. 4.

42 Ebd., 121/1958.

43 Gemeinde, 29. März 1963, S. 1.

44 Gemeinde, 30. September 1960.

45 Vgl. DNW, 1/Anfang Februar 1947 (Dürfen Juden Radiohören?).

46 Vgl. ebd., 33, 34/1946 und 3/Ende Februar 1947.

47 Interview mit E. M., Wien 1989.

48 Vgl. Reinprecht, Christoph, Emigration, Rückkehr und Identität. Aspekte jüdischer Nachkriegsidentität in Österreich. In: Zeitgeschichte, Heft 7/8, 1990/91. Ders., Zurückgekehrt. Identität und Bruch in der Biographie österreichischer Juden. Wien 1992. Wodak, Ruth/Nowak P./Pelikan J. u. a., »Wir sind alle unschuldige Täter!« Studien zum antisemitischen Diskurs im Nachkriegsösterreich. Frankfurt/Main 1990.

49 Freundlich, Elisabeth, in: Vertriebene Vernunft II.

50 Lothar, Das Wunder des Überlebens. S. 230 und S. 364.

51 Jüdische Nachrichten 4/12. 2. 1947; dazu auch ebd., 15/4. 3. 1947; DNW 1/Mitte Jänner 1947 und 4/Anfang März 1947, S. 1.

52 Die Gemeinde, 30. 4. 1947, S. 4.

53 Vgl. DNW, 16/Anfang September 1947, S. 4.

54 Brief von N. S. an die Autorin; Vgl. auch Diamant, Manus, Geheimauftrag: Mission Eichmann. Wien 1995.

55 Interview mit H. S., Wien 1991.

56 Vgl. Berkley, S. 335.

57 Vgl. Troller, S. 182.

58 Ebd., S. 224.

59 Vgl. Josef Musil, in: Die Gemeinde, 16. 4. 1969; Die Stimme, 19/1948, S. 3 (Während die Österreicher vor 1938 »über die Grenze geschielt hätten, waren die Juden immer loyale Österreicher«.); Das Jüdische Echo, 1/August 1952, S. 1. (In Wien seien die jüdischen Leistungen nicht wegzudenken, die totgeschwiegen werden. Als wesentliches Ziel der Zeitschrift sollten jüdische kulturelle, wissenschaftliche und humanitäre Leistungen aufgezeigt werden.)

60 Iskult, 195/1963; Im Zuge der Auseinandersetzungen um Waldheim schlug Dr. Landesmann vor, »Antisemiten die Angst vor Juden zu nehmen«, indem betont wird, daß Juden »gute Österreicher sind und waren«. Weiters empfahl er die Betonung des jüdischen Beitrages in Kunst und Kultur. Vgl. Die Gemeinde, 3. April 1990 – 8. Nissan 5750, S. 33.

61 Vgl. DNW, 3/Ende März 1947 und 4/Anfang April 1947.

62 Ebd., 23/Mitte Dezember 1947, S. 3.

63 Vgl. Schmidl, Erwin A., Juden in der k. (u.) k. Armee 1788–1918. Studia Judaica Austria XI. Eisenstadt 1989.

64 Musil, in: Die Gemeinde, 16. April 1969.

65 Sella, Gad Hugo, Die Juden Tirols. Ihr Leben und Schicksal. Tel Aviv 1979. S. 28 ff.

66 Dazu siehe auch die Gedenktafel des »Bundes Jüdischer Frontsoldaten« beim Eingang des jüdischen Museums in Eisenstadt.

67 Bunzl, John, Der lange Arm der Erinnerung. Jüdisches Bewußtsein heute. Wien–Köln 1987. S. 71.

68 Anders, Günther, Besuch im Hades. Auschwitz und Breslau 1966. Nach »Holocaust« 1979. München 1985. S. 8.

69 Vgl. Bunzl, S. 78 ff.

70 Clare, Der letzte Walzer. S. 315.

71 Grinzgauz, Samuel, Das Jahr der großen Enttäuschungen. 5706 in der Geschichte des jüdischen Volkes. In: Commentary 1947, zitiert in: Babylon 5/1988. S. 73 ff.

72 A. L. Estermann, Der neue jüdische Mensch. In: DNW, 12/Anfang Juli 1948, S. 1.

73 Die Gemeinde, 2/1949, S. 3.

74 Grinzgauz, S. 73.

75 Die Gemeinde, 1/September 1948, S. 2.

76 Vgl. Rede von Kurt Lewin, dem Vertreter des Staates Israel in Wien. In: Die Gemeinde, 3/November 1948, S. 2.

77 Bunzl, John, Was Israelis in den Palästinensern sehen. In: Wetzel, Dieter (Hg.), Die Verlängerung von Geschichte. Deutsche, Juden und der Palästinakonflikt. Frankfurt/Main 1983. S. 52.

78 Funkenstein, Amos, Die Passivität als Kennzeichen des Diaspora-Judentums: Mythos und Realität. In: Babylon 5/1989. S. 49.

79 Vgl. Goldmann, Nahum, Das jüdische Paradox. Zionismus und Judentum nach Hitler. Köln–Frankfurt/Main 1978.

80 Vgl. Jüdisches Echo, 6/Februar 1956, S. 1.

81 Vgl. Tribüne, 15/1955, S. 3.

82 Vgl. Friedrich Hacker, in: Jüdische Portraits. S. 107; siehe auch Kapitel 2 und Kapitel 11.

83 Eisenberg, Paul Chaim, Die Einheit der Kultusgemeinde. Das zentrale Anliegen der Wiener Oberrabbiner, ausgeführt in allen Jubiläumsreden. In: Der Wiener Stadttempel. Die Wiener Juden. Wien 1988.

84 Die Stimme, 19/1948, S. 3.

85 Die Stimme Israels, 1/1949, S. 1.

86 DNW, 3/Mitte Dezember 1947, S. 3.

87 Ebd., S. 2.

88 Ebd.

89 Ebd., 4/Ende Februar 1949, S. 1.

90 Neue Welt, November 1952, S. 3.

91 Maurer, Das Wunder Israel. In: Neue Welt, September 1954, S. 1.

92 Amery, Jean, in: Jürgen Schultz (Hg.), Mein Judentum. München 1986. S. 75.

93 Embacher, Einleitung zu: Rattner/Blonder, Zuflucht Palästina.

94 Bauer, Ingrid/Helga Embacher, »Um Politik hab' ich mich damals nicht gekümmert«: Frauenerfahrungen im Nationalsozialismus – Ergebnisse ›mündlicher Geschichte‹. In: Bachinger, Katrin, u. a. Feministische Wissenschaft. Methoden und
   Perspektiven. Beiträge zur 2. Salzburger Frauenringvorlesung. S. 173.
95 Die Gemeinde, 25. März 1983 – 11. Nissan 5743, S. 43.
96 Lind, Jakov, Selbstportrait. Frankfurt/Main 1974. S. 135, 139.
97 NW, Dezember 1954, S. 12.
98 Feinberg, Anat, Zeitgeschichte und nationale Identität. Der Mythos vom »neuen«
   Juden in der politischen Kultur Israels. In: Zeitgeschichte und Politisches Bewußtsein. Herausgegeben von Bern Hey und Peter Steinbach. Bielefeld 1986. S. 148.
99 Vgl. Die Tätigkeit 1952 bis 1954, S. 25.
100 MBC, Jüdische Hochschülerschaft Wien, Mai 1950. YIVO-New York.
101 Vgl. Die Gemeinde, 3/1949, S. 7.
102 Herz, Peter, Gestern war ein schöner Tag. Liebeserklärung eines Librettisten an die
   Vergangenheit. Wien 1985. S. 208.
103 Renaissance, 23/1949, S. 12.
104 Vgl. ebd., 18/1949, S. 18.
105 DNW, 12/Anfang Juli 1947, S. 1.
106 Ebd.
107 Vgl. Renaissance, 25/1949, S. 14; Rathkolb, Oliver, Zur Kontinuität antisemitischer und rassistischer Vorurteile in Österreich 1945/1950. In: Zeitgeschichte.
   16. Jg., Heft 5, Februar 1989; Albrich, Thomas, Zur Kontinuität eines Vorurteils.
   Die ostjüdischen Flüchtlinge in Vorarlberg nach dem Zweiten Weltkrieg. In: Werner Dreier (Hg.), Antisemitismus in Vorarlberg. Regionalstudie zur Geschichte einer Weltanschauung. Bregenz 1988; Verkauf-Verlon, Situationen. S. 70. Embacher,
   Helga, Neubeginn ohne Illusionen. In: Feingold, Marko (Hg.), Ein ewiges Dennoch. 125 Jahre Juden in Salzburg. Wien 1993.
108 Renaissance, 25/1949, S. 14.
109 ORT Austria 1947/48, YIVO 8/45284.
110 In sämtlichen DP-Lagern wie beispielsweise in Badgastein, in Ebelsberg bei Linz,
   in Hallein, Innsbruck, Goisern, Admont, Wels oder Steyr wurden Schulen errichtet. Vgl. Die Gemeinde, 2/Oktober 1948, S. 9.
111 ORT, Austria 1947/48. YIVO 8/45284.
112 Renaissance, 23/1949, S. 12.
113 Interview mit H. R., Jerusalem 1987; dazu auch Publikationen des Vereins
   AMCHA.
114 Renaissance, 23/1949, S. 12.
115 ORT Austria, 1947/48, YIVO-New York.
116 Vgl. Stern, Frank, Im Anfang war Auschwitz. S. 299 ff.
117 Beschluß der Plenarsitzung des Kultusvorstandes vom 2. 3. 1949 in Angelegenheit
   des Filmes Oliver Twist. AJA, Box H46, Austria 1947–54.
118 Der Alpenruf, 19. März 1949.
119 Beschluß der Plenarsitzung.
120 Vgl. Beckermann, Unzugehörig. S. 24. Die Autorin kritisierte, daß Juden wie in
   Nazifilmen ein deformiertes Jiddisch, die Christen hingegen ein Burgtheater-

deutsch sprechen. Antisemiten wurden als lebensfrohe Menschen dargestellt, der einzige Verteidiger der Juden hingegen als unsinnlicher Einzelgänger.

121 Verkauf-Verlon, Situationen. S. 80.

122 Vgl. Linzer Volksblatt, 18. April 1948; Echo der Heimat, 22. April 1948.

123 Vgl. Simon Wiesenthal, Das Stürmer-Gespenst geht um. In: DNW, 4/Ende Februar 1948.

124 Brief vom 5. März 1948 von Bronia Jakubowitz/Wien an Dr. Nehemiah Robinson/New York. AJA, Box H46, Austria 1946–54.

125 Beckermann, Unzugehörig. S. 107.

126 Vgl. Hacker, Friedrich, in: Jüdische Portraits. S. 107.

127 Herz, Gestern war ein schöner Tag. S. 208.

5.
Zur Problematik der jüdischen Überlebenden von Konzentrations- und Vernichtungslagern

1 Auszug aus einem von zwei ehemaligen KZ-Überlebenden verfaßten Leserbrief, in: Salzburger Nachrichten, 10. September 1945.

2 Fritz, Mali, Essig gegen den Durst. Wien 1986. S. 138.

3 Jursa, Hermine/Mali Fritz, Es lebe das Leben. Tage nach Ravensbrück. Wien 1983. S. 102.

4 Vgl. Langer, Lawrence, Versions of Survival: The Holocaust and the Human Spirit. Albany 1982.

5 Vgl. Reiter, Andrea, Die Sprache des Überlebens. Autobiographische Konzentrationslagertexte. In:»Salz«, die Salzburger Literaturzeitung. Jg. 13/Nr. 51, 1988. Dazu auch Pollak, Michael (in Zusammenarbeit mit Nathalie Heinich), Die Grenzen des Sagbaren. Lebensgeschichten von KZ-Überlebenden als Augenzeugenberichte und als Identitätsarbeit. Studien zur Historischen Sozialwissenschaft, 12, Frankfurt–New York 1988. S. 105 ff.

6 Finkielkraut, Alain, Die vergebliche Erinnerung. Vom Verbrechen gegen die Menschheit. Berlin 1989. Vgl. Kapitel IV.

7 Peck, Abraham J., Holocaust Survivers in America. In: Jack Fischel/Sanford Pinsker (Hg.), Jewish-American History and Culture. New York – London 1992.

8 Fleischhauer, Inge/Hillel Klein. Über die jüdische Identität. Eine psycho-historische Studie. Königstein 1978; dazu auch: Segev, Tom, Die siebte Million. Der Holocaust und Israels Politik der Erinnerung. Reinbeck bei Hamburg 1995.

9 Vgl. Arthofer, Leopold, Als Priester im Konzentrationslager. Meine Erlebnisse in Dachau. Graz–Wien 1947; Christus in Dachau. Priestererlebnisse im KZ. Ein religiöses Volksbuch und ein kirchengeschichtliches Zeugnis. Für Priester und Volk. Berichtet von Pater Lenz. Selbstverlag 1956; Steinbeck, Johann, Das Ende von Dachau. Salzburg 1948; Steinwender, Leonhard, Christus im KZ. Salzburg 1946; Das aufgebrochene Tor. Predigten und Andachten gefangener Pfarrer im Konzentrationslager Dachau. München 1946; Loidl, Franz, Entweihte Heimat. Linz – Ebensee 1946.

10 Vgl. Langbein, Hermann. Die Stärkeren. Ein Bericht. Wien 1949; Schuschnigg, Kurt, Erwägungen eines christlichen Sonderinternierten (Religiöses aus dem KZ).

Wiener Katholische Akademie 1979; Hurdes, Felix, Vater Unser. Gedanken aus dem KZ. Wien 1950; Kalmar, Rudolf, Zeit ohne Gnaden. Wien 1946; Kautsky, Benedikt, Teufel und Verdammte. Erfahrungen und Erkenntnisse aus sieben Jahren in deutschen Konzentrationslagern. Wien 1948; Lingens-Reiner, Ella, Prisoners of Fear. London 1948; Matejka, Viktor, So war es und noch viel ärger. Rede 1945; Ders., Widerstand ist alles. Notizen eines Unorthodoxen. Wien 1984; Seltenreich, Susanne (Hg.), Leopold Figl, Austrian Patriot and Stateman. Vienna 1947; Gruber, Karl, Zwischen Befreiung und Freiheit. Wien 1953; Migsch, Alfred, Ein Verfolgter kämpft um sein Leben. Wien 1949; Plieseis, Sepp, Partisan der Berge. Wien 1946; Maleta, Alfred, Bewältigte Vergangenheit. Österreich 1932 bis 1945. Graz 1981; Schneeweiss, Josef, Kein Führer, keine Götter. Aus den Lebenserinnerungen. Wien 1983; Magaziner, Alfred, Ein Sohn des Volkes. Karl Maisel erzählt sein Leben. Wien 1977.

11 Langbein, Hermann, Menschen in Auschwitz. Berlin–Wien 1980. S. 22.

12 Nachdem im Herbst 1941 die »Endlösung«, d. h. die Massenvernichtung der Juden, begonnen hatte, entstanden Vernichtungslager. Nach der sogenannten »Wannseekonferenz« mußten die Konzentrationslager »judenrein« gemacht und jüdische Häftlinge in Vernichtungslager überstellt werden. Nur ein kleiner Prozentsatz von jüdischen Häftlingen überlebte in Konzentrationslagern. Vgl. Fein/Flanner. S. 57.

13 Zu nennen wären Graubart, Samuel, Deportiert. Ein Wiener Jude berichtet. Wien 1947. Landsberger, Edgar, Mein Erlebnis als Jude in Deutschland unter dem Naziregime. Selbstverlag. Gmunden 1946. Ornstein, Selma, So war es im KZ. Wien 1946 (Ornstein hat Österreich frühzeitig wieder verlassen.); Frankl, Viktor, . . . trotzdem Ja zum Leben sagen. Ein Psychologe erlebt das Konzentrationslager. Wien 1946. (Obwohl jüdischer Herkunft, schenkte Frankl der jüdischen Problematik keine besondere Beachtung.)

14 Begov, Lucie, Mit meinen Augen – Botschaft einer Auschwitz-Überlebenden. Gerlingen 1983.

15 Rabinovici, Schoschana, Dank meiner Mutter. Frankfurt am Main 1994.

16 Aus Pollaks Untersuchung geht hervor, daß von den überlebenden Frauen aus Auschwitz-Birkenau eine einzige Deutsche, eine Tschechin, drei Österreicherinnen, vier Polinnen, fünf Ungarinnen, aber neun Französinnen autobiographische Texte veröffentlicht haben. Seiner Meinung nach war die Wiedereingliederung in Frankreich leichter als in den mitteleuropäischen Ländern. Vgl. Pollak, S. 83 ff.

17 Siehe auch Jean Amery, in: Schultz, Mein Judentum.

18 Freund, Arbeitslager Zement. S. 359.

19 Knight, S. 142.

20 Vgl. Amery, Jean, Jenseits von Schuld und Sühne. Bewältigungsversuche eines Überwältigten. München 1966.

21 Vgl. Goldstein, Jacob/Irving F. Lukoff/Herbert A. Strauss, Individuelles und kollektives Verhalten in Nazi-Konzentrationslagern. Studien zur historischen Sozialwissenschaft, 16, Frankfurt–New York 1990. S. 77 ff.

22 Pollak, S. 98.

23 Unter der Leitung von Prof. Gerhard Botz wurde am Ludwig Boltzmann Institut für Gesellschaftswissenschaft in Salzburg das Projekt »Resistenzmechanismen in und

nach extremen Verfolgungssituationen« durchgeführt; Fritz/Jursa, Es lebe das Leben. Fritz, Essig gegen den Durst; Glas-Larsson, Margareta, Ich will reden. Tragik und Banalität des Überlebens in Theresienstadt und Auschwitz. Herausgegeben und dokumentiert von Gerhard Botz. Wien – München – Zürich – New York 1981; Berger u. a., Ich geb dir einen Mantel; Thurner, Erika (Hg.), Wien – Belgien – Retour. Erinnerungen aus Verfolgung und Widerstand. Materialien zur Zeitgeschichte, Bd. 7, Wien – Salzburg 1990; Embacher, Helga/Margit Reiter, Partisanin aus christlicher Nächstenliebe. Sloveninnen im KZ. In: Rudolf G. Ardelt/Hans Hautmann, Arbeiterschaft und Nationalsozialismus. Wien – Zürich 1990; Stojka, Ceija, Wir leben im Verborgenen. Hg. von Karin Berger. Wien 1989; Klüger, Ruth, weiterleben.

24 Vgl. Juden in Salzburg. Ein Videofilm von Helga Embacher, Klaus Mertel, Peter Feichtenschlager und Christine Pramhas. Salzburg 1990.

25 Nach der sogenannten Wannseekonferenz wurden etwa 2.000 jüdische Häftlinge nach Auschwitz überstellt – Buchenwald wurde »judenrein« gemacht. Nur ungefähr 250 »Facharbeiter« konnten vor einer Deportation in ein Vernichtungslager bewahrt werden. Vgl. Fein/Flanner, S. 57.

26 Interview mit Moritz E., Wien 1987.

27 Klüger, weiterleben. Eine Jugend, S. 74.

28 Hacker, Mit meinen Augen, In: Die Gemeinde, 1. Februar 1984 – 28. Schwat 5744, S. 22.

29 Vgl. Gruber, Karl, Meine Partei ist Österreich. Privates und Diplomatisches. Wien 1988; Knight, »Ich bin dafür . . .«; Wodak, Ruth, u. a., »Wir sind alle unschuldige Täter«. S. 215 ff. Über Gorbach siehe: Die Gemeinde, 1. April 1988 – 14, Nissan 5748, S. 9; Svoboda, Wilhelm, Franz Olah: eine Spurensicherung. Wien 1990.

30 Interview mit H. S., Wien 1989.

31 Interview mit Hertha Fuchs-Ligeti, Haifa 1988.

32 Vgl. Wilder-Okladek, The Return Movement. S. 108; dies., Die jüdische Bevölkerung Wiens. S. 101.

33 Vgl. Wahrhaftig, Zorach, Uprooted. Jewish Refugees and Displaced Persons after Liberation. Institute of Jewish Affairs of the American Jewish Congress and the World Jewish Congress. New York 1946. S. 89.

34 Rosa Jochmann, in: Dokumentationsarchiv des österreichischen Widerstandes (Hg.), Erzählte Geschichte. Band 1. S. 315. Dazu auch Viktor E. Frankl, . . . trotzdem Ja zum Leben sagen. S. 147.

35 Interview mit Moritz Einziger, Wien 1987. Dazu auch Freund, Florian, Arbeitslager Zement. S. 432; Wiesel, Elie, Die Nacht zu begraben, Elischa. München und Esslingen 1987. S. 150.

36 Vgl. Bailer, Wiedergutmachung. S. 139.

37 Gespräch mit Fritz Roubicek, Wien 1989.

38 Literatur zum »survivor syndrome« siehe bei: Grubrich-Simitis, Ilse, Extremtraumatisierung als kumulatives Trauma. In: Lohmann, Hans-Martin (Hg.), Psychoanalyse und Nationalsozialismus. Beiträge zur Bearbeitung eines unbewältigten Traumas. Frankfurt/Main 1984.

39 Während in Österreich die Psychologie und Psychoanalyse diese Problematik weitgehend ignoriert hat, entstanden im Ausland von ehemaligen jüdischen EmigrantIn-

nen verfaßte Studien über die KZ-Folgen. Vgl. Bettelheim, Bruno/Trude Bettelheim, Surviving and Other Essays. New York 1979 (deutsch: Bettelheim, Bruno, Erziehung zum Überleben. Zur Psychologie der Extremsituation. München 1982); Kestenberg, Judith, Kinder von Überlebenden der Naziverfolgung. Im Juli 1992 fand am Institut für die Geschichte der Juden in Österreich in St. Pölten die 2. Internationale Sommerakademie zum Thema »Therapeutische Hilfe für Holocaust-Opfer und deren Nachkommen« statt.

40 Fritz, Essig gegen den Durst. S. 136.

41 Nach den Nürnberger Rassegesetzen wurden in Wien von den 4.900 Ärzten 3.200 als Juden betrachtet. 1946 praktizierten keine 50 jüdischen Ärzte. Vgl. DNW, 7/8. 1946, S. 6 und Hubersdorfer, Michael, Ärzte-Emigration. In: Vertriebene Vernunft I. S. 390. Siehe auch das Kapitel 5.

42 Gespräch mit Fritz Roubicek, Wien 1989.

43 Salus, Grete, Eine Frau erzählt. Bonn 1958. S. 52 und S. 27.

44 Interview mit Moritz E., Wien 1987.

45 Die Gemeinde, 31. Mai 1963. S. 8.

46 Grubrich-Simitis, S. 219.

47 Bettelheim, Bruno, in: Vegh, Claudine, Ich habe ihnen nicht auf Wiedersehen gesagt. München 1983 (Nachwort).

48 Dazu Hindinger, Gabrielle, Das Kriegsende und der Wiederaufbau demokratischer Verhältnisse in Oberösterreich. Wien 1968. Hindinger beschreibt die Überlebenden von oberösterreichischen Konzentrationslagern als zum Großteil »schwer kriminelle« Häftlinge. Laut Pater Lenz reagierten die in Ebensee befreiten Häftlinge auf die Vorurteile der Bevölkerung, indem sie sich vorwiegend als politisch Verfolgte ausgaben. In einem Briefwechsel zwischen dem »Jüdischen Komitee« in Linz und österreichischen Firmen wird vom »ramponierten Ruf« der KZler gesprochen. Siehe S.W-C, M-9, 79 a und b. Yad Vashem/Jerusalem.

49 Fritz/Jursa, S. 108.

50 Ebd., S. 46.

51 Fritz/Jursa, S. 15.

52 Diskussionsbeitrag von Mali Fritz beim Zeitzeugenseminar, St. Virgil, 2.–5. April 1988 (Tonbandaufnahme).

53 Vgl. Salzburger Tagblatt, 18. 1. 1946, S. 6.

54 Interview mit Josef Nischelwitzer, Klagenfurt 1987.

55 Politisch Verfolgte trugen einen roten, Kriminelle einen grünen, sogenannte Asoziale einen schwarzen, Homosexuelle einen rosa und Bibelforscher einen lila Winkel. Juden mußten unter ihrem Winkel zudem ein gelbes Dreieck, das mit dem anderen Winkel einen Davidstern ergeben hat, tragen. Gruppen mit gleichartigen Winkeln bildeten aber keine homogene Gruppe. So wurden z. B. als politische Häftlinge nicht nur aktive Gegner des Nationalsozialismus eingeliefert – das Erzählen eines Witzes oder die Freundschaft mit einem »Fremdarbeiter« konnten bereits KZ-Haft mit einem roten Winkel bedeuten. Langbein betonte auch, daß nicht alle »Roten« ihre Funktionen im Geiste der Kameradschaft ausgeübt und nicht alle »Grünen« als Werkzeuge der SS gedient haben. Vgl. Langbein, Menschen in Auschwitz. S. 29.

56 Siehe Brief vom 8. Juni 1946 von Dipl.-Ing. Simon Wiesenthal an Dr. Sobek, S. W-C., M-9/10, Yad Vashem/Jerusalem.

57 Beschwerdeprotokoll, Linz am 1. 4. 1947, unterschrieben von Rosa Murlakow. S. W-C, M-9, 79 a, Yad Vashem/Jerusalem.

58 Vgl. DNW, 5/6, 15. Februar 1946.

59 Akim Lewit überlebte als jüdischer Häftling Buchenwald und wurde auf der 1. Freien Versammlung der Österreicher ins Präsidium der Organisation der österreichischen Überlebenden gewählt. Vgl. Fein/Flanner, S. 246.

60 DNW, 1, 2/1946, S. 13.

61 Siehe auch das »Rot-Weiß-Rot-Buch«. Gerechtigkeit für Österreich! Darstellungen, Dokumente und Nachweis zur Vorgeschichte und Geschichte der Okkupation Österreichs (nach amtlichen Quellen). 1. Teil, Wien 1946. Das Buch stellt Österreich als Opfer des nationalsozialistischen Aggressors dar, während die Judenverfolgung verschwiegen wurde.

62 Vgl. DNW, 6/Anfang April 1947, S. 6 und 21/Anfang November 1948, S. 3.

63 Bailer, Wiedergutmachung – Kein Thema. S. 143.

64 DNW, 21/Anfang November 1948, S. 3.

65 DNW, 6/Anfang April 1947, S. 6.

66 Ebd., 6/1947, S. 6 ff.

67 Vgl. Bailer, S. 45 ff.

68 Mark, S. 169.

69 Innerhalb der ÖVP war Ausweger, u. a. auch wegen einer gegen ihn laufenden Pressekampagne, in der ihm Spendenleistungen an die KPÖ vorgeworfen worden waren, sehr umstritten. 1949 schien er als ÖVP-Mandatar im Landtag nicht mehr auf. Vgl. Dirninger, Christian, Die Arbeitgebervertretung im Bundesland Salzburg. Festschrift für Rudolf Friese. Salzburg Dokumentation Nr. 84, Schriftenreihe des Landespressebüros. Salzburg 1984. S. 83.

70 Salzburger Tagblatt, 24. März 1948, S. 2.

71 Demokratisches Volksblatt, 13. März 1948, S. 2.

72 Ebd., 20. März 1948, S. 3.

73 Interview mit Heinz Mayer, Präsident des Bundes der Opfer des politischen Freiheitskampfes in Tirol.

74 Vgl. DNW, 5/Anfang März 1948, S. 12.

75 Ebd., 21/Anfang November 1948, S. 3.

76 Ebd.

77 Brief vom 23. Mai 1946, Ministerialrat Dr. Franz Sobek an den Verband der politisch Verfolgten für Oberösterreich. S. W. C., M-9/10, Yad Vashem/Jerusalem.

78 Brief vom 8. Juni 1946 von Dipl.-Ing. Simon Wiesenthal an Dr. Sobek, S. W. C., M-9/10.

79 DNW, 18/Anfang Oktober 1949, S. 3.

80 Vgl. Bekanntgabe des jüdischen KZ-Verbandes. S. W. C., M-9/83 b/66 b sowie DNW, 22/Anfang Dezember 1947, S. 4.

81 Wiener Zeitung, 21. Juni 1945.

82 Vgl. Brief der IKG vom 9. Mai 1952. Archiv der IKG Wien.

83 Vgl. Iskult, 35/1955, S. 12.

84 Vgl. ebd., 23/1955, S. 19.

85 Vgl. ebd., 35/1955.

86 Die Gemeinde, 3. Februar 1995 – 3. Adar 5755 sowie 5. April 1995 – 5. Nissan 5755.

6.
Rückkehr von Vertriebenen

 1 So wurde Frau Ellenbogen in Wien von einer Nachbarin empfangen. Zitiert bei Eppel, Peter, Zum Stand der Erforschung des österreichischen Exils 1934–1945. Das Manuskript hat mir Peter Eppel dankenswerterweise überlassen.

 2 Zaloscer, Hilde, Eine Heimkehr gibt es nicht. Ein österreichisches curriculum vitae. Wien 1988, S. 7.

 3 Vgl. Wilder-Okladek, The Return Movement. S. 108.

 4 Vgl. ebd., S. 36.

 5 Dazu siehe auch Spiel, Hilde: Zur Psychologie des Exils. In: Österreicher im Exil 1934 bis 1945. (Festvortrag).

 6 Vgl. Standard, 24. Juni 1992, S. 9.

 7 Weinzierl, Ulrich: Österreichische Schriftsteller im Exil. In: Talos u. a. (Hg.), NS-Herrschaft in Österreich. S. 574.

 8 Frucht: Verlustanzeige. S. 283.

 9 Whiteman, Dorit: Die Entwurzelten. Jüdische Lebensgeschichten nach der Flucht 1933 bis heute. Wien–Köln–Weimar 1995.

10 Clare, S. 315; Bunzl, Der lange Arm, S. 78 ff.

11 Drach, Albert: Unsentimentale Reise. Ein Bericht. München–Wien 1988.

12 Matejka, Viktor, Widerstand ist alles. Notizen eines Unorthodoxen. Wien 1984. S. 192.

13 Vgl. Sternfeld, S. 77 ff.

14 1946 sprachen sich bei einer Umfrage 46% der Befragten gegen und nur 28% für eine Rückkehr der Juden aus. In: Bunzl, John/Bernd Marin, Antisemitismus in Österreich. Sozialhistorische und soziologische Studien. Innsbruck 1983. (Anhang).

15 Vgl. Knight, »Ich bin dafür. . . .«. S. 60 ff.

16 Die Stimme, 76/1953, S. 8.

17 Vgl. Sternfeld, Albert, Betrifft: Österreich. Von Österreich betroffen. Wien 1990. S. 78.

18 Vgl. Eppel, Peter, Eine schwierige Heimkehr. Manuskript für das Internationale Symposion über »Österreichische Literatur im Exil 1938–1945« am Institut für Germanistik der Universität Innsbruck. Juni 1988; Lothar, Ernst, Das Wunder des Überlebens. Hamburg–Wien 1961; Simon, Josef T., Augenzeuge. Wien 1979.

19 Brief vom 28. Februar 1946, Otto Kreilisheim/New York an Viktor Matjeka. DÖW 18.861/74.

20 Bericht 1945 bis 1948. S. 28.

21 Vgl. ebd., S. 33.

22 Vgl. Aufbau, 19. April 1946, S. 3.

23 DÖW, Akt 13.161.

24 Vgl. Scholz, Wilhelm, Ein Weg ins Leben. Das neue Österreich und die Judenfrage. Free Austrian Books. Verlag des Austrian Centers. London 1943. Leo Baeck Institut, New York.

25 Young Austria in Großbritannien. Wiedersehenstreffen anläßlich des 50. Jahrestages der Besetzung Österreichs. Herausgegeben vom Verein »Wiedersehenstreffen 1938–1988«, Wien 1988. DÖW.

26 Vgl. DÖW (Hg.): Jüdische Schicksale, S. 206.

27 Vgl. Aufbau, Reconstruktion. Dokumentation einer Kultur im Exil. Herausgegeben von W. Schober mit einem Geleitwort von Hans Steinitz. New York 1972; M. George, Der Jude auf dem europäischen Kontinent. In: Aufbau, 8. November 1946.

28 Vgl. Aufbau, 15. März 1946, S. 3 (Judenelend in Österreich), 15. Februar 1946, S. 3 (Schneckentempo in Österreich – ungenügendes Vorgehen gegen Nazi) und 19. April 1946, S. 3 (Juden gehen nicht zurück).

29 Laut »Aufbau« konnte kein Jude in Österreich wirtschaftlich Fuß fassen, und es würden häufig tätliche Angriffe auf Juden stattfinden. Vgl. Aufbau, 18. Jänner 1946, S. 1.

30 Brief von Otto Kreilisheim an Viktor Matejka, New York, Februar 1946. DÖW, Akt 18.861/74.

31 Wimmer, Adi, Die Heimat wurde ihnen fremd, die Fremde nicht zur Heimat. Erinnerungen österreichischer Juden aus dem Exil. Wien 1993. Laut Wimmer gab die Hälfte der von ihm Befragten an, nie ernsthaft an eine Rückkehr gedacht zu haben.

32 Interview mit Stella Hershan, New York 1988.

33 Stella Hershan, Nothing happened to me in the Hitler Time. Manuskript (von der Verfasserin dankenswerterweise zur Verfügung gestellt).

34 Ascher-Nash, Franzi, »Leo Asch und Family«. Streiflichter aus der Emigration. In: Jüdisches Echo. Tischri 5751 – Oktober 1990. S. 159.

35 Knoll, Erwin, Vienna Revisited. In: New York Times, 7. April 1973.

36 Lichtblau, Albert, »Man kann einen Menschen aus der Heimat vertreiben, aber nicht die Heimat aus dem Menschen.« In: Zeitgeschichte, H 7/8, 1990/91; Herz, Peter, Jüdische Urlauber in Österreich. In: Die Gemeinde, 1. Juli 1976, S. 16.

37 Leo Glueckselig, in: Hartwig, Thomas/Achim Roscher, Die verheißene Stadt. Deutsch-Jüdische Emigranten in New York. Berlin 1986.

38 Vgl. Herz, S. 16; Lambert, Anna, Du kannst vor nichts davonlaufen. Wien 1992. S. 150. Siehe auch Wilder, Friederike, Allgemeine und jüdische Migration nach dem Zweiten Weltkrieg (mit besonderer Berücksichtigung der Juden Wiens). Dissertation. Wien 1977.

39 Whiteman, Dorit B., Escapee Attitudes Toward Self and the Interviewing Experience. In: Zeitgeschichte, H 7/8, 1990/91.

40 Schindel, Gerti, in: Karin Berger u. a., Der Himmel ist blau. Kann sein. Frauen im Widerstand. Österreich 1938 – 1945. Wien 1985. S. 167.

41 Goldner, Fritz, Die österreichische Emigration 1938 – 1945. Wien – München 1972. S. 8.

42 Vgl. Wilder, Return Movement.

43 Herrnstadt-Steinmetz, Gundl, Österreicher im Exil. Belgien 1938 – 1945. Hg. v. Dokumentationsarchiv des österreichischen Widerstandes. Wien – München 1987. S. 53.

44 Verkauf-Verlon, Willy, Heimkehrprobleme in Palästina und Israel. Manuskript (vom Verfasser dankenswerterweise zur Verfügung gestellt). S. 10.

45 Dazu auch Goldner, S. 8.

46 Seliger, Kurt, Basel – Badischer Bahnhof. In der Schweizer Emigration 1938–1945. Wien 1987. S. 184.

47 Vgl. ebd. S. 184 ff.

48 Klein-Löw, Stella, Erinnerungen. Wien 1980. S. 165.

49 Ebd.

50 Friedmann, Hans, Emigration in Kolumbien. In: Vertriebene Vernunft II. S. 485.

51 Schiffer, Karl, Über die Brücke. Der Weg eines linken Sozialisten ins Schweizer Exil. Wien 1988. S. 180.

52 Vgl. ebd.

53 Seliger, S. 127 ff.

54 Vgl. Steiner, Herbert, Einige Thesen zur Kommunistischen Partei Österreichs im Exil. In: Rudolf G. Ardelt/Hans Hautmann (Hg.), Arbeiterschaft und Nationalsozialismus. Wien–Zürich 1990. S. 649.

55 Vgl. Köstmann, Jenö, in: Vertriebene Vernunft I. S. 837.

56 Spira, Leopold, Feindbild Jud. 100 Jahre politischer Antisemitismus in Österreich. Wien 1981. S. 104. Dazu auch Meisel, Josef, Die Mauer im Kopf. Erinnerungen eines ausgeschlossenen Kommunisten 1945–1970. Wien 1986.

57 Vgl. Mehringer, Hartmut/Werner Röder/Marc Dieter Schneider, Zum Anteil ehemaliger Emigranten am politischen Leben der Bundesrepublik Deutschland, der Deutschen Demokratischen Republik und der Republik Österreich. In: Frühwald, Wolfgang/ Wolfgang Schieder, Leben im Exil. Probleme der Integration deutscher Flüchtlinge im Ausland 1933–1945. Hamburg 1981. S. 210.

58 Interview mit H. K., Wien 1990; Meisel, Josef, Die Mauer im Kopf; Spira, 100 Jahre politischer Antisemitismus.

59 H. K., Manuskript. S. 9.

60 Siehe Stadler, Karl, Adolf Schärf, Mensch, Politiker, Staatsmann. Wien 1982; Kreisky, Bruno, Zwischen den Zeiten; Klein-Löw, Stella, Erinnerungen. Erlebtes und Gedachtes. Wien 1980; Kritisch äußerte sich hingegen Julius Braunthal, der einen Brief der SPÖ-Führung an Emigranten zitierte, in dem diese ihre Besorgnis über die Rückkehr von Juden aussprach: Braunthal, Julius, The Tragedy of Austria. London 1948. S. 60 ff. Auch der in den USA lebende Adolf Sturmthal beschuldigte führende Sozialisten des Antisemitismus: Sturmthal, Zwei Leben. Erinnerungen eines sozialistischen Internationalisten zwischen Österreich und den USA. Hg. von Georg Hauptfeld und Oliver Rathkolb. Wien – Graz 1989; Leichter, Henry O., Eine Kindheit. Wien – Zürich – Paris – USA. Wien – Köln – Weimar 1995.

61 Vgl. Stadler, S. 244.

62 Sturmthal, S. 216.

63 Briefe von Hugo Breitner, Kreisky-Archiv.

64 Vgl. Sturmthal, S. 215.

65 Vgl. Wagenleitner, Reinhold, Walter Wodak in London oder die Schwierigkeit, Sozialist und Diplomat zu sein. In: Gerhard Botz u. a. (Hg.), Bewegung und Klasse: Studien zur österreichischen Arbeitergeschichte. Wien 1978.

66 Bruno Kreisky, Zwischen den Zeiten. S. 419. Dazu auch: Maimann, Helene, »Die Rückkehr beschäftigt uns ständig«. Vom Flüchten und vom Wiederkommen. In: Maimann, Helene (Hg.), Die ersten 100 Jahre. Österreichische Sozialdemokratie 1888–1988. Wien 1988.

67 Schärf, in: Stadler, S. 245.

68 Fleck, Christian, Emigration und intellektuelle »Ausdünnung« der Nachkriegssozialdemokratie. In: Ardelt/Hautmann (Hg.), Arbeiterschaft und Nationalsozialismus. Dazu auch Svoboda, Wilhelm, Politiker, Antisemit, Populist. Oskar Helmer und die Zweite Republik. In: Jüdisches Echo, Tischri 5751 – Oktober 1990; Ders., Die Partei, die Republik und der Mann mit den vielen Gesichtern. Oscar Helmer und Österreich II. Eine Korrektur. Wien 1993.

69 Vgl. Tausig, Franziska, Shanghai-Passage. Flucht und Exil einer Wienerin. Wien 1987.

70 Vgl. Oskar Philipp, Das Flüchtlingszentrum Schanghai. In: DNW, 7/Mitte April 1947, S. 2; Fischer, Rudolf K., Emigration nach Shanghai. In: Stadler, Vertriebene Vernunft I. Wien 1988; ders., Nachwort zu A. W. Kneucker, Zuflucht in Shanghai. Aus den Erlebnissen eines österreichischen Arztes in der Emigration 1938–1945. Wien 1984.

71 Heimbeförderung von Österreichern aus Schanghai. In: Oberösterreichische Nachrichten, 29. Juni 1946.

72 Vgl. DNW, 3/Mitte Februar 1947, S. 5.

73 Vgl. ebd., 45/Mitte Dezember 1946 und 3/Mitte Februar 1947.

74 Vgl. ebd., 45/Mitte Dezember 1946, S. 5.

75 Ebd., 3/Mitte Februar 1947, S. 5.

76 Bericht 1945 bis 1948. S. 29.

77 Vgl. DNW, 45/Mitte Dezember 1946, S. 10.

78 Vgl. Hubersdorf, S. 390.

79 Vgl. ebd., 45, 46/1946, S. 10.

80 Sternfeld, S. 51.

81 Vgl. ebd., S. 53.

82 Vgl. DNW, 3/1947, S. 5.

83 Bericht 1945 bis 1948. S. 30; dazu auch DNW 3/Mitte Februar 1947, S. 2.

84 Vgl. Jüdische Nachrichten, 14/Februar 1947.

85 Vgl. ebd.

86 Vgl. Knight, S. 221.

87 DNW, 12/1947, S. 9.

88 Vgl. Simon Wiesenthal, »Lächerliches« Lachen. In: DNW, 6/April 1947, S. 12 ff.

89 Vgl. Jüdisches Echo, 6/1956, S. 2 und Bailer, Wiedergutmachung – kein Thema.

90 Vgl. Wilder, The Return Movement; Anderl, Gabriele, Die Auswanderung/Flucht österreichischer Juden nach Palästina während der Zeit des Nationalsozialismus. Projektbericht. Wien 1991; Weinzierl, Erika/Otto D. Kulka, Vertreibung und Neubeginn. Israelische Bürger österreichischer Herkunft. Wien 1992.

91 Vgl. Bericht des Präsidiums 1945 bis 1948. S. 31.

92 Vgl. Wilder, The Return Movement. S. 61.

284

93 Vgl. Niederland, Doron, Die Immigration. In: Weinzierl/Kulka, Vertreibung und Neubeginn. S. 369.
94 Ebd., S. 352.
95 Dazu Schwarz-Gados, Alice, Von Wien nach Tel Aviv. Lebensweg einer Journalistin. Gerlingen 1991.
96 Vgl. Embacher, Helga, Einleitung zu Rattner/Blonder; Verkauf-Verlon, Willy. Situationen; Ders., Heimkehrprobleme in Palästina und Israel; Beling, Eva, Die gesellschaftliche Eingliederung der deutschen Einwanderer in Israel. Eine sozialgeschichtliche Untersuchung der Einwanderer aus Deutschland zwischen 1933 und 1945. Frankfurt/Main 1967; Shlomo, Erel, 50 Jahre Immigration deutschsprachiger Juden in Israel. Tel Aviv 1983; Danziger, Carl-Jacob, Kein Talent für Israel. Nördlingen 1988; Gay, Ruth, Danke Schön, Herr Doktor. German Jews in Palestine. In: The American Scholar.
97 Wilder-Okladek, The Return Movement.
98 Ehrlich-Hichler, Leopold, Ein Wiener in Palästina. Wien 1964. S. 276 ff.
99 Vgl. Bericht 1945 bis 1948. S. 31.
100 Vgl. Niederland, S. 432.
101 Interview mit H. und F. S., Wien 1991.
102 Interview mit Stella Kadmon, Wien 1990.
103 Rattner/Blonder, S. 75.
104 Brief vom 3. Mai 1949, Harald Trobe/AJDC an das Welfare Department AJDC Paris. AJA, Mss, Col 36/H 11/2/2, AJDA, 1948–49.
105 Bericht des Präsidiums 1945–1948. S. 34.
106 Interview mit Dr. Herbert Rosenkranz, Jerusalem 1987; dazu auch Zeugenaussagen von Herbert und Mircia Rosenkranz, Yad Vashem.
107 Zeugenaussage Mircia Rosenkranz.
108 Zeugenaussage von Dr. Herbert Rosenkranz.
109 Vgl. Bericht des Präsidiums 1945 bis 1948. S. 31.
110 Vgl. ebd.
111 Col 36/H1172/2, AJDC, 1948–49, AJA.
112 Vgl. Tribüne, 11, 12/1953, S. 3; Iskult, 21/12. 11. 1954.

7.
Die Problematik der »Wiedergutmachung«

1 Bericht 1945 bis 1948, S. 10.
2 Vgl. Embacher/Reiter, Die 2. Republik und ihr Umgang mit der NS-Vergangenheit am Beispiel der Beziehungen zwischen Österreich und Israel. In: ÖZP 1/1995. S. 54 ff.
3 Berkley, S. 350.
4 Vgl. Bericht 1945 bis 1948, S. 16 ff.
5 Lebensbaum, S. 39.
6 Bericht des Präsidiums 1945 bis 1948, S. 10.
7 Vgl. DNW, 2/Ende Jänner 1949.
8 Vgl. Jüdische Nachrichten, 7/14. Jänner 1947.

9 Vgl. Bericht des Präsidiums 1945 bis 1948, S. 26.

10 Vgl. Jüdische Nachrichten, 7/14. Jänner 1947.

11 Vgl. Bericht, S. 27.

12 Jüdische Nachrichten, 7/14. 1. 1947 und Salzburger Nachrichten, 10. April 1947, S. 2.

13 Vgl. Knight, S. 235.

14 Vgl. Die Gemeinde, Juli/August 1949, S. 10; Neue Welt und Judenstaat, Anfang Februar 1949; DNW, Jänner, Februar und März 1949.

15 Vgl. Die Gemeinde, 4/Juni 1949. Tätigkeit 1952 bis 1954, S. 60 ff.

16 Vgl. Der Judenchrist, 3/November 1954.

17 Vgl. Embacher/John, Remigranten in der österreichischen Wirtschaft nach 1945.

18 Stern, Erich, Die letzten 12 Jahre des Rothschildspitals. Wien 1974. S. 4.

19 Vgl. Die Gemeinde, 1/Jänner, Februar 1949, S. 9 ff. sowie 9. Dezember 1970, S. 1.

20 Vgl. ebd., 7/1949, S. 15 ff.; Bericht 1945 bis 1948, S. 45 ff. Die Tätigkeit 1952 bis 1954, S. 64 ff.

21 Demokratischer Bund, 11, 12/Ende Dezember 1953, S. 2.

22 Vgl. Jellinek, Gustav, Die Geschichte der österreichischen Wiedergutmachung. In: Fraenkel, The Jews of Austria; Walch, Dietmar, Die jüdischen Bemühungen um die materielle Wiedergutmachung durch die Republik Österreich. Wien 1971; Knight, Robert, Ich bin dafür; Sternfeld, Albert, Betrifft: Österreich. Wien 1990; Bailer, Wiedergutmachung. Wien 1993.

23 Lebensbaum, S. 251.

24 Vgl. Walch, S. 207 ff.; Die Gemeinde, 25. Juli 1958. S. 1.

25 Rudolf Braun, in: Die Gemeinde, März 1949.

26 DNW, 22/Ende November 1948.

27 Vgl. Walch, S. 6.

28 Interview mit Friedrich Uprimny, Steyr 1991.

29 Vgl. Überblick über die materiellen Verluste der Juden in Österreich, Archiv der IKG-Wien, Ordner Wiedergutmachung 1948 – 1952. Zitiert bei Knight, S. 52.

30 Tätigkeit 1952 bis 1954, S. 18 ff.

31 Vgl. ebd., S. 19.

32 Vgl. Tätigkeit 1952 bis 1954, S. 124.

33 Vgl. Wolffsohn, Michael, Ewige Schuld? 40 Jahre deutsch-jüdisch-israelische Beziehungen. München – Zürich 1988; Keilson, Hans, Reparationsverträge und die Folgen der »Wiedergutmachung«. In: Micha Brumlik u. a. (Hg.), Jüdisches Leben in Deutschland seit 1945; Pross, Christian, Wiedergutmachung. Der Kleinkrieg gegen die Opfer. Frankfurt am Main 1988; Kloke, Martin W., Israel und die deutsche Linke. Zur Geschichte eines schwierigen Verhältnisses. Hag und Herchen 1990; Fischer-Hübner, Helga und Hermann, Die Kehrseite der »Wiedergutmachung«. Gerlingen 1990.

34 Knight, S. 44.

35 Vgl. ebd., S. 197.

36 Tätigkeit 1952 bis 1954, S. 127.

37 Vgl. DB, 8, 9/August, September 1953, S. 5.

38 Ebd., 10/Oktober 1953, S. 4.

39 Vgl. ebd., 8, 9/August, September 1953, S 5.
40 Jellinek, S. 415.
41 Vgl. Walch, S. 135 ff.
42 Vgl. Lebensbaum, S. 245 ff.
43 Vgl. Sternfeld, Albert, Wiedergutmachung und Entschädigung. In: Jüdisches Echo, Tischri 5751 – Oktober 1990, S. 80.
44 Vgl. Lebensbaum, S. 248 ff.
45 Vgl. Ebd., S. 249.
46 Sternfeld, Betrifft Österreich. S. 93.
47 Rubin-Bittmann, Leben in Wien. S. 319.
48 Heruth, 11. Tewet 5725 – 16. Dezember 1964, S. 4.
49 Vgl. Embacher/Reiter, S. 55 ff.
50 Zaloscer, S. 178.
51 Vgl. Pelinka, Anton, Windstille. Klagen über Österreich. Wien–München 1985. S. 36.
52 Vgl. Gärtner, Reinhold/Sieglinde Rosenberger, Kriegerdenkmäler. Innsbruck 1991.
53 Vgl. Iskult, 32/4. April 1955.
54 Die Gemeinde, 6/Juli 1958, S. 1.
55 Wiener Zeitung, 9. Februar 1947.
56 Vgl. DNW, 3/Mitte Februar 1947, S. 1 ff.
57 Austria, 25. März 1947.
58 Brief vom 17. April 1947, Bürgermeister Körner an Dr. Leon Kubowitzki, New York. AJA.
59 Dazu auch Svoboda, Wilhelm, Politiker, Antisemit, Populist. Oskar Helmer und die Zweite Republik. In: Jüdisches Echo, Oktober 1990 – Tischri 5751.
60 Knight, S. 158.
61 Die Gemeinde, 4/Dezember 1948, S. 10.
62 Wiener Zeitung, 8. März 1955, zitiert bei Walch, S. 84.
63 Knight, S. 58.
64 Iskult, 3/30. Dezember 1953.
65 Walch, S. 98.
66 Vgl. Tätigkeit 1952 bis 1954, S. 30.
67 Vgl. Knight, S. 50 ff.
68 Hausbesitzerzeitung, 1947, Nr. 3, zitiert in: DNW, 10/Anfang Juni 1947, S. 11.
69 DNW, 10/Ende Mai 1949, S. 2 ff.
70 Ebd., S. 3.
71 Die Gemeinde, 3/April 1949, S. 9.
72 Walch, S. 89.
73 Vgl. Knight, S. 9 ff.
74 Vgl. Stern, Frank, Im Anfang war Auschwitz. Gerlingen 1991.
75 Neue Welt und Judenstaat, September 1950, S. 1.
76 Vgl. Die Gemeinde, 1/September 1948. Tätigkeit 1952 bis 1954, S. 123.
77 Vgl. Die Gemeinde, 8/Dezember 1949, ebd. 5/Juli, August 1949, S. 4.
78 Brief vom 20. Dezember 1946, Bienenfeld an Schärf. Schärf-Nachlaß, Verein zur Geschichte der Arbeiterbewegung. Box 31/4/229.

79 Vgl. Andics, Helmut, Die Juden in Wien. Wien 1988. S. 197.
80 Ebd.; dazu auch Die Gemeinde, 3/April 1949, S. 12.
81 Briefe des Vertreters des WJC in Wien vom 22. Juli und 6. August 1952, AJA.
    AS/1–137185.
82 Salzburger Nachrichten, 1. Jänner 1954, zitiert bei Walch, S. 30 ff.
83 Die Gemeinde, 4/Dezember 1948, S. 2.
84 Walch, S. 37.
85 Iskult, 5/1954, S. 1.
86 Vgl. Kerschbaumer, Gert/Karl Müller, Begnadet für das Schöne. Der rot-weiß-rote
    Kulturkampf gegen die Moderne. Wien 1992. S. 65.
87 Iskult, 12. 3. 1954.
88 Ebd., 10. 3. 1954 und Wiener Montag, 15. Februar 1954.
89 Vgl. Der Volksbote, 33/17. August 1952.
90 Wiener Montag, 30. 12. 1953.

8.
Kalter Krieg in der Israelitischen Kultusgemeinde

1 Vgl. Aufbau, 18. Oktober 1946, S. 1.
2 Vgl. Shafir, Shlomo, Der Jüdische Weltkongreß und sein Verhältnis zu Nachkriegsdeutschland (1945–1967). In: Menora. Jahrbuch für deutsch-jüdische Geschichte
   1992. München 1992.
3 Genannt wurden: US Council of Jews from Austria, Austrian Jewish Congregation,
   Hakoah A. C., Igul Alumni Association of Zionist Fraternities (Ring der wehrhaften
   jüdischen Akademiker, Präs. E. Stiaßny), Jakob Ehrlich Society, Jewish Foreign War
   Veterans. Siehe Aufbau, 19. April 1946, S. 3.
4 Interview mit Dr. Siegfried Altmann, geführt von Rose Stein. Oral History Archives
   der Columbia University/New York. Dazu auch Nachlaß von Siegfried Altmann im
   Leo Baeck Institut/New York, Box 38/5, V7/2.
5 Vgl. Pauley, S. 329.
6 Vgl. Grossberg, Mimi, The Road to America, New York 1983. Aufruf zum Beitritt
   zum »Austrian Institute«, New York, November 1943. Siehe auch DÖW, Akt 9420.
7 Vgl. Die Stimme, 60/1952, S. 3.
8 Vgl. Aufbau, 19. April 1946, S. 3.
9 »The reports we recieved were so contradictory that it was impossible to form a
   clear picture of the condition of the Jews in Austria.« Report on the Mission to
   Austria/June–September 1946) by Ernest Stiaßny. AJA, WJC H43/Austria J. R. C.
   1946–47.
10 Ebd.
11 Ebd.
12 Vgl. Peck, Abraham J., Zero Hour and the Development of Jewish Life in Germany
    after 1945. In: A Pariah People? Jewish Life in Germany after 1945. A Symposium
    held on November 18, 1988. Cincinnati/Ohio.
13 Ebd.
14 Ebd. Dazu auch Richarz, Monika, Juden in der Bundesrepublik Deutschland und in

288

der Deutschen Demokratischen Republik seit 1945. In: Jüdisches Leben in Deutschland seit 1945. S. 14.

15 Vgl. Neue Welt und Judenstaat, 54/2. Oktober 1950, S. 1.

16 Vgl. Maor, Harry, Über den Wiederaufbau der Jüdischen Gemeinden in Deutschland seit 1945. Dissertation, München 1961, S. 95 ff.; Kuschner, Doris, Die jüdische Minderheit in der BRD. Eine Analyse. Dissertation. Köln 1977. S. 76.

17 Vgl. DNW, 23, 24/1946, S. 13 und 27, 28/1946, S. 2.

18 Altmann hingegen hielt sich in den Kontroversen zwischen WJC und IKG im Hintergrund und wurde weiterhin freundschaftlich behandelt. Dazu Brief von Brill an den WJC, 26. Juni 1947. AJA, WJC H45/Jewish Community Vienna 1947–50.

19 Die auf Österreich bezogene Politik des WJC war nach 1945 stark beeinflußt von österreichischen jüdischen Emigranten. Neben Stiaßny waren beispielsweise noch Oskar Karbach oder Franz Rudolf Bienenfeld für den WJC beratend tätig. Vgl. Gold, S. 145 und S. 139.

20 Vgl. Report on the Mission to Austria.

21 Vgl. Die Stimme, 60/1952, S. 3.

22 Report on the Mission.

23 Vgl. Simon, Josef T., Augenzeuge, Wien 1979. S. 332; Aufbau, 18. 10. 1946.

24 Vgl. Brief vom 20. November 1946, Stiaßny an Dr. Schwarzbart. AJA, WJC H43. Austria 1946.

25 Vgl. Schmid, S. 43.

26 Gold, S. 70.

27 Vgl. Brief von Stiaßny an Dr. Stephen Barber, 25. October 1946. AJA, WJC H43. AJCR 1946–48.

28 Laut Teichholz wäre es ein Verbrechen, gegen die jüdische Einigkeit zu kämpfen. Siehe DNW, 9, 10/Mitte März 1946, S. 4.

29 Vgl. Protokoll über die Vorstands-Sitzung vom 19. September 1946. AJA, WJC H43/Austria 1946.

30 Vgl. Brief des Verbandes österreichischer Juden an den WJC, 10. Dezember 1946; Bericht über die Pariser Reise. Brief von Hermann Weber an Ernest Stiaßny. 25. Oktober 1946. AJA, WJC, H43, Austria 1946.

31 Ebd.; dazu auch Brief vom 24. Oktober 1946, Weiner, Bacher, Feldsberg, Heublum und Weber an Stiaßny und Brief vom 3. Oktober 1946, Weber an Stiaßny.

32 Z. B. Bildbericht der American Federation of Jews from Austria. February 1946. Leo Baeck Institut New York.

33 Vgl. Die Stimme, 60/1952, S. 3.

34 Vgl. Rede von Stiaßny und Report, 17. Dezember 1947. AJA, WJC H45, Misc. Corresp.

35 Vgl. Die Stimme, 58/1952, S. 2.

36 Brief vom 26. Juni 1947, Brill an den WJC, z. H. Dr. A. Leon Kubowitzki, New York. AJA, WJC H45/Jewish Community Vienna 1947–1950.

37 Brief vom 1. April 1947, Dr. Karbach (ehemaliger Österreicher) an Dr. Kubowitzki. AJA, WJC H45/Jewish Community Vienna 1947–1950.

38 Ebd.; dazu auch Brief vom 4. April 1947, Kubowitzki an Brill.

39 Vgl. Shafir, S. 215.

40 Stiaßny: Report of the last few months, 14. May 1949. AJA.

41 Vgl. DNW, 22/Ende November 1948, S. 2.

42 Ebd. 17/Mitte September 1948, S. 1.

43 Brief vom 1. April 1947, Karbach an Kubowitzki. AJA, WJC H45.

44 DNW, 22/Ende November 1948, S. 2.

45 Zu nennen wären David Brill, Dr. Broczyner, Karl Haber, Dr. Kurt Heitler, Hermann Wenkart (wechselte 1955 zum »Bund«), Akim Lewit oder Otto Hermann, der als Sympathisant galt. Siehe DNW, 22/Ende November 1948, S. 3.

46 DNW, 18/Anfang Oktober 1949, S. 2

47 Vgl. ebd., 45/Dezember 1946, S. 5; 18/Anfang Oktober 1949, S. 1 ff.; 22/Ende November 1948, S. 2.

48 Ebd., 4/Ende Februar 1948, S. 1.

49 Ebd., 22/Ende Oktober 1949, S. 2.

50 Vgl. ebd., 5/Mitte März 1948, S. 1. (Im Leitartikel »Es gibt keine jüdische Frage« sprach sich die AZ vom 27. März 1946 gegen eine Bevorzugung der Juden aus und warf ihnen vor, durch ihr Verhalten den Rassismus neu zu beleben; Brill verfaßte im Kurier vom 18. Juni 1946 eine Entgegnung.)

51 Vgl. ebd., 18/Anfang Oktober 1949, S. 1 ff. (Schärf wurde kritisiert, 1934 gegenüber revolutionären Sozialisten den illegalen Kampf mit folgenden Worten abgelehnt und bis heute nicht widerrufen zu haben: »Wollt Ihr für die Juden – Otto Bauer, Oscar Pollak, Julius Deutsch und Otto Leichter – eure Haut zu Markte tragen?«); 5/Mitte März 1948; S. 2 (Schärf berief sich bei einer jüdischen Wählerversammlung auf die »Arbeiterzeitung« und sprach »vom Strom jüdischer Flüchtlinge, der sich in den letzten zwei Jahren aus den Ländern der sogenannten Volksdemokratie nach Österreich ergossen hat«).

52 Ebd., 5/Mitte März 1948, S. 2.

53 Ebd., 21/Mitte November 1948, S. 1.

54 Ebd., 12/Anfang Juli 1949, S. 7.

55 Ebd.

56 Interview mit Dr. Kurt Weihs, Wien 1991.

57 Gespräch mit K. H., Wien 1991.

58 Anfang 1950 rief die KPÖ im Zuge des Antizionismus in Osteuropa zum Austritt aus der IKG auf. Vgl. Kapitel »Weltpolitik«.

59 Gespräch mit K. H.

60 Vgl. Sternfeld, S. 8; Bunzl, Über Hans Thalberg.

61 Auch der Interviewpartner Konrad Fleischer schilderte, daß ihm der »Proletenkult« von der Eröffnung eines eigenen Geschäftes abhielt. Interview mit K. F., Wien 1991. Dazu auch Rosenstrauch, Hazel, Beim Sichten der Erbschaft. S. 62.

62 Gespräch mit Ernst Blaha, Wien 1991.

63 Vgl. Bunzl, Klassenkampf in der Diaspora. S. 123 ff.

64 Vgl. Koplenig-Oppenheim, Hilde, Von der »Roten Fahne« zur »Volksstimme«. Die KPÖ in der Zwischenkriegszeit. In: Jüdisches Echo, Oktober 1989 – Tischri 5740; Hautmann, Hans, Die verlorene Räterepublik. Am Beispiel der Kommunistischen Partei Deutschösterreichs. Wien–Frankfurt–Zürich 1971.

65 Volksstimme, 20. Oktober 1956 (Nachruf Michael Kohn).

66 Vgl. Interview mit P. D., Wien 1991; Gespräch mit Ernst Blaha, Wien 1991; Gespräch mit Siegfried Lazar, Wien 1991.
67 1946 und 1948 lag die Wahlbeteiligung bei 65 bzw. 60%. Siehe DNW, 13, 14/Mitte April 1946, S. 2 und 7/Mitte April 1948, S. 1 ff.
68 Gespräch mit John Bunzl, Wien 1991.
69 Die Gemeinde, 11. April 1984 – 9. Nissan 5744, S. 12 ff.
70 Zelman, in: Mitteilungsblatt der Aktion gegen den Antisemitismus. Nr. 120, November 1990.
71 Vgl. Spiel, Rückkehr nach Wien. S. 94.
72 Stimme, 17/1948, S. 4.
73 Vgl. Zeugenaussage Mircia Rosenkranz, Yad Vashem, Akt 2334/161-K.
74 Vgl. Bisovsky, Gerhard/Hans Schafranek und Robert Streibel, Der Hitler-Stalin-Pakt. Voraussetzungen, Hintergründe, Auswirkungen. Wien 1990.
75 Vgl. Schafranek, Hans, Die Betrogenen. Österreicher als Opfer stalinistischen Terrors in der Sowjetunion. Wien 1991; Ders., Zwischen NKWD und Gestapo. Die Auslieferung österreichischer Antifaschisten aus der Sowjetunion an Nazideutschland 1937–1941. Wien 1990; Puhm, Rosa, Eine Trennung in Gorki. Wien 1990; Quittner, Genia, Weiter Weg nach Krasnogorsk. Wien 1990.
76 Interview mit H. K., Wien 1990. Siehe auch Rosenstrauch, Beim Sichten.

9.
Der »Bund werktätiger Juden«

1 Vgl. Bunzl, John, Klassenkampf in der Diaspora. Zur Geschichte der jüdischen Arbeiterbewegung. Wien 1975; ders., Die Juden in Osteuropa. Vom Ghetto zur Revolution. In: Jüdisches Echo, Tischri 5750 – Oktober 1989; Gaisbauer, Adolf, Davidstern und Doppeladler. Zionismus und jüdischer Nationalismus in Österreich 1882 – 1918. Wien – Köln – Graz 1988, S. 388 ff.; Budischovsky, 444 Vereine?
2 Vgl. Mertens, S. 18.
3 Vgl. Budischovsky, S. 56.
4 Vgl. Die Gemeinde, 31. Mai 1963, S. 8.
5 Vgl. Langbein, Hermann, Menschen in Auschwitz; Wolken, Otto, Chronik des Quarantänelagers Birkenau. In: H. G. Adler/H. Langbein/E. Lingens, Auschwitz. Zeugnisse und Berichte. Frankfurt/Main 1984.
6 Vgl. DB, 4/Mitte Jänner 1952, S. 3.
7 Vgl. Budischowsky, S. 56.
8 Gespräch mit Gerda Feldsberg, Wien 1991.
9 Ebd.
10 Interview mit Anton Winter, Wien 1989.
11 Gemeinde, 31. August 1970, S. 1.
12 Maurer, Bericht über die Konzentrationslager Dachau und Buchenwald, DÖW, Akt 15.475.
13 Die »Austrian Labour Party« setzte sich zusammen aus dem Auslandsbüro der Sozialisten, den Revolutionären Sozialisten, der Partei, dem Austrian Labour Club und den Gewerkschaften, wobei Maurer als führendes Mitglied der Partei und des

291

Labour Clubs genannt wurde. Vgl. DÖW, Österreichische Vereinigungen in England, Akt 13.161; Simon, S. 284.

14 Vgl. Brief von österreichischen Gewerkschaftern an E. Bevin, Foreign Office. (Von der österreichischen Gewerkschaft wurden 5 Mitglieder, unter ihnen Dr. Emil Maurer, zur Repatriierung genannt.) DÖW, Akt 11.998; Steiner, Herbert, Bruno Marek und Wien. In: Jüdisches Echo, Oktober 1990 – Tischri 5751. S. 68.

15 Vgl. Die Stimme, 85/1954, S. 7.

16 NW, März 1952, S. 3.

17 Gespräch mit Jakob Bindel, Wien 1991.

18 Ebd.

19 Vgl. dazu Kotlan-Werner, Henriette, Otto Felix Kanitz und der Schönbrunner Kreis. Die Arbeitsgemeinschaft sozialistischer Erzieher 1923–1934. Wien 1982. Dazu auch Schrekinger, Albert, A Pilgrim Father of 1940, Lincoln, Nebraska 1988, S. 54.

20 Gespräch mit Jakob Bindel, Wien 1991; 1934 wurde innerhalb der Sozialdemokratie verstärkter Antisemitismus festgestellt, der sich hauptsächlich gegen die »feigen« Juden, wie Otto Bauer, Otto Leichter oder Oscar Pollak, die nach dem Februar 1934 aus Österreich geflüchtet sind, richtete. Dazu Schwarz, Robert, Antisemitism and Socialism in Austria 1918–1962. In: Fraenkel, S. 449.

21 Gespräch mit Jakob Bindel, Wien 1991.

22 Bindel, in: »Im Gespräch«, Ö1, 9. 1. 1989.

23 Die Schönbrunner. Vision, Erfüllung, Ausklang. Herausgegeben von Jakob Bindel u. a. Wien–München 1990. S. 97.

24 Bindel an Hans Mandl, Haifa, 21. Mai 1946. Den Briefwechsel stellte Jakob Bindel der Autorin dankenswerterweise der Verfügung.

25 Brief vom 28. Oktober 1946 und 14. Februar 1946, Helmer an Bindel.

26 Brief vom 28. August 1946, Franz West (Zentralstelle für Volksbildung, KPÖ) an Stadtrat Viktor Matejka. DÖW, Sammlung Matejka.

27 Knight, »Ich bin dafür . . .« sowie Svoboda, Wilhelm, Politiker, Antisemit, Populist. Oskar Helmer und die Zweite Republik. In: Jüdisches Echo. Tischri 5751 – Oktober 1990. Ders., Die Partei, die Republik und der Mann mit den vielen Gesichtern.

28 Bindel, in: »Im Gespräch«.

29 Gespräch mit Jakob Bindel, Wien 1991.

30 Vgl. Die Gemeinde, 7/1949 und 4/1949.

31 Bindel, in: »Im Gespräch«.

32 Ebd.

33 Vgl. Arbeiterzeitung, 18. September 1990, Porträt Jakob Bindel.

34 DÖW, Erzählte Geschichte, S. 32.

35 Interview mit Anne Kohn-Feuermann, Wien 1990.

36 Vgl. Prof. Anne Kohn-Feuermann, Ein Leben für die Schwachen. In: Der Bund, 11/März 1989 – Adar B 5749, S. 4.

37 Interview mit Anne Kohn-Feuermann, Wien 1990.

38 Vgl. Pick, Anton, Zur Soziologie der Emigration. Manuskript, DÖW, Exil 7331.

39 Vgl. Die Gemeinde, 19. Oktober 1982 – 2. Cheschwan 5743, S. 36.

40 Vgl. Die Gemeinde, 7. März 1986 – 26. Adar 5746; DB, 11, 12/Ende Dezember 1953, S. 19.

41 Vgl. Die Gemeinde, 5. April 1989 – 29. Adar 5749, S. 15.
42 Gespräch mit Gerda Feldsberg, Wien 1991.
43 Vgl. DB, 4/Mitte Jänner 1952.
44 DB 4/Mitte Jänner 1952, S. 9 oder 3/1953, S. 1.
45 Vgl. ebd., 6, 7/Juni–Juli 1953, S. 5; 8, 9/August–September 1953, S. 2 und 13. 15/Mitte März 1954, S. 4.
46 Vgl. ebd., 3/1953 und 2/1952, S. 8.
47 Vgl. Iskult, 115/1958.
48 Vgl. Steiner, Herbert, Bruno Marek in Wien. In: Jüdisches Echo, Tischri 5751 – Oktober 1990. S. 65 ff.
49 Vgl. DNW, 16/Anfang September 1947.
50 Ebd.
51 DNW, 8/1947; Die Gemeinde, 31. Mai 1965; dazu auch Zukunft, Heft 4/1965 (Antisemitismus eine Krankheit)
52 Siehe Kapitel 6.
53 DB, 3/Mitte März 1953, S. 1 ff.
54 Iskult, 53/19. Jänner 1956.
55 Rede Maurers bei der Tagung des Bundesverbandes der Israelitischen Kultusgemeinden in Graz 1954. In: Iskult, 24/1954.
56 DB, 2/Anfang Jänner 1952, S. 9.
57 Ebd.
58 Vgl. Die Gemeinde, 27. November 1963, S. 3.
59 So sollte beispielsweise der Heldenkampf des Warschauer Ghettos den Kindern im Religionsunterricht vermittelt werden. Siehe Tätigkeit 1952 bis 1954, S. 45.
60 Vgl. DB, 4/Mitte April 1953, S. 3.
61 Vgl. ebd., 4/Mitte April 1953, S. 10; 1/Dezember 1951 und 6, 7/Juni, Juli 1953.
62 Vgl. Renaissance, 6/Juni 1953.
63 Vgl. Die IKG Wien. Geschichte eines Status Quo. Eigendarstellung der IKG. Unveröffentlichtes Papier. Wien 1988. In: Rabinovici, Doron, Die Rückwirkungen des privatisierten Antisemitismus auf die Identität der Juden in Österreich nach 1945.
64 Der Ausweg, 4/Juni 1964, S. 2.
65 Ebd.
66 Vgl. Reisz, Edmund, in: Der Bund, 112/Mai 1988 – Ijar 5749; Gespräch mit Paul Blaha, Jakob Bindel und Leon Zelman, Wien 1991.
67 Vgl. Die Gemeinde, 31. Juli 1964, S. 4.
68 Vgl. Stern, Erich, Die letzten Jahre des Rothschildspitals. Wien 1974; Unser Spital, in: Die Gemeinde, 1/Jänner, Februar 1949, S. 9.
69 Vgl. Gemeinde, 1/1949, S. 10.
70 Vgl. Renaissance, 36, 37/1950, S. 8.
71 Vgl. DNW, 3/April 1949, S. 7.
72 Vgl. DB, 13/Mitte März 1954, S. 20 und Renaissance, Jänner 1954.
73 Vgl. Neue Welt, April 1954.
74 Vgl. Die Stimme Israels, 16/1954, S. 2.
75 Vgl. Neue Welt, Juli 1955.
76 Vgl. Heruth, Adar II 5749 – März 1989, S. 3.

10.
»Wien wird Herzl nicht verraten« – Erbe und
Neubeginn der Zionisten

1 Die Stimme, 17, 18/1948, S. 4.
2 Vgl. Renaissance, 8/1948.
3 Vgl. Die Gemeinde, 22. 12. 1960.
4 Vgl. Die Stimme, 4/1947, S. 5 und 58/1952 (An die jüdischen Frauen Wiens).
5 Vgl. Mertens, S. 92 ff.
6 Die Stimme 91/1955, S. 7.
7 Grünberger, Josef, Geschichte der Misrachi und Hapoel Hamisrachi Wien nach dem 2. Weltkrieg. In: Heilige Gemeinde.
8 Tribüne, 1/Oktober 1952, S. 1.
9 Vgl. Renaissance, 40, 41/1950; es wurde beklagt, daß die Wiener Juden zu wenig zionistisch seien, es zu viele alte Menschen gäbe und den Funktionären der Kontakt zur Masse fehle.
10 Bulletin der Zionistischen-Revisionistischen Union, September 1949. YIVO/New York.
11 Vgl. Neue Welt und Judenstaat, Mitte März 1950, S. 1 ff. und Anfang April 1950, S. 6.
12 Vgl. ebd., Mitte Juli 1948, S. 1.
13 Vgl. ebd.
14 Renaissance, 25/1949, S. 14 und 24/1949, S. 18.
15 Über den Umgang mit Gojims. In: Neue Welt und Judenstaat, Anfang August 1950, S. 5.
16 Renaissance, 8/1948, S. 6 ff.
17 Ebd.
18 Dr. Kiwe, ein bekannter Wiener Rechtswissenschaftler, verfaßte vor 1938 bedeutende Publikationen zur österreichischen Rechtsgeschichte. Vgl. Fraenkel, Josef, The Jews of Austria. London 1967. S. 37 ff.
19 Vgl. Die Stimme, 66/1952, S. 9.
20 Vgl. ebd., 88, 89/1954.
21 Vgl. ebd., 17, 18/1948, S. 4.
22 Vgl. Die Gemeinde, 25. Februar 1983 – 12. Adar 5743 sowie Renaissance, 8/1953, S. 16.
23 Vgl. Gold, S. 150.
24 Vgl. Haber, in: Bunzl, Hoppauf Hakoah.

11.
Weltpolitik in der Wiener Israelitischen Kultusgemeinde

1 Schuster, Zacharias, Fortschritte und Probleme der österreichischen Juden. In: DB, 3/1953, S. 5.
2 Vgl. Stiaßny, Report of Vienna, 14. 3. 1952. AJA, WJC, H46.
3 Vgl. DNW, 7/Mitte April 1948, S. 1.

4 Vgl. David Brill, An die Judenschaft Wiens. Akt 8/37954, YIVO/New York; DNW, 23/1949 und 22/1949; Bericht 1945–48. S. 8.

5 Seine Kritik an der kommunistischen IKG wurde im August 1948 in der Wiener Zeitung und in den Salzburger Nachrichten abgedruckt.

6 Ivan Hacker, Präsident der IKG, meinte 1986 in einem Interview, daß in der IKG immer die stärkste Fraktion den Präsidenten gestellt hat. In: Falter, 8/1986, S. 5.

7 Vgl. DNW, 7/Mitte April 1948, S. 10; ebd., 10/Ende Mai 1948, S. 1.

8 Vgl. DNW, 10/Ende Mai 1948, S. 2.

9 Ebd.

10 Ebd., 7/Mitte April 1949, S. 1.

11 NW, Dezember 1951, S. 2; DNW, 22/Ende November 1948, S. 2.

12 Brief vom 5. April 1948, I. Schwarzbart an Mr. Stiassny; siehe auch Brief vom 20. März 1948, Stiaßny an Dr. Kubowitzkie. AJA, WJC, H46, Austria 47–54.

13 Offener Brief an den Vertreter des World Jewish Congress, verfaßt von Dr. med. Eduard Broczyner. In: DNW, 9/Mitte Mai 1948, S. 5.

14 Vgl. Die Stimme, 46/1951, S. 1 und S. 5; ebd., 47/1951. S. 5.

15 Vgl. Renaissance, 8/1948, S. 9.

16 Ebd., S. 8.

17 Radiovortrag des Herrn Bronislaw Teichholz zum Thema »Welche Bedeutung hat die Hilfe der amerikanischen jüdischen Hilfsorganisationen für die jüdischen Flüchtlinge bis 1948 gehabt?«. Akt 3/40742, YIVO/New York.

18 Renaissance, 8/1948 (Wahlaufruf).

19 Gemeinde, 3/1949.

20 Austria, 25. Jänner 1949.

21 Vgl. DNW, 17/Mitte September 1949, S. 5.

22 Vgl. Die Wirtschaft, 13. August 1949.

23 DNW, 20/Anfang November 1949, S. 4 ff.; Neue Welt und Judenstaat, Ende September 1949.

24 DNW, 21/Mitte November 1949, S. 2.

25 Renaissance, 26/1950, S. 16.

26 Vgl. Stiefel, Dieter, Nazifizierung plus Entnazifizierung = Null? Bemerkungen zur besonderen Problematik der Entnazifizierung in Österreich. In: Verdrängte Schuld, verfehlte Sühne. S. 33.

27 Dworczak, Hermann, Neuformierung und Entwicklung des Rechtsextremismus nach 1945. In: Rechtsextremismus in Österreich. Herausgegeben vom Dokumentationsarchiv des österreichischen Widerstandes. Wien 1980. Rathkolb, Oliver, NS-Probleme und politische Restauration: Vorgeschichte und Etablierung des VdU. In: Verdrängte Schuld, verfehlte Sühne.

28 DNW, 12/Ende Juni 1949, S. 1 ff.

29 DNW, 22/Ende November 1949, S. 1 ff.

30 Ebd., S. 3.

31 Gold, Hugo, Geschichte der Juden in Wien. Tel Aviv 1966. S. 70.

32 Vgl. Renaissance, 27/1949, S. 11.

33 Vgl. ebd.

34 Vgl. Iskult, 109, 110/1958, Blatt 4.

35 Vgl. DB, 2/Anfang Jänner 1952, S. 4; Schmid, Die Situation der österreichischen Juden seit 1945. Wien 1989. S. 43 ff.

36 DB, 5/Februar 1952, S. 1.

37 Neue Welt, März 1953, S. 8.

38 DB, 3/1952, S. 5.

39 Iskult, 62/1956, Blatt 5.

40 Vgl. DB, 8, 9/August, September 1953; Renaissance, 7/1953, S. 2.

41 DB, 8, 9/August, September 1953, S. 3.

42 Ebd., 2/Mitte Februar 1953, S. 2.

43 Siehe Lendvai, Paul, Antisemitismus ohne Juden. Entwicklungen und Tendenzen in Osteuropa. Wien 1972; Hodos, Georg Hermann, Schauprozesse: Stalinistische Säuberungen in Osteuropa 1948–1954. Frankfurt/Main–New York 1988.

44 DNW, 17/Ende September 1949, S. 10.

45 DB, Sonderheft, 2/Anfang Jänner 1952, S. 4.

46 NW, Jänner 1952, S. 1.

47 Ebd.; dazu auch NW März 1952, S. 2.

48 Ebd., März 1952, S. 3.

49 Vgl. Herzberg, Arthur, The Jews in America. New York 1986. S. 307; Evanier, David, Red Love, Scribners 1990.

50 Vgl. Spira, S. 183.

51 DB, 2/Mitte Februar 1953, S. 1.

52 DB, 2/Mitte Februar 1953, S. 1.

53 Vgl. Interview mit Leon Zelman, Wien 1990; Zelman, Leon, Ein Leben nach dem Überleben. Aufgezeichnet von Armin Thurnher. Wien 1995.

54 Vgl. DB, 3/Mitte März 1953, S. 13; Neue Welt und Judenstaat, 3/November 1952, S. 3.

55 Vgl. DB, 4/Mitte März 1953, S. 12.

56 Vgl. Tätigkeit 1952 bis 1954, S. 90.

57 Vgl. DB, Sondernummer, Anfang April 1954 (Edith Rosenstrauch, Dr. Leo Katz/Schriftsteller, Breina Katz, Antonie Lehr/Sekretärin der KPÖ, Dr. Marcell Rubin); 2/Mitte Februar 1953 (Else Soswinski/KPÖ); 3/Mitte März 1953 (Eva Priester/Redakteurin der kommunistischen »Volksstimme«); 13, 15/Mitte März 1954 (Dr. Selma Steinmetz/KPÖ).

58 Vgl. DB, 3/Mitte März 1953, S. 12.

59 Vgl. NW, Dezember 1954, S. 7.

60 Vgl. auch Maor, S. 53 ff.

61 Brief vom 24. Juli 1953 von Dr. Selma Steinmetz an die Israelitische Kultusgemeinde. Der Brief wurde mir dankenswerterweise von Gundl Herrnstadt-Steinmetz zur Verfügung gestellt.

62 Gespräch mit Karl Haber und Dr. Kurt Weihs, Funktionäre der »Einigkeit«.

63 DB, 2/Mitte Februar 1953, S. 2.

64 Vgl. Ostow, Robin, Jüdisches Leben in der DDR. Frankfurt/Main 1988. S. 15; Eschwege, Helmut, Fremd unter meinesgleichen: Erinnerungen eines Dresdner Juden. Berlin 1991. S. 75 ff.

65 Akt 8/37954, YIVO/New York.

66 NW, März 1952, S. 2.
67 Vgl. Albrich, Thomas, Die jüdischen Organisationen und der österreichische Staatsvertrag 1947. In: Tagungsbericht des 18. Österreichischen Historikertages Linz 1990. Wien 1991. S. 97 ff.; Wyman, David S., Das unerwünschte Volk. Amerika und die Vernichtung der europäischen Juden. Frankfurt/Main 1989.
68 Ostow, S. 15; dazu auch Eschwege, S. 75 ff.
69 Zu nennen wären Eva Priester, Franz Marek, Erwin Zucker-Schilling, Leopold Spira u. a.; dazu siehe Spira, Feindbild Jud (Spira bezeichnete im »Weg und Ziel« [März 1953] den Zionismus als »antisozialistisches Werkzeug des amerikanischen Imperialismus«, und Berichte über Antisemitismus in Osteuropa tat er als Lüge ab); Keller, Fritz, Schauprozesse und die KPÖ. In: Maderthaner, Wolfgang/Berthold Unfried u. a. (Hg.), »Ich habe den Tod verdient«. Schauprozesse in Mittel- und Osteuropa von 1945 bis 1956. Wien 1991.
70 Spira, S. 123; dazu auch Volksstimme, 26. Februar 1953 und 14. Jänner 1953.
71 Vgl. Meisel, Josef, »Jetzt haben wir Ihnen, Meisel!«. Kampf, Widerstand und Verfolgung des österreichischen Antifaschisten Josef Meisel (1911–1945). Wien 1985. S. 87.
72 DB, 3/Mitte März 1953, S. 2.
73 Ebd., S. 3.
74 Die Tätigkeit 1952–1954. S. 26.
75 Bodemann, Micha Y., Staat und Ethnizität: Der Aufbau der jüdischen Gemeinden im Kalten Krieg. In: Jüdisches Leben in Deutschland. S. 66; dazu auch Maor, S. 95.
76 Gespräch mit K. H., Wien 1991.
77 Gespräch mit Kurt Weihs, Wien 1991.
78 Vgl. Brief vom 16. Mai 1991, Kurt W. an die Autorin.
79 Ebd.
80 Vgl. Keller, S. 203 ff.
81 Vgl. Brief vom 16. Mai 1991, Kurt W. an die Verfasserin.
82 Österreichische Zeitung, 16. Juni 1953 (Ausländer fordern österreichisches Vermögen).
83 Vgl. DNW, 21/1948, S. 3.
84 Interview mit Gundl Herrnstadt, Wien 1989.
85 Gespräch mit Gundl Herrnstadt, Wien 1991.
86 Vgl. Die Gemeinde, März 1984 – Adar 5744.
87 Interview mit F. G., Wien 1990 (F. G. gehörte im englischen Exil dem FAM an).
88 Vgl. Die zweite Generation. Ein Gespräch mit Peter Sichrovsky. In: Die Gemeinde, 1. April 1985 – 10. Nissan 5745, S. 15 ff.
89 Interview mit H. K., Wien 1990.
90 Vgl. Die Gemeinde, 11. Juni 1993 – 22. Siwan 5753, S. 18.
91 Vgl. ebd., 8. Juli 1988 – 23. Tamus 5748, S. 35.

12.
Die Krise des Zionismus

1 Vgl. Jüdisches Echo, 2, 3/Oktober/November 1955, S. 16.

2 Vgl. Die Stimme, 111/1960, S. 9 (Nachruf auf Moritz Leitner), sowie Pollack, Martin, Des Lebens Lauf. Jüdische Familienbilder aus Zwischeneuropa. Wien–München 1987.

3 DB, 4/Mitte Jänner 1952, S. 14.

4 Ebd., 2/Februar 1953, S. 3.

5 Ebd., 21. 11. 1955.

6 Ebd., 13/15, Mitte März 1954, S. 2.

7 Ebd., 24. 11. 1955.

8 Ebd., 4/Mitte Jänner 1952, S. 13.

9 Besonderen Anstoß erregte Maurer 1949 als Hauptredner bei einer Kundgebung für die Rechte der Juden, als er diese zum Hierblieben aufforderte. Vgl. Neue Welt und Judenstaat, Anfang August 1949, S. 10.

10 Jüdisches Echo, 2, 3/Oktober, November 1955, S. 16.

11 Renaissance, 36, 37/1950, S. 14.

12 Ebd., 34, 35/1950, S. 15.

13 Ebd., 36, 37/1950, S. 13.

14 Vgl. Neue Welt, 41, 42/Mai 1954, S. 1 und November 1954 (Präsident Maurer und die Zionisten).

15 Vgl. Die Gemeinde, 5. Juni 1958, S. 7.

16 DB, 11/12, Ende Dezember 1953, S. 7 ff.

17 Vgl. Menorah, Mitteilungsblatt der National-Jüdischen Wahlgemeinschaft, Nr. 7, November 1955.

18 Ebd., 24. November 1955, S. 2.

19 Ebd., S. 1.

20 Ebd.

21 Ebd., 25. November 1955, S. 1.

22 Ebd., 21. November 1955, S. 1.

23 Ebd., S. 1 ff.

24 Vgl. Heruth, Adar II 5749 – März 1989, S. 3.

25 So bezichtigten sie sich beispielsweise gegenseitig, den Nazis nahezustehen. Vgl. Maderegger, S. 4; Weitzmann, Walter R., Die Politik der jüdischen Gemeinde Wiens.

26 Vgl. Gold, Hugo, Geschichte der Juden in Wien. Tel Aviv 1966.

27 Vgl. Neue Welt und Judenstaat, Anfang November 1949 (Kehillawahlen vom 11. 12.).

28 Ebd., Ende September 1949 (Krise in der Kehilla Wien).

29 Vgl. Bunzl, Hoppauf Hakoah. S. 160 ff.

30 Ebd., S. 151.

31 Vgl. Renaissance, 18/1949, S. 18.

32 1909–1979. 70 Jahre Hakoah. Geschichte der Hakoah Wien, verfaßt von Ehrenpräsident Arthur Baar. Mabat-Chen, Tel Aviv 1979, S. 13 ff.; dazu auch Neue Welt und Judenstaat, Anfang Dezember 1948, S. 4; Renaissance, 18/1949, S. 18.

33 1949 zählte die JÖH 392 Mitglieder, 284 davon waren ÖsterreicherInnen, der Rest Überlebende aus Osteuropa. Vgl. Die Gemeinde. 2/1949, S. 8.

34 Jüdisches Echo, 6/1954.

35 Interview mit Leon Zelman, Wien 1990. Dazu auch Zelman, Ein Leben nach dem Überleben, S. 148 ff.

36 Vgl. Die Stimme, 96/1956, S. 4; Renaissance, 8/1953; Jüdisches Echo, 1/August 1952; Neue Welt und Judenstaat, Mitte Februar 1949.

37 Vgl. Jüdisches Echo, 1/1952 (es richtete sich explizit an die jüdische und nichtjüdische, freundschaftlich gesinnte Öffentlichkeit); ebd., 2/1952 (Dr. Kurt Schubert, Christlich-jüdisches Gespräch eine Notwendigkeit?); ebd., 4/1952 (Dr. Leo Katz, Christlich-jüdische Gespräche?); ebd., 9/1953 (Nikolaus C. Heutger, Juden und Christen im Gespräch).

38 Ebd., 5, 6/1953, S. 14 und 7, 8/1953, S. 13.

39 Jüdisches Echo, 5, 6/1953 (Die »Neue Welt« warf dem »Jüdischen Echo« bezüglich eines Berichtes über den Wiener Polizeipräsidenten Holaubek eine KPÖ-Berichterstattung vor); 7, 8/1953 (Angriffe der »Neuen Welt« auf das »Jüdische Echo« – Ing. A. Weissman legt aus Protest seine Funktion als verantwortlicher Redakteur der »Neuen Welt« zurück).

40 Blonder/Rattner, Zuflucht Palästina. Interview mit H. S. und F. S., Wien 1990; Interview mit Herbert Rosenkranz, Jerusalem 1987.

41 Renaissance, 9/1953, S. 12; dazu auch Tribüne, 23/1959, S. 5.

42 Vgl. Grosz, Paul, Frühe Jahre, späte Folgen. In: Die Gemeinde, 2. November 1984 – 7. Chewan 5745; Beckermann, Ruth, Unzugehörig, S. 101 ff.; Interview mit Anton Winter, Wien 1990 und P. D., Wien 1991.

43 Vgl. DNW, 7/Mitte April 1948, S. 1.

44 Ebd., S. 2.

45 Vgl. Neue Welt und Judenstaat, Ende September 1949 (Ein Brief an die Redaktion). Hier wurde kritisiert, daß »jüdische Flüchtlinge unter Deportationsmethoden, von knüppelbewehrten Wachmannschaften eskortiert, unter Zwang nach dem Lande der Verheißung gebracht werden«. Aus Akten der S. W-C., M-9/8–8, Yad Vashem/ Jerusalem gehen Konflikte und Machtkämpfe innerhalb der einzelnen jüdischen Organisationen in den DP-Lagern hervor. So gab es beispielsweise im DP-Lager Hallein zwischen dem KZ-Verband und zionistischen Organisationen heftige Machtkämpfe.

46 Appleman-Jurman, Alicia, Alicia, My Story. New York 1990. S. 404. Dazu auch Levi, Primo, Wann, wenn nicht jetzt? München 1989.

47 Renaissance, 36, 37/1950, S. 9.

48 Jüdisches Echo, 1/Oktober 1957.

49 Vgl. Jacobmeyer, Jüdische Überlebende als »Displaced Persons«. S. 423; Bunzl, Der lange Arm, S. 71.

50 Interview mit Leon Zelman, Wien 1990.

51 Zelman, Ein Leben nach dem Überleben, S. 147.

52 Goldmann, Nahum, Das jüdische Paradox. Zionismus und Judentum nach Hitler. Frankfurt/Main 1983, S. 164.

53 Vgl. Renaissance, 40, 41/1950, S. 16 ff.

54 Strauch wurde 1905 in Lodz geboren, arbeitete dort als Rechtsanwalt und war vor dem Krieg ein engagierter Zionist. Als KZ-Überlebender kam er nach 1945 nach Österreich, wo er zum Präsidenten des »Jüdischen Zentralkomitees« in der US-

Zone gewählt wurde. Siehe: Israelitische Kultusgemeinde Salzburg (Hg.), Salzburgs wiederaufgebaute Synagoge. Festschrift zur Einweihung. Salzburg 1968. S. 156.

55 Dekel, Ephraim, B'richa: Flight to the Homeland. New York 1973.

56 Beide waren maßgebend beteiligt am Aufbau der »Zionistischen Landesorganisation« sowie am »Jüdischen Nationalfonds«. Siehe: Die Stimme, 36/1950.

57 Vgl. ebd., 46/1950, S. 2.

58 Kurt Schubert, Die Krise des Zionismus. In: Das jüdische Echo, 7, 8/1957, S. 11.

59 Vgl. Die Stimme, 83/1954, S. 3; 77, 78/1952, S. 5 und 37/1950, S. 2.

60 Jüdisches Echo, 8/1956, S. 5; siehe auch 1/Oktober 1957, S. 2.

61 Tribüne, 22/April 1959, S. 2.

62 Jüdisches Echo, 6/1956, S. 1 ff. (Shalom Ben-Chorin, Der Weg nach Zion); 2/1955, S. 1 ff. (Brodsky, Ich weiß, wer ich bin); 4/1954 (Leo Baeck, Jüdische Existenz); 5/1958 (Robinson Nehemiah, Die veränderte jüdische Welt).

63 Neue Welt und Judenstaat, Oktober/November 1952, S. 8.

64 Vgl. Bunzl, Der lange Arm der Erinnerung. S. 97.

65 Vgl. Renaissance, 31, 32/1950, S. 5; Die Stimme, 91/1955, S. 5.

66 Zahlreiche Artikel finden sich dazu in der »Heruth« und der »Neuen Welt und Judenstaat«.

67 Vgl. Renaissance, 19/1949, S. 23 und 36, 37/1950, S. 13 (Die »Neue Welt und Judenstaat« wurde als »rechtsradikales, revisionistisches Blatt« bezeichnet).

68 Vgl. DNW, 20/Anfang November 1949, S. 2.

69 Ebd.

70 DB, 4/Mitte Jänner 1952.

71 Renaissance, 35/1955, S. 10.

72 Die Stimme, 104/1957, S. 3.

73 Die Annäherung der »Allgemeinen Zionisten« an die »Heruth«, die Partei Begins, spaltete die »Allgemeinen Zionisten« in einen allgemeinen und einen progressiven Flügel. Vgl. Die Stimme, 104/1957, S. 1; Renaissance, 10, 11/1956, S. 7.

74 Wolfgang Tischenkel, ein progressiver Zionist, war 1958 Präsident des »Zionistischen Landesverbandes«. Siehe: Die Stimme, 104/1957, S. 1 ff.

75 Ebd.

76 Heruth, 27. Elul 5725 – 4. September 1964 (Nachruf auf Dr. David Gelles).

77 Albrich, Österreichs jüdische nationale und zionistische Emigration. S. 191.

78 Vgl. Weisl, Wolfgang von, Skizze einer Autobiographie. Tel Aviv 1971.

79 Vgl. Renaissance, 67/1958, S. 16.

80 Vgl. Heruth, Oktober, November/1957, S. 5.

81 Vgl. Neue Welt, November 1955, S. 1 (Wahlempfehlung für Maurer) oder Jänner 1952, S. 1 (Auch Deine Stimme ist wichtig – Wahlempfehlung für die SPÖ).

82 Vgl. Heruth, 11. Mai 1957, S. 3; zitiert wurde die Pro-Israel-Rede eines ÖVP-Abgeordneten im Parlament: »Damit die jüdische Bevölkerung ihre Freunde kennt und weiß, in welchem Lager sie steht.«

83 Heruth, 3. Kislew 5728 – 2. Dezember 1967.

84 Gespräch mit Siegfried Lasar, Wien 1991.

85 Interview mit Alfred Reischer, Wien 1989.

86 Ebd.

87 Vgl. Nachruf von Paul Grosz, in: Die Gemeinde, 1. Februar 1994 – 20. Schwat 5754.

88 Vgl. Heruth, Jänner/Februar 1958 (Die Zionistische Föderation Österreichs besteht praktisch nicht mehr. Besser keine als eine schlechte Föderation).

89 Interview mit Alfred Reischer, Wien 1990.

90 Tribüne, 1/1952.

91 Interview mit Alfred Reischer, Wien 1990.

92 Interview mit Simon Wiesenthal, Wien 1989.

93 Vgl. DNW, 3/Mitte Februar 1947, S. 6; Renaissance, 17/1948, S. 7; Heruth, 31. Juli 1961 – 18. AV 5721, S. 5; Die Gemeinde, 24. November 1967, S. 4.

94 Vgl. Tribüne, Mai 1955, S. 5.

95 Vgl. Renaissance, 10/1953 und 14/1954, S. 15 oder Tribüne, 15/1955, S. 3.

96 Ebd., 14/1954, S. 15.

97 Ebd., 11/1953, S. 15.

98 Der Ausweg, April 1968, S. 9.

99 Neue Welt, 77, 78/November 1955, S. 1.

100 Vgl. Jüdisches Echo, Dezember 1956, S. 13.

101 Vgl. Salzburger Nachrichten, 17. Mai 1990, S. 17 (Marko Feingold, der Vorsitzende der IKG Salzburg, sieht in der Ansiedlung von russischen Juden die einzige Möglichkeit für den Fortbestand der jüdischen Gemeinde in Salzburg).

102 Interview mit Alfred Reischer, Wien 1989. Siehe auch: Rita Koch, Die Unbelehrbarkeit der Diaspora. In: Heruth, Kislew 5751 – Dezember 1991.

103 Festschrift 75 Jahre Misrachi. Wien 1975; Grünberger, Josef, Geschichte der Misrachi und Hapoel Hamisrachi Wien nach dem 2. Weltkrieg. In: Sammlung Max Berger.

104 Die Gemeinde, 5. Juli 1967, S. 1.

105 Ebd., 31. Jänner 1968, S. 9.

106 Ebd., S. 1 ff.

107 Am 12. 6. 1982 veröffentlichten 57 Personen in der »Arbeiterzeitung« einen Protest gegen die Invasion im Libanon, und Danny Leder forderte, daß die IKG der israelischen Friedensbewegung mehr Gehör schenken sollte. Siehe: Die Gemeinde. 8. September 1982 – 20. Elul 5742, S. 31; dazu auch Bunzl, Der lange Arm der Erinnerung. S. 113 ff.

108 Junge Generation, Juli 1982.

109 Wolffsohn, Ewige Schuld?; Kloke, Martin W., Israel und die deutsche Linke. Zur Geschichte eines schwierigen Verhältnisses. Frankfurt/Main 1990. In Österreich wurde diese Problematik noch kaum bearbeitet.

110 Vgl. Weiss, Hilde, Die Beziehungen zwischen Juden- und Israelstereotypen in der antisemitischen und nicht-antisemitischen Einstellung. In: Holl, Adolf (Hg.), Jahrbuch der österreichischen Gesellschaft für Soziologie. Wien 1975. Dazu auch Elizur, Michael (ehemaliger israelischer Botschafter in Wien), Österreich – Israel: Gedanken für die Zukunft. In: Salzburger Nachrichten, 6. Mai 1988, S. 3.

13.
Die Orthodoxie macht auf sich aufmerksam

1 Laut Pnina Nave Levinson wurden die religiösen Richtungen im Judentum auch in Deutschland bisher weitgehend vernachlässigt. Vgl. Levinson, Religiöse Richtungen und Entwicklungen in den Gemeinden. In: Brumlik u. a. (Hg.), Jüdisches Leben in Deutschland seit 1945. S. 140.

2 Jehoschua, Abraham B., Exil der Juden. Eine neurotische Lösung? Sankt Ingbert. 1986. S. 11.

3 Interview mit Marko Feingold, Salzburg 1987.

4 Interview mit Georg Wozasek, Linz 1989.

5 Interview mit P. D., Wien 1991.

6 Siehe Kapitel 4.

7 Siehe Freidenreich, Kapitel Orthodoxie.

8 Interview mit P. D., Wien 1991.

9 Ebd.

10 Ebd.

11 Interview mit J. R., Salzburg 1988.

12 Die Stimme Israels, Sonderausgabe 1964, S. 2.

13 Vgl. ebd., S. 3.

14 Vgl. Berkley, S. 342.

15 Interview mit P. D.

16 Die Stimme Israels, 21/Ende Dezember 1956.

17 Freidenreich, S. 117 ff.

18 Die Stimme Israels, 1/5709–1949.

19 Vgl. Gaisbauer, Adolf, Davidstern und Doppeladler. S. 415 ff.

20 Interview mit P. D., Wien 1991.

21 Vgl. Die Stimme Israels, 8/5709–1949.

22 Vgl. ebd., 12/5709 – 1949.

23 Ebd.

24 Ebd., Sondernummer 1964, S. 3.

25 Vgl. Die Stimme Israels, Sondernummer 1964, S. 3.

26 Interview mit P. D., Wien 1991.

27 Die Stimme Israels, 8/5709–1949 und 20/1955, S. 1 ff.

28 Die Gemeinde, Sonderausgabe, 6/August 1949, S. 4.

29 Die Stimme Israels, 19/1955.

30 In den zwanziger Jahren und 1934 drohte die Agudah/Schiffschul mit der Gründung einer »Austrittsgemeinde«. Vgl. Die Stimme Israels, 19/November 1955 und Freidenreich, S. 158 ff.

31 Neue Welt und Judenstaat, Juli 1954, S. 1.

32 Tribüne, 15/April 1955, S. 1.

33 Vgl. Iskult, 17/1954 und 18/1954; Die Stimme Israels, 19/November 1955.

34 Ebd.

35 Vgl. Tribüne, 5, 6/1953, S. 8.

36 Vgl. ebd., 9, 10/1953, S. 3 und 15/1955, S. 1.

37 Vgl. Bericht 1952 bis 1954. S. 42.
38 Neue Welt, April 1954, S. 8.
39 DB, 4/Mitte Jänner 1952, S. 14.
40 Vgl. Neue Welt, Juli 1954, S. 1 sowie Oktober 1954, S. 8.
41 Vgl. ebd., April 1954.
42 Vgl. Eisenberg, Paul Chaim, Die Einheit der Kultusgemeinde. Das zentrale Anlie-
    gen der Wiener Oberrabbiner, ausgeführt in allen Jubiläumsreden. In: Der Wiener
    Stadttempel, die Wiener Juden. Wien 1988.
43 Interview mit P. D., Wien 1991.
44 Vgl. Die Stimme Israels, 20/November 1955.
45 Vgl. Die Gemeinde, 1/24. Oktober 1958, S. 6.
46 Ausweg, März/April 1977, S. 1 und Juni 1979, S. 2.
47 Ebd., 2/Dezember 1978, S. 3.
48 Vgl. Die Gemeinde, 15. Dezember 1965, S. 8.
49 Interview mit P. D., Wien 1991.
50 Iskult, 8/7. April 1954, S. 7.
51 Iskult, 8/7. April 1954, S. 7 sowie Gespräch mit Leon Zelman, Wien 1991; Gespräch
    mit J. R., Salzburg 1991; Interview mit A. W., Wien 1990.
52 Vgl. Brief vom 9. November 1953, Helmer an Körner. SPÖ-Archiv Wien.
53 Brief von Helmer, Bundesministerium für Inneres, an Bundesminister für Justiz
    Dr. Josef Gerö. SPÖ-Archiv.
54 Brief vom 9. November 1953, Helmer an Bundespräsident Dr. h. c. Theodor Körner.
    SPÖ-Archiv.
55 Ebd.
56 Interview mit P. D., Wien 1991.
57 Ebd.
58 Ebd.
59 Beiblatt zur Parlamentskorrespondenz, 9. September 1955, 371/J.
60 Vgl. Iskult, 8/7. April 1954, S. 7.
61 Interview mit P. D., Wien 1991.
62 Die Stimme Israels, 19/November 1955, S. 3.
63 Ebd.
64 Brief vom 8. September 1949, Helmer an Gerö. SPÖ-Archiv.
65 Vgl. Rathkolb, Oliver, Die Rechts- und Staatswissenschaftliche Fakultät der Uni-
    versität Wien zwischen Antisemitismus, Demokratie und Nationalsozialismus.
    1938, davor und danach. In: Gernot Heiß u. a., Willfährige Wissenschaft. Die Uni-
    versität Wien 1938–1945. Wien 1989.
66 Vgl. Neues Österreich, 5. Mai 1961, Leitartikel.
67 Die Gemeinde, 30. November 1961, S. 3.
68 Ebd.
69 Vgl. Karl Fürst Schwarzenberg über Simon Moskovics 1915–1993. In: Standard,
    14. 9. 1993.
70 Vgl. Jüdische Interessensgemeinschaft. Organ der Altösterreicher. 1/November
    1955.
71 Ebd., 1/November 1955. S. 1.

72 Ebd.
73 Knight, S. 52.
74 Jüdische Interessensgemeinschaft, 1/November 1955.
75 Ebd.
76 Vgl. ebd

14.
Ausblick

1 Siehe Ausweg, April 1966 (Protestkundgebung gegen das Mauer-Urteil); Die Gemeinde, 28. Juni 1963; Wiesenthal, Simon, Recht, nicht Rache. Erinnerungen. Frankfurt/Main – Berlin 1988.
2 Vgl. Jerusalem Post, 21. Oktober 1966.
3 Zitiert in: Die Gemeinde, 28. Juni 1963.
4 Wiesenthal, Simon, Doch die Mörder leben. München – Zürich 1967, S. 252.
5 Vgl. Die Presse, 29./30. Jänner 1966.
6 Vgl. Interview mit Simon Wiesenthal, profil, 10/7. März 1988, S. 76.
7 Vgl. Informationen der Gesellschaft für politische Aufklärung. Nr. 22, September 1989. S. 1.
8 Vgl. Ausweg, 6/Dezember 1966, S. 1 ff.; 4/November 1969; 5/Dezember 1969. Zukunft, H 3/4, Februar 1967, S. 39 ff.; profil, 10/7. März 1988, S. 74.
9 Wortlaut siehe Ausweg, 5/November 1966, S. 1 ff.
10 Vgl. ebd., 5/Dezember 1969, S. 6 und Juli 1970, S. 4.
11 Vgl. Angriff auf das Dokumentationszentrum des B. J. V. N. und Simon Wiesenthal und die Reaktion aus aller Welt. Selbstverlag des Bundes Jüdisch Verfolgter des Naziregimes. Wien o. J.
12 Ausweg, 2/April 1967, S. 1 ff.
13 Vgl. Martin von Amerangen, Kreisky und seine unbewältigte Vergangenheit, Graz 1977; Simon Wiesenthal, Recht nicht Rache. Erinnerungen, Frankfurt/Main – Berlin 1988; Bruno Kreisky, Im Strom der Politik. Erfahrungen eines Europäers, Berlin 1988.
14 Vgl. profil, 18. November und 25. November 1975.
15 Vgl. Kronen-Zeitung, 9. Oktober 1975 bis 31. Dezember 1975.
16 Vgl. Die Gemeinde, 5. November 1975.
17 Ebd.
18 Die Gemeinde, 2. Dezember 1988 – 23. Kislew 5749. S. 8.
19 Ebd.
20 Vgl. Die Gemeinde, 16. November 1982 – 30. Cheschwan 5743 (Interview mit Nationalrat Josef Höchtl, ÖVP), 22. Dezember 1982 – 6. Tewet 5743 (Interview mit Nationalrat Karl Blecha, SPÖ), 15. März 1983 – 11. Nissan 5743 (Interview mit Justizminister Dr. Christian Broda), 25. Februar 1983 – 12 Adar 5743 (Dr. Thomas Lachs bezeichnete in einem Leserbrief die »Gemeinde« als »ÖVP-Kampfblatt«).
21 Vgl. Bunzl, John, Gewalt ohne Grenzen: Nahost-Terror und Österreich. Wien 1991. S. 27; 1985 wurde auf ein jüdisches Wohnhaus eine Bombe geworfen. Vgl. Gemeinde, 6. Dezember 1985 – 3. Kislew 5746, S. 4.

22 Ausweg, 3/September 1981, S. 2.
23 Vgl. Die Gemeinde, 13. Juli 1984 – 13. Tamus 5745, S. 28.
24 Vgl. ebd.
25 Vgl. Gemeinde, 1. April 1985 – 10. Nissan 5745, S. 24.
26 Zelman, S. 192.
27 Vgl. Die Gemeinde, 1. April 1985 – 10. Nissan 5745, S. 24.
28 Ebd., 1. Juni 1987 – 4. Siwan 5747, S. 4 und 11. Juli 1986 – 4. Tamus 5747, S. 9.
29 Ebd., 6. Juni 1986 – 1. Ijar 5746, S. 5.
30 Ebd., 8. Juli 1987 – 11. Tamus 5747, S. 9.
31 Vgl. ebd., Juni 1987/Siwan 5747, S. 3; Juni 1986/Ijar 5746, S. 6; Juli 1987/Tamus
    5747, S. 6; Februar 1988/Schwat 5748, S. 16; Albert Sternfeld in: Standard, 21. Mai
    1993; Interview mit Leon Zelman, Wien 1989; Georg Haber, in: Jüdisches Echo,
    Oktober 1988/Elul-Tischri 5749, S. 52.
32 Vgl. Wiesenthal, Recht, nicht Rache. S. 383 ff.
33 Die Gemeinde, Juli 1986 – Tamus 5746, S. 6.
34 Vgl. ebd., 3. Juni 1988 – 18. Siwan 5748, S. 8.
35 Ebd., 11. Dezember 1987 – 10. Kislew 5748, S. 35.
36 Doron Rabinovici, Die Rückwirkungen des privatisierten Antisemitismus auf die
    Identität der Juden in Österreich nach 1945. In: Albert Lichtblau, Michael John
    (Hg.), Antisemitismus messen? Erscheint 1996.
37 Zelman, Leben nach dem Überleben. S. 205.
38 Vgl. Die Gemeinde, 8. Juli 1987 – 11. Tamus 5746, S. 7.
39 Interview mit Karl Pfeifer, Wien 1989.
40 Noodnik, Zeitschrift der Vereinigung jüdischer Hochschüler in Österreich, 1/1987.
41 Vgl. Die Gemeinde, 3. März 1989 – 26. Adar 5479, S. 23, 3. Februar 1989 –
    28. Schwat 5749, S. 12.
42 Ebd., 21. Juni 1991 – 9. Tamus 5751, S. 8.
43 Vgl. Die Presse, 9. Juli 1991.
44 Vgl. Die Gemeinde, 31. Mai 1960. Renaissance, 10/Oktober 1952.
45 Vgl. Weinzierl, Erika (Hg.), Christen und Juden in Offenbarung und kirchlichen Er-
    klärungen vom Urchristentum bis zur Gegenwart, Wien–Salzburg 1988, S. 169 ff.;
    Die Gemeinde, 2. Februar 1987 – 3. Schwat 5747, S. 4.
46 Vgl. Die Gemeinde, 17. Mai 1991 – 4. Siwan 5751, S. 14; Standard, 1./2. Juni 1991,
    15. Juni 1993, 1. Februar 1994. Siehe auch Embacher/Reiter, Die 2. Republik und
    ihr Umgang, S. 63 ff.
47 Vgl. Die Gemeinde, 2. Juli 1992 – 1. Tamus 5752, S. 19 ff.
48 Zelman, Leben nach dem Überleben. S. 209.
49 Die Veranstaltung fand im November 1993 im Rahmen der »Wiener Vorlesungen«
    unter dem Motto »Zwei Städte – zwei Bürgermeister, eine Begegnung. Teddy Kol-
    lek und Helmut Zilk« statt.

Übersicht über die Ergebnisse der IKG-Wahlen

1946

Verband Jüdischer Kriegsopfer	3 Mandate
Einheitsliste	33 Mandate

1948

Jüdische Einigkeit	11 Mandate
Jüdische Föderation	8 Mandate
Bund werktätiger Juden	5 Mandate

1949

Liste Ehrlich	1 Mandat
Gesamtjüdische Liste	19 Mandate

1952

Verband jüdischer Einigkeit	5 Mandate
Zionistischer Block	6 Mandate
Bund werktätiger Juden	12 Mandate
Orthodoxie	1 Mandat

1955

Verband jüdischer Einigkeit	2 Mandate
Zionist. Block (Jüd. Konföderation)	6 Mandate
Bund werktätiger Juden	13 Mandate

1959

Verband jüdischer Einigkeit	2 Mandate
Bund werktätiger Juden	13 Mandate
Orthodoxie	3 Mandate
Bd. jüd. Verfolgter d. Naziregimes	6 Mandate

1964

Einigkeit	1 Mandat
Nationale	1 Mandat
Zionisten	3 Mandate
Bund werktätiger Juden	13 Mandate
Bd. jüd. Verfolgter d. Naziregimes	6 Mandate

1968

Zionisten (Jüdische Föderation)	4 Mandate
Bund werktätiger Juden	14 Mandate
Bd. jüd. Verfolgter d. Naziregimes	5 Mandate

1972

Zionisten	3 Mandate
Bd. werktt. Juden (mit Poale Zion)	14 Mandate
Bd. jüd. Verfolgter d. Naziregimes	3 Mandate
Khal Israel	2 Mandate
Orthodoxie	1 Mandat

1976

Zionistischer Block	2 Mandate
Bund werktätiger Juden	11 Mandate
Vereinigter jüdischer Wahlblock	7 Mandate
Khal Israel	3 Mandate
Orthodoxie	1 Mandat

1981

Bund werktätiger Juden	8 Mandate
Alternative	7 Mandate
Junge Generation	4 Mandate
Misrachi – Zionistische Einheit	2 Mandate
Khal Israel	1 Mandat
Block der religiösen Juden	1 Mandat
Bethaus Osse Chesed	1 Mandat

1985

Bund werktätiger Juden	5 Mandate
Alternative	8 Mandate
Junge Generation	4 Mandate
Misrachi – Zionistische Einheit	3 Mandate
Khal Israel	1 Mandat
Block der religiösen Juden	2 Mandate
Sefardim	1 Mandat

Abkürzungen/Erklärungen

Zeitschriften:
DB: Demokratischer Bund
DNW: Der neue Weg
NW: Neuer Weg
Iskult: Pressemitteilungen der Israelitischen Kultusgemeinden

Organisationen:
IKG: Israelitische Kultusgemeinde

Jewish Agency: Ursprünglich durch das Palästinamandat des Völkerbundes vorgesehene und in Großbritannien als öffentliche Körperschaft anerkannte Vertretung der Juden Palästinas

Joint: Abkürzung für American Joint Distribution Committe, die größte jüdische Hilfsorganisation in den USA

Keren Hayessod: Palästina Gründungsfonds, wurde 1929 zum Aufbau Palästinas gegründet und unterstand der Jewish Agency

ORT: Organization for Rehabilitation and Training, wurde in den USA zur sozialen und wirtschaftlichen Umschulung von Juden gegründet

Quellen und Literatur

I. Benutzte Archive

Institute for Jewish Research, New York (= YIVO)

Bestände des World Jewish Congress (WJC) in den American Jewish Archives (= AJA), Cincinnati/Ohio

Simon Wiesenthal Collection, Yad Vashem(Jerusalem (= SWC)

Yad Vashem/Zeugenaussagen

Oral History Archives der Columbia University/New York

Leo Baeck Institut/New York (= LBI)

Dokumentationsarchiv des Österreichischen Widerstandes (= DÖW)

Kreisky-Archiv/Wien

SPÖ-Archiv/Wien

Central Zionist Archive/Jerusalem

II. Ungedruckte Quellen

Interviews:

Insgesamt wurden 60 Interviews mit österreichischen bzw. ehemaligen österreichischen Juden und Jüdinnen geführt. Die InterviewpartnerInnen lebten in Österreich, in Israel, in den USA sowie in Großbritannien.

Manuskripte:

Pick, Anton, Zur Soziologie der Emigration. DÖW.

Verkauf-Verlon, Willy, Heimkehrprobleme in Palästina und Israel. Wurde vom Verfasser zur Verfügung gestellt.

Hershan, Stella, Nothing happened to me in the Hitler Time. Privatbesitz der Autorin.

Dies., March 1938. Privatbesitz. DÖW.

Koplenig, Hilde, Biographie. DÖW.

Blonder, Lola, Biographie. LBI.

Marek, Franz, Erinnerungen. DÖW.

Eppel, Peter, Eine schwierige Heimkehr. Manuskript für das Internationale Symposion über »Österreichische Literatur im Exil 1938–1945« am Institut für Germanistik der Universität Innsbruck. Juni 1988. DÖW.

Videofilme, Tonbänder:

Juden in Salzburg. Ein Videofilm von Helga Embacher, Klaus Mertel u. a. Salzburg 1990.

Wien – New York. Rückkehr in Büchern. Ein Videofilm über die Schriftstellerinnen Mimi Grossberg, Stella Hershan und Frederic Morton von Helga Embacher und Albert Lichtblau. Salzburg 1992.

Tonbandaufnahme des Zeitzeugenseminars in St. Virgil/Salzburg, 2.-5. April 1988. Organisiert vom Unterrichtsministerium, Abteilung politische Bildung.

ORF, Im Gespräch (mit Hilde Spiel und Jakob Bindel).

III. Zeitungen, Zeitschriften

Jüdische Zeitungen:

Aufbau, deutsch-jüdische Exilzeitschrift. New York.

Babylon, Beiträge zur jüdischen Gegenwart. Frankfurt/Main.

Das Jüdische Echo, Organ der jüdischen Akademiker. Wien.

David, Jüdische Kulturzeitschrift. Wien.

Demokratischer Bund (= DB), Organ des Bundes der werktätigen Juden. Wien.

Der Ausweg, Jüdische Zeitschrift für Aufklärung und Abwehr. Wien.

Der Bund, Organ des Bundes werktätiger Juden – Poale Zion. Wien.

Der neue Weg (= DNW), ab 1952 Neuer Weg (= NW), Jüdisches Organ. Wien.

Die Gemeinde, offizielles Organ der Israelitischen Kultusgemeinde Wien.

Die Stimme, Organ der Allgemeinen Zionisten Österreichs. Wien.

Die Stimme Israels, Organ des Bundesverbandes der Agudas Israel in Österreich. Wien.

Freie Welt, Mitteilungsblatt des Vereins jüdischer und ehemals jüdischer Arbeiter. Wien.

Heruth, Organ des Brith Heruth-Hazohar (Revisionisten). Wien.

Iskult, Presse-Mitteilungen der Israelitischen Kultusgemeinden Österreichs. Wien.

Jerusalem Post.

Jüdische Interessensvertretung, Organ der Altösterreicher. Wien.

Jüdische Nachrichten, Organ der Israelitischen Kultusgemeinde. Wien.

Neue Welt und Judenstaat (ab 1952 Neue Welt), Unabhängige Internationale Zeitschrift. Wien.

Renaissance, Zeitschrift der zionistisch-sozialistischen Partei (Z. S.) Hitachut in Österreich. Wien.

Tribüne, Organ des Misrachi und Hapoel in Österreich. Wien.

Allgemeine Zeitschriften:

Auf – Eine Frauenzeitschrift. Sonderheft 1988

Berichte und Informationen

Der Alpenruf
Der Ennstaler
Der Judenchrist
Der Standard
Demokratisches Volksblatt
Echo der Heimat
Grazer Montag
Heute
Informationen der Gesellschaft für Politische Aufklärung
Kleines Volksblatt
Mitteilungen des Dokumentationsarchives des österreichischen Widerstandes
Mitteilungsblatt der Aktion gegen den Antisemitismus
Neues Österreich
New York Times
Oberösterreichische Nachrichten
Presse
profil
Salzburger Nachrichten
Salzburger Tagblatt
Volksstimme
Wiener Samstag
Wiener Montag
Wiener Tagebuch
Mitteilungsblatt der Aktion gegen den Antisemitismus

IV. Gedruckte Quellen

Albrich Thomas, Exodus durch Österreich. Die jüdischen Flüchtlinge 1945–1948, Innsbruck 1987.

Ders., Zur Kontinuität eines Vorurteils. Die ostjüdischen Flüchtlinge in Vorarlberg. In: Werner Dreier u. a. (Hg.), Antisemitismus in Vorarlberg. Studien zur Geschichte und Gesellschaft Vorarlbergs 4. Bregenz 1988.

Ders., Österreichs jüdische nationale und zionistische Emigration. In: Zeitgeschichte, 7, 8/1990/91.

Ders., Die jüdischen Organisationen und der Staatsvertrag 1947. In: Tagungsbericht des 18. österreichischen Historikertages in Linz 1990. Wien 1991.

Amery, Jean, Jenseits von Schuld und Sühne. Bewältigungsversuche eines Überwältigten. München 1966.

Amerongen, Martin von, Kreisky und seine unbewältigte Vergangenheit. Graz – Wien – Köln 1973.

Anders, Günther, Besuch im Hades. Auschwitz und Breslau 1966. Nach »Holocaust« 1979, München 1985.

Andics, Helmut, Die Juden in Wien. Wien 1988.

Andren, Greta, Ein Brief einer Christin. Gerty Fischer. Stockholm 1947.

Angriffe auf das Dokumentationsarchiv des B. J. V. N. und Simon Wiesenthal und die Reaktion aus aller Welt. Selbstverlag des Bundes Jüdisch Verfolgter des Naziregimes. Wien o. J.

Appleman-Jurman, Alicia, Alicia. My Story. New York 1990.

Ardelt, Rudolf G., »Wer sind wir?« – Zur Krise der sozialdemokratischen Exilpolitik in den USA 1940/41. In: Unterdrückung und Emanzipation. Festschrift für Erika Weinzierl zum 60. Geburtstag. Wien 1985.

Arendt, Hannah, Die Banalität des Bösen. Eichmann in Jerusalem. Leipzig 1990.

Arthofer, Leopold, Als Priester im Konzentrationslager. Meine Erlebnisse in Dachau. Graz – Wien 1947.

Aufbau, Reconstruction. Dokumentation einer Kultur im Exil. Herausgegeben von W. Schober mit einem Geleitwort von Hans Steinitz. New York 1972.

Bauer Ingrid/Helga Embacher, »Um Politik hab ich mich damals nicht gekümmert«. Frauenerfahrungen im Nationalsozialismus. In: Feministische Wissenschaft, Methoden und Perspektiven. Beiträge zur 2. Salzburger Frauenringvorlesung. Stuttgart 1990.

Bailer, Brigitte, Wiedergutmachung – kein Thema. Österreich und die Opfer des Nationalsozialismus. Wien 1993.

Beckermann, Ruth, Unzugehörig. Österreicher und Juden nach 1945. Wien 1989.

Begov, Lucie, Mit meinen Augen. Botschaft einer Auschwitzüberlebenden. Gerlingen 1983.

Beling, Eva, Die gesellschaftliche Eingliederung der deutschen Einwanderer in Israel. Eine sozialgeschichtliche Untersuchung der Einwanderer aus Deutschland zwischen 1933 und 1945. Frankfurt/Main 1967.

Beller, Steven, Vienna and the Jews 1867–1938. A cultural history. Cambridge University Press 1989.

Benz, Wolfgang (Hg.), Zwischen Antisemitismus und Philosemitismus. Juden in der Bundesrepublik. Berlin 1991.

Berger, Karin/Elisabeth Holzinger u. a., Ich gebe Dir einen Mantel, daß Du ihn noch in Freiheit tragen kannst. Widerstehen im KZ. Österreichs Frauen erzählen. Wien 1987.

Dies., Der Himmel ist blau. Kann sein. Frauen im Widerstand. Österreich 1938–1945. Wien 1985.

Bergmann, Werner/Rainer Erb, Antisemitismus in der politischen Kultur nach 1945. Opladen 1990.

Bericht des Präsidiums der Israelitischen Kultusgemeinde Wien über die Tätigkeit in den Jahren 1945–1948. Wien 1948.

Berkley, George E., Vienna and its Jews. The Tragedy of Success. Cambridge 1988.

Bettauer, Hugo, Die Stadt ohne Juden. Wien 1922.

Bielka E./P. Jankowitsch/H. Thalberg (Hg.), Die Ära Kreisky. Schwerpunkte der österreichischen Außenpolitik. Wien – München – Zürich 1983.

Bisovsky, Gerhard/Hans Schafranek/Robert Streibel, Der Hitler-Stalin-Pakt. Voraussetzungen, Hintergründe, Auswirkungen. Wien 1990.

Blonder, Lola/Anna Rattner, 1938 – Zuflucht Palästina. Zwei Frauen berichten. Bearbeitet und eingeleitet von Helga Embacher. Salzburg – Wien 1990.

Botz, Gerhard/Ivar Oxaal/Michael Pollak (Hg.), Jüdisches Leben und Antisemitismus in Wien seit dem 19. Jahrhundert. Buchloe 1990.

Braunthal, Julius, The Tragedy of Austria. London 1948.

Broda, Henryk M./Michael Lang, Fremd im eigenen Land. Frankfurt/Main 1979.

Brumlik, Micha/Doron Kiesel u. a., Jüdisches Leben in Deutschland seit 1945. Frankfurt/Main 1988.

Budischowsky, Jens, Assimilation, Zionismus und Orthodoxie in Österreich: 1918–1938. Dissertation. Wien 1990.

Bunzl, John/Bernd Marien, Antisemitismus in Österreich. Sozialhistorische und soziologische Studie. Innsbruck 1983.

Bunzl, John, Der lange Arm der Erinnerung. Jüdisches Bewußtsein heute. Wien – Köln 1987.

Ders., Was Israelis in den Palästinensern sehen. In: Dieter Wetzel (Hg.), Die Verlängerung von Geschichte. Deutsche, Juden und der Palästinakonflikt. Frankfurt/Main 1983.

Ders., Hoppauf Hakoah. Jüdischer Sport in Österreich von den Anfängen bis in die Gegenwart. Wien 1987.

Ders., Gewalt ohne Grenzen: Nahost-Terror und Österreich. Wien 1991.

Burgauer, Erica, Zwischen Erinnerung und Verdrängung – Juden in Deutschland nach 1945. Hamburg 1993.

Burstyn, Ruth, Die »Schiffschul« – Geschichte, Hintergründe. In: Heilige Gemeinde Wien. Sammlung Max Berger. Katalog zur 108. Sonderausstellung des Historischen Museums der Stadt Wien. 12. November 1987 – 15. Juni 1988.

Clare, George, Letzter Walzer in Wien. Spuren einer Familie. Frankfurt/Main – Berlin – Wien 1984.

Danziger, Carl-Jacob, Kein Talent für Israel. Nördlingen 1988.

Dekel, Ephraim, B'riha: Flight to the Homeland. New York 1973.

Der Lebensbaum, Bericht der Israelitischen Kultusgemeinde 1960 – 1964. Wien 1964.

Deutsch, Gitta, Böcklinstraßenelegie. Erinnerungen. Wien 1993.

Deutsch, Julius, Ein weiter Weg. Lebenserinnerungen. Zürich – Leipzig – Wien 1960.

Deutschkron, Inge, Ich trug den gelben Stern. München 1978.

Diamant, Manus, Geheimauftrag, Mission Eichmann. Wien 1995.

Die Tätigkeit der Israelitischen Kultusgemeinde Wien in den Jahren 1952 – 1953. Wien 1955.

Diner, Dan, Negative Symbiose – Deutsche und Juden nach Auschwitz. In: Micha Brumlik u. a. (Hg.), Jüdisches Leben in Deutschland seit 1945.

Dinnerstein, Leonard, America and the Survivers of the Holocaust. New York 1982.

Dokumentationsarchiv des österreichischen Widerstandes (Hg.), Jüdische Schicksale. Berichte von Verfolgten. (Erzählte Geschichte Band 3). Wien 1993.

Dass., Berichte von Widerstandskämpfern und Verfolgten. (Erzählte Geschichte Band 1). Wien o. J.

Dass., Österreicher im Exil. Großbritannien 1938–1945, bearbeitet von Wolfgang Muchitsch. Wien 1992.

Dass., Österreicher im Exil. USA 1938–1945. Bd. I und II, bearbeitet von Peter Eppel. Wien 1995.

Dass., Österreicher im Exil. Belgien 1938–1945, bearbeitet von Gunde Herrnstadt-Steinmetz. Wien – München 1987.

Drabek, Anna/Wolfgang Häusler u. a., Das Österreichische Judentum. Voraussetzungen und Geschichte. Wien 1974.

Drach, Albert, Unsentimentale Reise. Ein Bericht. Wien – München 1988.

Dworczak, Hermann, Neuformierung und Entwicklung des Rechtsextremismus nach 1945. In: Rechtsextremismus in Österreich. Herausgegeben vom Dokumentationsarchiv des österreichischen Widerstandes. Wien 1980.

Ehrlich-Hichler, Ein Wiener in Palästina. Wien 1964.

Elisa, Ruth, Die Hoffnung erhielt mich am Leben. Mein Weg von Theresienstadt und Auschwitz nach Israel. München 1988.

Eisenberg, Paul Chaim, Die Einheit der Kultusgemeinde. Das zentrale Anliegen der Wiener Oberrabbiner, ausgeführt in allen Jubiläumsreden. In: Der Wiener Stadttempel. Die Wiener Juden. Wien 1988.

Embacher Helga/Michael John, Remigranten in der österreichischen Wirtschaft nach 1945. Wiederaufbau und Wirtschaftswunder in der »Provinz«. In: Österreichisches jüdisches Geistes- und Kulturleben. Herausgegeben von der Liga der Freunde des Judentums. Bd. 4, Wien 1992.

Embacher Helga, Juden in Salzburg nach 1945. In: Adolf Altmann, Die Geschichte der Juden in Stadt und Land Salzburg. Salzburg 1990.

Dies., Illusionen und Realitäten. Die Israelitischen Kultusgemeinde von 1945 bis 1952. In: David, Jüdische Kulturzeitschrift. März/April 1991.

Dies., Doppelt ausgeblendete Frauenerfahrungen. Irma Raffaela Toledo – Biographie einer Salzburger Künstlerin. In: Salzburger Landessymposion 1990, Schriftenreihe des Landespressebüros. Salzburg 1991.

Dies., Bürgerliche, intellektuell, links – intellektuelle Frauen jüdischer Herkunft. In: L'Homme, Zeitschrift für Feministische Wissenschaft, 3/1991.

Dies., Der Jüdische Weltkongreß und die IKG im »Kalten Krieg«. In: Zeitgeschichte, 7, 8/1990/91.

Dies., Neubeginn ohne Illusionen. In: Feingold, Marko (Hg.), Ein ewiges Dennoch. 125 Jahre Juden in Salzburg. Wien 1993.

Embacher Helga/Margit Reiter, Die 2. Republik und ihr Umgang mit der NS-Vergangenheit am Beispiel der Beziehungen zwischen Österreich und Israel. In: Österreichische Zeitschrift für Politikwissenschaft 1/1995. S. 53–69.

Embacher, Helga, Die Reaktionen der jüdischen Gemeinde Wien auf Antisemitismus. In: Werner Bergmann – Rainer Erb – Albert Lichtblau (Hg.), Schwieriges Erbe. Der Umgang mit Nationalsozialismus und Antisemitismus in Österreich, der DDR und der Bundesrepublik Deutschland. Frankfurt – New York 1995.

Epstein, Helen, Children of the Holocaust. New York 1979.

Erel, Shlomo, 50 Jahre Immigration deutschsprachiger Juden in Israel. Tel Aviv 1983.

Eschwege, Helmut Fremd unter meinesgleichen. Erinnerungen eines Dresdner Juden. Berlin 1991.

Fein, Erich/Karl Flanner, Rot-Weiß-Rot in Buchenwald. Wien 1987.

Feinberg, Anat, Zeitgeschichte und Nationalität. Der Mythos vom »Neuen« Juden in der politischen Kultur Israels. In: Zeitgeschichte und Politisches Bewußtsein. Herausg. von Bern Hey und Peter Steinbach. Bielefeld 1986.

Feingold, Marko (Hg.), Ein ewiges Dennoch. 125 Jahre Juden in Salzburg. Wien – Köln – Weimar 1993.

Fejtö, Francois, Judentum und Kommunismus. Antisemitismus in Osteuropa. Wien – Frankfurt – Zürich 1967.

Festschrift 75 Jahre Misrachi. Wien 1975.

Fleck, Christian, Emigration und intellektuelle »Ausdünstung« der Nachkriegssozialdemokratie. In: Rudolf G. Ardelt/Helmut Konrad (Hg.), Arbeiterschaft und Nationalsozialismus.

Fleischhauer, Inge/Hillel Klein, Über die jüdische Identität. Eine psycho-historische Studie. Königstein 1978.

Finkielkraut, Alain, Die vergebliche Erinnerung. Vom Verbrechen gegen die Menschheit. Berlin 1989.

Fischer, Ernst, Das Ende einer Illusion. Erinnerungen 1945 – 1955. Frankfurt/Main 1988.

Fischer-Hübner, Helga und Hermann, Die Kehrseite der »Wiedergutmachung«. Gerlingen 1990.

Fraenkel, Josef, The Jews of Austria. Essays on their Life, History and Destruction. London 1967.

Frankl, Viktor, . . . trotzdem Ja zum Leben sagen. Ein Psychologe erlebt das Konzentrationslager. Wien 1946.

Freidenreich, Harriet P., Jewish Politics in Vienna 1918–1938. Bloomington/Indianapolis 1991.

Freund, Florian, Arbeitslager Zement. Das Konzentrationslager Ebensee und die Rüstungsindustrie. Wien 1989.

Freund, Florian/Bertrand Perzy, Das KZ in der Serbenhalle. Zur Kriegsindustrie in Wiener Neustadt. Wien 1987.

Freundlich, Elisabeth, Abschied und Wiederkehr. In: Vom Reich zu Österreich. Kriegsende und Nachkriegszeit in Österreich erinnert von Augen- und Ohrenzeugen. Salzburg – Wien 1983.

Dies., Die fahrenden Jahre. Erinnerungen. Salzburg 1992.

Friedman, Benedikt, »Iwan, hau die Juden«. St. Pölten 1989.

Fritz, Mali, Essig gegen den Durst. Wien 1986.

Frucht, Karl, Verlustanzeige. Ein Überlebensbericht. Wien 1992.

Fürstenberg, Doris, Jeden Moment war dieser Tod. Interviews mit Frauen, die Auschwitz überlebt haben. Düsseldorf 1986.

Gaisbauer, Adolf, Davidstern und Doppeladler. Zionismus und jüdischer Nationalismus in Österreich 1882 – 1918. Wien – Köln – Graz 1988.

Galanda, Brigitte, Die Maßnahmen der Republik Österreich für die Widerstandskämpfer und Opfer des Faschismus – Wiedergutmachung. In: Sebastian Meissl u. a. (Hg.), Verdrängte Schuld – verfehlte Sühne.

Gärtner, Reinhold/Sieglinde Rosenberger, Kriegerdenkmäler. Innsbruck 1991.

Glas-Larsson, Margareta, Ich will leben. Tragik und Banalität des Überlebens in Theresienstadt und Auschwitz. Herausgegeben und kommentiert von Gerhard Botz. Wien – München – Zürich – New York 1981.

Gold, Hugo, Geschichte der Juden in Wien. Tel Aviv 1966.

Goldmann, Nahum, Das jüdische Paradox. Zionismus und Judentum nach Hitler. Köln – Frankfurt/Main 1978.

Goldner, Fritz, Die österreichische Emigration 1938 – 1945. Wien – München 1972.

Goldmann, Jacob/Irving F. Lukoff u. a., Individuelles und kollektives Verhalten in Nazi-Konzentrationslagern. Studien zur Historischen Sozialwissenschaft 16, Frankfurt – New York 1990.

Graumann, Samuel, Deportiert. Ein Wiener Jude berichtet. Wien 1967.

Gross, Leonard, The last Jews in Berlin. New York 1982.

Grossberg, Mimi, The Road to America. New York 1983.

Gruber, Karl, Zwischen Befreiung und Freiheit. Wien 1953.

Ders., Meine Partei ist Österreich. Privates und Diplomatisches. Wien 1988.

Grubrich-Simitis, Ilse, Extremtraumatisierung als kumulatives Trauma. In: Hans Martin Lohmann (Hg.), Psychoanalyse und Nationalsozialismus. Beiträge zur Bearbeitung eines unbewältigten Traumas, Frankfurt/Main 1984.

Grünberger, Josef, Geschichte der Misrachi und Hapoel Hamisrachi Wien nach dem 2. Weltkrieg. In: Heilige Gemeinde.

Hakel, Hermann, Aus den Tagebüchern. In: Vom Reich zu Österreich. Kriegsende und Nachkriegszeit in Österreich erinnert von Augen- und Ohrenzeugen. Salzburg – Wien 1983.

Hartwig, Thomas/Achim Roscher, Die verheißene Stadt. Deutsch-Jüdische Emigration in New York. Berlin 1986.

Hass, Aaron, In the Shadow of the Holocaust. The Second Generation. Cornell University Press 1990.

Hautmann, Hans, Die verlorene Räterepublik. Am Beispiel der Kommunistischen Partei Deutschösterreichs. Wien – Frankfurt – Zürich 1971.

Herz, Peter, Gestern war ein schöner Tag. Liebeserklärung eines Librettisten an die Vergangenheit. Wien 1985.

Herzberg, Arthur, The Jews of America. New York 1986.

Hilberg, Raul, Täter, Opfer, Zuschauer. Die Vertreibung der Juden 1933 – 1945. Frankfurt am Main 1992.

Hilsenrath, Edgar, Nacht. Roman. München 1990.

Hindler, Elisabeth, Die Entwicklung der Haltung der österreichischen Zeitungen zu Israel. Dissertation. Wien 1977.

Hofmann, Paul, Viennese. Splendor, Twilight and Exile. New York 1988.

Hodos, Georg H., Schauprozesse: Stalinistische Säuberungen in Osteuropa 1948–1954. Frankfurt/Main – New York 1988.

Horsky, Monika (Hg.), Man muß darüber reden. Schüler fragen KZ-Häftlinge. Wien 1988.

Hurdes, Felix, Vater Unser. Gedanken aus dem KZ. Wien 1950.

Jacobmeyer, Wolfgang, Jüdische Überlebende als »Displaced Persons«. In: Geschichte und Gesellschaft, 9. Jg., 1983.

Jehoschua, Abraham B., Exil der Juden. Eine neurotische Lösung? Sankt Ingbert 1986.

Jelinek, Gustav, Die Geschichte der österreichischen Wiedergutmachung. In: Fraenkel, The Jews of Austria.

Jüdische Portraits. Photographien und Interviews von Herlinde Koelbl. Frankfurt/Main 1989.

Jursa, Hermine/Mali Fritz, Es lebe das Leben. Tage nach Ravensbrück. Wien 1983.

Kalmar, Rudolf, Zeit ohne Gnade. Wien 1946.

Kannonier, Waltraud, Zwischen Flucht und Selbstbehauptung. Frauen – Leben im Exil. Linz 1989.

Kautsky, Benedikt, Teufel und Verdammte. Erfahrungen und Erkenntnisse aus sieben Jahren in deutschen Konzentrationslagern. Wien 1948.

Keller, Fritz, Schauprozesse in der KPÖ. In: Maderthaner, Wolfgang/Berthold Unfried u. a. (Hg.), »Ich habe den Tod verdient.« Schauprozesse und politische Verfolgung in Mittel- und Osteuropa. Wien 1991.

Kerschbaumer, Gert/Karl Müller, Begnadet für das Schöne. Der rot-weiß-rote Kulturkampf gegen die Moderne. Wien 1992.

Keilson, Hans, Reparationsverträge und die Folgen der »Wiedergutmachung«. In: Micha Brumlik u. a. (Hg.), Jüdisches Leben in Deutschland seit 1945.

Klein-Löw, Stella, Erinnerungen. Wien 1980.

Dies., Von der Vision zur Wirklichkeit. Wien o. J.

Kloke, Martin W., Israel und die deutsche Linke. Zur Geschichte eines schwierigen Verhältnisses. Hag und Herchen 1990.

Klüger, Ruth, weiterleben. Eine Jugend. Göttingen 1992.

Kneucker, A. W., Zuflucht Shanghai. Aus den Erlebnissen eines österreichischen Arztes in der Emigration 1938–1945. Wien 1984.

Knight, Robert, »Ich bin dafür, die Sache in die Länge zu ziehen.« Die Wortprotokolle der österreichischen Bundesregierung von 1945–1952 über die Entschädigung der Juden. Frankfurt/Main 1988.

Konrad, Helmut/Manfred Lechner, Millionenverwechslung. Franz Olah/Die Kronenzeitung/Geheimdienste. Wien 1992.

Kotlan-Werner, Henriette, Otto Felix und der Schönbrunner Kreis. Die Arbeitsgemeinschaft sozialistischer Erzieher 1923 – 1934. Wien 1982.

Königseder, Angelika/Juliane Wetzel, Lebensmut im Wartesaal. Die jüdischen DPs (Displaced Persons) im Nachkriegsdeutschland. Frankfurt/Main 1994.

Kreisky, Bruno, Im Strom der Politik. Erfahrungen eines Europäers. Berlin 1988.

Ders., Zwischen den Zeiten. Erinnerungen aus fünf Jahrzehnten. Berlin 1986.

Ders., Das Nahostproblem. Reden, Kommentare, Interviews. Wien – München – Zürich 1985.

Kuhnert, Herbert, Der Ausschluß. Wien 1988.

Kuschner, Doris, Die jüdische Minderheit in der BRD. Eine Analyse. Dissertation. Köln 1977.

Lachs, Minna, Warum schaust zu zurück (1907–1941). Wien 1986.

Dies., Zwischen zwei Welten. Erinnerungen 1941–1946. Wien 1992.

Lambert, Anna, Du kannst vor nichts davonlaufen. Erinnerungen einer auf sich selbst gestellten Frau. Wien 1992.

Landsberger, Edgar, Mein Erlebnis als Jude in Deutschland unter dem Naziregime. Selbstverlag. Gmunden 1946.

Langbein, Hermann, Die Stärkeren. Ein Bericht. Wien 1949.

Ders., Menschen in Auschwitz. Berlin – Wien 1980.

Langer, Lawrence, Versions of Survival: The Holocaust and the Human Spirit. Albany 1982.

Lanzmann, Claude, Shoah. Düsseldorf 1986.

Laqueur, Walter, Der Weg zum Staat Israel. Geschichte des Zionismus. Wien 1972.

Leichter, Henry O., Eine Kindheit. Wien – Zürich – Paris – USA. Wien – Köln – Weimar 1995.

Lendvai, Paul, Antisemitismus ohne Juden. Entwicklungen und Tendenzen in Osteuropa. Wien 1972.

Levi, Primo, Die Untergegangen und die Geretteten. München 1990.

Lichtblau, Albert, »Die Heimat kann man nicht aus dem Menschen vertreiben.« In: Zeitgeschichte 7, 8/1990/91.

Lind, Jakov, Selbstportrait. Frankfurt/Main 1974.

Lingens-Reiner, Ella, Prisoners of Fear. London 1948.

Lohrmann, Klaus (Hg.), 1.000 Jahre österreichisches Judentum. Studia Judaica Austriaca IX. Eisenstadt 1982.

Loidl, Franz, Entweihte Heimat. Linz – Ebensee 1946.

London, Arthur, Ich gestehe – Der Prozeß um Rudolf Slansky. Hamburg 1970.

Lothar, Ernst, Das Wunder des Überlebens. Erinnerungen und Ergebnisse. Wien – Hamburg 1961.

Maderegger, Sylvia, Die Juden im österreichischen Ständestaat. Wien – Salzburg 1973.

Magaziner, Alfred, Ein Sohn des Volkes. Karl Maisel erzählt sein Leben. Wien 1977.

Maimann, Helene, »Die Rückkehr beschäftigt uns ständig«. Vom Flüchten und vom Wiederkommen. In: Die ersten 100 Jahre. Österreichische Sozialdemokratie 1888–1988. Wien 1988.

Dies., Österreichische Exilpolitik in Großbritannien 1938 – 1945. Wien 1975.

Maleta, Alfred, Bewältigte Vergangenheit. Österreich 1932 bis 1945. Graz 1981.

Maor, Harry, Über den Wiederaufbau der jüdischen Gemeinden in Deutschland seit 1945. Dissertation. Mainz 1961.

Mark, Karl, 75 Jahre Roter Hund. Lebenserinnerungen. Wien – Köln 1990.

Matejka, Viktor, So war es und noch viel ärger. Rede 1945.

Ders., Widerstand ist alles. Notizen eines Unorthodoxen. Wien 1984.

Mehringer, Hartmut/Werner Röder/Marc Dieter Schneider, Zum Anteil ehemaliger Emigranten am politischen Leben der Bundesrepublik Deutschland, der Deutschen Demokratischen Republik und der Republik Österreich. In: Wolfgang Frühwald/Wolfgang Schieder, Leben im Exil. Probleme der Integration deutscher Flüchtlinge im Ausland 1933 – 1945. Hamburg 1981.

Meisel, Josef, »Jetzt haben wir Ihnen, Meisel!«. Kampf, Widerstand und Verfolgung des österreichischen Antifaschisten Josef Meisel (1911–1945). Wien 1985.

Meissl, Sebastian/Klaus Dieter Mulley/Oliver Rathkolb (Hg.), Verdrängte Schuld – verfehlte Sühne. Entnazifizierung in Österreich 1945–1955. München 1986.

Mertens, Christian, Das jüdische Vereinswesen in Wien in der Zeit zwischen den Weltkriegen. Diplomarbeit. Wien 1988.

Meyer, Michael A., Jüdische Identität in der Moderne. Frankfurt/Main 1992.

Migsch, Alfred, Ein Verfolgter kämpft um sein Leben. Wien 1949.

Mintz, Jerome R., Hasidic People. A Place in the New World. Harvard University Press 1994.

Moser, Gwyn C., Jewish U-Boote in Austria 1938–1945. In: Simon Wiesenthal Center Annual, Volume 2, 1985.

Moser, Jonny, Österreichs Juden unter NS-Herrschaft. In: Emmerich Talos u. a., NS-Herrschaft in Österreich.

Muchitsch, Wolfgang. Mit Spaten, Waffen und Worten. Die Einbindung österreichischer Flüchtlinge in die britischen Kriegsanstrengungen 1939 – 1945. Wien 1992.

Ornstein, Selma, So war es im KZ. Wien 1946.

Ostow, Robin, Jüdisches Leben in der DDR. Frankfurt/Main 1988.

Pauley, Bruce, Eine Geschichte des österreichischen Antisemitismus. Von der Ausgrenzung zur Auslöschung. Wien 1993.

Peck, Abraham J., Holocaust Survivers in America. In: Jack Fischel/Sanford Pinsker, Jewish-American History and Culture. An Encyclopedia. New York – London 1992.

Pelinka, Anton, Windstille. Klagen über Österreich. Wien – München 1985.

Perz, Bertrand, Projekt Quarz. Steyr-Daimler-Puch und das Konzentrationslager Melk. Wien 1991.

Pick, Anton, Zur Geschichte der Wiener Israelitischen Kultusgemeinde. In: Klaus Lohrmann (Hg.), 1.000 Jahre Österreichisches Judentum. Studia Judaica Austria IX. Eisenstadt 1982.

Plat, Wolfgang (Hg.), Voll Leben und voll Tod ist diese Erde. Bilder aus der Geschichte der jüdischen Österreicher (1190–1945). Wien 1988.

Pliseis, Sepp, Partisan der Berge. Wien 1946.

Pollak, Martin, Des Lebens Lauf. Jüdische Familien aus Zwischeneuropa. Wien – München 1987.

Pollak, Michael (in Zusammenarbeit mit Nathalie Heinich), Die Grenzen des Sagbaren. Lebensgeschichten von KZ-Überlebenden als Augenzeugenberichte und als Identitätsarbeit. Studien zur Historischen Sozialwissenschaft 12, Frankfurt/Main – New York 1988.

Puhm, Rosa, Eine Trennung in Gorki. Wien 1980.

Quittner, Genia, Weiter Weg nach Krasnogorsk. Wien 1990.

Rabinovici, Doron, Instanzen der Ohnmacht. Die Reaktion der Israelitischen Kultusgemeinde Wien auf die nationalsozialistische Verfolgung 1938/1939 und der Disput über Resistenz und Kooperation nach 1945. Diplomarbeit. Wien 1991.

Ders., Die Rückwirkungen des privatisierten Antisemitismus auf die Identität der Juden in Österreich nach 1945. In: Albert Lichtblau/Michael John, Antisemitismus messen? (Erscheint 1996.)

Rabinovici, Schoschana, Dank meiner Mutter. Frankfurt/Main 1994.

Ratkolb, Oliver, Zur Kontinuität antisemitischer und rassistischer Vorurteile 1945/1950. In: Zeitgeschichte 5/1989.

Ders., Die Rechts- und Staatswissenschaftliche Fakultät der Universität Wien zwischen

Antisemitismus, Demokratie und Nationalsozialismus. 1938, davor und danach. In: Gernot Heiß u. a. (Hg.), Willfährige Wissenschaft. Die Universität Wien 1938–1945. Wien 1989.

Rauchensteiner, Manfred, Die Zwei: Die Große Koalition in Österreich 1945–1966. Wien 1987.

Reinprecht, Christoph, Emigration, Rückkehr und Identität. Aspekte jüdischer Nachkriegsidentität in Österreich. In: Zeitgeschichte, 7, 8/1990/91.

Ders., Zürückgekehrt. Identität und Bruch in der Biographie österreichischer Juden. Wien 1992.

Reiter, Andrea, Die Sprache des Überlebens. Autobiographische Konzentrationslagertexte. In:»Salz«, die Salzburger Literaturzeitung. Jg. 13/Nr. 51, 1988.

Reiter, Margit, Zwischen Antifaschismus und Patriotismus. Die Politik der KPÖ zum Nationalsozialismus. Antisemitismus und Holocaust. In: Bergmann, Werner/Rainer Erb/Albert Lichtblau (Hg).

Rosenkranz, Herbert, Verfolgung und Selbstbehauptung der Juden in Österreich 1938 – 1945. Wien – München 1978.

Rosenstrauch, Hazel, Beim Sichten der Erbschaft. Wiener Bilder für das Museum einer untergehenden Kultur. Eine Nacherzählung. Wien 1992.

Rozenblit, Marsha L., The Jews in Vienna, 1867 – 1914: Assimilation and Identity. Albany 1983.

Rubin-Bittmann, Fritz, Leben in Wien. In: Wolfgang Platz (Hg.), Voll Leben und voll Tod ist diese Erde.

Salus, Grete, Eine Frau erzählt. Bonn 1948.

Salzburgs wiederaufgebaute Synagoge. Festschrift zur Einweihung. Herausgegeben von der Israelitischen Kultusgemeinde Salzburg. Salzburg 1968.

Safrian, Hans, Eichmann und seine Gehilfen. Frankfurt/Main 1995.

Schalom für Österreich. Christlich-jüdische Begegnung in Wien. Wien 1986.

Schafranek, Hans, Zwischen NKWD und Gestapo: Die Auslieferung österreichischer Antifaschisten aus der Sowjetunion an Nazideutschland 1937 – 1941. Wien 1990.

Ders., Die Betrogenen. Österreicher als Opfer stalinistischen Terrors in der Sowjetunion. Wien 1991.

Scheuer, Georg, Nur Narren fürchten nichts. Szenen aus dem dreißigjährigen Krieg 1915 – 1945. Wien 1991.

Schiffer, Karl, Über die Brücke. Der Weg eines linken Sozialisten ins Schweizer Exil. Wien 1988.

Schindel, Robert, Gebürtig. Roman. Frankfurt/Main 1992.

Schlamm, William S., Wer ist Jude? Ein Selbstgespräch. Stuttgart 1964.

Schmid, Anita, Die Situation der österreichischen Juden seit 1945. Diplomarbeit. Wien 1989.

Schmid, Kurt/Robert Streibel, Der Pogrom 1938. Judenverfolgung in Österreich und Deutschland. Wien 1990.

Schmidl, Erwin A., Juden in der k. (u.) k. Armee 1788–1918. Studia Judaica Austria XI. Eisenstadt 1989.

Schneeweiss, Josef, Kein Führer, keine Götter. Aus den Lebenserinnerungen. Wien 1983.

Scholz, Wilhelm, Ein Weg ins Leben. Das neue Österreich und die Judenfrage. Free Austrian Books. Verlag des Austrian Centers. London 1943.

Schreckinger, Albert, A Pilgrim Father of 1940. Lincoln, Nebraska 1988.

Schultz, Hans Jürgen (Hg.), Mein Judentum. München 1978.

Schuschnigg, Kurt, Erwägungen eines christlichen Sonderinternierten. (Religiöses aus dem KZ.) Wiener Katholische Akademie 1979.

Schwarz-Gados, Alice, Von Wien nach Tel Aviv. Lebensweg einer Journalistin. Gerlingen 1991.

Segev, Tom, Die siebte Million. Der Holocaust und Israels Politik der Erinnerung. Reinbek bei Hamburg 1995.

Seliger, Kurt, Basel – Badischer Bahnhof. In der Schweizer Emigration 1938–1945. Wien 1987.

Sella, Gad Hugo, Die Juden Tirols. Ihr Leben und Schicksal. Tel Aviv 1979.

Seltenreich, Susanne (Hg.), Leopold Figl, Austrian Patriot and Stateman. Vienna 1947.

Shafir, Shlomo, Der Jüdische Weltkongress und sein Verhältnis zu Nachkriegsdeutschland (1945–1967). In: Menora. Jüdisches Jahrbuch für deutsch-jüdische Geschichte 1992. München 1992.

Sichrovsky, Peter, Wir wissen nicht was morgen wird, wir wissen wohl was gestern war. Junge Juden in Deutschland und Österreich. Köln 1985.

Simon, Josef T., Augenzeuge. Wien 1979.

Spiegelman, Art, Maus. A Survivers Tale. Part One and Two. New York 1986 bzw. 1992.

Spiel, Hilde, Fanny von Arnstein oder die Emanzipation. Ein Frauenleben an der Zeitwende 1758–1818. Frankfurt/Main 1981.

Dies., Rückkehr nach Wien. Ein Tagebuch. Frankfurt/Main 1989.

Spira, Leopold, Feindbild Jud. 100 Jahre Antisemitismus. Wien 1981.

Ders., Kommunismus Adieu. Eine ideologische Biographie. Wien – Zürich 1992.

Stadler, Friedrich (Hg.), Vertriebene Vernunft I und II, Emigration und Exil der österreichischen Wissenschaft. Wien – München 1987 bzw. 1988.

Stadler, Karl, Adolf Schärf, Mensch, Politiker, Staatsmann. Wien 1982.

Steinbeck, Johann, Das Ende von Dachau. Salzburg 1948.

Steiner, Herbert, Einige Thesen zur kommunistischen Partei Österreichs im Exil. In: Rudolf G. Ardelt/Hans Hautmann (Hg.), Arbeiterschaft und Nationalsozialismus. Wien – Zürich 1990.

Steinitz, Lucy Y./David M. Szonyi (Hg.), Living after the Holocaust. Reflections by Children of Survivers in America. New York 1975.

Steinwender, Leonhard, Christus im KZ. Salzburg 1946.

Stern, Erich, Die letzten 12 Jahre des Rothschildspitals. Wien 1974.

Stern, Frank, Im Anfang war Auschwitz. Antisemitismus und Philosemitismus im deutschen Nachkrieg. Gerlingen 1991.

Stern-Braunberg, Anni, Im Namen des Vaters. Salzburg 1991.

Sternfeld, Albert, Betrifft: Österreich. Wien 1990.

Stojka, Ceija, Wir leben im Verborgenen. Erinnerungen einer Rom-Zigeunerin. Herausgegeben von Karin Berger. Wien 1989.

Sturmthal, Adolf, Zwei Leben. Erinnerungen eines sozialistischen Internationalisten zwischen Österreich und den USA. Herausgegeben von Georg Hauptfeld und Oliver Rathkolb. Wien – Graz 1989.

Svoboda, Wilhelm, Franz Olah: Eine Spurensicherung. Wien 1990.

Ders., Die Partei, die Republik und der Mann mit den vielen Gesichtern. Oskar Helmer und Österreich II. Wien 1993.

Talos, Emmerich/Ernst Hanisch/Wolfgang Neugebauer, NS-Herrschaft in Österreich. Wien 1988.

Tausig, Franziska, Shanghai-Passage. Flucht und Exil einer Wienerin. Wien 1987.

Thalberg, Hans, Von der Kunst, Österreicher zu sein. Erinnerungen und Tagebuchnotizen. Wien – Köln – Graz 1984.

Thurner, Erika (Hg.), Wien – Belgien – Retour? Wien – Salzburg 1990.

Troller, Georg Stefan, Selbstbeschreibung. Hamburg 1988.

Ungar-Klein, Brigitte, Bei Freunden untergetaucht – U-Boote in Wien. In: Schmid Kurt/Wolfgang Streibel, Der Pogrom 1938.

Verkauf-Verlon, Willy, Situationen. Eine autobiographische Wortcollage. Wien 1983.

Vegh, Claudine, Ich habe ihnen nicht Auf Wiedersehen gesagt. Mit einem Nachwort von Bruno Bettelheim. München 1983.

Wagenleitner, Reinhold, Walter Wodak in London oder die Schwierigkeit, Sozialist und Diplomat zu sein. In: Gerhard Botz u. a. (Hg.), Bewegung und Klasse. Studien zur österreichischen Arbeitergeschichte. Wien 1978.

Wahrhaftig, Zorach, Uprooted. Jewish Refugees and Displaced Persons after Liberation. Institute of Jewish Affairs of the American Jewish Congress and the World Jewish Congress. New York 1946.

Walch, Dietmar, Die jüdischen Bemühungen um die materielle Wiedergutmachung durch die Republik Österreich. Wien 1971.

Weigel, Hans. Eine Bilderbuchheimkehr. Kapitel aus meinen nichtgeschriebenen Memoiren. In: Vom Reich zu Österreich. Kriegsende und Nachkriegszeit in Österreich, erinnert von Augen- und Ohrenzeugen. Salzburg – Wien 1983.

Ders., Man kann ruhig darüber reden. Umkreisung eines fatalen Themas. Wien – Köln – Graz 1986.

Weinzierl, Erika, Zu wenig Gerechte. Österreicher und Judenverfolgung 1938–1945. Wien 1985.

Weinzierl, Erika/Otto Kulka (Hg.), Vertreibung und Neubeginn. Israelische Bürger österreichischer Herkunft. Wien 1992.

Dies. (Hg.), Christen und Juden in Offenbarung und kirchlichen Erklärungen von Urchristentum bis zur Gegenwart. Wien – Salzburg 1988.

Weisl, Wolfgang von, Skizze einer Autobiographie. Tel Aviv 1971.

Weiss, Hilde, Die Beziehungen zwischen Juden- und Israelstereotypen in der antisemitischen und nicht-antisemitischen Einstellung. In: Adolf Holl (Hg.), Jahrbuch der österreichischen Gesellschaft für Soziologie. Wien 1975.

Wenkart, Hermann, Befehlsnotstand, anders gesehen. Tatsachenbericht eines Lagerfunktionärs. Wien 1969.

Whiteman, Dorit B., Escapee Attitutes Towards Self and the Interviewing Experience. In: Zeitgeschichte 7, 8/1990/91.

Dies., Die Entwurzelten. Jüdische Lebensgeschichte nach der Flucht 1933 bis heute. Wien – Köln – Weimar 1995.

Wiesel, Elie, Die Nacht zu begraben, Elischa. München und Esslingen 1987.

Wiesenthal, Simon, Recht, nicht Rache. Erinnerungen. Frankfurt/Main – Berlin 1988.

Ders., Doch die Mörder leben. München – Zürich 1967.

Wilder-Okladek, Friederike, The Return Movement of Jews to Austria after the Second World War. With special consideration of the return from Israel. The Hague, Martinus Nijhoff 1970.

Dies., Allgemeine und jüdische Migration nach dem Zweiten Weltkrieg (mit besonderer Berücksichtigung der Juden Wiens). Dissertation. Wien 1977.

Dies., Die jüdische Bevölkerung Wiens. In: Kurt Schmid/Robert Streibel, Der Pogrom 1938.

Wimmer, Adi, Die Heimat wurde ihnen fremd, die Fremde nicht zur Heimat. Erinnerungen österreichischer Juden aus dem Exil. Wien 1993.

Wodak, Ruth/Nowak P. u. a., »Wir sind alle unschuldige Täter!« Studien zum antisemitischen Diskurs im Nachkriegsösterreich. Frankfurt/Main 1990.

Wolffsohn, Michael, Ewige Schuld? 40 Jahre deutsch-jüdisch-israelische Beziehungen. München – Zürich 1988.

Wolken, Otto, Chronik des Quarantänelagers Birkenau. In: H. G. Adler u. a. (Hg.), Auschwitz. Zeugnisse und Bericht. Frankfurt/Main 1984.

Wyman, David S., Das unerwünschte Volk. Amerika und die Vernichtung der europäischen Juden. Frankfurt/Main 1989.

Zaloscer, Hilde, Eine Heimkehr gibt es nicht. Ein österreichisches curriculum vitae. Wien 1988.

Zelman, Leon, Ein Leben nach dem Überleben. Aufgezeichnet von Armin Thurnher. Wien 1995.

Ziegler-Radax, Senta, Sie kamen durch. Das Schicksal zehn jüdischer Kinder und Jugendlicher, die 1938/39 aus Österreich flüchten mußten. Wien 1988.

Bildnachweis

Israelitische Kultusgemeinde Salzburg: Umschlagabb.; Privatbesitz Viktor Knopf: S. 61, 63, 65; Israelitische Kultusgemeinde Wien: S. 71 (© Votavafoto Wien); Privatbesitz Helene Schapira: S. 189, 191; Privatbesitz Hakoah: S. 219

Alisa Douer · Ursula Seeber (Hg.)

Wie weit ist Wien

Lateinamerika als Exil für österreichische
Schriftsteller und Künstler
Fotografiert von Alisa Douer

Über Lateinamerika als Fluchtziel österreichischer Verfolgter des
Nazi-Regimes ist wenig bekannt. Stefan Zweig, der seinem Gastland
Brasilien 1941 sogar ein eigenes Werk widmete, dort aber nicht mehr die
Kraft zum Leben fand, ist das geläufigste Beispiel für die Not des
geografischen, intellektuellen und sprachlichen Heimatverlustes, der die
Lage der Emigranten bestimmte.
Nach 1933 flohen rund 12.000 gebürtige Österreicher aus dem Dritten
Reich nach Lateinamerika. Als wichtigste Aufnahmeländer fungierten
Argentinien, Brasilien, Chile und Mexiko; Kuba oder die Dominikanische
Republik dienten nicht selten als »Wartesaal« für die Einreise in die USA.
Die Vertriebenen waren oft mit willkürlichen Asylpraktiken, extremem
Klima und einer schwierigen Wirtschaftslage konfrontiert. Obwohl ein
größeres Publikum und zunächst die Infrastruktur fehlten, konnten
zahlreiche Exilzeitschriften und deutschsprachige Bücher erscheinen,
entstanden deutschsprachige Bühnen, Radioprogramme und
Kulturorganisationen.
Die vorliegende großformatige Gesamtdarstellung präsentiert in 13
Abschnitten Künstlerinnen und Künstler aller Sparten, von Literatur und
Publizistik bis Malerei, von Musik und Theater bis Architektur, von
Kunstgewerbe bis Fotografie.
Mit Beiträgen von: *Alfredo Bauer, Edith Blaschitz, Siglinde Bolbecher,
Egon Friedler, Claudia Gerdes, Christian Kloyber, Andreas Pfersmann,
Egon Schwarz, Bruno Schwebel, Lore Segal, Patrik von zur Mühlen, Uwe
Naumann, Benno Weiser Varon, Hugo Wiener, Irmtrud Wojak* und
anderen.

*312 Seiten, 269 Abbildungen in Duotone, 18 Farbabbildungen, Leinen
ISBN 3-85452-274-6*

Picus Verlag Wien

Angelika Jensen

Sei stark und mutig!
Chasak we'emaz

40 Jahre jüdische Jugend in Österreich am Beispiel
der Bewegung »Haschomer Hazair« von 1903 bis 1943

Angelika Jensen untersucht die Sozialgeschichte der zionistischen
Jugendbewegung in Österreich mit Schwerpunkt Wien von den Anfängen
bis zur nationalsozialistischen Herrschaft.
Sie entschied sich für jene Bewegung, die, stark vom Ostjudentum
geprägt, ihre Ziele am konsequentesten verfolgte und auf einer fundierten
ideologischen Basis agierte. Die jüdische Bewegung »Haschomer
Hazair«, die sich unter dem Einfluß eines regen zionistischen Lebens in
den Kreisen der an den polnischen Schulen studierenden assimilierten
Schuljugend konstituierte, wurde durch eine große Zahl infolge der
Kriegsereignisse 1915 nach Wien geflüchteter Kinder und Jugendlicher in
die Haupt- und Residenzstadt Wien »importiert«. Die Aktivitäten
bestanden nicht nur in der ideologischen und praktischen Vorbereitung
ihrer Mitglieder auf die Einwanderung nach Palästina, sondern befaßten
sich auch mit den theoretischen Grundlagen.
Der reich bebilderte Band versucht, sowohl alle Entwicklungslinien von
nahezu vierzig Jahren nachzuzeichnen als auch dort, wo keine Quellen zum
äußeren Erscheinungsbild der Bewegung zu finden waren, mit Hilfe von
Interviews, Memoiren, Tagebüchern und Briefen in die Sphäre der
psychischen und sozialen Situation individueller Schicksale einzudringen.

*»Diese Studie leistet einen faktenreichen, gut dokumentierten Einblick in
die innere Vereinsgeschichte des ›Haschomer Hazair‹ ... Die darüber
hinaus gewonnene Farbigkeit des Buches gelang der Verfasserin, neben
einer umfangreichen Bilddokumentation, durch die vielen Interviews, die
sie mit ehemaligen Mitgliedern des ›Haschomer Hazair‹ führte.«*
Jugend Report

*272 Seiten, 73 Abbildungen, Leinen
ISBN 3-85452-272-X*

Picus Verlag Wien

Julius H. Schoeps

Teodor Herzl und
die Dreyfus-Affäre

Wiener Vorlesungen, Band 34

War der Fall Dreyfus, den Theodor Herzl in Paris als Korrespondent der
Wiener »Neuen Freien Presse« miterlebte, tatsächlich der Anlaß, daß aus
dem Wiener Kaffeehausliteraten der Begründer der zionistischen
Bewegung wurde?
Julius H. Schoeps, Direktor des Jüdischen Museums der Stadt Wien,
zeichnet in diesem Essay diese Entwicklung anhand einer systematischen
Durchsicht der Korrespondenten-Berichte sowie der
Tagebuchaufzeichnungen nach.
Herzl, der bereits vor der Dreyfus-Affäre mit dem Antisemitismus in
Frankreich konfrontiert worden war, beschäftigte sich seit dem Beginn
seiner Korrespondententätigkeit 1891 mit der sogenannten »Judenfrage«
und zog unterschiedliche Lösungsmodelle in Betracht, die sich nicht sehr
von jenen Vorschlägen unterschieden, die in jüdisch-intellektuellen
Kreisen jener Zeit erörtert wurden.
Ab wann hat Herzl Partei für Dreyfus ergriffen? Das war 1899 in einem
Artikel in der »North American Review« unter dem Titel »Zionismus«:
»Zum Zionisten«, schrieb er dort, »hat mich der Fall Dreyfus gemacht«.
Vor allem die antisemitischen Begleiterscheinungen des Prozesses, die
Pöbeleien der Masse, hätten ihn bestimmt, die Lösung der Judenfrage
nicht im Prozeß der Integration und Assimilation, sondern in der
Rückkehr zur eigenen Nation und in der Seßhaftmachung auf eigenem
Grund und Boden zu suchen.
Der vorliegende Band wird durch Originalberichte und -artikel von
Theodor Herzl aus der »Neuen Freien Presse« abgerundet.

78 Seiten, gebunden
ISBN 3-85452-333-5

Picus Verlag Wien

Jüdisches Museum der Stadt Wien (Hg.)

Die Macht der Bilder

Antisemitische Vorurteile und Mythen

In diesem umfassenden Band, der auch als Katalog zur großen Wiener
Ausstellung im Sommer 1995 diente, werden in über 40 Beiträgen die
wesentlichen historischen Aspekte, die zur Entstehung und Tradierung
antisemitischer Stereotype und Vorurteile führten, behandelt.
Intention ist es, das Zusammenspiel jener religiösen, politisch-
ideologischen und sozioökonomischen Entwicklungen aufzuzeigen, die
die bis heute wirksamen judenfeindlichen Zerrbilder hervorbrachten.
Antisemitismus ist kein »naturgegebenes« Phänomen, sondern er wurde
in der Geschichte immer – unter Ausnutzung ökonomisch und
xenophobisch motivierter Ängste – politisch instrumentalisiert.
Im Laufe der Jahrhunderte verfestigten sich judenfeindliche Stereotype in
den Köpfen der Menschen, sodaß sie auch ohne die Existenz realer Juden
wirksam wurden (»Antisemitismus ohne Juden«).
Der Band bietet Denkanstöße zu Diskussionen, ruft die jahrzehntelange
Tabuisierung und Verdrängung des Phänomens Antisemitismus ins
Bewußtsein der Öffentlichkeit und soll zur Sensibilisierung gegenüber
jeder Art von Vorurteilen beitragen.
Die Mitwirkung international renommierter Antisemitismusforscher wie
Raul Hilberg, Wolfgang Benz, Robert Wistrich, Léon Poliakov und
Jehuda Bauer macht diese umfangreiche Publikation zu einem
Standardwerk.

*

»Ein hervorragender Katalog …«
Die Zeit

*»…diese Lektüre sei allen ans Herz gelegt, die die Macht der Bilder nicht
nur auf sich wirken lassen möchten, sondern diese analytisch zu
durchdringen versuchen.«*
Falter

*444 Seiten, 130 Abbildungen, Leinen
ISBN 3-85452-275-4*

Picus Verlag Wien